DER
KUNST
BROCK
HAUS
Band 3

DER KUNST-BROCKHAUS

Aktualisierte Taschenbuchausgabe
in zehn Bänden

Band 3
Dev–Gil

B.I.-Taschenbuchverlag
Mannheim/Leipzig/Wien/Zürich

Redaktion der Taschenbuchausgabe:
Eberhard Anger M. A.

Layout: Gerd Schäfer

CIP-Kurztitelaufnahme der Deutschen Bibliothek
Der Kunst-Brockhaus: Aktualisierte Taschenbuchausg. in 10 Bd. - Mannheim; Wien, Zürich: BI-Taschenbuchverlag
ISBN 3-411-02930-7
Bd. 3. Dev–Gil. - 1987
ISBN 3-411-02933-1

Lizenzausgabe mit Genehmigung des
Verlages F. A. Brockhaus GmbH, Mannheim

Druck: Druckhaus Kaufmann, Lahr
Einband: Augsburger Industriebuchbinderei GmbH
Printed in Germany
Gesamtwerk: ISBN 3-411-02930-7
Band 3: ISBN 3-411-02933-1

Dev

Devni Mori, Grabungsstätte in N-Gujarat, Indien, mit Resten von buddhist. Klosterbauten aus Ziegeln und eines Stupas der Westl. Kshatrapa-Dynastie (4. Jh.). In Wandnischen rund um die Stupa-Terrasse fanden sich sitzende Buddha-Figuren aus Terrakotta, die Einflüsse der Gandhara-Kunst erkennen lassen. Im massiven Stupa waren eine Reliquiendose (375 n. Chr.) und ein Buddha aus Terrakotta eingelassen.

Dexel, Walter, Maler, Werbegestalter, *München 7. 2. 1890, †Braunschweig 8. 6. 1973, malte konstruktivist. Bilder, stand in Verbindung mit dem →Bauhaus.

Hommage à D., hg. v. W. Vitt (1980).

Dextrin, Maltechnik: wasserlösl. Stärke, wird als Bindemittel für Aquarell- und Gummitemperafarben und zur Papierleimung verwendet.

Dhammayangyi-Tempel, →Pagan.

Dhammayazika-Pagode, →Pagan.

Dharmachakra [Skt. ›Rad der Lehre‹], Speichenrad als Symbol für die Ausbreitung der buddhist. Lehre. Auf frühbuddhist. Reliefs der ind. Kunst wie in Bharhut und Sanchi symbolisieren D. die erste Predigt des Buddha in Sarnath.

Dharmachakra

Dharmachakramudra, die Meditationsgeste der sitzenden Buddhafigur; sie löste seit der Gandhara-Kunst das Radsymbol ab. (Bild Mudra)

Dhauli, Dorf nahe Bhubanesvar, Orissa, Indien, in dessen Nähe ein Felsen eine Inschrift des Kaisers Ashoka (3. Jh. v. Chr.) trägt. Oberhalb dieser ist ein Elefant (zeitgleich?) zur Hälfte freiplastisch aus dem Gestein gemeißelt.

Dhaun, Teil der Gem. Hochstetten-D. im Kr. Bad Kreuznach, Rheinl.-Pf., mit weitläufiger Schloßanlage (13./18. Jh.). In **St. Johannisberg** ehem. Stiftskirche (Grablege der Wild- und Rheingrafen) mit hervorragenden Grabdenkmälern (14.–18. Jh.).

Dhvaja [Skt.], ind. Kultstandarte oder Säule mit aufgesetzten Göttersymbolen (Garuda, Makara u. a.).

Dhyanamudra [Skt.], ind. Meditationsgeste (→Mudra) des Buddha, des Amitabha und der jinist. Tirthankaras.

Dhyanibuddha [Pseudo-Skt. ›Meditationsbuddha‹], verbreitete Bez. für →Tathagata.

Diadumenos [grch. ›einer, der sich die Binde anlegt‹], Bronzestandbild des Polyklet (Bild): Darstellung eines Jünglings mit Siegerbinde (um 430 v. Chr.).

Diaguita [diag'ita], Kultur der späten vorspan. Zeit im südl. Andengebiet (NW-Argentinien und N-Chile). Charakteristisch sind bronzene Schmuckplatten, Pektorale, die eine Mittelfigur mit 2 Nebenfiguren zeigen, sowie am Unterrand verzierte Glocken aus Bronzeguß und zepterartige Bronzebeile. Aus Keramik gibt es eigentümlich geformte Urnen für die Kinderbestattung, die mehrfarbig und mit dekorativ stilisierten Figuren und geometr. Mustern bemalt sind.

Diakon [grch. ›Diener‹], figürl. Lesepult des MA., →Atzmann.

Diakonikon [grch.] *das,* der Sakristeiraum in orthodoxen Kirchen, →Pastophorien.

Diamant [von grch. adamas ›Stahl‹, eigtl. ›unbrechbares Eisen‹] *der,* kubisch kristallisierter reiner Kohlenstoff. Als das härteste Mineral eignet sich D. hervorragend zum Glasschneiden und Gravieren (→Diamantriß). D. kommt in Indien, Brasilien, Südafrika und der UdSSR vor. Er ist durchsichtig bis undurchsichtig, meist kaum wahrnehmbar gefärbt, selten kräftigere Färbung. Durch starke Lichtbrechung entsteht das charakterist. Farbenspiel. Die zunächst nur polierten Kristalle wurden seit dem 15. Jh. auch geschliffen und für Kunst- und Schmuckzwecke verwendet.

Diamantquader, feinste Form des →Bossenwerks, bei dem die Ansichtsfläche in der Art eines geschliffenen Edelsteins bearbeitet ist. Der Palazzo dei Diamanti in Ferrara (1493) ist ganz mit D. überzogen. Der D. war als Erfindung der ital. Renaissance nördlich der Alpen, bes. in aufgemalter Form und als Sgraffito, beliebt.

Diamantriß, Diamantgravur, Verfahren der Glasverzierung, bei der mit einem Diamanten ein Dekor auf die Glasoberfläche geritzt wird. Ausgehend von Venedig kam diese Technik im 16. Jh. über Böhmen, Schlesien und Brandenburg nach Holland, wo sie einen künstler. Höhepunkt erreichte.

Diamant|stippen, v. a. im 17./18. Jh. angewendete Diamantriß-Technik der Glasverzierung, bei der das Bild aus Punkten (›Stippen‹) zusammengesetzt wurde.

Diana, altitalische Göttin der Wälder, Beschützerin des Frauenlebens, Mondgöttin, früh der grch. →Artemis gleichgesetzt.

Diaphanbild [grch. diaphanes ›durchsichtig‹], durchscheinendes Bild, entweder direkt auf Glas gemalt oder eine Lithographie auf durchsichtigem Papier auf oder zw. Glas.

diaphane Struktur [grch. diaphanes ›durchsichtig‹], von dem Kunsthistoriker H. JANTZEN erstmals verwendeter Begriff, der die Auflösung der Wand in Glasfenster oder filigrane Wandschichten als Stilprinzip der Kathedralgotik begreift.

H. JANTZEN: Kunst der Gotik (1957).

Diaphanradierung [grch. diaphanes ›durchsichtig‹], weniger gebräuchliche Bez. für →Glasklischee.

Diatreta [grch.-lat. diatretus ›durchbrochen‹], seltene Prunkgläser der spätröm. Kaiserzeit (wohl im Rheinland entstanden), die mit einem kunstvollen Glasgitter überzogen sind; diese Verzierung wurde aufgeschmolzen, teilweise aber auch durch Ausschleifen aufgeschmolzener Schichten erzeugt. (BILD Glas)

Diaz de la Peña [dj'az də la penj'a], Narcisse, frz. Maler, Lithograph, *Bordeaux 20. 8. 1807 oder 1808, †Menton 18. 11. 1876, gehört zu den Malern der Schule von Barbizon, malte stimmungserfüllte Naturausschnitte, die er mit liebenswürdig bewegten Frauengruppen belebte, Landschaften aus dem Wald von Fontainebleau (HW im Louvre).

Dibbets, Gerardus Johannes Maria, gen. **Jan,** niederländ. Künstler, *Weert 9. 5. 1941, behandelt Photographie, Film und Video als Ausdrucksform der bildenden Kunst unter bes. Berücksichtigung von Perspektive, Licht- und Schattenwirkung und übersetzt so die alten Probleme der holländ. Malerei in die neuen Medien.

Diday [did'ɛ], François, schweizer. Landschaftsmaler, *Genf 12. 2. 1802, †ebd. 28. 11. 1877, bildete sich in Paris und Rom, schuf mit romant. Pathos dekorative Hochgebirgsszenerien.

Didyma, antikes Heiligtum in Kleinasien, südlich von Milet, mit der von den Branchiden (Nachkommen des Sehers Branchos) verwalteten Orakelstätte des Apollon Philesios, dem **Didymaion.** Bereits um 700 v. Chr. bestand eine Kultanlage als einfaches Hofheiligtum mit den Kultmalen Lorbeer und Quelle und dem Schrein für das Kultbild (Naiskos). Im 6. Jh. wurde ein neuer Tempel gebaut, der neben dem Heraion von Samos und dem Artemision von Ephesos als 3. Kolossaltempel Ioniens geplant war; noch unvollendet, wurde er 494 von den Persern zerstört. Ein noch gewaltigerer Bau wurde vor 300 begonnen (Architekten: DAPHNIS VON MILET und PAIONIOS VON EPHESOS), aber nie voll. Der Tempel, ein Dipteros, steht auf einem siebenstufigen Podium; durch eine Vorhalle gelangte man in den tiefer liegenden offenen Hof, das Adyton, mit dem Naiskos. D. war mit Milet durch eine hl. Straße verbunden, die mit Statuen der Branchiden und Gräbern gesäumt war.

Führer durch die Ruinen von Milet-D.-Priene, hg. v. J. KLEIN (1980).

Die [di], Stadt in SO-Frankreich, an der Drôme, 4200 Ew., mit Resten röm. Bauten (u. a. Porte St. Marcel) und der ma. Stadtbefestigung; nach Zerstörungen im 16. Jh. mehrfach veränderte Kathedrale (urspr. 11. Jh.) mit roman. Portal; Mosaik des 12. Jh. in der ehem. Kapelle des Bischofspalastes (heute Teil des Rathauses); Mus. Municipal (Altertumskunde, Skulpturen).

Diebenkorn, Richard, amerikan. Maler, *Portland (Oregon) 22. 4. 1922, stand zunächst unter dem Einfluß von M. ROTHKO und C. STILL dem Abstrakten Expressionismus nahe und gilt heute als Hauptvertreter einer typisch kaliforn. Malerei, u. a. mit subtil stilisierten Landschaften, in denen sich melancholisch isolierte Figuren verlieren.

Diekirch, Stadt in Luxemburg, 5600 Ew. Die frühromanisch-got. Pfarrkirche (9./10. und 15. Jh.) ist auf röm. Fundamenten gebaut. Mosaiken des 3. Jh. (Fußboden einer Villa) und andere röm. Funde im Städt. Mus.

Diele, auch nd. **Deele,** ältere Bez. für einen Teil des norddt. Hauses. Im niedersächs. Bauernhaus war die D. Dreschtenne und zugleich Stallgasse; sie schloß sich an die Giebelseite mit der Toreinfahrt an. Im norddt. Bürgerhaus war sie urspr. zentraler Einraum und diente als Wohnung, Küche und Werkstatt, sie wurde aber allmählich durch Einbauten und Hängeböden mit Treppen und Galerien verkleinert. In Danzig, Lübeck und anderen Orten blieb die D. Repräsentationsraum.

Dielmann, Jakob Fürchtegott, Genre- und Landschaftsmaler, *Sachsenhausen (heute Frankfurt a. M.) 9. 9. 1809, †Frankfurt a. M. 30. 5. 1885, Schüler von J. W. SCHIRMER, Mitbegründer der →Kronberger Malerkolonie.

Dienerfiguren, Holz- oder Kalksteinstatuetten von Dienern (Handwerker, Gabenbringer, Bierbrauer, kornmahlende Frauen, auch Soldaten), ein Teil der ägypt. Grabausstattung; die D. sollten die Versorgung der Toten im Jenseits sichern. Im Alten Reich wurden den Verstorbenen einzelne D., später auch ganze Gruppen und Modelle von Wirtschaftsbetrieben (Metzgereien, Küchen, Brauereien, Spinnereien, usw.) mitgegeben; sie geben ein gutes Bild vom tägl. Leben in Ägypten. Die Bedeutung der D. für Kunst- und Kulturgeschichte liegt in der Umsetzung bekannter Motive aus Malerei und Relief in vollplast. Darstellungen; im Mittleren Reich wurden sie durch die →Uschebti abgelöst.

Dieng-Plateau [dieŋ-], Hochplateau in Zentral-Java südwestlich von Semarang (KARTE indonesische Kunst). Das D.-P. ist umgeben von Schwefelquellen, Vulkanen und Seen und war schon in vorgeschichtl. Zeit heilige Stätte. Z. Z. der indischen Kolonialzeit entstanden hier im 8. Jh. die ältesten Tempel (Candi) Javas (als Pilgerstätten?). Von den 18 bekannten Candis sind 8 erhalten (→Arjuna, →Bima). Sie sind aus Andesitquadern ohne Mörtel errichtet und ähneln der südind. Architektur der Pallava-Zeit (Rathas in Mahabalipuram). Ausgrabungsfunde im Mus. von Jakarta.

Dienst *der,* in der ma. Baukunst ein Bauglied, das den inneren Wänden oder Pfeilern eingebunden oder vorgelegt war. Es diente zunächst zur Wandgliederung, um einen aufstrebenden Raumeindruck zu fördern. Später, nach Einführung der Gewölbe, trug es diese für den opt. Eindruck (statisch oft belanglos). In roman. Zeit hatten die D. meist die Form einer Halbsäule; in got. Zeit waren es mehrere Säulchen von stärkerem **(alte D.)** oder schwächerem **(junge D.)** Durchmesser, entsprechend den von ihnen getragenen mehr oder minder kräftigen Gewölbebogen (Gurt-, Schildbogen, Rippen), zunächst mit Basis und Kapitell, in der Spätgotik vielfach ohne Kapitell und untereinander nur durch Hohlkehlen getrennt (→Bündelpfeiler).

Dientzenhofer, Baumeisterfamilie aus der Umgebung von Aibling (Oberbayern), tätig in Böhmen und Franken.

H. ZIMMER: Die D. (1976).

1) Christoph, Vater von 5), Bruder von 2), 3) und 4), *St. Margarethen bei Flintsbach 7. 7. 1655, †Prag 20. 6. 1722, verband G. GUARINIS Gewölbedurchschneidungen mit dem Wandpfeiler-System und gehört damit zu den Begründern des dt. Spät-Barock.

HW: Langhaus und Fassade von St. Niklas auf der Kleinseite in

Johann Dientzenhofer: Dom zu Fulda; 1704–1712

Prag (1703–11); Klosterkirche in Obořiště (1702–11) und Břevnov bei Prag (1709–21).

2) Georg, Bruder von 1), 3) und 4), *Aibling 1643, †Waldsassen 2. 2. 1689, baute 1685–89 die Dreifaltigkeits-Wallfahrtskirche Kappel bei Waldsassen in Form eines Zentralbaus über (symbol.) Dreipaß-Grundriß mit 3 Türmen und Umgang, 1685–1704 die Kirche der Zisterzienser-Abtei in Waldsassen und begann 1686 in röm. Jesuitenstil St. Martin in Bamberg (bis 1693 von Johann D. voll.).

3) Johann, Bruder von 1), 2) und 4), *St. Margarethen bei Flintsbach 25. 5. 1665, †Bamberg 20. 7. 1726, folgte 4) aus Böhmen nach Franken, war 1699 wahrscheinlich in Rom, 1700–10 Stiftsbaumeister in Fulda, seit 1711 in Bamberg Hofarchitekt von LOTHAR FRANZ VON SCHÖNBORN, Bischof von Bamberg und Mainzer Kurfürst. 1704–12 baute D. in kraftvoller Umsetzung röm. Vorbilder (C. MADERNAS Langhaus von St. Peter, v.a. F. BORROMINIS Umgestaltung von S. Giovanni in Laterano) den Dom zu Fulda. In der ihm zugeschriebenen Klosterkirche Banz (1710–18, 1719 gew.) brachte er die von 1) eingeführten Gewölbeformen in rhythm. Verschiebung (sich überschneidende Ovale) zu mächtiger Raumwirkung. Maßgebend war D. 1711–21 am Bau von Schloß Weißenstein (Pommersfelden) beteiligt. Seine Tätigkeit im Sakral- und Profanbau Frankens leitet über zum Werk J. B. NEUMANNS.

4) Johann Leonhard, Bruder von 1), 2) und 3), *St. Margarethen bei Flintsbach 20. 2. 1660, †Bamberg 26. 11. 1707, seit 1687 ebd. tätig, baute in trockenen, kräftigen Formen ebd. die Neue Residenz (1695–1704) und Fassade und Konventsgebäude von St. Michael (1697 bis 1702). D. arbeitete auch in Ebrach (1687 ff.), Banz (1698 ff.), Schöntal (1700 ff.) und entwarf die Wallfahrtskirche Walldürn (1698).

5) Kilian Ignaz, Sohn und Schüler von 1), *Prag 1. 9. 1689, †ebd. 18. 12. 1751, weitergebildet in Wien (L. v.

HILDEBRANDT) und Paris (Einfluß der Bauten Val-de-Grâce und St-Louis des Invalides). Seine Kirchenbauten verbinden Lang- und Zentralbau und zeigen einen Reichtum an Form und Rhythmus; sie stehen optisch wirksam in der Landschaft oder im Stadtbild.

HW: St. Johann am Felsen, Prag (1730–39); St. Magdalena, Karlsbad (1731–36); St. Franz Xaver, Oparany (1732–35); St. Niklas auf der Kleinseite in Prag (vollendet 1737–51).

Diepenbeeck, Abraham van, niederländ. Maler, getauft Herzogenbusch 9. 5. 1596, †Antwerpen 1675; Nachahmer des späten P. P. RUBENS, Zeichner für Kupferstichwerke, auch als Glasmaler für Antwerpener Kirchen tätig.

Dieppe [djɛp], frz. Hafenstadt in der Normandie, am Ärmelkanal, 26000 Ew. Auf einer Felsenklippe steht das Schloß (15. Jh., mit mächtigem Rundturm), im Inneren Mus. (u. a. Elfenbeinsamml., Gemälde); Kirchen St. Jacques (12.–14. Jh.) mit Kapellen im Flamboyant- und Renaissance-Stil (15./16. Jh.) und St. Rémy (16./17. Jh.) mit Renaissance-Dekor.

Diesdorf, Gem. in der Altmark, Dt. Dem. Rep. Die Kirche des 1161 gegr. Augustinerchorfrauenstifts ist eine gut erh. spätroman. dreischiffige Backsteinbasilika (1. H. 13. Jh.) mit reichem Südportal und frühgot. Westbau; im Innern u. a. Triumphkreuzgruppe (Ende 15. Jh.), Grabstein des Grafen H. v. LÜCHOW (†1273).

Dießen am Ammersee, Markt in Oberbayern, 6100 Ew. Ehem. Augustinerchorherren-Stiftskirche (1732–39 von J. M. FISCHER mit erlesener Ausstattung von F. X. und J. M. FEUCHTMAYER, J. G. ÜBLHÖR, J. G. BERGMÜLLER, J. B. STRAUB, F. DE CUVILLIÉS D. Ä. Ehem. Pfarrkirche St. Georgen (15. Jh.) mit Rokoko-Dekoration bester einheim. Künstler.

Diest, Stadt in der belg. Prov. Brabant. Am Markt im Mittelpunkt der Altstadt erhebt sich die Kirche St. Sulpitius (1417–1534), eines der besten Beispiele der Brabanter Spätgotik, mit prächtigem geschnitztem Chorgestühl (Ende 15. Jh.), Sakramentshäuschen (17. Jh.), geschnitzter Kanzel und Orgel (17. Jh.). Um den Markt stehen das barocke Rathaus (1735, darin Städt. Mus.) und Patrizierhäuser (17./18. Jh.). Der im 13. Jh. gegr. Beginenhof hat eine got. Kirche (14. Jh.) mit Rokokoausstattung, Häuser des 16. Jh. und ein barockes Torhaus (1671).

Dietkirchen, Stadtteil von Limburg, Hessen. Über der Lahn steht auf steilem Felsen die ehem. Stiftskirche St. Lubentius (seit 841 bezeugt), eine dreischiffige Emporenbasilika (11.–13. Jh.) mit ma. Ausmalung und guter Ausstattung, u. a. wertvolles goldenes Kopfreliquiar (Kopf um 1270, Büste 1477).

Dietramszell, Gem. nördlich von Bad Tölz, Oberbayern, mit ehem. Augustinerchorherrenstift (1102 gegr.); Klosterkirche (1729–41) und Pfarrkirche (1722 im rechten Winkel zur Klosterkirchenfront angebaut) erhalten ihre künstler. Bedeutung durch J. B. ZIMMERMANNS Stuck- und Freskoausstattung.

Dietrich, **1)** Adolf, schweizer. Maler, *Berlingen

(Kt. Thurgau) 9. 11. 1877, †ebd. 4. 6. 1957, war Waldarbeiter und begann in seiner Freizeit zu malen. Er schuf naiv-sachliche Landschaften und Stilleben.

2) auch **Dietrici, Dietricy,** Christian Wilhelm, Maler, Radierer, Porzellanmaler, *Weimar 30. 10. 1712, †Dresden 23. 4. 1774, ahmte nach Ausbildung in Dresden und Italien in jeweils passender Manier bekannte Meister (v. a. REMBRANDT und die Niederländer) in kleinformatigen Bildern nach. 1741 wurde D. sächs. Hofmaler in Dresden, 1764 ebd. Prof. an der Akad. Handzeichnungen von ihm wurden 1810 von C. OTTO lithographiert.

3) Joachim, Ornamentschnitzer, Holzbildhauer, *Wernfels (Mittelfranken), †ebd. 4. 6. 1753, arbeitete in München (seit 1736 Hofbildhauer), schuf Altarbauten in der Schloßkirche Urfarn (Kr. Rosenheim, 1727) und in Dießen (Ammersee, um 1738). Die Entwürfe F. CUVILLIÉS D. Ä. für die Münchner Residenz, die Amalienburg im Nymphenburger Park und das Münchner Residenztheater führte D. in Holz aus.

Dietterlin, Wendel, eigtl. **Wendling Grapp,** Baumeister, Maler, *Pfullendorf (heute Kr. Sigmaringen) 1550/51, †Straßburg 1599, wirkte v. a. mit dem phantastisch-überquellenden Erfindungsreichtum seines Ornamentstichwerks (›Architectura von Ausstellung, Symmetrie und Proportion der Säulen‹, zuerst 1593/94 erschienen) auf den dt. Manierismus und Frühbarock. – Seine Straßburger Fassaden-Malereien (Frauenhaus, Hôtel de Commerce) und das Deckengemälde im Stuttgarter Lusthaus sind nicht erhalten, doch aus Stichen u. a. bekannt.

Ferdinand Dietz: Amerika, Skulptur im Schloßpark Veitshöchheim; 1763–68

Dietz, Tietz, Ferdinand, Bildhauer, getauft Holtschitz (Böhmen) 5. 7. 1708, †Memmelsdorf bei Bamberg 1777, Schüler von M. BRAUN in Prag, arbeitete im Dienst der Familie Schönborn in Würzburg und Bamberg, später in Brühl und Trier. Seine aus Sandstein gearbeiteten und ehemals bunt gefaßten Gartenskulpturen in den Schlössern Seehof (1747–49) und Veitshöchheim (1763–68) zeigen geistvolle Anmut und musikal. Bewegtheit. D. gehört zu den bed. Meistern der dt. Rokoko-Skulptur.

HILDEGARD UTZ: F. T. und seine Bildhauerschule (1976).

Dietzsch, Dietsch, Nürnberger Malerfamilie. Der Stammvater Johann Israel (*1681, †1754) wurde wie seine 7 Kinder durch die Darstellung von Vögeln, Insekten und Blumen nach der Natur bekannt.

Diez, Stadt an der unteren Lahn, Rheinl.-Pf., 10 100 Ew.; ehem. Residenz der Fürsten von Nassau-D. Ehem. Stiftskirche (1289 gegr.) mit Prunksarkophag der Fürstin AMALIE (†1726); über der Altstadt mit z. T. gut erh. Straßenbild das Schloß (11.–18. Jh., Mus.). Im N von D. **Schloß Oranienstein** (1671–1709, z. T. von D. MAROT in niederländ. Barockstil erbaut) mit reicher Innendekoration und Nassau-Mus.

Diez, 1) Julius, Maler, *Nürnberg 8. 9. 1870, †München 13. 3. 1957, Prof. an der Kunstgewerbeschule, dann an der Akad. in München, schuf Mosaike, Glasfenster und Fresken (u. a. im Kurhaus zu Wiesbaden, in der Univ. und im Dt. Mus. zu München).

2) Wilhelm von, Maler, *Bayreuth 17. 1. 1839, †München 25. 2. 1907, seit 1870 als Lehrer an der Akad. ebd. von großem Einfluß (Schüler: A. HÖLZEL, M. SLEVOGT, W. TRÜBNER); schuf in tonigem Kolorit mit breitem, temperamentvollem Pinselduktus farblich reizvolle Genre-, Tier- und Landschaftsbilder sowie Porträts und fand auch als Illustrator (›Fliegende Blätter‹ u. a.) Anerkennung.

Dig, befestigte Stadt in Rajasthan, Indien, mit ausgedehnten Palast- und Gartenanlagen, die im 18. Jh. v. a. unter der Regentschaft SURAJ MALS entstanden.

Digne [diɲ], Hauptort der frz. Südalpen (Dép. Alpes-de-Haute-Provence), an der Route Napoléon, Bischofssitz, 15 000 Ew., mit der hochgelegenen Kathedrale St. Jérôme (1490–1500, Umbau im 19. Jh.) und der Kirche Notre-Dame-du-Bourg (frühes 13. Jh., roman. Saalbau mit Tonnengewölbe; Wandmalereien des 13. und 15. Jh.); Mus. (u. a. Gemälde von Malern der Provence).

Dijala-Gebiet, die durch Bewässerung fruchtbar gemachte Senke des Dijala-Flusses östlich von Bagdad (KARTE Alter Orient), schon im 3. Jahrtsd. v. Chr. ein Subzentrum sumer. Kultur (Eschnunna, Chafadji, Tell Agrab, Nerebtum); auch in altbabylon. Zeit (Staat von Eschnunna) erlebte das D.-G. Blütezeiten. Durch stratigraphisch exakte Grabungen der Amerikaner in den 30er Jahren des 20. Jh. wurde diese Region v. a. für die Chronologie des Alten Orients archäologisch bedeutsam (Rollsiegelfunde; Architektur, u. a. Tempelterrassen; Beterstatuetten u. a.).

Dijon [diʒ'ɔ̃], Hauptstadt der frz. Region Burgund, am Ostfuß der Côte d' Or, Bischofssitz, 150 000 Ew. Im Mittelpunkt der Altstadt die halbkreisförmige, von Kolonnaden eingefaßte Place de la Libération mit dem herzogl. Palais (beide nach Plänen von J. HARDOUIN-MANSART, 1682). Das Palais (unter Beibehaltung ma. Teile ausgebaut) mit großem Ehrenhof (Cour de Bar, mit Turm, 14. Jh.; Bellegarde-Treppe, 17. Jh., mit Standbild von C. SLUTER) beherbergt das Rathaus (Hôtel de Ville) und eines der reichsten Museen Frankreichs (Mus. des Beaux-Arts; u. a. bed. niederländ. und ital. Gemälde, in der ›Salle des Gardes‹ das Grabmal Herzog Philipps des Kühnen von Sluter und seinem Neffen C. DE WERWE, 1411 voll.). Unter den zahlreichen Kirchen sind bes. zu nennen: Notre-Dame (13. Jh.) mit reich gegliederter Fassade, ein HW der burgund. Frühgotik; Kathedrale St. Bénigne (13. Jh., Krypta 11. Jh.); St. Michel (16. Jh., Fassade im Flamboyant-Stil). Viele Adels- und Bürgerhäuser (v. a. in der Rue des Forges Häuser des 14./15. Jh.); Palais de Justice (16.–18. Jh.; prächtige Innenausstattung). Archäolog. Mus. (u. a. burgund. Skulpturen des MA. und der Renaissance), Mus. Magnin (Gemälde) u. a. – Im W der Stadt die **Chartreuse de Champmol** (1383 gegr., Grabstätte der Herzöge aus dem Haus Valois), an deren Ausstattung bed. niederländ. Künstler mitwirkten: H. BELLECHOSE, M. BROEDERLAM und v. a. Sluter (Portalplastiken, Mosesbrunnen).

Dikpala [Skt. ›Welthüter‹], **Lokapala,** hinduist. Schutzgottheit einer Himmelsrichtung, als Gruppe von 8 D. seit dem 6. Jh. meist an den Außenwänden der Tempel als Relief dargestellt: O = Indra, SO = Agni, S = Yama oder Surya, SW = Nirrti, W = Varuna, NW = Vayu, N = Kubera oder Soma, NO = Ishana.

Diksmuide [-m'œjdə], Städtchen in der belg. Prov. Westflandern, in beiden Weltkriegen zerstört. Die St. Niklaaskerk ist eine Rekonstruktion der Kirche des 13. Jh.; Reste des reich skulptierten Lettners (1536 bis 1543) im Mus. Ebenfalls rekonstruiert wurde der Beginenhof aus dem 14. Jh.

Dilich, Wilhelm, eigtl. **Schäffer,** Chronist, Baumeister, Karthograph, Kupferstecher, *Wabern (heute: Schwalm-Eder-Kr.) 1571 oder 1572, †Dresden April 1650, veröffentlichte eine reich illustrierte ›Hessische Chronica‹ (1605) und Werke über Kriegs- und Festungsbaukunst. Von großem orts- und baugeschichtl. Wert sind seine reizvollen, von M. MERIAN verwendeten Vedutenaufnahmen dt. Städte und Burgen. Seine Dekoration des Riesensaales im Dresdener Schloß wurde 1701 durch Feuer zerstört; seine Festungsbauten im Stil der zu seiner Zeit aufkommenden niederländ. Bauweise sind zum großen Teil geschleift.

Dill, Ludwig, Maler, *Gernsbach (Kr. Rastatt) 2. 2. 1848, †Karlsruhe 31. 3. 1940, Mitbegründer der Münchner →Sezession und der Gruppe →Neu-Dachau seit 1899 Prof. der Akad. in Karlsruhe. D. malte, von A. LIER und der Schule von Barbizon ausgehend, tonige Seelandschaften und Ansichten von Venedig, später v.a. auch (farblich nuancenreiche) Bilder aus dem Dachauer Moos in ausdrucksvoll vereinfachtem, ornamentalem Stil.

Dillenburg, Stadt im Westerwald, Hessen, 24000 Ew.; seit 1290 nassauische Residenz, seit 1742 Sitz der nassau-oran. Landesregierung. Vom Stammschloß (erste Burg um 1200, mehrere Bauperioden 14.–16. Jh.) sind nur die zu den größten Verteidigungsanlagen Westeuropas zählenden Kasematten erh., darüber der Wilhelmsturm (1872–75, Mus.). Stadtkirche (1490 bis 1501) mit Fürstengräbern; zahlreiche Barockgebäude.

Dillens, Julien, belg. Bildhauer, *Antwerpen 8. 6. 1849, † St. Gilles bei Brüssel 24. 12. 1904, schuf bes. Bildwerke für belg. Monumentalbauten (z. B. für den Justizpalast in Brüssel).

Dillingen a. d. Donau, Stadt im bayer. Schwaben, 11500 Ew.; seit 1257 zum Hochstift Augsburg gehörig, 1549–1804 Universitätsstadt. Das spätma. Schloß war im 15.–18. Jh. Residenz der Augsburger Bischöfe. Bedeutendste Gebäudegruppe ist die ehem. Jesuiten-Univ. (17./18. Jh., der ›Goldene Saal‹ in Rokokoformen) mit der anschließenden Studienkirche (1617 gew., Ausstattung 1750–65).

Dillis, Maximilian Johann Georg von (seit 1808), Maler, Zeichner, Radierer, *Grüngiebing (heute Teil von Oberornau, Kr. Wasserburg am Inn) 26. 12. 1759, †München 28. 9. 1841, unternahm (z. T. mit dem späteren König LUDWIG I.) mehrere Italienreisen und wurde 1822 Centralgaleriedirektor in München. Für die Entwicklung der Münchner Kunstsammlungen war sein Wirken entscheidend (Eröffnung der Alten Pinakothek u. a.). – D. malte frisch empfundene, realist. Landschaften; ein Vorläufer der Münchner Stimmungslandschaft.

Dilwara, Ort in Rajasthan, Indien; in der Nähe die Tempelgruppe des Mount →Abu.

Dinan [din'ã], frz. Stadt in der Bretagne, an der Rance, 16400 Ew.; die Altstadt mit got. Kirche St. Sauveur (12.–16. Jh.) ist von ma. Mauern mit Türmen und einer Festung (14. Jh.; Mus.) umgeben.

Dinanderi|en, urspr. Name für Messingarbeiten, die in und um Dinant im Maastal hergestellt wurden, später auch Arbeiten aus anderen Gegenden. Aus dem MA. sind neben Gebrauchsgegenständen des tägl. Lebens auch größere Werke wie das Taufbecken des REINER VON HUY (1118; Lüttich, St. Barthélemy), der Trivulzio-Leuchter (um 1200; Mailand, Dom) und Messinggrabplatten in Treib- und Gußtechnik bekannt.

Dinant [din'ã], Stadt in der belg. Prov. Namur, 9800 Ew., im MA. ein Zentrum der Metallverarbeitung (→Dinanderien). Die frühgot. Stiftskirche (1240 gew.) wurde an der Stelle einer durch Felssturz 1227 zerstörten roman. Kirche errichtet; W-Fassade mit 2 unvoll. Türmen und Hauptportal (14. Jh.), Mittelturm und Zwiebelhelm (1566); im Innern wertvolle Dinanderien (Lesepulte, Kronleuchter). Die Zitadelle über der Stadt reicht bis ins 11. Jh. zurück.

Dine [daɪn], Jim, amerikan. Maler, Graphiker, *Cincinnati (Ohio) 16. 6. 1935, nahm seit 1959 an den ersten Happenings in New York teil, beeinflußte in London die engl. →Pop Art. Seine Bilder und Zeichnungen sind

Jim Dine: Pleasure Palette; 1969 (Köln, Museum Ludwig)

z. T. mit Schrift, Photographien und realen Gegenständen (Malutensilien, Werkzeug) kombiniert.

J. D., Gemälde, Aquarelle, Objekte, Ausst.-Kat., Berlin (1971).

Dingelstedt, Gem. nördlich von Halberstadt, Dt. Dem. Rep.; nahe D. ehem. Benediktinerkloster **Huysburg** (gegr. 1084), die Kirche (1121 gew.) ist eine dreischiffige Basilika an der Grenze zw. Früh- und Hochromanik; von den Klostergebäuden nur Reste erh.

Dinglinger, Johann Melchior, Goldschmied, Emailleur, *Biberach (Württ.) 26. 12. 1664, †Dresden 6. 3. 1731, war seit 1698 Hofgoldschmied des sächs. Fürsten AUGUST DES STARKEN. In seiner Werkstatt entstanden zahlreiche barocke Prunkstücke, Tafelaufsätze und Kleinplastiken von hervorragender Qualität. Sie befinden sich im Grünen Gewölbe in Dresden.

Dingolfing, Kreisstadt an der Isar (Niederbayern), 10700 Ew., mit bedeutender, 1467 beg. spätgot. Backsteinhallenkirche. Aus der 2. H. 15. Jh. das Schloß (›Herzogsburg‹) mit spätgot. Stufengiebel. Mus. (v. a. relig. Volkskunde).

Dinkelsbühl, ehem. Reichsstadt in Mittelfranken, 10000 Ew.; staufische Gründung um 1180. Das spätma. Stadtbild ist bes. gut erh. (Weinmarkt, Altrathausplatz, Segringer Straße); Befestigung mit 4 Stadttoren (14./15. Jh.). Die Georgskirche (1448–99) ist eine der großartigsten Hallenkirchen in Dtl. (BILD Gotik); Histor. Mus. im Hl.-Geist-Spital; ehem. Kapuzinerkloster (1628 voll.), ehem. Karmeliterkloster (1700–12); Deutschordenshaus (1760–64).

Dinokrates, grch. Architekt, →Deinokrates.

Diokletians|palast, →Split.

Diomande, Volksstamm in Westafrika, →Dan.

Diomedes, grch. Mythos: **1)** König in Thrakien, Sohn des Ares und der Kyrene. Herakles bezwang dessen menschenfressenden Rosse. D. wurde meist mit Herakles dargestellt (Metopen am Zeustempel in Olympia, 5. Jh. v. Chr.). **2)** König von Argos, Sohn des Tydeus und der Deipyle, ein Held vor Troja, dessen Taten schon 600 v. Chr. auf grch. Vasen und Reliefs, in Rom v. a. auf Wandbildern und Sarkophagen, selten in der Neuzeit dargestellt wurden.

Dionissij, russ. Maler, *um 1440, †vor 1508. Von seinen Wandmalereien und Fresken in und um Moskau (erwähnt seit 1467) sind nur die Fresken im Therapontos-Kloster (bei Wologda, 1500–02) erh. D. stand in der Nachfolge von A. RUBLJOW und hat mit seiner Werkstatt und seinen Söhnen, bes. FEODOSSIJ und WLADIMIR, den feierlich-hymnischen, etwas uniformen Stil der Moskauer Malerei um 1500 mit schlanken Gestalten und festlich-lichten Farben geprägt.

IRINA J. DANILOWA: D. (a. d. Russ., Dresden 1970).

Dionysos, auch **Bakchos** [grch.], lat. **Bacchus,** grch. Gott der Fruchtbarkeit, der Ekstase und des Weines. Seine Eigenart gewann er aus der Verschmelzung vor- und außergrch. mediterraner, aber auch indogerman. Gottheiten. Die Ambivalenz seines abgründigen

Wesens mit rauschhaft-femininen und männlich-überwältigenden Zügen, den Griechen urspr. fremd, bändigten sie zu einer Gottheit, die Ekstase, enthemmten Genuß und quellenden Überfluß im Rahmen der Kultur legitimierte und schöpfer. Kräfte des Menschen entband. Der Hellenismus überhöhte das Triumphale seines bis nach Indien vordringenden Kults zur welterlösenden Macht. Im Mythos war er Sohn des Zeus und der Semele, als Kind von Amme und Nymphen umgeben, dann umherschweifend, auch in Tiergestalt, mit seinem trunkenen und tanzenden Gefolge von Satyrn, Nymphen und Mänaden. Die ihm Dienenden, v.a. Frauen, beglückte er, die sich ihm Entziehenden vernichtete er. Kultisch wurde er zuerst auf dem Lande mit phallischen Umzügen, dann auch in den Städten, zunehmend im Zusammenhang mit dramat. Aufführungen, gefeiert. In röm. Zeit entstanden daraus myst. →Bacchanalien. Seine Attribute sind u.a. der Thyrsos, Efeu, Weinranke und Panther.

Grch. Darstellungen des D., meist mit Gefolge, auch zus. mit Ariadne, sind plastisch und auf Vasen in vielen bed. Werken erhalten: im 6. Jh. v. Chr. die Françoisvase mit der Rückführung des Hephaistos in den Olymp, die Schale des EXEKIAS mit der Meerfahrt (München, Staatl. Antikensamml.), Vasenbilder des LYDOS, des AMASIS- und KLEOPHRADESMALERS, im 5. Jh. v. Chr. des KLEOPHONMALERS, im 4. Jh. v. Chr. thematisch erweitert durch Bilder des D. als Herr des Theaters. In Rom erscheint D. häufig auf Wandbildern und Sarkophagen. Erst die Neuzeit liebte wieder den dionys. Themenkreis, v.a. die Bacchanalien. (BILD Baia)

Dionysius von Paris, Märtyrer, der nach seiner Enthauptung, den Kopf in der Hand, bis zu dem nach ihm benannten St. Denis gewandert sein soll; dargestellt als Relief-Figur am Portal von St. Emmeram in Regensburg (um 1052), in einer Miniatur des Evangeliars Kaiser HEINRICHS IV. (2. H. 11. Jh.), als Statue im Georgen-Chor des Bamberger Domes (2. H. 13. Jh.) sowie v.a. um die Wende 15./16. Jh.

Diorit [von grch. diorizein ›unterscheiden‹] *der,* harter, meist schwarzer Stein vulkan. Ursprungs; im Alten Orient und in Ägypten wurden bereits im 3. Jahrtsd. v. Chr. Statuen aus D. hergestellt (Gudea, Chephren). Heute wird D. als Bildhauerstein und in der Baukunst als Fassadenverkleidung verwendet.

Dioskuren [›Söhne des Zeus‹], grch. Mythos: das göttl. Zwillingspaar Kastor und Polydeukes (lat. Pollux), urspr. vielleicht aus einem indogerman. Zwillingstypus oder aus Hausgeistern hervorgegangen, Söhne des Zeus oder des Spartanerkönigs Tyndareos und der Leda. Sie wurden als Götter der Freundschaft, Beschützer der Jünglinge, der Ritterschaft und der Kampfspiele (Kastor als Rossebändiger, Polydeukes als Faustkämpfer) und auch als Sterne (›Zwillinge‹), Schlachthelfer und Retter in Seenot verehrt.

Die D. wurden als Jünglinge meist mit ihren Rossen seit dem 7. Jh. v. Chr. auf grch. Vasen und Reliefs dargestellt (Amphora des EXEKIAS, um 530 v. Chr., Vatikan; Metopenreliefs des Sikyonier-Schatzhauses in Delphi, um 570 v.Chr.). Als Skulpturen und auf zahlreichen Weih- und Sarkophagreliefs sind sie in der röm. Kunst nachweisbar, so die Gruppen vom Monte Cavallo und am Kapitol in Rom. Die Neuzeit gestaltete sie nur selten (P. P. RUBENS).

Dioskurides, 1) ein Gemmenschneider der augusteischen Zeit, dessen Signatur an 9 Gemmen und Kameen überliefert ist (außerdem viele gefälschte Signaturen). D. arbeitete klassizist. Kopien nach grch. Statuen und Porträts.

2) D. von Samos, Mosaizist, wohl des 1.Jh. v.Chr. 2 Mosaike mit Szenen aus der Neuen Komödie in der ›Villa des Cicero‹ in Pompeji tragen seine Signatur (BILD Mosaik).

Dioskurides-Handschrift, auf Pergament geschriebenes Pflanzenbuch des 6.Jh., das neben anderen Autoren die Schrift des grch. Arztes DIOSKURIDES (1.Jh. n.Chr.) ›De materia medica‹ enthält und nahezu vollständig erhalten ist (Wien, Nat.-Bibl.). – Die D.-H. wurde um 512 in Konstantinopel in Auftrag gegeben und der byzantin. Prinzessin JULIANA ANICIA gewidmet. Sie ist mit naturwissenschaftl. Illustrationen, v.a. aber am Anfang der Hs. mit reich gerahmten Porträts geschmückt (Autoren-Porträts mit Personifikationen, Widmungsbild der thronenden Juliana Anicia mit den Allegorien Großmut und Weisheit).

Dippoldiswalde, Stadt im östl. Erzgebirge, bei Dresden, Dt. Dem. Rep., 5700 Ew.; die spätgot. Stadtkirche St. Marien und Laurentius (2. H. 15.Jh.) hat einen Chor mit bemalter Holzkassettendecke (1642); in der Nikolaikirche (Mitte 13.Jh.) mit Schnitzfigur des Hl. Nikolaus (2. H. 14.Jh.) und spätgot. Kreuzigungsgruppe (15.Jh.) ist die alte Ausmalung z.T. erh.; das Schloß, ein Renaissancebau (um 1530–50), wurde nach Brand in der 2. H. 17.Jh. umgebaut.

Dipteros [grch. ›doppelflügelig‹] *der,* grch. Tempel mit doppeltem Säulenumgang.

Diptychon [grch. ›doppelt gefaltet‹] *das,* 2 durch Scharniere zusammengehaltene rechteckige Schreibtäfelchen aus reliefgeschmücktem Elfenbein oder aus verziertem Holz oder Edelmetall. Die mit Wachs überzogenen Innenseiten dienten als Schreibfläche. D. wurden gebraucht als kaiserl. Ernennungsdekrete **(Codicillar-D.),** als kostbare Geschenke beim Konsulatsantritt der röm. Konsuln **(Konsular-D.)** oder bei der Übernahme von Ämtern; auch bei privaten Anlässen (Hochzeit) fanden sie Verwendung. In der frühchristl. Kirche dienten D. zur Namensaufzeichnung von Lebenden und Toten, derer man in der Liturgie gedenken wollte **(Diptycha ecclesiastica);** in sekundärer Verwendung sind sie als Buchdeckel erh. D. sind wichtige Zeugnisse der spätantiken und frühchristl. sowie der karoling. und otton. Kleinkunst. Später wurde die Bez. auf einen zweiteiligen Altar oder ein zweiflügeliges Bild übertragen.

W. F. VOLBACH: Elfenbeinarbeiten der Spätantike und des frühen MA. ([3]1976).

Dipylon [grch. ›Doppeltor‹] *das,* Tor im NW des antiken Athen (KARTE Athen), das den äußeren vom inneren →Kerameikos (›Töpferplatz‹) trennte. In der Umgebung des D. lag seit dem Ende der myken. Zeit ein Begräbnisplatz (Ausgrabungen des Dt. Archäolog. Instituts seit 1907). Zu den Funden gehören bes. die **Dipylonvasen,** bis zu 2 m hohe Prachtgefäße des geometr. Stils, die als Monumente auf den Gräbern standen.

Directoire [dirɛktw'a:r, frz.] *das,* Stilrichtung, benannt nach dem zw. der Frz. Revolution und dem Kaisertum Napoleons I. herrschenden Direktorium (1795 bis 1799). Das D. entstand in Ablehnung des Rokoko und des Louis-seize und bildete in Anlehnung an die Antike eine Sonderform des Klassizismus vor dem Empire, bes. bei Möbeln und Wanddekorationen mit streng-nüchternen Ornamenten (in Anlehnung an pompejan. Vorbilder).

Dirke, grch. Mythos: Flußnymphe in Theben; sie nahm den ungeborenen Dionysos auf; mit ihrem Gemahl Lykos quälte sie Antiope. Deren Söhne Amphion und Zethos banden D. dafür an einen Stier, der sie zu Tode schleifte, und warfen sie in den Fluß, der nunmehr ihren Namen trug. Nach anderer Überlieferung verwandelte Dionysos ihren Leichnam in den Fluß D. – Der Racheakt an D. findet sich in der Antike v. a. auf grch. Vasen und röm. Wandbildern. Die Marmorgruppe des ›Farnesischen Stiers‹ (Kopie aus röm. Kaiserzeit nach einem späthellenist. Vorbild, Neapel, Archäolog. Nat.-Mus.) wurde vorbildlich auch für die neuzeitl. Kunst (A. DE VRIES, A. SUSINI).

Dirr, Dürr, Johann Georg, Bildhauer, *Weilheim (Oberbayern) 2. 4. 1723, †Mimmenhausen (Bodensee) 9. 10. 1779, arbeitete ebd. seit 1756 in Werkgemein-

Johann Georg Dirr: Äbtemonument in der Zisterzienserabtei in Salem; Alabaster, 1774 ff.

schaft mit seinem Vetter J. A. FEUCHTMAYER, von dem er jedoch stilistisch unabhängig ist. Sein HW ist der Skulpturenschmuck aus Alabaster in der Zisterzienserabtei in Salem (1774 ff.), voll. von seinem Schwiegersohn J. G. WIELAND. D. gehört zu den ausdrucksstarken Meistern der frühen klassizist. Plastik.

ERIKA DILLMANN u. a.: J. G. D. (1980); Barock in Baden-Württemberg, Ausst.-Kat., Stuttgart (1981).

Dischinger, Franz, Bauingenieur, *Heidelberg 8. 10. 1887, †Berlin 9. 1. 1953; mit W. BAUERSFELD (*1879, †1959) maßgebend an der Entwicklung des Stahlbetonschalenbaues zu Beginn der 20er Jahre beteiligt.

F. D., in: G. v. KLASS: Weit spannt sich der Bogen (1965).

Disegno [dis'eɲo], ital. für Zeichnung, Skizze; i. w. S. bezeichnet D. in der ital. Renaissance das Fundament der bildenden Kunst, d. h., daß Architektur, Skulptur und Malerei der →Zeichnung, als der jedem Kunstwerk zugrundeliegenden urspr. Idee, untergeordnet sind (G. VASARI).

Disegno interno [dis'eɲo-, ital.] *der,* die Binnenzeichnung innerhalb der von Konturen umrissenen Motive mittels Strichlagen versch. Richtung, Länge und Stärke (z. B. Kreuz- oder Parallelschraffuren), um plast. Körperlichkeit, perspektiv. Räumlichkeit, Licht und Schatten anzugeben. (→Zeichnung)

Disentis, rätoroman. **Mustèr** [muʃt'er], Ort im schweizer. Kt. Graubünden, am Vorderrhein, 2500 Ew.; Benediktinerkloster, um 720 gegr., Neubau 1696 bis 1712 nach Plänen von K. MOOSBRUGGER; Brände 1799 und 1846 beschädigten Kirche und Kloster schwer, doch blieben bei Neubauten (NW-Trakt 1937 bis 1940) die Pläne der Barockzeit grundlegend.

Disibodenberg, ehem. Zisterzienserabtei am Zusammenfluß von Nahe und Glan, Rheinl.-Pf.; um 700 gegr., 1559 aufgehoben. Von der Kirche (1108–43) sind die Grundmauern erh.; die Klostergebäude sind ebenfalls großenteils Ruinen mit maler. Wirkung.

Diskobol [grch.], Diskuswerfer, beliebtes Thema in der grch. Kunst, u. a. D. des →Myron.

Dispersion [lat. dispergere ›zerteilen‹], feine Verteilung eines Stoffes (Dispergens, z. B. Pigment) in einen anderen Stoff (Dispersionsmittel, z. B. Wasser, Öl, Harze). – Die in der Maltechnik verwendeten **Dispersionsfarben,** auch **Binder(farben)** genannt, sind Anstrichstoffe, die aus flüssigen Kunstharz-Dispersionen und festen Pigmenten bestehen. Nach dem Trocknen ergeben sie einen festen, meist wasserunlösl. Film.

Distacco-Verfahren, →Restaurierung.

Disteli, Martin, schweizer. Karikaturenzeichner, Maler, *Olten 28. 5. 1802, †Solothurn 18. 3. 1844, urspr. Jurist; schuf Buchillustrationen (Münchhausen, 1840) und geistreiche polit. Karikaturen (**Distelikalender,** seit 1839).

Divisionismus, →Neoimpressionismus.

Divriği [d'ivriji], in der Nähe des Euphrat in NO-Anatolien gelegene Burg und Stadt aus dem 9. Jh. (nach

1071 seldschukisch). In der seldschuk. Burg des 13. Jh. liegt eine Moschee des 12. Jh. (1180/81; Kale Camii), eine längsgerichtete, dreischiffige Halle mit Pfeilerstützen für Gewölbe und Kuppeln. Der bedeutendste Bau, die 1228/29 entstandene Ulu Camii, vereinigt unter einem Dach Moschee und Krankenhaus (fälschlich als Medrese bezeichnet). Die durch oktogonale Pfeiler in 5 Schiffe unterteilte Längshalle der Moschee wird durch größere Breite des Mittelschiffs und Kuppel vor dem Michrab akzentuiert; zu ihr tritt eine zweite, niedrigere im Mittelpunkt der Halle. Kennzeichnend für das Krankenhaus sind die der Hofmedrese eigentüml. Iwane wie die 4 Säulenstützen byzantin. Kuppelbauten. Der überreiche bauplast. Schmuck der 3 Hauptportale verbindet klassisch-seldschuk. Elemente mit manierist. Ornamentik, in der auch Anleihen an die Gotik der Kreuzfahrerzeit nicht fehlen.

Dix, Otto, Maler, Graphiker, *Gera 2. 12. 1891, †Singen (Hohentwiel) 25. 7. 1969, wurde 1927 Prof. an der Akad. Dresden, 1933 entlassen, lebte seit 1936 in Hemmenhofen (Kr. Konstanz). Vom Expressionismus und Dadaismus (Montagebilder) ausgehend, wurde D. der bedeutendste Maler des Verismus in den 1920er Jahren. Sein das Abstoßende hervorhebender Detail-Realismus, der von großer malerischer Vitalität ist und der bes. in seinen Kriegsbildern Aufsehen erregte,

Otto Dix: Mittelteil des Triptychons ›Großstadt‹; 1928 (Essen, Museum Folkwang)

mäßigte sich später zu einer oft durch altmeisterl. Vorbilder bestimmten Neuromantik.

HW: Bildnis der Eltern I (1921; Basel, Kunstmus.); Die Schriftstellerin Sylvia von Harden (1926; Paris, Centre Pompidou); Großstadt (Triptychon 1927/28; Essen, Folkwang-Mus.); Der Krieg (Triptychon 1929–32; Dresden, Gemäldegal.); Die 7 Todsünden (1933; Karlsruhe, Kunsthalle).

F. Löffler: O. D., Leben und Werk ([2]1972); ders.: O. D. Œuvre der Gemälde (1981); D. Schubert: O. D. in Selbstzeugnissen und Bilddokumenten (1981); O. D. Menschenbilder, Ausst.-Kat., Stuttgart (1982).

Dixhuitième [dizhɥitj'ɛːm, frz. ›achtzehntes (Jahrhundert‹)] *das,* zusammenfassende Bez. für die frz. Kunst im 18. Jh. (bis Anfang des 19. Jh.), die in dieser Epoche v. a. in Architektur und Kunsthandwerk führend in Europa war; die einzelnen Stile innerhalb des D. sind das →Louis-quatorze, →Louis-quinze, →Louis-seize, →Directoire und →Empire.

Diyarbakịr, Hauptstadt der türk. Prov. D. am Oberlauf des Tigris, 169 700 Ew.; in antiker und byzantin. Zeit **Amida** genannt. Die 5,5 km lange Stadtmauer stammt in großen Teilen aus dem 4. Jh., wurde in arab. Zeit ausgebaut und durch Bastionen und eine Zitadelle verstärkt. Der bedeutendste islam. Bau ist die Ulu Camii, eine Hofmoschee der seldschuk. Zeit (1091/92) mit prachtvollen Fassaden (viele byzantin. Spolien); dazu gehört die Masudiye Medrese (1191 datiert), eine der frühesten erhaltenen Hofmedresen. Die benachbarte Zinciriye Medresesi (12./13. Jh.) folgt dem gleichen Planschema. An der N-Seite des Platzes liegt eine Herberge des 16. Jh. (Hasan Pascha Han).

Djakạrta, Hauptstadt von Indonesien, →Jakarta.

Djạkovo, Stadt in der Rep. Kroatien, Jugoslawien, 12 000 Ew., seit 1781 Sitz eines kath. Bischofs; neugot. Dom (1866–82 erbaut).

Djam, Jam, Ort in Afghanistan, zw. Herat und Kabul, an der Stelle der Hauptstadt der iran. Dynastie der Ghoriden (1150–1206). Erh. ist ein isoliert stehender, eindrucksvoller Turmbau (Ende 12. Jh.), etwa 60 m hoch: Über einer oktogonalen Basis erheben sich 3 Geschosse, die reich mit Ziegelreliefdekor, Stuck und glasierten Ziegeln geschmückt sind. Die Form dieses Turmes fand ihre unmittelbare Weiterentwicklung im Qutb Minar in Delhi (Anf. 13. Jh.).

Djebeil [dʒ-], **Djébail** [dʒe-], heutiger Name von →Byblos.

Djeddars [dʒ-], Gruppen berber. Grabmäler in N-Algerien, 34 km südlich von Tiaret. Die quadratisch-stufenpyramidenförmigen (10–48 m Seitenlänge) oder runden Tumuli (bis 48 m Höhe) für christl. Berberführer aus dem 5.–7. Jh. sind vervollkommnete Formen altberber. Grabbauweise mit Hausteinen ohne Bindemittel und ähneln den älteren Mausoleen von →Medracen, →Kbor Roumia und →Es-Souna. Die 3 bestgebauten D. liegen auf dem Djebel Hadjar, 10 weitere auf dem Djebel Ternaten, eine große Anzahl auf dem Djebel Lakhdar. – In der Nähe röm. Ruinen.

Djenné: Terrakotta, etwa 15 cm; 12.–14. Jh. (Privatsammlung)

Djemdet-Nasr [dʒ-], Ruinenhügel in Irak, nördlich von Babylon (KARTE Alter Orient). Nach der dort gefundenen polychrom bemalten Keramik (und Tontafeln mit Bilderschrift) wurde der Abschnitt der sumer. Frühgeschichte (etwa 3200–2900 v. Chr.) **Djemdet-Nasr-Periode** benannt.

Djemila [dʒ-], Stadt in Algerien, rd. 30 km nordöstlich von Sétif, 21 000 Ew. D. entstand aus der antiken Stadt **Cuicul,** die unter dem röm. Kaiser NERVA (96–98) über dem regelmäßigen Grundriß einer Lagerstadt als Veteranenkolonie erbaut wurde. Ihre höchste Blüte erlebte sie Ende 2./Anf. 3. Jh. unter den röm. Kaisern der severischen Dynastie (reiches Inschriftenmaterial). Das Stadtbild, durch Ausgrabungen freigelegt, bestimmten 2 Forumsanlagen, der hohe Podiumtempel des sever. Kaiserhauses, der Ehrenbogen des CARACALLA, Theater, Thermen, Häuser mit Mosaiken und ein Industrieviertel. Im 4. Jh. entstand ein christl. Stadtviertel mit Basilika, Baptisterium und Bischofssitz; die zahlreichen Mosaikfunde befinden sich im Mus. von D.

Djenné [dʒɛn'e], **Jenne,** Stadt in Mali, auf einer Insel im Binnendelta des Niger, etwa 10 000 Ew.; um 1250 gegr., war lange islam. Kulturzentrum. In der maler. Altstadt mächtige Moschee im sudanes. Lehmbaustil (1905; Erstbau 13. Jh.).

Etwa 3 km entfernt auf einer anderen Insel die Überreste des alten D. (**Jenne-jeno**), einer Handelsstadt, die um 800 etwa 10 000 Ew. hatte und um 1400 verlassen wurde. Bed. Terrakotta-Plastiken (11.–14. Jh.) belegen die Kultur des Niger-Binnendeltas (→afrikanische Kunst). Reiterfiguren, kniende, sitzende, gebärende Figuren, häufig von Schlangen umgeben oder von solchen durchsetzt, weisen versch. Stilvarianten auf, erinnern aber generell an die Skulpturen der Dogon. Auch die in der Nähe von Bamako gefundenen Terrakotten aus dem 14.–16. Jh. (Bankoni-Stil, auch Ségou- oder Bambara-Stil) mit fast immer knienden Figuren mit langgezogenen Körpern werden i. a. als D.-Stil bezeichnet.

Djerablus [dʒ-], nordsyr. Stadt am Euphrat, gegenüber das antike →Karkemisch.

Djerasch [dʒ-], heutiger Name von →Gerasa.

Djerba [dʒ-], tunes. Insel, 514 km², mit 246 kleinen Moscheen (meist Kuppeln oder Tonnengewölbe) und zahlreichen alten unterird. Ölmühlen. Im Hauptort **Homt Souk:** Zawija Sidi Brahim (1674), Fremdenmoschee, Türkenmoschee (rundes Minarett); am Hafen die span. Festung Bordj El-Kebir (13. Jh.); Regional-Mus. In **Guellala** Töpfereizentrum. In **Mahboubine** befindet sich die türk. Moschee El-Hateb, eine verkleinerte Nachbildung der Hagia Sophia. Bei El-Kantara die fast völlig versunkene phönik. Handelsgründung **Meninx** (1000 v. Chr.) sowie Spuren einer frühchristl. Basilika. Im SW die span. Festung Bordj Castille (13. Jh.). Bei **Hara Kebira** die Synagoge →La Ghriba.

Djidda [dʒ-], **Jidda, Jedda,** Hafenstadt am Roten Meer in Saudi-Arabien, 70 km westlich von Mekka, mit 381 000 Ew. – Bis zur Zerstörung durch die Wahhabiten befand sich hier eine monumentale Grabstätte der Stammutter Eva (D. ist die arab. Bez. für ›Großmutter‹), mit einer Länge von 130 m. In der Altstadt finden sich turmartige Häuser mit holzvergitterten Erkern. Das (restaurierte) Nasif-Haus wird zum Mus. ausgebaut.

Djogjakarta, Stadt in Indonesien, →Yogyakarta.

Djoser, ägypt. König (etwa 2609–2590 v. Chr.) der 3. Dynastie. Er erbaute die erste Pyramidenanlage, die mit Kultbauten versehene Stufenpyramide bei Sakkara. Unter D. und seinem Baumeister →Imhotep begann der monumentale Steinbau in Ägypten. Die in einem Anbau seiner Pyramide gefundene Statue des Königs ist die älteste lebensgroße Steinplastik eines Herrschers (heute Kairo, Ägypt. Mus.).

Dmitrow, Stadt nördlich von Moskau, Russ. SFSR, 59 000 Ew., mit einer unter Fürst JURIJ IWANOWITSCH 1509–23 erbauten Kathedrale Mariae Himmelfahrt (typ. Beispiel der nach dem Vorbild der großen Moskauer Kirchen errichteten Bauten des frühen 16. Jh.) mit reich reliefiertem Kacheldekor am Außenbau.

Dobbertin, Gem. in Mecklenburg, Dt. Dem. Rep.; ehem. Klosterkirche (14. Jh.), ein einschiffiger Backsteinbau, 1828–37 nach Plänen K. F. SCHINKELS völlig umgestaltet; vierflügeliger Kreuzgang (z. T. 13. Jh.).

Döbeln, Stadt in Sachsen, an der Freiberger Mulde, Dt. Dem. Rep., 27 600 Ew.; Stadtkirche St. Nikolai (beg. 1333), seit 1479 spätgotisch umgebaut, mit bemerkenswertem sechsflügeligem Schnitzaltar (um 1520) vom ›Meister des Döbelner Hochaltars‹, im Schrein lebensgroße Heiligenfiguren; Kanzel (1599), Taufstein (1603).

Doberan, Bad D., Stadt westlich von Rostock, Dt. Dem. Rep., 13 000 Ew. Die ehem. Klosterkirche (Ende 13. Jh. – 1368), eine dreischiffige Basilika mit Querhaus und Chor mit Umgang gilt als ein Höhepunkt der Backsteingotik; reiche Ausstattung (u. a. Flügelaltar, um 1310, doppelseitiger Flügelaltar, um 1368, Sakramentshaus, um 1370); frühgot. Beinhaus (vor 1225); am ›Kamp‹ v. a. klassizist. Bauten: Großes Palais (1806 bis 1809), Salongebäude (1802), Chinesische Pavillons (1808/09 und 1810–13), Wohnhäuser.

Doberlug-Kirchhain, Stadt in der westl. Niederlausitz, Dt. Dem. Rep., 9300 Ew. Vom Zisterzienserkloster in Doberlug, das etwa 1165–1541 bestand, ist die Kirche gut erh., eine dreischiffige spätroman. Basilika (um 1220); das Schloß ist eine frühbarocke Vierflügelanlage (2. H. 17. Jh.). – Die Pfarrkirche (Ende 14. Jh.) in Kirchhain ist eine spätgot. Backstein-Basilika mit bemalten hölzernen Tonnengewölben.

Dobříš [d'ɔbrʒi:ʃ], Ort im Mittelböhm. Kreis, ČSSR; ehem. Mansfeldisches Schloß (vor 1630), 1745–65 nach Plänen von R. DE COTTE und G. N. SERVANDONI als große Barockanlage neu erbaut.

Dobson [dɔbsn], William, engl. Maler, getauft London 4. 3. 1611, begraben ebd. 28. 10. 1646, hatte seit

1641 die Hofmalerstelle inne. D. schuf, von A. VAN DYCK ausgehend, realist. Porträts (›Endymion Porter‹, 1643–45, London, Tate Gal.; ›Karl II. als Prinz von Wales‹, um 1643, Edinburgh, Scottish Nat. Portrait Gal.

Docciaporzellan [d'ottʃa-, ital.], →Ginori-Majoliken.

Docke, Stütze eines Holzgeländers, →Baluster.

Documenta, Ausstellungen internat. moderner Kunst, die in Abständen von 4–5 Jahren unter dem Protektorat des Bundespräsidenten in Kassel stattfinden. Die D. I (1955) ›Kunst des zwanzigsten Jh.‹ sollte den Anschluß an die im Nationalsozialismus verfemte avantgardist. Kunst der 1920er Jahre wiederherstellen, nach der D. II (1959) ›Kunst nach 1945 – Malerei – Skulptur – Druckgraphik‹ und der D. III (1964), die u. a. amerikan. Kunst zeigten, präsentierte die 4. documenta (1968) die amerikan. Pop-Art-Künstler, Fotorealismus und Minimal Art. Die documenta 5 (1972) untersuchte ›Parallele Bildwelten‹ und stellte ›Individuelle Mythologien‹, Grenzgebiete der modernen Kunst vor, die Kunst der Geisteskranken, Trivialkunst, Alltagskultur, Science Fiction, Film, Werbung und Video. Die documenta 6 (1977) umfaßte Abteilungen für Malerei, Plastik/Environment, Zeichnungen, Utopisches Design, Photographie, Experimentalfilm, Video, Bücher, Performance und Film der 1970er Jahre. Die documenta 7 (1982) präsentierte einen Überblick über die Kunst der frühen 1980er Jahre. Die documenta 8 (1987) zeigte das Vordringen der Kunst in alle Lebensbereiche über Architektur, Design, Theater, Performance, Video, Fernsehen.

Dodington House [d'ɔdɪŋtən haʊs], nördlich von Bath gelegenes Landhaus, Mittelengland; die 1798 bis 1808 von J. WYATT erbaute klassizist. Anlage ist auf der Gartenseite mit korinth. Säulenportikus und zw. Pilastern in die Fassade eingestellten Säulen geschmückt.

Dodona, grch. **Dodone,** alte Kultstätte und Orakelheiligtum des Zeus und der hier als seine Gemahlin verehrten Dione, im Epirus südwestlich von Ioannina (Griechenland). Das Orakel vernahm man urspr. im Rauschen der hl. Eiche des Zeus, später auch in der Quelle zu deren Füßen oder dem Klingen eines Bronzekessels. Die dort gefundenen zahlreichen Votive (v. a. Zeusstatuetten) sowie Orakeltäfelchen aus Bronze oder Blei mit Fragen an das Orakel und dessen Antworten gehen auf die Zeit um 700 v. Chr. zurück, während die baul. Ausgestaltung der Kultstätte erst in hellenist. Zeit erfolgte. 219 v. Chr. wurde das Heiligtum verwüstet, wiederaufgebaut und 391 n. Chr. endgültig zerstört. – Die Ruinen von D. liegen außerhalb einer befestigten Höhe (hellenist. Mauern): mehrere Tempel, Säulensaal und v. a. das von PYRRHOS, König von Epirus, um 300 v. Chr. begonnene Theater (1960–63 restauriert, alljährlich hier Festspiele von D.).

Doelenstück [d'u:lən-, von niederländ. doele ›Ziel‹, ›Schützenhof‹], dt. **Schützenstück**, →Gruppenbild.

Doerner-Institut [n. dem Restaurator M. DOERNER, *1870, †1939], 1938 in München als Werkprüfungs- und Forschungsanstalt für Maltechnik gegr.

M. DOERNER: Malmaterial und seine Verwendung im Bilde (1921, [15]1980).

Doesburg [d'u:sbyrx], Stadt in der niederländ. Prov. Gelderland; St. Martinuskerk (Ende 15. Jh.), eine Pfeilerbasilika in niederrhein. Spätgotik, mit hohem Chor (1517–21) und W-Turm (1430, nach Zerstörung 1944 wiederhergestellt), Ausstattung 17. Jh.; Rathaus (1. H. 16. Jh.), vorbildl. Beispiel des spätgot. niederrhein. Backsteinbaus; Waage (16. Jh., mehrfach verändert).

Theo van Doesburg: Komposition IX; 1917 (Den Haag, Gemeentemuseum)

Doesburg [d'u:sbyrx], Theo van, eigtl. Christian E. M. **Küpper,** niederländ. Maler, Architekt, Theoretiker, *Utrecht 30. 8. 1883, †Davos 7. 3. 1931, gründete 1917 mit P. MONDRIAN, J. J. P. OUD u. a. die Künstlergruppe De →Stijl, der Architekten, Maler, Bildhauer und Dichter angehörten. D. war der Initiator dieser Gruppe und Hg. der gleichnamigen Ztschr. 1922 führte er den Dadaismus in Holland ein und gründete die Ztschr. ›Mecano‹. 1930 gab er die erste und einzige Nummer der Ztschr. ›Art concret‹ heraus und gebrauchte damit zum erstenmal den Ausdruck ›konkrete Kunst‹. Die von ihm verfochtenen Ideen sollten in den folgenden Jahren v. a. für die dt. Kunst von großem Einfluß sein. D. malte gegenstandslose, sich meist auf rechtwinklige Gitterformen beschränkende Bilder, die denen Mondrians ähnlich sind. 1924 führte er die Diagonale in seine Bilder ein, was zur Entzweiung mit Mondrian führte. Von nachhaltiger Wirkung waren seine architekton. Entwürfe, in denen er die Prinzipien der Stijl-Bewegung darzustellen versuchte.

T. v. D., Ausst.-Kat., Eindhoven (1969).

Dogon, Volk in Westafrika, östlich des Niger im Grenzgebiet Obervolta/Mali, vorwiegend in dem zerklüfteten Felsplateau um Bandiagara lebend; gilt künstlerisch als eines der bedeutendsten Afrikas. Die D. sind hervorragende Holzschnitzer und fertigen Ahnen- und mytholog. Figuren, Masken, Türen für die Hirsespeicher, Hocker, Ritualtröge, Webrollenhalter

Dogon: Ahnenfiguren; Holz (Paris, Musée National des Arts Africains et Océaniens)

u.a. Die Skulpturen zeichnen sich durch kantige, lang gezogene Formen aus. Die D. gelten aber auch, wie ihre westl. Nachbarn (→Bambara), als große Meister der Schmiedekunst. Die Verbundenheit mit den Urahnen und deren myst. Einfluß auf das tägl. Leben kommt bei allen Werken zum Ausdruck.

Während das Schnitzen der Skulpturen, wie bei vielen Stämmen der westl. Sudanzone, dem Schmied obliegt, werden die Masken von einer besonderen Gruppe junger Männer angefertigt. Die verschiedenen Maskentypen lassen sich symbolisch alle aus der etwa 10 m langen, in Schlangenform konzipierten Muttermaske ›Imina-na‹ herleiten. Am häufigsten treten bei den Tänzen die ›Kanaga‹-Masken auf, deren brettartiger Aufbau an ein Lothringerkreuz erinnert und als myth. Krokodil gedeutet wird; ferner die ›Sirige‹-(oder ›Etagen‹-) Maske (symbolisiert das Familienhaus des Klans des Dorfgründers), die Hasenmaske sowie die Affenmaske. Alle zeichnen sich durch eine strenge Abstraktion aus.

Doha, Hauptstadt des Scheichtums Katar am Pers. Golf mit 130 000 Ew. Katar-Mus. mit ethnolog. und histor. Samml.

Doidạlsas, ein bei PAUSANIAS (dort **Daedalsas**) überlieferter Bildhauername des 3. Jh. v. Chr., Meister der badenden Aphrodite, die uns möglicherweise aus einigen Kopien (v.a. Rom, Thermenmus.) bekannt ist. Es ist ungewiß, ob man diesem D. das Kultbild des Zeus Stratios in Nikomedia (heute Izmir, Türkei) zuschreiben darf, das als Werk eines Daidalos bezeichnet wird.

Dokkum [d'ɔkəm], alte Handelsstadt in der niederländ. Prov. Friesland, 11 200 Ew., mit spätgot. ref. Kirche (15. Jh.), Rathaus (16./17. Jh.) mit allegor. Malereien (1763), Admiralitätsgebäude (1618) und Wohnhäusern des 16. und 17. Jh. Die kath. Kirche ist eine neugot. kreuzförmige Basilika von P. CUYPERS (1869).

Dọksany, Ort in der ČSSR, →Doxan.

Dol, frz. Städtchen in der Bretagne, in Küstennähe nördlich von Rennes, 5000 Ew., mit der got. Kathedrale St. Samson (13. Jh.; 2 Vorhallen des 13. und 16. Jh., im Inneren Renaissancegrabmal und Glasfenster des 14. Jh.).

Dolci [d'oltʃi], **1)** Carlo, ital. Maler, *Florenz 25. 5. 1616, †ebd. 17. 1. 1686, malte in einer glatten und technisch perfekten Manier Heiligenfiguren, meist Brustbilder, erfüllt von überströmender Religiosität. Bekannt ist seine mehrfach variierte Darstellung der Hl. Cäcilie. D. galt zu seinen Lebzeiten als Hauptmeister der Florentiner Barockmalerei; später war er v.a. in England geschätzt.

2) Giovannino di Pietro de D., ital. Baumeister, Bildhauer, *Florenz, †Rom vor dem 26. 2. 1486, schuf seit etwa 1450 Schnitzereien und Intarsien für die Vatikan. Bibliothek und den Palazzo Venezia in Rom und leitete seit 1473 den Bau der Sixtin. Kapelle.

Dollmann, Georg von, Baumeister, *Ansbach 21. 10. 1830, †München 31. 3. 1895, Schüler von L. v.

KLENZE (Mitarbeit an der Befreiungshalle in Kelheim). Als Oberbaudirektor König LUDWIGS II. von Bayern baute D. in historisierendem Stil dessen Schlösser Linderhof (im Stil des Rokoko; 1869–78), Herrenchiemsee (nach dem Vorbild von Versailles im Stil des Barock; 1878–85) und die Burg Neuschwanstein (im roman. Stil; 1872–84).

Dolmen [von breton., ›Steintisch‹] *der,* aus Trag- und Decksteinen erbaute Grabkammer, die einfachste Form der Megalithgräber, urspr. meist von einem Grabhügel überwölbt.

Dolná Krupá, Ort im Westslowak. Kreis, ČSSR, 2600 Ew.: klassizist. Herrenhaus der Familie Brunswick (1793–95; seit 1977 Musikmus.) mit engl. Park, Rokokopavillon (Beethovenhaus).

Dolní Věstonice [d'ɔlnji: vj'ɛstɔnjitsɛ], dt. **Unter-Wisternitz,** Ort am Rand der Pollauer Berge (Südmähren), Fundort einer Siedlung (26000–23000 v. Chr.) mit hervorragenden Werken der paläolith. Kleinkunst. Eine Frauenstatuette und Tierköpfe aus gebranntem Ton bilden den ältesten Beleg für das Auftreten von Keramik. Ein Köpfchen aus Elfenbein mit deutl. Wiedergabe der Gesichtszüge ist ein wichtiger künstler. Beleg für den Menschentyp des Jungpaläolithikums. Extrem stilisierte Frauenfiguren aus Mammutelfenbein sind

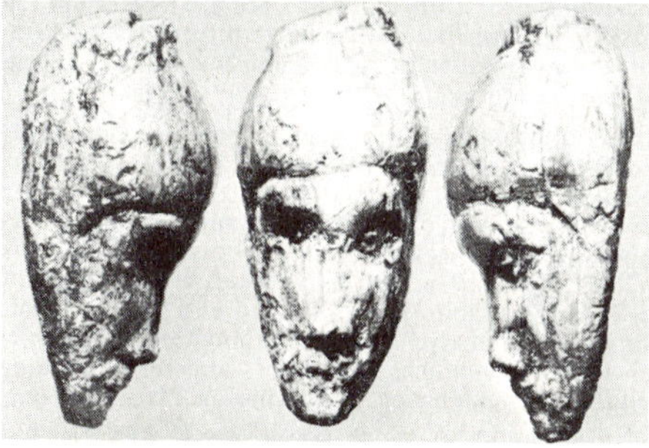

Dolní Věstonice: Weibl. Porträtköpfchen aus Elfenbein

die frühesten Dokumente einer abstrahierenden Darstellung von Körperformen.

Dom [lat. domus ›Haus‹], Bischofskirche (→Kathedrale) oder größere Stiftskirche, deren Geistliche urspr. ähnlich den Mönchen ein gemeinsames Leben führten, daher oft auch →Münster genannt. Wichtigstes baul. Kennzeichen außer den meist sehr stattl. Turmbauten ist der ausgedehnte →Chor als Sitz der Domherren beim Gottesdienst. D. war anfänglich die Bez. für das Wohnhaus des Klerus solcher Kirchen, erst seit dem 15. Jh. für die Kirche selbst. – Gelegentlich werden auch bes. große nichtbischöfl. Kirchen als D. bezeichnet (z. B. Altenberger, Frankfurter D.).

Domažlice [d'ɔmaʒlitsɛ], Stadt in der ČSSR, →Taus.

Domela, César, frz. Maler und Bildhauer nieder-

Domenichino: Diana und ihre Gefährtinnen; nach 1617 (Rom, Galleria Borghese)

länd. Herkunft, *Amsterdam 15. 1. 1900, lebt in Paris; seine Kompositionen waren anfänglich stark von P. MONDRIAN beeinflußt (D. war 1924–25 Mitgl. von De →Stijl). Seit den 30er Jahren macht er aus versch. Materialien konstruktivistische, polychrome Reliefs in Serie (›Tableaux objets‹).

Domenichino [-k'i:no], eigtl. Domenico **Zampieri;** gen. **il D.,** ital. Maler, *Bologna 21. oder 28. 10. 1581, †Neapel 6. 4. 1641, Schüler von D. CALVAERT, später der CARRACCI; von diesen um 1602 zur Ausmalung des Palazzo Farnese in Rom herangezogen. 1631–34 und 1635–38 malte D. in Neapel Fresken in der Cappella del Tesoro im Dom. Klarer Aufbau und fast klassizist. Monumentalität zeichnen seine Wand- und Deckenbilder aus. Von ANNIBALE CARRACCI angeregt, malte er Landschaften mit histor. und mytholog. Darstellungen.

R. E. SPEAR: D. 1581–1641, Catalogue raisonné, 2 Bde. (London 1982).

Domenico, 1) D. di Bartolo Ghezzi [-g'ettsi], ital. Maler, *Asciano um 1400, †Siena vor Febr. 1447, tätig ebd. Seine Kunst wurde von der Florentiner Frührenaissance beeinflußt; bed. ist v. a. die tiefenräuml. und plast. Wirkung seiner Malerei.

HW: Fresken im Ospedale della Scala, Siena (1441–44).

2) D. Veneziano, eigtl. **D. di Bartolomeo da Venezia;** ital. Maler, *Venedig (?) um 1400/1410, †Florenz Mai 1461, tätig 1438 in Perugia, dann in Florenz (in Zusammenarbeit mit PIERO DELLA FRANCESCA Fresken in Sant' Egidio; im 18. Jh. größtenteils zerstört), wo er Porträts von vornehm verhaltener Stimmung und erlesener Farbigkeit malte. Bes. fortschrittlich muten seine Bemühungen um die Luftperspektive und die Wiedergabe zarter Lichtwirkungen an. Es sind nur 2 signierte Werke von ihm bekannt: Madonna mit Heiligen (Florenz, Uffizien; Teile der Predella in Cambridge, Florenz und Washington); Hl. Franziskus und Johannes der Täufer, Fresko (Florenz, S. Croce).

Domínguez [dom'iŋgεθ], Oscar, span. Maler, * La Laguna (Kanar. Inseln) 7.1.1906, † (Selbstmord) Paris 31.12.1957, schloß sich, befreundet mit dem Dichter A. BRETON, 1935 in Paris dem Surrealismus an. Nach S. DALÍ verwandten Bildern experimentierte D. mit einem ›Décalcomanie‹ genannten Abklatsch-Verfahren, dessen quellende Farbspuren imaginäre Landschaften entstehen ließen. Ab 1938 folgten auch surrealist. Objekte.

Domikalgewölbe [frz. domical ›kuppelartig‹], Baukunst: Kreuzgewölbe, bei dem der Gewölbescheitel höher liegt als die Scheitel der Schildbögen.

Dominikus, Stifter des Dominikanerordens, *Caleruega (Kastilien) um 1170, †Bologna 6. 8. 1221. Sein Grabmal (Arca) mit Szenen der Legende in Bologna, S. Domenico, schuf 1264–67 N. PISANO unter Mitarbeit von FRA GUGLIELMO: es ist das erste freistehende Hochgrab in Italien; den Aufsatz gestaltete NICCOLÒ DEL ARCA 1469, den Kandelaberengel und die Statuen der Hl. Petronius und Prokulus MICHELANGELO 1495. Szenen der Legende des Hl. D. begegnen auch auf der ›Neapolitaner Tafel‹ (Mus. Nazionale di Capodimonte); die Darstellung von D. folgt hier dem von B. BERLINGHIERI für Franziskusbilder geschaffenem Typus. Der theolog. Bedeutung von D. suchen die allegor. Fresken des ANDREA DA FIRENZE (1365–67; Florenz, S. Maria Novella) nachzugehen. Die Begegnung von D. mit FRANZ VON ASSISI zeigt das Relief von A. DELLA ROBBIA (1496; Florenz, S. Paolo). Neuere Darstellungen sind die von H. MATISSE (1949–51) in Assy und Vence.

Donatello:
David; um 1435
(Florenz, Bargello)

Donatello, eigtl. Donato di Niccolò di Betto **Bardi,** ital. Bildhauer, *Florenz 1382, 1383 oder 1386, †ebd. 13. 12. 1466. D. war der vielseitigste Meister der Frührenaissance-Skulptur, der in allen Techniken arbeitete und für alle Aufgaben neue Lösungen fand. Seine urspr. Begabung äußerte sich in einem zuweilen heftigen, auf Ausdruckssteigerung zielenden Realismus. Zugleich nahm er an der Wiederentdeckung der Antike leidenschaftl. Anteil. Er schuf zw. 1410 und 1420 neben NANNI DI BANCO die ersten im klass. Sinn aufgebauten Nischenfiguren (Hl. Georg und Hl. Markus, beide für Or S. Michele, Florenz), entwickelte, von L. GHIBERTI ausgehend, eine eigene Reliefgattung mit malerisch aufgelöster Grundfläche (Bronzereliefs am Taufbecken des Dombaptisteriums in Siena, 1425–28) und schuf die erste umschreitbare Freifigur seit der Antike (Bronzedavid, um 1435; Florenz, Bargello). 1443–53 war D. in Padua tätig (Bronzereliefs und -statuen am Hochaltar in S. Antonio), wo er das erste profane Reiterdenkmal der Renaissance (BILD) schuf (Gattamelata, 1447 bis 1453). Seine Spätwerke verzichten auf jede klass. Komponente in Komposition und Figurenaufbau zugunsten expressiven Ausdrucks (Bronzekanzeln in S. Lorenzo, Florenz, erst nach D.s Tod vollendet; Hl. Maria Magdalena, um 1460, Florenz, Dom-Mus.).

H. W. JANSON: The sculpture of D., 2 Bde. (Princeton, New Jersey,

1957, mit Kat.); M. WUNDRAM: D. u. Nanni di Banco (1970); R. W. LIGHTBOWN: D. and Michelozzo, 2 Bde. (London 1980).

Donaueschingen, Stadt im südl. Schwarzwald, 18000 Ew.; seit 1723 Residenz der Fürsten von Fürstenberg. Barocke Pfarrkirche (1724–47) von dem böhm. Architekten F. M. KANKA. Das Schloß in Neubarockformen wurde seit 1893 ausgebaut. In der Fürstenberg-Samml. Gemälde (u.a. MEISTER VON MESSKIRCH, H. HOLBEIN D. Ä., L. CRANACH D. Ä.), got. Plastik.

Donauschule, Donaustil, Kunstrichtung von Künstlern des Donauraums im 1. Drittel des 16. Jh., die

Donauschule: A. Altdorfer, ›Laubwald mit dem Drachenkampf des H. Georg‹; 1510 (München, Alte Pinakothek)

sich von der ma. Werkstatt-Tradition lösten und aus einem neuen Naturgefühl die Landschaft als selbständigen Bereich in die Bilddarstellung einbezogen. Als Wegbereiter der D. gilt RUELAND D. J. FRUEAUF, z.T. auch M. PACHER. Sie begegnet im Frühwerk von L. CRANACH D. Ä. (→Cranach 2) bis zu dessen Abwanderung nach Wittenberg. Ihr Hauptmeister ist A. →Altdorfer; in seinen Werken äußert sich Natursinnlichkeit, die den Menschen als Teil der Gesamtschöpfung versteht. Weitere Meister sind W. →Huber und der →Meister der Historia. – In neuerer Zeit wird der Begriff D. auch auf die Plastik (H. LEINBERGER) und die Architektur (B. RIED; Wladislawsaal in Prag) übertragen.

A. STANGE: Malerei der D. (1964); Die Kunst der D., Ausst.-Kat., Linz (1965).

Donaustauf, Markt in der Oberpfalz; Burgruine (12. Jh.); über der Donau die Walhalla (1830–42) von

L. v. KLENZE für König LUDWIG I. VON BAYERN errichtet, ein dem Parthenon nachgebildeter Tempel mit 121 Marmorbüsten berühmter Deutscher im Innern.

Donauwörth, ehem. Reichsstadt im bayer. Schwaben, 17000 Ew. Die Hauptbauten liegen entlang der Reichsstraße (Stadtpfarrkirche 1444–67, eine spätgot. Backstein-Stufenhalle; Rathaus; got. Stadtzoll; Baudrexelhaus; Fuggerhaus). Die ehem. Benediktinerklosterkirche Heiligkreuz (1717–25 von J. und F. SCHMUZER) ist eine stattl. Wandpfeileranlage im Stil der →Vorarlberger Bauschule mit guter Ausstattung.

Donducci [dond'uttʃi], Giovanni Andrea, ital. Maler, Radierer, →Mastelletta.

Dong-Duong, buddhistischer Tempel in Vietnam, →Cham-Kunst.

Dongen [d'ɔŋə], Kees van, niederländ. Maler, *Delfshaven 26. 1. 1877, †Monte Carlo 28. 5. 1968, seit 1897 in Paris, begann mit neoimpressionist. Landschaften und entwickelte später unter dem Einfluß der Fauves, zu denen er seit 1906 gehörte, einen effektvollen Kolorismus. D. war Mitgl. der Dresdner ›Brücke‹, malte kühne Akte und dekorative Porträts.

Dong-son, Dorf in N-Vietnam, nach dem eine v.a. durch Bronzetrommeln belegte bronzezeitl. Kultur SO-Asiens benannt ist (etwa 150 v. bis 50 n. Chr.).

Donjon [dɔ̃ʒ'ɔ̃, frz., eigtl. ›Herrenturm‹], frz. Bez. für den Bergfried, den befestigten Haupt- und Wohnturm einer →Burg. Der D. ist seit dem 11./12. Jh. rechteckig (Gisors), aber auch vieleckig oder kleeblattförmig (Étampes), am häufigsten rund (Châteaudun, 46 m hoch, 17 m Durchmesser). Weitere D. sind in Dourdan, Lillebonne, Rouen, Provins und Vincennes erhalten.

Donndorf, Adolf von (seit 1910), Bildhauer, *Weimar 16. 2. 1835, †Stuttgart 20. 12. 1916, gründete ebd. eine Bildhauerschule; war Mitarbeiter von E. RIETSCHEL in Dresden und vollendete nach dessen Tod das von diesem begonnene Lutherdenkmal für Worms (enthüllt 1868). Für Eisenach schuf D. 1889–95 ein eigenes Lutherdenkmal.

Donner, Georg Raphael, Bildhauer, *Eßling (heute Teil von Wien) 24. 5. 1693, †Wien 15. 2. 1741, Schüler von G. GIULIANI, arbeitete in Wien, Salzburg und Preßburg. Von D. stammen Figuren für das Treppenhaus in Schloß Mirabell zu Salzburg, die monumentale Gruppe des Hl. Martin für den Dom zu Preßburg (um 1734) und der Brunnen auf dem Neuen Markt in Wien (1737–39; Original ebd., österr. Barockmus.). Diese Werke sind in Blei gegossen, ebenso die Pietà im Dom zu Gurk (1740/41), eine der großartigsten Darstellungen dieses Themas innerhalb der Barockskulptur. (BILD S. 32)

M. SCHWARZ: G. R. D. Kategorien der Plastik (1968).

Donnersmarkt, Ort in der ČSSR, →Spišský Štvrtok.

Doomer, Lambert, holländ. Maler, *Amsterdam 1622 oder 1623, †Alkmaar 2. 7. 1700, lernte vermutlich um 1640 bei REMBRANDT. Seine oft zart aquarellierten Federzeichnungen stellen bes. topographisch getreue Landschafts- und Stadtansichten dar.

Georg Raphael Donner:
Hl. Martin; um 1734
(Preßburg, Dom)

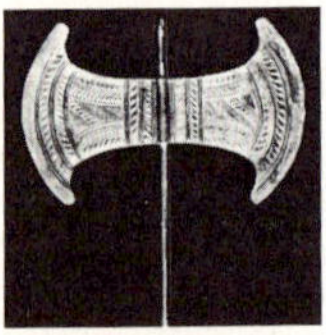

Doppelaxt aus Gold;
Kreta (Heraklion,
Archäologisches
Museum)

Doppelbecher
aus Silber, vergoldet;
um 1500

Doornik, fläm. Name von →Tournai.

Doppel|axt, Werkzeug und Waffe. Seit dem europ. Neolithikum des frühen 3. Jahrtsd. v. Chr. liegen D.-Darstellungen auf Kultgefäßen und Idolen vor. Im späten 3. Jahrtsd. v. Chr. erscheint die D. auf Kreta, wo sie in der minoischen Kultur bes. Bedeutung als Kultzeichen gewann. Originale aus Gold oder dünnem Bronzeblech sind in kret. Heiligtümern gefunden worden. Die D. ist ein beliebtes Motiv der minoischen Vasenmalerei; Darstellungen auch auf Siegeln und auf dem spätminoischen Sarkophag von Hagia Triada.

Doppelbecher, Doppelscheuer, vom 14. bis ins frühe 17. Jh. beliebtes, meist silbernes Trinkgefäß aus 2 zueinandergekehrten Schalen, deren obere den Deckel der unteren bildet. Eine Abart stellt der Braut- oder →Jungfernbecher dar.

Doppelchoranlage, Baukunst: seit dem 8. Jh. in größeren Stiftskirchen gegenüber dem Hauptchor (meist im O) am Ende des Langhauses angelegter Chor (frühe Beispiele: Plan von St. Gallen, um 820; Hildesheim, St. Michael, 1010–33). Er war sehr verbreitet in der dt.-roman. Kunst, selten in Frankreich, ungewöhnlich in Italien. Die Verdoppelung der Chöre führte in roman. Zeit zu reicher Gruppierung der Baumassen (Dome in Mainz, Worms, Naumburg), verlangte aber den Verzicht auf eine Westfassade. (BILD S. 33)

Doppelgewölbe, Zweischalengewölbe bes. bei Kuppeln, deren innere und äußere Wölbung aus je einer besonderen Schale bestehen (Florenz, Dom).

Doppelglas, ein Goldglas, das aus 2 ineinander gefügten Glasgefäßen besteht, bei denen der größere Becher auf der Innenseite bemalt und mit Blattgold belegt ist; der kleinere ist außen mit Blattgold belegt. Beide werden nach dem Zusammensetzen verkittet.

Doppelgold, Blattgold doppelter Stärke; **Dreifachgold,** dreifach gelegtes Blattgold.

Doppeljoch, im roman. Gewölbebau eine von einem quadrat. →Kreuzgewölbe überspannte, von 2 Arkadenbögen gebildete Einheit, die von den →Gurtbögen begrenzt wird.

Doppelkapelle, Kapelle aus 2 gewölbten Stockwerken, meist mit einem Altar in jedem Geschoß; älteste Form ist die Aachener Pfalzkapelle: Im Obergeschoß befindet sich der Thron des Kaisers, das Erdgeschoß ist für den Hof bestimmt. Danach waren D. üblich in Pfalzen, Burgen und Palästen. Im MA. wurden in Dtl. beide Geschosse durch eine mittlere Öffnung verbunden: Pfalzkapellen in Goslar, Eger und Nürnberg, Bischofskapelle am Mainzer Dom, Burgkapellen in Landsberg bei Halle, Freyburg a.d. Unstrut, Rheda, Vianden in Luxemburg und die D. von Schwarzrheindorf. In Frankreich blieben sie stets völlig getrennt: Sainte-Chapelle in Paris (geweiht 1248), erzbischöfl. Kapellen in Reims (um 1220–30), Noyon (voll. 1138). In der Renaissance und im Barock wurden für den gleichen Zweck Emporenkapellen gebaut: Hofkapellen in München und Würzburg, Schloßkapelle in Versailles. Schließlich beschränkte man sich auf eine fürstl. Loge: Schloßkapellen in Rastatt, Ludwigsburg.

Doppelturmfassade, von 2 symmetrisch angeordneten Türmen flankierte Fassade einer Kirche, gebräuchlich seit roman. Zeit.

Dor, Dora, Doros, Ruinenstätte einer in bibl. und nichtbibl. Texten genannten Hafenstadt an der Küste Israels, südwestlich des Berges Karmel. Erhalten sind Reste eines röm. Amphitheaters und einer byzantin. Basilika (6. Jh. n. Chr.; Marmorsäule mit für das Pilgerwesen dieser Zeit bezeichnender grch. Inschrift: ›Stein vom hl. Golgotha‹).

Dordrecht, Stadt in der niederländ. Prov. Südholland, 101 800 Ew., im MA. Hansestadt und bedeutendster holländ. Handelsplatz. Von der Befestigung sind die Tore Groothoofdspoort (1325 und 17. Jh.) und Catharinapoort (17. Jh.) erh. Das Stadtbild wird beherrscht von dem wuchtigen unvoll. Turm (vermutlich 1339 beg., häufig gemaltes Motiv) der Grote Kerk (Liebfrauenkirche), einer spätgot. dreischiffigen Basilika mit Querschiff, Seitenkapellen, Chor mit Umgang und Kapellen, nach Brand von 1457 erneuert und neu eingewölbt; im Inneren überaus reiches geschnitztes Chorgestühl (1538–41). Spätgotisch sind auch die Hallenkirchen St. Nicolaaskerk und die luther. Kirche. Das im Kern got. Rathaus (1383) wurde 1835–43 klassizistisch verändert. Zahlreiche Wohn- und Speicherhäuser (16.–18. Jh.) mit typ. Backstein-Treppengiebeln, bei denen das obere Stockwerk vorragt. Dordrechts Mus. (u.a. Niederländ. Malerei 17. und 19. Jh.).

Doré, Gustave, frz. Zeichner, Maler, *Straßburg 6. 1. 1832, †Paris 23. 1. 1883, arbeitete seit 1848 für das

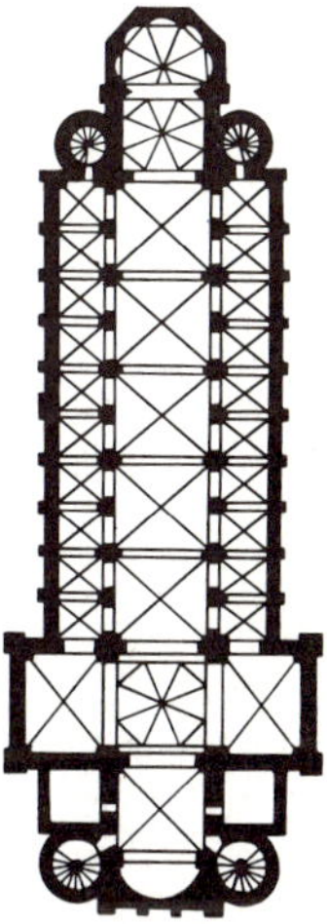

Doppelchoranlage
(Wormser Dom)

Gustave Doré: Illustration zu ›Münchhausen‹; 1862

›Journal pour rire‹ und andere frz. sowie engl. Zeitungen und veröffentlichte seit 1850 lithograph. Bilderbogen mit Szenen aus dem Pariser Leben. Berühmt wurden seine Illustrationen zu RABELAIS' ›Gargantua‹ (1845) und BALZACS ›Contes drôlatiques‹ (1855). Seine späteren, von Mitarbeitern im Tonstich ausgeführten großformatigen Blätter erreichten in ihrer bildmäßigen Auffassung die Grenzen der Illustration: DANTES ›Hölle‹ (1861), PERRAULTS ›Märchen‹ (1862), BÜRGERS ›Münchhausen‹ (1862), CERVANTES' ›Don Quijote‹ (1863), die Bibel (1865), LAFONTAINES ›Fabeln‹ (1866) u. a., die alle von seiner höchst skurrilen Erfindungsgabe zeugen und dem Symbolismus angehören.

G. D. Das graph. Werk, 2 Bde. (1975); G. D., Ausst.-Kat., Göttingen, 2 Bde. (1983).

Dorer, Dori|er, grch. Volksstamm, urspr. im dalmatinisch-alban. Raum ansässig. Die D. besetzten – wohl nach der Zerstörung der myken. Kultur durch die Seevölker – im Verlauf der **Dorischen Wanderung** seit etwa 1100 v. Chr. die Landschaften Argolis, Lakonien und Messenien sowie das Gebiet am Isthmus von Korinth. Von der Peloponnes aus stießen sie auch nach Kreta, Rhodos und Kos vor und besiedelten im SW Kleinasiens Teile bes. der karischen Küste. An der großen Kolonisation beteiligten sich von den D. bes. Korinth (u. a. mit Korfu und Syrakus) und Megara (mit Chalcedon und Byzanz). Von Sparta aus wurde Tarent angelegt, von Rhodos aus Gela und Agrigent, vom dor. Thera aus wurde in Nordafrika Kyrene besiedelt.

Dorf, Ortschaft auf dem Lande, deren Bewohner sich i. d. R. mit Landwirtschaft beschäftigen. Man unterscheidet folgende Formen: das **Haufen-D.,** eine Streusiedlung, bei der die Gehöfte locker ohne best. Ordnung zueinander liegen. Besteht das Haufen-D. aus wenigen Höfen, nennt man dies **Weiler. Reihen-** oder **Ketten-D.** sind **Marschhufen-** oder **Waldhufen-D.,** bei denen sich die Hufen (Anteil des Bauern an der Gemeindeflur) in langen parallelen Reihen bis zum Deich oder Wald erstrecken. Das **Straßen-D.** ist beidseitig von relativ regelmäßig angeordneten Gehöften an einem Straßenabschnitt bestimmt. Beim **Anger-D.** erweitert sich die Straße, an der die Gehöfte liegen, zum Dorfanger. Der **Rundling** oder das **Rund-D.** besitzt kreisförmig oder in Strahlen angeordnete Gehöfte. Seit dem 17. Jh. gibt es unter dem Einfluß einer Herrschaft systematisch angelegte **Kolonisten-D.**, oft in Form eines Straßen-D., manchmal in regelmäßig schachbrettartig angelegter Struktur. D. waren oft durch Palisaden, Gräben und Hecken (Gebück) befestigt. Durch die Entwicklung in der Landwirtschaft, die Zersiedelung der Landschaft und den Straßenbau ist der Charakter des D. gefährdet oder teilweise schon zerstört.

Dorigny [dɔriɲ'i], **1)** Louis, frz. Maler, getauft Paris 14. 6. 1654, †Verona 29. 11. 1742, Schüler von C. LEBRUN, reiste 1673 nach Rom und ließ sich 1687 in Verona nieder. Sein Werk umfaßt Fresken und Gemälde in Venedig, Udine, Padua, Mantua, Verona und Wien. Zu seinen Auftraggebern gehörte Prinz EUGEN V. SAVOYEN.

2) Sir (seit 1720) Nicolas, frz. Kupferstecher, Maler, Bruder von 1), getauft Paris 2. 6. 1658, †ebd. 1. 12. 1746, war in Italien (Rom 1687–1711), England (1711–24) und Frankreich (Paris ab 1724) tätig; bekannt v. a. durch Stiche nach Arbeiten RAFFAELS (Teppichkartons in Hampton Court; Farnesinafresken).

dorische Ordnung, dorischer Baustil, ein Architekturstil der →griechischen Kunst (→Säulenordnung).

Dormitorium [von lat. dormire ›schlafen‹] *das,* der seit dem 8./9. Jh. so benannte gemeinsame Schlafsaal im →Kloster, im O-Flügel des Konventsgebäudes über dem Kapitelsaal gelegen. Die Aufteilung in Einzelzellen begann bei den älteren Orden erst im 14. Jh., bei den Bettelorden war sie sofort üblich. (BILD Eberbach)

Dornach, Ort im schweizer. Kt. Solothurn, 5200 Ew.; Goetheanum, nach von Jugendstil und Expressionismus beeinflußten Plänen des Anthroposophen R. STEINER 1924–28 in Sichtbeton erbaut, Beispiel für die architekton. Umsetzung anthroposoph. Vorstellungen.

Dornauszieher: Bronze; wohl 1. Jh. v. Chr. (Rom, Konservatorenpalast)

Dorn|auszieher, Motiv eines sitzenden Knaben, der sich einen Dorn aus dem Fuß zieht, häufig in der antiken, bes. der hellenist. Plastik gestaltet. Die bekannteste Darstellung ist die Bronzestatue des D. im Konservatorenpalast, Rom, wohl eine Schöpfung des 1. Jh. v. Chr., später vielfach kopiert, v. a. auf provinzialröm. Kunstdenkmälern, in der roman. Kunst (Frankreich, Dtl.) sowie in der ital. Renaissance.

Dornburg, 1) D./Elbe, Gem. westlich von Zerbst, Dt. Dem. Rep.; Schloß, 1751–55 von F. J. STENGEL für Fürstin JOHANNA ELISABETH VON ANHALT-ZERBST errichtet, hervorragendes Beispiel des mitteldt. Barock.

2) D./Saale, Stadt bei Jena, Dt. Dem. Rep., 1300 Ew., mit 3 Schlössern über der Saale: Nördl. oder Altes Schloß, eine unregelmäßige Dreiflügelanlage mit roman. und spätgot. Bauteilen; Mittleres Schloß (1736 bis 1747), Barockbau mit reichen Stuckdekorationen des Rokoko im Innern; Südl. Schloß oder Goetheschloß im Renaissancestil (1539).

Dornenkrönung, die von der ma. Kunst v.a. im Rahmen von Passions-Zyklen dargestellte Szene der ›Krönung‹ Jesu mit einer Dornenkrone. Zur Aufbewahrung einer Reliquie der Dornenkrone erbaute LUDWIG IX. in Paris die Ste. Chapelle. Aus der Spätgotik finden sich Darstellungen der Szene, ebenso Andachtsbilder, die nur Jesus mit der Dornenkrone zeigen.

Dorotheum, Wien, österr. Staatsinstitut für das Spareinlagengeschäft und den Faustpfandkredit (Pfandleihgeschäft), 1707 als Versatzamt gegr. und seit 1787 in der Dorotheergasse ansässig. Das D. ist das älteste Auktionshaus der Welt und versteigert heute neben dem noch immer bestehenden Pfandleihgeschäft alte und neue Kunst, Möbel, Kunsthandwerk und Briefmarken.

Dorpat, dt. Name von →Tartu.

Dorsale [von lat. dorsum ›Rücken‹], Rückwand des Chorgestühls, häufig mit Blendarkaturen und Baldachinen geschmückt. – Auch Bez. für Wandteppiche hinter einer Sitzreihe und im MA. für das Altarantependium.

Dortmund, größte Stadt Westfalens im östl. Ruhrgebiet (NRW), 624000 Ew.; ehem. Reichs- und Hansestadt, die Altstadt 1945 zu 95 % zerstört. Reinoldikirche (13./15. Jh.) mit hervorragender Ausstattung des 15. Jh. (Plastiken, Flügelaltar, Chorgestühl, Taufbecken, Adlerpult); in der Marienkirche (13./14. Jh.) Tafeln des Marienaltars von →Conrad von Soest (um 1420), ferner der Berswordt-Altar (um 1390); in der Propsteikirche (14./15. Jh.) Flügelaltar von D. BAEGERT (um 1470/80); Petrikirche (14. Jh.) mit riesigem Antwerpener Schnitzaltar (1521). Mus. am Ostwall (20. Jh.); Mus. für Kunst und Kulturgeschichte der Stadt D.

Doryphoros [grch. ›Speerträger‹], Bronzestatue des POLYKLET (um 450 v. Chr), die nur in mehreren röm. Marmorkopien erhalten ist. Der D. stellt die mustergültige Lösung der theoret. Bestrebungen der polyklet. Schule dar.

Dose, kleiner, meist runder Behälter mit Deckel. Die flache D. war im Unterschied zur hohen Büchse vom 17.–19. Jh. ein Luxusgegenstand und tritt seitdem als Gebrauchsgefäß (Zucker-D.) auf. Tabak-D. (Tabatière), Konfekt-D. (Bonbonnière) und Porträt-D. wurden seit König LUDWIG XIV. von Frankreich als Prunk- und Ehrengeschenke gegeben, die oft einer Ordensverleihung gleichkamen. Die Mode führte zur Herstellung von D.-Uhren und Spiel-D. Häufigstes Material kostbarer D. waren Edelmetalle, -steine und Porzellan. Dazu traten Einlagen aus Elfenbein, Perlmutter, Schildpatt, Bernstein und Email.

Dossi, Dosso, eigtl. Giovanni **Luteri,** ital. Maler, *Ferrara um 1489, †ebd. kurz vor 27. 8. 1542, wahrscheinlich Schüler von L. COSTA, beeinflußt von GIORGIONE, wurde zum Hauptmeister der Schule von Ferrara im 16. Jh.; Hofmaler der ESTE. Er schuf Porträts, Altarbilder und v. a. relig. und mytholog. Bilder von romant. Stimmung, in denen das Landschaftliche und Atmosphärische stark hervortreten. Seine Farbgebung ist von satter Pracht und oft von eigenwilliger Phantastik. Er führte zahlreiche Werke zus. mit seinem Bruder Battista (†1548) aus.

HW: Die Zauberin Melissa (um 1520; Rom, Gal. Borghese); Madonna mit Heiligen (1522; Modena, Dom); Hl. Sebastian (Mailand, Brera).

Dotaku [jap.], vorgeschichtl. Bronzen in Glockenform von 25–120 cm Höhe aus Japan. Die Entstehung der D. wird im Zusammenhang mit südchines. Kulturen gesehen (Bedeckung des Phallussymbols?). Der Dekor zeigt zw. sich kreuzenden Bändern geometr. oder figürl. Darstellungen in Ritz- oder Relieftechnik, v.a. Jagd- und Fischfangmotive. (→Bronzekunst)

Dotaku: Bronze, 69 cm hoch, Yayoi-Zeit, etwa 3. Jh. (Köln, Museum für Ostasiatische Kunst)

Dou, Douw [dɔu], Gerard, holländ. Maler, *Leiden 7. 4. 1613, begraben ebd. 9. 2. 1675, war REMBRANDTS erster Schüler (1628–31) und erlernte aus dessen Frühwerk die typisch feinmaler. Arbeitsweise, die er auch nach Rembrandts Übersiedlung nach Amsterdam beibehielt und vervollkommnete. Mit seinen Darstellungen aus dem holländ. Bürgerleben ist er der Begründer der ›Leidener Feinmalerei‹, in der er mit F. VAN MIERIS D. Ä., G. METSU und G. SCHALCKEN Nachahmer fand. D. zählte zu Lebzeiten und im 18. Jh. zu den am meisten geschätzten Malern Hollands.

Douala [dual'a, frz.], **Duala, 1)** Bantu-Volk an der Küste von Kamerun; etwa 80 000 Menschen, in und um die Hafenstadt D. Die D. stellten, vermutlich nur bis zum Anfang dieses Jh., kunstvolle Schnitzwerke her, v.a. dekorativ polychrom bemalte, stilisierte Büffelmasken sowie durchbrochene Vordersteven für Kriegs- und Handelsboote.

2) wichtigste Hafen- und Handelsstadt von Kamerun, 345 000 Ew.; im Verwaltungszentrum Museum (traditionelle afrikan. Kunst).

Doublieren [du-, frz.], Gemälde- und Graphikrestaurierung: Verfahren, bei dem zur Sicherung einer beschädigten Leinwand oder Graphik ein 2. Gewebe oder Papier auf die Rückseite aufgeklebt wird.

Douffet [duf'ɛ], Gerard, gen. **Chevaert,** niederländ. Maler, *Lüttich 6. 8. 1594, †ebd. 1660, lernte in Lüttich, wahrscheinlich auch 1612–14 bei P. P. RUBENS und bildete sich in Italien (1614–23) weiter. Seine großformatigen Altarbilder zeigen das Helldunkel der Caravaggisten, ihr Aufbau verrät den Einfluß frz. Vorbilder.

Dougga [d'u-], das antike **Thugga,** Ruinenstätte in Tunesien, rd. 120 km südwestlich von Tunis. Aus punischen Anfängen entwickelte sich eine röm. Stadt; Blütezeiten bes. im 2. und 3. Jh. n. Chr.; Baureste des auf hohem Podium gelegenen Kapitols (der Kapitolin. Trias geweiht), von Tempeln, vom Forum, Theater sowie von Wohnhäusern; ein 21 m hohes libysch-punisches Mausoleum (2. Jh. v. Chr.) wurde wieder aufgebaut.

Doughty [d'aʊtɪ], Thomas, amerikan. Maler, *Philadelphia (Pennsylvania) 19. 7. 1793, †New York 22. 7. 1856, Autodidakt, studierte auf einer Europareise (1837/38) die engl. Landschaftsmalerei; Mitbegründer der →Hudson River School.

Heinrich Douvermann: Teil der Wurzel Jesse am Marienaltar; voll. um 1535 (Xanten, Dom)

Douvermann [d'au-], Heinrich, Bildschnitzer, *Holt bei Dinslaken um 1480, †vor oder um 1544, arbeitete in der 1. H. des 16. Jh. am Niederrhein (v. a. Kalkar und Xanten). Seine Kunst, anfangs von der fläm. Skulptur abhängig, zeichnet sich durch die Phantasiefülle des spätgot. Ornaments und barocke Stilelemente vorwegnehmende Schnitztechnik aus.

HW: Marienaltar (vollendet um 1535; Xanten, Dom); Altäre (Kalkar, Nikolauskirche).

Dover [d'əʊvə], Hafenstadt in der Cty. Kent an der S-Küste Englands, wird überragt von dem 1168 beg. **Dover Castle** [-kɑːsl]. Die Burgkapelle St. Mary-in-castro wurde um 1000 als Saalbau mit eingezogenem Rechteckchor, schmalen Querarmen und einem Turm über der abgeteilten Vierung beg.; in den Ostteilen frühgot. Kreuzrippengewölbe. Von dem Kloster St. Martin sind nur Fragmente des Chores und das Refektorium von 1140 erhalten.

Doxạle [mlat.], Bez. für das Chorgitter oder den Lettner, die den Altarraum vom Kirchenschiff trennen; aber auch für die Sängerbühne oder Orgelempore.

Doxạn, tschech. **Dọksany,** Ort im Nordböhm. Kreis, ČSSR; ehem. Prämonstratenserinnenkloster, 1144 gegr.; wesentl. Teile von Kloster und Kirche vom Anf. des 13. Jh. (eine von 47 Säulen getragene Krypta) blieben auch nach der Barockisierung (1710–20) erhalten; reiche Ausstattung; Klostergebäude mit Torbau von S. Carlone (1697).

Drache, ein echsenartiges Mischwesen in der Mythologie vieler Völker. In der christl. Kunst wird der D. als Symbol des Bösen in Szenen aus der Apokalypse und im Kampf mit dem Erzengel →Michael und dem Hl. →Georg dargestellt. In den außereurop. Kulturen spielt der D. die wichtigste Rolle in der Kunst Ostasiens (chines. K'uei). Er gilt dort als wohltätiges und glückbringendes Wesen, bes. verbunden mit allem Wasser (in Wolken, Brunnen, Quellen), sowie Symbol der Nacht, der Himmelsgegenden. Er war auch Sinnbild des männl. Prinzips (Yang, →Yin-Yang). Seit der späten Shang-Zeit (16.–11. Jh. v. Chr.) wird er in der chines.

Kunst dargestellt und ist später ein beliebtes Motiv auch im Kunstgewerbe. Seit der Sung-Zeit (960–1278) wird er auch zum kaiserl. Symbol (fünfklauiger D.; für Prinzen und Beamte vier- und dreiklauig). Der D. oder das D.-Paar, das um die ›Wunschperle‹ spielt, ebenfalls ein geläufiges Dekorationsmotiv, nimmt buddhist. Vorstellungen auf.

In der Kunst des Alten Orient nimmt der D. sehr versch. Gestalt an (→Mischwesen). In der ind. Kunst hat er einen Fischschwanz (→Makara).

Drachenblut, Maltechnik: rotes, alkohollösl. Harz des Drachenbaumes, seit der Antike bekannt und zu Lüstern, Lasuren und in der Buchmalerei verwendet.

Dragalewki-Kloster, Dragalevski manastir, Kloster in Bulgarien, nahe Sofia am Fuß des Witoscha-Gebirges, gegr. in der 2. H. des 14. Jh. vom Zaren IWAN ALEXANDER. Die Kirche ›Zum Tode Mariae‹ aus der Zeit vor der türk. Eroberung ist eine einschiffige Bojarenkirche ohne Kuppel (reiche Ausmalung, 2. H. 15. Jh.).

Drageoire [draʒw'a:r, frz.], Dose oder Schale aus unterschiedl. Material häufig mit reichem plast. Dekor und Emailmalerei; im 14.–17. Jh. zum Aufbewahren und Anbieten von Zuckerwerk verwendet.

Dragomirna, Ort im Kr. Suceava, Rumänien, mit Klosterburg (befestigt 1627), die zur Gruppe der →Moldauklöster gehört. Die Kirche (1609 beg.) zeigt reichen skulpturalen Außenschmuck; im Innern Wandmalereien.

Draht|email [-em'aj], →Emailkunst.

Drahtschlinge, Bildhauerkunst: dünner Draht mit Schlingen; er wird um das Modelliergerüst geflochten, um ein Herabfallen oder Verdrehen der Modelliermasse zu verhindern.

Drake, Johann Friedrich, Bildhauer, *Bad Pyrmont 23. 6. 1805, †Berlin 6. 4. 1882, Schüler von C. D. RAUCH in Berlin und dort seit 1837 ansässig. In der Nachfolge Rauchs schuf D. in klassizist. Stil Denkmäler und Statuen.

HW: Standbild Friedrich Wilhelms III. (1849; Berlin, Tiergarten, heute Berlin-Ost, Lapidarium); Viktoria (1869–73; Berlin, auf der Siegessäule).

V. ESSERS: J. F. D. 1805–1882 (1976).

Drakensberge, östl. Randgebirge Südafrikas, von der Kapprovinz über Lesotho, Natal, Swasiland bis Transvaal, bis 3482 m hoch. Viele Höhlen und Abris mit Felsbildern, von denen die jüngsten (bis 1910) auf die Buschmänner zurückzuführen sind.

A. WILLCOX: Rockpaintings of the D. (London 1956).

Draperie [frz.], dekorative Stoffgehänge zur Ausschmückung von sakralen und profanen Innenräumen; sie werden seit der Antike verwendet und sind weit verbreitet in der Fest- und Theaterdekoration im 17./18. Jh. sowie in der Innendekoration und an Möbeln der frz. Kultur und ihrer Einflußgebiete. In Malerei und Bildhauerkunst Bez. für die Anordnung der Gewänder; der Faltenwurf. ›D.‹ war auf den Akad. früher ein besonderes Studienfach.

Dra-Tal, maler. Flußoase in S-Marokko. Am Oberlauf, südöstlich von Ouarzazate erstreckt sich auf 150 km Tallänge (Agdz bis Mhamid) eine fast ununterbrochene Kette rotbrauner Stampflehm-Kasbas der →Berber mit Lehmziegelornamentik wie im →Dadès-Tal, hier jedoch meist gruppiert in der Form des großen befestigten Ksar (z. B. in Tamenougalt). Viele Marabuts und Zawijas (bes. in Tamegroute).

Dravida-Stil, Architekturstil der hinduist. Steintempel S-Indiens, benannt nach der südind. Sprachfamilie Dravida. Der D.-S. entwickelte sich seit dem 7. Jh. an den freistehenden Tempeln der Pallava-Dynastie (→Mahabalipuram, →Kanchipuram). Der meist quadrat., fensterlose Bau (→Vimana) umschließt das Sanktum (Garbhagriha). In Außennischen oder angefügten Schreinen stehen Kultfiguren. Darüber erhebt sich ein pyramidenförmiger Turmbau aus mehreren von Miniaturtempeln gesäumten Geschossen mit kuppelartigem Deckstein. Die betont horizontale Gliederung der Aufbauten leitet sich aus der Gesimsform vorangehender Höhlentempel her und unterscheidet den D.-S. deutlich vom Naraga-Stil N-Indiens. Dem anfangs isolierten Vimana lagerten sich Tempelhallen (Mandapa) vor, der gesamte Bau wurde mit einer Mauer umgeben. Im 10. bis 12. Jh. erreichten die Tempel der Chola-Dynastie enorme Ausmaße (→Thanjavur), anschließend nahm die Höhe des Vimana ab, während die Torbauten (Gopura) der Umfassungsmauer betont wurden.

Dreber, Carl Heinrich, genannt **Franz-Dreber,** Maler, *Dresden 9. 1. 1822, †Anticoli di Campagna 3. 8. 1875, Schüler der Akad. und L. RICHTERS in Dresden, wirkte seit 1843 in Rom. In seinen von persönl. Naturempfinden bestimmten Bildern aus der Campagna Romana lebte die von J. A. KOCH erneuerte ideale Landschaft fort. Seine Kunst beeinflußte A. BÖCKLIN.

Drechseln, Technik zur Herstellung von Kunstgegenständen, Möbelteilen u. a. auf einer Drehbank, wobei der rotierende Rohling (v. a. aus Holz, Elfenbein und Horn) zw. 2 Spindeln eingeklemmt und mit einem von Hand geführten Schneidwerkzeug bearbeitet wird.

Dreieichen, Maria D., Wallfahrtsort bei Horn, NÖ; spätbarocke zweitürmige Wallfahrtskirche (1744–52) mit längsovalem Kuppelraum, Kuppelfresko von P. TROGER (1752); Altäre aus der Erbauungszeit.

Dreifaltigkeit, →Trinität.

Dreifaltigkeitsring, ringförmige Spirale aus 3 scheinbar selbständigen Ringen, die aus einem Stück gefertigt und ohne Anfang und Ende umeinander geflochten sind. Der Ring wurde aus Elfenbein oder Metall für Kunstkammern hergestellt; er diente nicht als Fingerschmuck.

Dreifaltigkeitssäulen, aus der Verbindung von Votiv- und Triumphsäule entstandene Denkmäler, die zur Gruppe der Bildstöcke (→Bildstock) zählen. Sie wurden aus bestimmten Anlässen (Rettung aus Kriegsnöten, Abwehr der Türken, als Dank für das Ende der Pest) errichtet. Die 1679 in Wien am Graben errichtete ›Pestsäule‹ wurde zum Vorbild ähnl. Monumente in Österreich, Böhmen und Mähren, wie z.B. die im Pestjahr 1715 gelobte D. am Ringplatz in Olmütz (36,5 m hoch; in Arbeit 1716–54).

Dreifigurenreli|efs, archäolog. Bez. für 4 gleichgroße grch., in röm. Kopien erh. Reliefs vom Ende des 5. Jh. v. Chr.; sie zeigen jeweils nur 3 Figuren: Orpheus, Eurydike und Hermes; Herakles, Theseus und Peirithoos; Medea und die Peliaden; Herakles und die Hesperiden. Die in Stil und Thematik (Tod und Jenseits) verwandten Reliefs werden auf einen einheitl. Entwurf zurückgeführt.

Dreifuß, grch. **Tripus,** Gestell mit 3 Füßen zum Tragen eines Gefäßes (meist bronzene **D.-Kessel**), auch zum Sitzen. Der D., im Altertum weit verbreitet, spielte im Kult und öffentl. Leben eine große Rolle. Als wertvolle Kampfpreise waren sie schon in homer. Zeit und in der Frühzeit der Olymp. Spiele, später als Preise für Chöre bei Wettkämpfen an Dionysosfesten (→Choregische Monumente), sehr begehrt. Von großer Bedeutung war der D. in Delphi, Sitz der priesterl. Prophetin Pythia. In der grch. Frühzeit (geometr. Periode) wurden die schalenartigen Kessel meist aus Bronze getrieben, während die mit geometr. und figürl. Dekor geschmückten hohen Ringhenkel und die langen Standbeine oft gegossen waren; seit dem 7. Jh. v. Chr. wurden alle Teile der D. und ihr plast. Schmuck gegossen.

Die bronzenen D. Etruriens waren im 7. Jh. v. Chr. überwiegend einfache Stab-D., seit dem 6. Jh. wurden die Flächen zw. den Stäben mit getriebenen Reliefs verkleidet oder die tragenden Stäbe reich mit gegossenem Dekor verziert (v.a. in Werkstätten in Vulci). – Über den chines. D. →Sakralbronzen.

Dreikonchen|anlage, Trikonchos, Chorabschluß einer Kirche in Form von 3 halbkreisförmigen Apsiden, die zus. ein Kleeblatt ergeben (Köln, St. Maria im Kapitol und St. Aposteln; Marburg, Elisabethkirche).

Drei Könige, Dreikönige, urspr. die Magier oder Weisen, die nach bibl. Bericht (Mt.), von einem Stern aus dem O geführt, zur Anbetung des Jesuskindes kamen, erst seit dem 5. Jh. in der Dreizahl (nach der Dreizahl der Gaben) und als Könige vorgestellt. Für ihre 1164 von Erzbischof RAINALD VON DASSEL aus Mailand nach Köln gebrachten Reliquien schuf NIKOLAUS VON VERDUN um 1200 den Kölner ›Dreikönigsschrein‹. Der die Reliquien umhüllende Stoff stammt nach neueren Untersuchungen aus dem 3. Jh. – Die Ikonographie der D. K. geht auf Darstellungen huldigender Barbaren in der röm. Triumphalkunst zurück. Darstellungen finden sich schon in frühchristl. Zeit (Katakombenmalerei), oft zusammen mit der Geburt Christi und den Hirten auf dem Felde. Bis zum MA. wurden die D. K. als pers. Magier (Hosen, phryg. Mütze) charakterisiert. Vorbild der Goldgabe des ältesten Magiers sind goldene Kränze, die in der Antike das Volk darbrachte. So hat auch die Goldgabe zunächst die Form eines Kranzes und wird erst später in einem Kästchen oder Kelch dargereicht. Die Altersunterschiede (Jüngling, Mann, Greis) wurden erst seit dem frühen MA. betont. Die D. K. können auch als Vertreter der 3 Erdteile oder versch. Rassen auftreten. Seit dem 14. Jh. wurde die Szene der Anbetung dramatisiert (wohl unter Einfluß des geistl. Schauspiels), der Zug der D. K. mit exot. Motiven ausgeschmückt, im Spät-MA. schließlich die Anbetung der reichen Könige der Verehrung durch die armen Hirten entgegengesetzt. In der Bauplastik wie im Altarbild (S. LOCHNER u. a.) ist die Anbetung meist zentral um den Mittelpunkt der Madonna komponiert. Glanzvoll unter den vielen Gemälden ist das Werk des B. GOZZOLI (Florenz, Palazzo Medici-Riccardi).

Die Hl. D. K., Darstellung und Verehrung, Ausst.-Kat., Köln (1982).

Dreipaß, Figur des →Maßwerks aus 3 Kreisbögen, die in einen Kreis eingeschrieben sind.

Dreischneuß, Figur des →Maßwerks, bei der 3 Fischblasen einen Kreis ausfüllen.

Dreisitz, Levitenstuhl, dreiteiliger Sitz des Zelebranten und der Diakone während der Messe; der Mittelteil ist etwas erhöht. Häufig an der Rückseite des Lettners oder Kreuzaltars (Marburg, Elisabethkirche; Ulm, Münster).

Dreistrahlgewölbe, seltene Gewölbeform in Chorumgängen der frz. Kathedralgotik und im Wölbungsbau der Zisterzienser, bei der eine dreieckige Gewölbefläche durch winkelhalbierende Rippen so unterteilt wird, daß 3 Kappen entstehen.

Dreiviertelsäule, Säule, die im Querschnitt zu drei Vierteln aus der Wand oder dem Pfeilerkern heraustritt, oft Ecksäule.

Drempel, Kniestock, halbgeschoßartige Vergrößerung des Dachraums durch Tieferlegung der Dachbalkenlage.

Dreros, antike grch. Stadt im NO Kretas (KARTE kretisch-mykenische Kunst) mit Resten eines archaischen Tempels, von Häusern, einer Agora und eines Prytaneions; Skulpturenfunde aus dem 7. Jh. v. Chr.

Dresden, Hauptstadt des Bez. D., Dt. Dem. Rep., beiderseits der Elbe, 509300 Ew. Seit 1485 Residenz der Wettiner, erlebte die Stadt bes. in der Zeit der sächsisch-poln. Union (1697–1763, AUGUST DER STARKE und AUGUST III.) eine rege Bautätigkeit. Bis zu dem Luftangriff am 13./14. 2. 1945, dem die gesamte Altstadt zum Opfer fiel, galt D. durch seine einmalige städtebaul. Konzeption und eine Fülle qualitätvoller Bauten als eine der schönsten dt. Städte (›Elbflorenz‹; BILD Canaletto 2). Viele histor. Bauwerke wurden inzwischen wiederhergestellt oder sind für den Wiederaufbau vorgesehen; jedoch veränderten Zerstörung und Neuplanung das Stadtbild entscheidend, v. a. durch den Bau einer breiten W-O-Straße durch die Altstadt.

Die Altstadt auf dem linken Elbufer entstand um die ma. Burg, an deren Stelle das Schloß errichtet wurde, eine Vierflügelanlage des 16. Jh., später häufig verändert, zuletzt 1890–1902, 1945 ausgebrannt (Wiederaufbau geplant). Die kath. Hofkirche am Schloßplatz

(1739–55, 1945 ausgebrannt, wiederhergestellt) von G. CHIAVERI ist eine dreischiffige Basilika mit Turm auf ovalem Grundriß; Kanzel von B. PERMOSER (1722), Altarbilder des Hauptaltars und der Seitenaltäre (1750 bis 1752) von A. R. MENGS. An Schloß und Hofkirche schließt nach W der Theaterplatz mit der Altstädter Wache an, einem klassizist. Bau (1830–32) nach Entwurf von K. F. SCHINKEL, und dem Opernhaus (1871 bis 1878) nach Entwurf von G. SEMPER (BILD), ausgeführt durch dessen Sohn M. SEMPER (Wiederaufbau im Gang). Die südwestl. Begrenzung des Platzes bildet der für Hoffeste errichtete →Zwinger (1711–28).

Zw. Zwinger und Schloß liegt das barocke Taschenbergpalais (1707–11) von Pöppelmann (Wiederaufbau geplant). Östlich vom Schloßplatz am Elbufer die Brühlsche Terrasse, früher Teil der Altstadtbefestigung, im 18. Jh. zur Gartenanlage ausgebaut, mit ehem. Landtagsgebäude (1901–06 an Stelle des 1899 abgebrochenen Palais Brühl), der Sekundogenitur (1907 an Stelle der Brühlschen Bibliothek) und der Akad. der Künste (1890 an Stelle des Galeriebaus). Am Ostende der Brühlschen Terrasse steht das Albertinum, als Zeughaus 1559–63 erbaut, 1884–87 als Mus. umgebaut. Zw. Akad. und Albertinum die barocke Frauenkirche, eine geniale Schöpfung G. BÄHRS (beg. 1726, gew. 1734; BILD Bähr); die Ruine der 1945 zerstörten Kirche soll als Mahnmal erhalten werden; davor das 1885 enthüllte Lutherdenkmal von A. DONNDORF (Kopf von E. RIETSCHEL). Der Frauenkirche gegenüber, ebenfalls am Neumarkt, steht das Johanneum, 1586–91 als Stallhof erbaut, mehrfach umgebaut (bis 1856 als Gemäldegalerie genutzt), doppelläufige Freitreppe (1729); neben der Fassade Schöne Pforte (um 1555 als Portal der Schloßkapelle). Das Johanneum ist durch den zum Hof mit 22 Rundbogenarkaden geöffneten Langen Gang mit dem Schloß verbunden. Um den Altmarkt, der beim Wiederaufbau auf das Doppelte vergrößert wurde, liegen das Neue Rathaus (1906–12), das frühklassizist. Gewandhaus (1768–79), das ebenfalls frühklassizist. Landhaus (1770–76) und die Kreuzkirche, ein Barockbau (1764–92) an Stelle früherer Kirchenbauten (1945 zerstört, wiederhergestellt). Nach SO schließt sich an die Altstadt der Große Garten an, eine Barockanlage (beg. 1676) mit frühbarockem Palais (1678–83).

Die Neustadt auf dem rechten Elbufer wurde nach Brand (1685) als einheitl. Barockstadt wiederaufgebaut. Die Dreikönigskirche (1732–39 nach Plänen von Pöppelmann, Innenausbau von Bähr) befindet sich im Wiederaufbau. Das Japan. Palais, 1715 als ›Holländ. Palais‹ beg., wurde 1727–35 unter der Oberleitung Pöppelmanns als Vierflügelanlage mit Eckpavillons erbaut (heute Mus.). In der Neustadt sind einige barocke Bürgerhäuser erh.

In den Außenbezirken liegen mehrere Schlösser; an der Elbe Schloß Übigau (1724/25) von J. F. EOSANDER V. GÖTHE erbaut, 1726 von August d. Starken erworben, und elbaufwärts Schloß →Pillnitz; auf den Loschwitzbergen die spätklassizist. Schlösser Albrechtsberg (1850–54) und Villa Stockhausen (nach 1850) von dem Schinkel-Schüler A. LOHSE und das als ma. Burg angelegte spätromant. Schloß Eckberg.

Im N von Dresden wurde in Hellerau erstmals der Plan einer Gartenstadt verwirklicht, Bebauungsplan (1907/08) sowie ›Deutsche Werkstätten‹ und Reihenhäuser von R. RIEMERSCHMID, Wohnhäuser auch von H. MUTHESIUS und H. TESSENOW, Festspielhaus (1910–12) von Tessenow.

D. verfügt über weltberühmte Kunstsamml., bes. →Albertinum, →Dresdener Gemäldegalerie, →Grünes Gewölbe.

GERHARD SCHMIDT: D. und seine Kirchen (1976); F. LÖFFLER: D., So wie es war (Leipzig [3]1977); ders.: Der Zwinger in D. (ebd. 1979); ders.: Die Kreuzkirche in D. (1980); ders.: Das alte D. (1982); D., Stadt der Museen (1978); L. KEMPE: Schlösser und Gärten um D. (Leipzig 1979); H. J. NEIDHARDT: Die Malerei der Romantik in D. (ebd. 1981).

Dresden China [dr'ezdən tʃ'aɪnə], engl. Bez. für Meißener Porzellan.

Dresdener Gemäldegalerie, D. G. Alte Meister, Samml. europ. Kunst vom MA. bis zum 18./19. Jh., bes. ital. Malerei des 16.–18. Jh., darunter HW von TIZIAN, GIORGIONE und RAFFAEL. Die D. G. ist aus der 1560 von Kurfürst AUGUST gegr. und 1831 aufgelösten Kunstkammer hervorgegangen. Auf Beschluß der 1836 eingesetzten ›Gallerie-Commission‹ wurde 1847–54 das für den Mus.-Bau wegweisende Gal.-Gebäude am Zwinger von G. SEMPER errichtet (1945 zerstört). Ein im frühen 20. Jh. entworfener Ergänzungsbau für die moderne Abteilung (seit 1965 im →Albertinum) gelangte nicht zur Ausführung. 1938/39 wurde die Gal. geschlossen, die Bestände ausgelagert; Wiedereröffnung 1956.

D. G.; alte und neue Meister (Leipzig 1980).

Dresser [dr'esə], Christopher, engl. Kunsttheoretiker, Designer, *Glasgow 4. 7. 1834, †Mülhausen (Elsaß) 24. 11. 1904, entwarf silbernes Tafelgerät, Keramik, Glas, Möbel und Textilien in klaren, nicht an histor. Vorbildern orientierten Formen. Außerdem setzte er sich mit Fragen der Material- und Funktionsgerechtigkeit und der ästhet. Gestaltung der Form des Industrieprodukts auseinander.

Dressoir [drɛsw'a:r], frz. Form des →Stollenschranks.

Drevet [drəv'ɛ], Familie frz. Kupferstecher des 17./18. Jh., die den Linienstich zu höchster techn. Vollendung entwickelten. Sie waren ausschließlich als Reproduktionsstecher tätig. Bed. Mitgl. waren:

1) Pierre, *Loire (Dep. Rhône) 20. 7. 1663, †Paris 9. 8. 1738, Schüler von G. AUDRAN in Paris; seit 1707 Mitgl. der Akad. ebd.; stach bes. Repräsentationsporträts nach H. RIGAUD und N. DE LARGILLIÈRE. Seine Porträts (u. a. von Ludwig XIV., 1712; nach Rigaud) zeichnen sich durch hervorragende Wiedergabe des Stofflichen aus.

2) Pierre-Imbert, *Paris 22. 6. 1697, †ebd. 27. 4. 1739, Sohn von 1), mit dem er zusammenarbeitete; stach zunächst relig. Bilder nach J. RESTOUT (*Rouen 1692, †Paris 1768) und N. COYPEL, bis auch er sich in meisterhafter Weise ganz dem Porträtstich zuwandte (J. B. Bossuet, 1723; nach Rigaud).

Dreyer, Benedikt, Bildschnitzer, *um 1485, †nach 1555, war 1507/08 Geselle in Lüneburg, später Meister in Lübeck. In seinen Eichenholzbildwerken verbindet sich niederdt. Überlieferung mit einer der süddt. Plastik dieser Zeit verwandten bewegten Auffassung. Sie gehören zu den ausdrucksvollsten Werken der letzten Phase spätgot. Kunst in Lübeck.

HW: Antonius-Altar (1522; Lübeck, urspr. Marienkirche, jetzt Mus.; urkundlich gesichert). – Zugeschrieben: 7 Figuren am Lettner (um 1520; Lübeck, Marienkirche, 1942 zerstört).

Benedikt Dreyer: Erzengel Michael von der Lettnerbrüstung; um 1520 (Lübeck, Marienkirche)

Drogheda [dr'ɔɪɪdə], irisch **Droichead Atha,** Hafenstadt in der Cty. Louth, Rep. Irland, 19 800 Ew., am Boyne. 901 gegr., erhielt D. 1228 Stadtrecht und wurde 1649 zerstört. Erhalten sind die ma. Stadtbefestigung mit dem St. Lawrence Gate, Ruinen von Klosteranlagen sowie die got. Pfarrkirche St. Peter; nördlich der Stadt liegen die Reste des Klosters **Monasterboice** mit mehreren Kirchenruinen des 5. bis 12. Jh. sowie Steinkreuzen, darunter das Muiredach Cross des 10. Jh. mit figürl. Reliefdarstellungen.

Drogo-Sakramentar, spätkaroling. Hs. der →Metzer Schule.

Droit de suite [drwadəsɥ'it, frz.], in Frankreich Anspruch des Schöpfers eines Werkes der bildenden Kunst auf Anteil am Verkaufserlös bei Weiterveräußerung des Originals; angewendet nur bei öffentl. Versteigerungen. Der in Frankreich geprägte Begriff ist internat. üblich. Für Dtl. →Folgerecht.

Drolerie [frz.], eine das Scherzhafte betonende Darstellung von Tier, Fabelwesen oder Mensch in ma. Hss., in der Bauplastik und Schnitzkunst (→Miserikordie).

Drolerie

Drolerie: Gespräch einer Gans mit einem Fuchs, der sich als Geistlicher verkleidet hat; aus einer theolog. Handschrift des 15. Jh. (Orig.-Gr.)

Dromos [grch.], Eingangsweg zu Kammer- und Kuppelgräbern, v. a. bei kretisch-myken. und etrusk. Grabanlagen.

Dröppelminna, im 18./19. Jh. bes. in Nord-Dtl. beliebte Kaffeekanne aus Zinn mit gewölbtem Deckel und 1 oder 2 Henkeln; statt des Ausgusses häufig mehrere Zapfhähne.

Drottningholm, Sommerschloß der schwed. Könige auf der Mälarinsel Lovö, westlich von Stockholm, von N. TESSIN D. Ä. 1662 nach frz. Vorbild beg., von seinem Sohn voll., um 1750 von C. HÅRLEMAN im Rokokostil erweitert und teilweise umgebaut; im Park das für das schwed. Rokoko charakterist. Lustschloß China (1763–68), Theater (1764–66); im Schloß Porträtsammlung.

Drouais [dru'ɛ], frz. Malerfamilie des 18. Jh.; bedeutendste Mitgl. waren:

1) François-Hubert, *Paris 14. 12. 1727, †ebd. 21. 10. 1775, lernte bei seinem Vater, dem Porträtmaler Hubert D. (*1699, †1767), C. VANLOO, C.-J. NATOIRE und F. BOUCHER; war geschätzt als Porträtmaler der höf. Gesellschaft zur Zeit LUDWIGS XV. (seit 1758 Hofmaler); schuf v. a. Damen- und Kinderporträts in feiner Farbgebung und liebenswürdiger Natürlichkeit.

HW: Ländl. Konzert (1758; Versailles, Schloß); Ludwig XV. (1773; ebd.); Anne-Marie Françoise Doré (um 1758, Louvre); Comte d'Artois und Madame Clotilde (1763; ebd.).

2) Germain-Jean, *Paris 25. 11. 1763, †Rom 13. 2. 1788, Sohn von 1), bei dem er lernte, ging 1784 mit J. L. DAVID nach Rom; schuf v. a. Historienbilder.

Drouot, Hôtel D. [ot'ɛl dru'o], Auktionshaus in Paris (Rue D.), 1852 gegr. Dort veranstalten die Versteigerer, die in einer Kammer zusammengefaßt sind, ihre Auktionen gemeinsam. Da sie keine jurist. oder kunsthistor. Qualifikation besitzen müssen, werden Experten herangezogen. Im Hôtel D. wurden die Nachlässe von E. DELACROIX, J. A. D. INGRES, C. COROT, J.-F. MILLET, É. MANET und E. DEGAS versteigert; heute kommen mehrmals pro Woche Kunst- und Gebrauchsgegenstände aller Art zur Auktion.

Droyßig, Gem. westlich von Zeitz, Dt. Dem. Rep.; Schloß, ehem. ma. Wasserburg, 16.–18. Jh. mehrfach umgebaut; bemerkenswert die Schloßkapelle (beg. 1622, nicht voll.) durch die Verbindung von Spätrenaissance mit nachgot. Formen.

Drübeck, Gem. am N-Rand des Harzes, Dt. Dem. Rep.; Kirche des ehem. Benediktinerinnenklosters, urspr. eine dreischiffige roman. Basilika (wohl 1. H. 11. Jh.); die erh. Teile (Mittel- und südl. Querschiff, verkürzter Chor) gehören zu einem einheitl. Bau (gegen 1100 voll.), Westbau mit Apsis (um 1170).

Druckerzeichen, Verlegerzeichen, Druckermarken, Signẹte, ornamentale Wappen, Zeichen oder figürl. Darstellungen, durch die ein Drucker oder Verleger in sinnfälliger, oft sinnbildl. Weise ein Buch als Erzeugnis seiner Presse oder seines Verlages kennzeichnet, früher am Schluß eines Druckwerks, dann auch auf dem Titelblatt angebracht.

Die ältesten D. (das früheste, das Allianzwappen von FUST und SCHÖFFER 1462) wurden in der Art und an Stelle von Siegeln verwendet, die wohl das Vorbild für den neuen Brauch abgaben. Schon im 15. Jh. sind über 600 versch. D. bekannt. Neben der Wappenform begegnen ›redende‹ Signete, die bildlich auf den Namen des Druckers anspielen, oder es werden die Initialen des Druckernamens oder die Hausmarke des Druckers für das Signet benutzt. Im 16. Jh. bevorzugte man für die D. die emblemat. Darstellung, die durch Sinnbild und beigefügte Devise Eigenart und Tendenz des Verlages dem Betrachter vor Augen halten soll. In neuester Zeit hat das Verlagssignet wieder erhöhte Beachtung und künstler. Pflege gefunden.

Druckform, Druckplatte, Druckträger, von dem in allen →Druckverfahren der Abdruck auf den Bedruckstoff gemacht wird; im Hochdruckverfahren auch **Druckstock** genannt.

Druckgraphik, Bereich der →Graphik, der speziell die künstler. Gestaltungen umfaßt, die mittels bestimmter techn. Verfahren vervielfältigt sind. In jedem Fall ist

Druckerzeichen

Fust & Schöffer, Mainz (1457–1502)

L. Giunta, Venedig (druckte 1489–1538)

J. Trechsel, Lyon (druckte 1489–1498)

B. Renbolt, Paris (druckte 1494–1518)

P. Pacini, Florenz (druckte 1496–1514)

die manchmal nicht eindeutig zu beantwortende Frage zu stellen, ob es sich dabei um **Originalgraphik** handelt, so wenn die Druckform vom Künstler eigenhändig hergestellt wurde, d. h. ausschließlich in seiner Verantwortung ausgeführt wurde, oder wenn es sich unter Benutzung einer bereits vorhandenen eigenen Arbeit um eine selbständige Umsetzung handelt oder um ein Erzeugnis, an dessen Zustandekommen er nur mittelbar beteiligt ist, obwohl es mit seiner Bewilligung unter seinem Namen vervielfältigt ist, oder ob es sich um **Reproduktionsgraphik** handelt, so bei originalgetreuen Wiedergaben fremder Vorlagen (z. B. Gemälden berühmter Meister). Diese Kriterien gelten für alle druckgraph. Techniken seit ihrer Entstehung. Die Wertschätzung der D. als eigenständige künstler. Leistung neben Malerei und Bildhauerkunst schwankt im Lauf ihrer Geschichte bei Künstlern wie bei Käufern (Sammlern). Zu den Voraussetzungen, die zu einem verstärkten Interesse an originaler D. im Verlauf des 19. Jh. geführt haben, gehört neben der erheblich erweiterten Käuferschicht die Entwicklung des zugehörigen techn. Apparates, der es erlaubt, Auflagenhöhen und Druckqualität zu steuern, aber daneben auch im Zusammenhang der chem. Komponenten aus dem Experiment neue dauerhafte Druckverfahren entstehen zu lassen.

Über die einzelnen druckgraph. Techniken →Holzschnitt, →Holzstich, →Kupferstich, →Radierung, →Lithographie, →Siebdruck. (→Druckverfahren)

Druckplatte, →Druckform.

Druckstock, die →Druckform im Hochdruckverfahren.

Druckverfahren, Methoden zur Herstellung einer beliebigen Anzahl gleichmäßiger Abdrucke einer Druckform (Druckplatte), die mit Druckfarbe versehen wird, auf Bedruckstoff. Man unterscheidet 5 druckgraph. Verfahren.

Beim **Hochdruck (Buchdruck, Holzschnitt)** sind die druckenden Elemente erhaben, die Druckform (Druckstock) eben oder zylindrisch. Beim **Tiefdruck (Kupfer-** oder **Rakeltiefdruck, Stahlstich, Radierung, Heliogravüre, Zeugdruck** u. a.) sind die druckenden Elemente durch Ätzen oder Gravieren tiefgelegt. Von der mit flüssiger Farbe überschwemmten Druckform wird der Farbüberschuß durch ein Stahllineal (Rakel) beim Tiefdruck oder durch eine Wischvorrichtung beim Stahlstichdruck abgenommen, so daß Farbe nur in den tiefliegenden Druckelementen (Näpfchen) verbleibt. Das Papier wird durch einen Druckzylinder an die Druckform gepreßt, wodurch die Farbe aus den Näpfchen auf das Papier gesaugt wird.

Beim **Flachdruck (Offsetdruck, Steindruck, Lichtdruck** u. a.) liegen druckende und nichtdruckende Elemente in derselben Ebene; die druckenden Teile werden durch chem. Behandlung wasserabstoßend gemacht. Sie können mit pastoser Druckfarbe eingefärbt werden; die nichtdruckenden Teile werden fettabstoßend gemacht, sie nehmen keine Druckfarben an. Die Druckform ist entweder eben (Steindruck; →Lithographie) oder zylindrisch (Offsetdruck). Bei diesen tritt zu dem Farbwerk ein Feuchtwerk, das die Stein- oder Offsetplatte vor dem Einfärben anfeuchtet. Letztere druckt über einen Gummizylinder gegen den Druckzylinder.

Beim **Siebdruck (Durchdruck)** besteht die Druckform aus einer Schablone aus farbdurchlässigem Material (Metall- oder Nylonsieb). Die pastose Druckfarbe wird manuell oder in der Siebdruckmaschine mit einer Rakel durch die Maschen des Siebes auf den Bedruckstoff gedrückt. Die fünfte Gruppe bilden versch. Verfahren wie →Monotypie und →Glasklischee.

K. KIRCHNER: Satz, Druck, Einband... ([9]1970); Lex. der graph. Technik ([4]1977); Bruckmanns Hb. der Drucktechnik (1981).

Drumlanrig Castle [drʌml'ænrıg kɑ:sl], im südwestschott. Tiefland nördlich von Dumfries gelegenes Landschloß, das 1679–91 für Sir W. DOUGLAS, Duke of Queensbury, durch R. MYLNE erbaut wurde. An der in einfachen kub. Formen errichteten und von Ecktürmen flankierten Vierflügelanlage ist nur die Hauptfassade durch eine barocke Pilastergliederung ausgezeichnet.

Dryburgh Abbey [dr'aıbərə 'æbı], in der schott. Borders Region am Tweed gelegenes Kloster. Von der von Prämonstratensern im südschott. Grenzland gegr. Anlage sind nur Ruinen der Abteigebäude und die nach zisterziens. Vorbild errichtete Kirche erhalten.

Dschaipur, Stadt in Indien, →Jaipur.

Duạla, Volk und Stadt in Kamerun, →Douala.

Dubbels [d'ybəls], Hendrik Jacobsz., holländ. Maler, * Amsterdam um 1620, † ebd. 9. 6. 1676, malte Winterlandschaften und v. a. reizvolle Seestücke.

Dublẹtte [frz.], zweimal vorhandener Gegenstand, Doppelstück, bes. in Samml., aber auch in Texten u. a.

Dublin [d'ʌblın], Hauptstadt der Rep. Irland, 567 900 Ew. Die Siedlung wurde von Wikingern an der Mündung des Liffey angelegt. Der erste Bischof von D., DUNAN, gründete 1038 die heute anglikan. Christ Church Cathedral, deren Bau seit dem ausgehenden 12. Jh. als Querhausbasilika mit Umgangschor in den Formen der engl. Frühgotik erneuert und im 14. Jh. durch die östl. ›Lady Chapel‹ erweitert wurde; Restaurierung 1870 bis 1878. Die westlich benachbarte (irische) St. Patrick's Cathedral wurde 1213 in gleichfalls frühgot. Formen mit ausladendem Querhaus und seitl. Westturm des 14. Jh. begonnen. Seit dem 18. Jh. erlebte die Stadt wesentl. Erweiterungen. Das 1591 gegr. Trinity College erhielt 1755–59 klassizist. Neubauten, 1798 entstand die Kapelle mit korinth. Portikus, 1857 das neugot. Mus. An der Flußseite erbaute J. GANDON (*1743, †1823) seit 1781 das Custom House und seit 1786 den Justizpalast im klassizist. Stil.

Dubois [dybw'a], **1)** Ambroise, frz. Maler fläm. Herkunft, *Antwerpen 1543, †Fontainebleau 29. 2. 1614, kam um 1568 nach Paris und wurde mit T. DUBREUIL und M. FRÉMINET Hauptvertreter der 2. Schule von →Fontainebleau; erhalten ist der Freskenzyklus ›Theagenes und Charikleia‹ im Ovalen Saal des Schlosses ebd.

2) Paul, frz. Bildhauer, *Nogent-sur-Seine 18. 7. 1829, †Paris 22. 5. 1905, schuf zahlreiche Porträtbüsten und Statuen: Reiterdenkmal der Jeanne d'Arc vor der Kathedrale in Reims, 1889–95; Reiterstandbild des Connétable de Montmorency vor dem Schloß Chantilly, 1866.

Dubreuil, Du Breuil [dybr'œj], Toussaint, frz. Maler, *Paris 1561, †ebd. 22. 11. 1602, gehörte zur 2. Schule von Fontainebleau, malte mytholog. Zyklen in den königl. Schlössern, bes. in Fontainebleau, St. Germain-en-Laye und im Louvre (Galérie d'Apollon), von denen nur geringe Reste erh. sind. Unter HEINRICH IV. war er Direktor der Teppichmanufaktur und lieferte Entwürfe für Bildteppiche (Zeichnungen im Louvre). Stilistisch ist er von PRIMATICCIO abhängig.

Dubrovnik, ital. **Ragusa,** Stadt in der Rep. Kroatien, Jugoslawien, auf einer Halbinsel an der südl. Adriaküste Dalmatiens, 31 000 Ew., als grch. Kolonie um 615 v.Chr. gegr., 164 v.Chr. römisch, bis 1205 unter der Herrschaft von Byzanz, danach als bed. und reicher Freistaat unter der formalen Oberhoheit von Venedig, seit 1358 von Ungarn; 1526–1806 unter türk. Herrschaft; 1815–1919 österreichisch. Die weitgehend erhaltene Altstadt, von gewaltigen, mit Wehrtürmen, Bastionen und Forts verstärkten Mauern (rd. 2 km) umschlossen, wurde 1272–96 planmäßig angelegt, 1520 und 1667 durch Erdbeben z. T. zerstört. Hervorragende Bauten sind der got. Rektoren-(Fürsten-)Palast (1435 bis 1441; BILD Türzieher) mit schönem Arkaden-Innenhof, Renaissance-Portikus und prunkvollen Repräsentationsräumen (heute Mus.); Dom (1673–1713, anstelle einer älteren Kirche) mit reicher Ausstattung (Gemälde) und Schatzkammer (Reliquiare vom 9. Jh. an); Jesuitenkirche (1725 voll., nach Plänen von A. POZZO); St. Blasius-Kirche (nach Erdbeben als Kreuzkuppelkirche venezian. Typs 1706 – 14 neu errichtet); Franziskanerkloster (1317 ff., Kirche 1520 und 1667 umgestaltet, ro-

Jean Dubuffet: Die Verlobten; 1955 (Mailand, Galleria del Naviglio)

manisch-frühgot. Kreuzgang); Dominikanerkloster mit oft umgebauter Kirche (Romanik bis Barock; Kreuzgang 14. Jh., Altargemälde von TIZIAN); spätgot. Palais Sponza (1516–22) mit Arkadenvorhalle und -hof (heute Mus. und Archiv).

Dubuffet [dybyf'ɛ], Jean, frz. Maler, *Le Havre 31. 7. 1901, †Paris 12. 5. 1985, wandte sich erst 1942 ganz der Malerei zu. Mit seinen in scheinbar infantiler Zeichenschrift in plastisch geknetete Gründe gemalten, geritzten oder als Collagen hergestellten Bildern, meist mit idolhaft gemeinten Gestalten, erhebt er Unbeholfenheit und Naivität zum stilist. Prinzip. Seine Bilder sind Beispiele der von ihm so benannten →Art Brut. Anregungen von P. KLEE sind erkennbar; auch läßt sich D. durch Materialreize lenken. Sein Einfluß auf die Kunst seit 1945 war beträchtlich. (BILD S. 49)

J. D., Ausst.-Kat., Berlin (1981).

Duccio [d'uttʃo], eigtl. **D. di Buoninsegna** [-seɲa], ital. Maler, *Siena um 1255, †ebd. vor dem 3. 8. 1319, der erste überragende Meister der sienes. Malerei. D.s Anfänge liegen in der Miniaturmalerei, die jedoch nicht erhalten ist. In seinen Tafelbildern zeigt er sich noch ganz der byzantin. Tradition (Maniera Greca) verpflichtet, schließt sich aber stilistisch der aufkommenden Gotik an. Seit 1280 setzte er sich mit CIMABUE und der florentin. Malerei auseinander. 1285 malte er die ›Madonna Rucellai‹ für S. Maria Novella in Florenz (heute in den Uffizien). 1288 lieferte er den Karton für das monu-

Duccio: Das letzte Abendmahl; aus der ›Maestà‹, 1308–11 (Siena, Dommuseum)

mentale Rundfenster des Sieneser Domchores (heute an der Domfassade). 1308–11 schuf er für den Hochaltar des Sieneser Doms die ›Maestà‹, deren Tafeln sich zum größten Teil im Dom-Mus. in Siena befinden. – D. überwand die Starrheit byzantin. Tradition zum Gefühlsmäßigen hin und setzte eine lebhafte Farbigkeit als Ausdrucksträger ein.

J. H. STUBBLEBINE: D. di B. and his school (Princeton 1979).

Ducerceau, Du Cerceau [dysɛrs'o], eigtl. **Androuet** [ãdru'ɛ], frz. Architektenfamilie des 16./17. Jh. Bedeutendste Mitgl. waren:

1) Jacques, *Paris um 1510, †Annecy um 1585, war 1531–33 in Italien, wo er von der antiken Baukunst und BRAMANTE beeinflußt wurde; tätig als Zeichner, Stecher, Radierer und v. a. Architektur-Theoretiker, dessen Musterbücher und Stichsamml. zur Architektur seiner Zeit, v. a. ›Les plus excellents bastiments de France‹ (2 Bde., 1576 und 1579), eine hervorragende Dokumentation der frz. Baukunst des 16. Jh. darstellen.

2) Baptiste, *1544 oder 1547, †1590, Sohn von 1), war Hofarchitekt von HEINRICH III. und IV., schuf den Pont-Neuf in Paris (1587–1604) und war am Ausbau des Louvre beteiligt.

3) Jean, *um 1585 oder 1590, †nach 1649, Sohn von 2), baute u. a. das Hôtel Sully in Paris (1624–29).

Marcel Duchamp: Fahrrad-Rad; 1913 (Original zerstört); 1964 neuediert

Duchamp [dyʃ'ã], Marcel, frz. Künstler, Bruder von R. D.-VILLON, Halbbruder von JACQUES VILLON, *Blainville (bei Rouen) 28. 7. 1887, †Neuilly-sur-Seine 2. 10. 1968, lebte v. a. in USA und Paris. D. begann als Maler und setzte sich mit dem Kubismus auseinander, den er, wohl angeregt vom Futurismus, durch Einbeziehung des Elements der Bewegung erweiterte (›Akt eine Treppe hinabschreitend‹, 1912). Um 1914 gab D. die Malerei auf und gehörte zur New Yorker Dada-Szene. Seit 1913 stellte er handelsübl. Gegenstände (Readymades) wie Kunst aus (Fahrrad-Rad, Flaschenständer, Urinoir). Seit 1920 fabrizierte er bewegl. Glasgebilde. Seine geistreich-verrückten Einfälle gaben immer wieder neue Impulse für spätere Kunstströmungen wie den Neuen Realismus, die Pop Art u. a. Sie drückten nicht nur das Unbehagen am modernen Kunstbetrieb und einen Protest gegen traditionelle Auffassungen aus, sondern ironisierten ganz allgemein die moderne Zivilisation. Die Hauptsamml. seiner Werke besitzt das Mus. of Modern Art Philadelphia. (BILD Dadaismus)

M. D., Gesammelte Schriften, 2 Bde. (1982/83).

Duchamp-Villon [dyʃ'ã vil'ɔ̃], Raymond, frz. Bildhauer, *Damville (Eure) 5. 11. 1876, †Cannes 7. 10. 1918, Bruder von M. DUCHAMP, schloß sich um 1910 den Kubisten an. Bei zunehmendem Verzicht auf Detailmodellierung vereinfachte er die Formen und erzeugte Spannung nicht mehr durch Darstellung körperl. Bewegung, sondern durch das Spiel konkaver und konvexer Formen. In seinem ›Pferd‹ (1914; 1. Fassung Kunsthaus Zürich) symbolisierte er die Energie der Bewegung durch nahezu gänzlich abstrakte, fast technisch anmutende Formen.

Duchcov [d'uxtsɔf], Stadt in der ČSSR, →Dux.

Duderstadt, Stadt östlich von Göttingen, Ndsachs., 23 100 Ew.; 1334–1802 zum Hochstift Mainz gehörig. Innerhalb der gut erh. Stadtmauer (Wesertor 1424) bietet sich ein maler. Ortsbild dar. Fachwerkrathaus auf Steinsockel (Kernbau 13. Jh., Erweiterungen 1432 und 1532). Die Propsteikirche St. Cyriakus (1394 beg.) ist eine netzgewölbte Hallenkirche mit geschwungenen Westemporen und Barockorgel; Servatiuskirche (15. Jh.) mit Jugendstilausstattung (1917/18).

Dudok [d'ydok], Willem Marinus, niederländ. Architekt, *Amsterdam 6. 7. 1884, †Hilversum 6. 4. 1974, prägte durch seine Bauten das Stadtbild ebd.

HW: Städt. Badehaus, Hilversum (1921); Dr. H. Bavinck-Schule, ebd. (1921); Rathaus, ebd. (1928–31).

Duecento [duetʃ'ɛnto], auch **Dugento** [dudʒ'ɛnto, ital. ›zweihundert‹, Abk. für 1200] *das,* ital. Bez. für das 13. Jh.; i. e. S. Stilbegriff für jene Epoche der ital. Kunst, die durch den Bruch mit den bis dahin vorherrschenden byzantin. Einflüssen gekennzeichnet ist und in der die Bildung einer eigenständigen ›nationalen‹ Kunst in Italien eingeleitet wurde. In der Malerei vollzog sich die allmähl. Loslösung von der →Maniera Greca, dem byzantin. Stil, Ende des 13. Jh. durch die führenden Meister J. TORRITI, P. CAVALLINI, DUCCIO und CIMABUE. In Baukunst und Plastik wurden Anregungen der frz. Gotik aufgenommen und zu einem eigenen got. Stil verarbeitet. Vorläufer dieser Entwicklung war bereits Ende 12./Anf. 13. Jh. B. ANTELAMI, der als erster frz. Einflüsse nach Italien brachte. Ihm folgten Ende des 13. Jh. ARNOLFO DI CAMBIO, NICCOLÒ und GIOVANNI PISANO, die mit ihren Werken bis in das 14. Jh. (→Trecento) hineinreichen.

Dufrêne [dyfr'ɛ:n], François, frz. Maler, *Paris 21. 9. 1910, zunächst Dichter von Lautversen (1954–59 Mitgl. der Pariser Lettristen). Befreundet mit R. HAINS und J. M. DE LA VILLEGLÉ, beschäftigt er sich mit dem ästhet. Reiz von Plakatwänden (Übereinanderkleben von Plakaten und Wiederabreißen, die ›Décollage‹). 1960 war er Mitbegründer des Nouveau Réalisme.

Dufresne [dyfr'ɛ:n], Charles, frz. Maler, *Millemont bei Paris 23.11.1876, †La-Seyne-sur-Mer bei Toulon 8.8.1938, erweiterte seine Palette durch Reisen nach Italien (1908) und Algier (1910–12) mit lebhaften Farben. Zurückgekehrt nach Paris, nahm er in seine Figurenbilder Anregungen des Fauvismus und Kubismus auf.

HW (in Paris): Wanddekoration im Theaterfoyer des Palais de Chaillot (1937) und Bilderzyklus in der Faculté de Pharmacie (1938).

Dufresnoy [dyfrɛnw'a], Charles-Alphonse, frz. Maler, Dichter, *Paris 1611, †Villiers-le-Bel bei Paris 16. 1. 1668, dem akadem. Klassizismus verpflichtet, malte mytholog. und histor. Wand- und Tafelbilder, verfaßte ein lat. Lehrgedicht über die Malerei (›De arte graphica‹, 1668).

Dufy [dyf'i], Raoul, frz. Maler und Graphiker, *Le Havre 3. 6. 1877, †Forcalquier (Basses-Alpes) 23. 3. 1953, schloß sich den →Fauves an; später gelangte er zu einem eigenen, heiter dekorativen Stil, in dem er die

Umwelt zeichenhaft schilderte und ihre Atmosphäre durch die Farbe einfing; schuf auch Wandmalereien, Illustrationen, Keramiken und Entwürfe für Stoffe.

Dugento [dudʒ'ɛnto, ital. ›zweihundert‹], →Duecento.

Dughet [dyg'ɛ], Gaspard, frz. Maler, →Poussin 1).

Duiker [d'œjkər], Johannes, niederländ. Architekt, *Den Haag 1. 3. 1890, †Amsterdam 23. 2. 1935, gehörte zur Gruppe De →Stijl; er bestimmte durch seine Bauten wesentlich das Bild der modernen Architektur Ende der 20er und zu Beginn der 30er Jahre in den Niederlanden.

HW: Sanatorium Zonnestraal bei Hilversum (1926–28); Hotel Gooiland, ebd. (1934–36); Handelsblad Cineac, Amsterdam (1934).

Duisburg [d'y:s-], Stadt am Niederrhein, NRW, 582000 Ew.; 1129 als Reichsstadt bezeugt, seit 1290 zum Hzgt. Kleve gehörig, das hier 1655–1818 eine Univ. unterhielt; Altstadt 1944/45 fast vollständig zerstört. Salvatorkirche (1415); Wilhelm-Lehmbruck-Mus.; Niederrhein. Mus. (Vor- und Frühgeschichte); Städt. Samml. D.-Rheinhausen (Keramik, Ausgrabungsfunde u.a.). Im Stadtteil **Hamborn** ehem. Prämonstratenser-Stiftskirche (1170 gew., Umbau 15./16. Jh.).

Dujardin [dyʒard'ɛ̃], Karel, holländ. Maler, Radierer, *Amsterdam 1622, †Venedig 20. 11. 1678, tätig in Den Haag und Amsterdam, vor 1650 und seit 1674 in Italien. Wahrscheinlich Schüler von N. BERCHEM, nach dessen Vorbild er auch malte, jedoch in klarem Aufbau. Er schuf ital. Landschaftsbilder mit verharrenden Gruppen von Vieh, Hirten und Reitern in schimmerndem Sonnenlicht, Porträts sowie bibl. und mytholog. Darstellungen, die seit 1670 die Berührung mit dem Klassizismus verraten; 50 Radierungen mit ital. Szenen.

Dukatengold, Farbtonbez. eines legierten Blattgoldes (meist orange) von 23 ¾ Karat.

Duktus [lat. ›Führung‹] *der,* Strich- oder Pinselführung mit der individuellen Handhaltung eines Künstlers bei der Ausführung seiner zeichner., graph. oder maler. Werke; bes. untersucht bei Werken mit umstrittener Zuschreibung.

Dulac [dyl'ak], Edmund, engl. Illustrator frz. Abstammung, *Toulouse 22. 10. 1882, †London 25. 5. 1953, schuf, von japan. Vorbildern und A. BEARDSLEY beeinflußt, zartfarbige Aquarelle.

Dülfer, Martin, Architekt, *Breslau 1. 1. 1859, †Dresden 21. 12. 1942, 1906–29 Prof. an der TH Dresden, gehörte mit A. ENDELL und R. RIEMERSCHMID zu den Vorbereitern des Jugendstils in München.

HW: Theater in Meran (1900), Dortmund (1904), Lübeck (1908); Bauten der TH Dresden: Bauingenieur-Abteilung (1913), Chem. Institute (1921–26).

Du Maurier [dju: m'ɔ:rɪeɪ], George Louis Palmella Busson, engl. Schriftsteller und Zeichner, *Paris 6. 3. 1834, †London 6. 10. 1896, zeichnete Karikaturen für den ›Punch‹ und Illustrationen zu W. M. THACKERAY.

Dumbarton Oaks Research Library and Collection [dʌmb'ɑ:tn əuks rɪs'ə:tʃ l'aɪbrərɪ ænd kəl'ekʃn], Studiensamml. und Bibliothek zur Erforschung der byzantin. Kultur in Washington. Das Institut ging aus einer Privatsamml. des Ehepaars R. Woods Bliss hervor, kam 1940 in den Besitz der Harvard Univ. 2 Publikationsorgane von Weltruf sind die ›Dumbarton Oaks Papers‹ und die ›Dumbarton Oaks Studies‹.

Führer durch die Kunstsamml. erschienen 1946 und 1955. – Gisela M. A. Richter: Catalogue of Greek and Roman antiquities (Cambridge, Mass., 1956); D. Levi: Antioch mosaic pavements (Princeton New Jersey 1947); Catalogue of the Byzantine and early medieval antiquities in the D. O. collection (Washington, D. C., 1962).

Dumonstier [dymɔ̃stj'e], auch **Dumoustier** [dymustj'e], Familie frz. Maler und Zeichner des 16. bis 18. Jh., v. a. als Porträtzeichner bekannt. Bedeutendste Mitgl. waren:

1) Daniel, *Paris 14. 5. 1574, †ebd. 21. 6. 1646, seit 1604 Hofmaler und bevorzugter Porträtmaler der Pariser Gesellschaft z. Z. Ludwigs XIII.

2) Étienne, *um 1520, †Paris 23. 10. 1603, tätig am Hof der Katharina von Medici; entwickelte zus. mit seinen Brüdern Pierre (*um 1524, †um 1600) und Cosme (†um 1605) die Technik der farbigen Porträtzeichnung zu meisterhafter Perfektion.

HW (Paris, Bibliothèque Nationale): Charles de Lorraine (um 1580), Marguerite de Vaudemont-Lorraine (um 1580).

Dunedin [dʌn'i:dɪn], Stadt auf der Südinsel Neuseelands, 120 000 Ew., 1848 von schott. Siedlern gegr. und planmäßig angelegt mit dem ›Octagon‹, einer achteckigen Grünanlage als Mittelpunkt. Die D. Public Art Gal. enthält u. a. Kunstwerke aus Australien und Neuseeland, Porträts, Landschafts- und Genrebilder sowie Aquarelle aus Großbritannien.

Dunfermline Abbey [dʌnf'ə:mlɪn 'æbɪ], in der Fife Region nordwestlich von Edinburgh, Schottland, gelegene Abteikirche des 12. Jh., die als flachgedeckte Basilika errichtet wurde. Der dreigeschossige normann. Mittelschiffsaufriß ist durch ornamentierte Rundpfeiler gegliedert.

Dunhuang, Ort in China, →Tunhuang.

Dunikọwski, Xaver, poln. Bildhauer, *Krakau 24. 11. 1875, †Warschau 26. 1. 1964, beeinflußt von A. Rodin und G. Minne. In Paris (1914–23) fand er zu dynam. Formgestaltung. 1940–44 im Konzentrationslager Auschwitz, schuf er nach dem 2. Weltkrieg im Staatsauftrag Denkmäler (Denkmal der Aufständischen, Annaberg/Oberschlesien, 1949–52). D. arbeitete auch symbol. Figuren und Gruppen, ferner Porträts. Er gehört zu den bed. Meistern der poln. Plastik im 20. Jh.

X. D., Ausst.-Kat., Duisburg (1972).

Dunker, Balthasar Anton, schweizer. Maler, Radierer, *Saal bei Stralsund 15. 1. 1746, †Bern 2. 4. 1807, lebte ebd. seit 1773 und war als Radierer (Illustrationen, Porträts, Genrebilder, Landschaften) tätig. Sein Stil zeigt den Einfluß von P. Hackert und J. G. Wille.

Dunoyer de Segonzac [dynwaj'e də səgõz'ak], André, frz. Maler, Graphiker, *Boussy-Saint-Antoine (Seine-et-Oise) 6. 7. 1884, †Paris 17. 9. 1974; schuf breit und pastos gemalte Landschaften, Stilleben und Akte.

Dupérac, Du Pérac [dyper'ak], Étienne, frz. Architekt, Maler, Graphiker, *Bordeaux um 1525 (?), †Paris um 1604; bekannt sind bes. seine 1575 erschienenen ›Vestigi dell'antichità di Roma‹ (40 Radierungen aus der röm. Ruinenwelt) und seine Federzeichnungen ›Illustration des Fragments antiques‹, 3 Bde. (Louvre).

Duplessis [dyplɛs'i], Joseph-Siffred, frz. Maler, *Carpentras (Vaucluse) 22. 9. 1725, †Versailles 1. 4. 1802, lebte 4 Jahre in Rom, wo er Schüler von P. Subleyras war; malte bes. Porträts, die zu den besten der Zeit gehören.

HW: Abbé Arnaud (vor 1764; Carpentras, Mus. Duplessis); Ludwig XVI. (1775; Versailles, Mus. National); C. W. Gluck (1775; Wien, Kunsthistor. Mus.); B. Franklin (1778; Boston, Mus. of Fine Arts).

Du Pont [dyp'õ], Pieter, niederländ. Kupferstecher, Radierer, *Amsterdam 5. 7. 1870, †Hilversum 7. 2. 1911, war seit 1902 Lehrer an der Akademie in Amsterdam und ist bes. durch Pferdedarstellungen, Porträts und Stadtansichten bekannt geworden.

Dupré [dypr'e], **1)** Giovanni, ital. Bildhauer, *Siena 1. 3. 1817, †Florenz 10. 1. 1882, schuf in spätklassizist., zeitweilig stärker realist. Stil Skulpturen, bes. Grabmäler und Bildnisse.

HW: Cavour-Denkmal in Turin (1873); Hl. Franziskus in Assisi (1881).

2) Guillaume, frz. Bildhauer, Medailleur, *Sissonne bei Laon um 1576, †Paris 1643, wurde 1597 Hofbildhauer von Heinrich IV., führte Porträtfiguren und v.a. Medaillen in einem italianisierenden, realist. Stil aus; gilt als Schöpfer der frz. Medaillenkunst.

3) Jules, frz. Maler, *Nantes 5. 4. 1811, †L'Isle-Adam bei Paris 6. 10. 1889, fand, ausgehend von den holländ. Landschaftsmalern des 17. Jh. (J. van Ruisdael, M. Hobbema) und angeregt durch die engl. Landschaftskunst (T. Gainsborough, J. Constable u.a.), den Weg zur poetisch-intimen Landschaftsmalerei (›Paysage intime‹) der Schule von Barbizon (Werke im Louvre), aber auch zu zahlreichen Seestücken (›Mondnacht am Meer‹, um 1870; Moskau, Puschkin-Mus.).

M.-M. Aubrun: J. D. 1811–89. Catalogue raisonné de l'œuvre peint, dessiné et gravé (Paris 1974).

Duquesnoy [dykɛnw'a], François, gen. **Il Fiammingo,** niederländ.-ital. Bildhauer, *Brüssel 12. 1. 1597, †Livorno 12. 7. 1643, war Schüler seines Vaters Jérôme (von dem das ›Manneken-Pis‹ in Brüssel stammt), lebte seit 1618 in Rom. D. vertritt in seinen Monumentalwerken (Hl. Andreas in St. Peter, 1629–40; Hl. Susanna in S. Maria di Loreto in Rom, 1629–33) eine klassizist. Richtung des Barock i. S. seines Freundes N. Poussin. Seine Puttenreliefs wie seine Arbeiten in Bronze und Elfenbein wirkten typenbildend.

Dura Europos, Ruinenstätte einer antiken Stadt (›Pompeji des Ostens‹) am mittleren Euphrat, nahe des

Dura Europos: Die Weihung des Allerheiligsten und seiner Priester (Wandmalerei in der Synagoge); um 250

Ortes as-Salihiya, 40 km nördlich von Abu-kemal, SO-Syrien. Die Tempel lassen den Orientalisierungsprozeß erkennen, dem D. E. in parthischer und röm. Zeit ausgesetzt war (Tempel der palmyren. Gottheit Hadad, Atargatis, Kamelgottheiten; bed. Fresken). Zu den zahlreichen Gebäuden der geometrisch angelegten Stadt gehören aus röm. Zeit auch Thermen und ein Amphitheater, ferner eine Synagoge und eine christl. Hauskirche (mit Versammlungs- und Taufraum). Die Synagoge, erbaut um 200 n. Chr., ist trotz des jüd. Bilderverbots in Freskotechnik voll ausgemalt und um 250 n. Chr. nochmals mit Bildzyklen aus dem A. T. ausgeschmückt worden (Moses, David, Esther, Ezechiel-Vision; Originalfresken im Nat.-Mus. in Damaskus). Einige schlechter erhaltene Fresken mit neutestamentl. Themen zeigt die heute in der Yale Gal., New Haven, befindl. Hauskirche (Guter Hirte u. a.). Beide Gebäude waren urspr. Privathäuser und sind erst später zu gottesdienstl. Gebrauch umgebaut worden (257 n. Chr. zerstört). Ihre Fresken wurden zum Anlaß, Anfänge und Zusammenhänge von frühchristl. und jüd. Kunst neu zu untersuchen.

O. Eissfeldt in: Reallex. für Antike und Christentum, 4 (1959, mit ausführl. Bibl.).

Durand, 1) [djuər'ænd], Asher Brown, amerikan. Maler, *Jefferson Village (New Jersey) 21. 8. 1796, †ebd. 17. 9. 1886, gehörte der →Hudson River School an. D. lernte und arbeitete als Stecher und widmete sich erst seit 1841 der Landschaftsmalerei. Als erster amerikan. Künstler malte er unmittelbar vor der Natur.

2) [dyr'ã], Jean-Nicolas-Louis, frz. Architekt, *Paris 18. 9. 1760, †Thiais bei Choisy 31. 2. 1834, Schüler E.-L. Boullées, war 1795–1830 Lehrer an der École Polytechnique in Paris. Seine Schriften beeinflußten wesentlich die Baukunst des Klassizismus.

Durand-Ruel [dyrãry'ɛl], Paul, frz. Kunsthändler, *Paris 31. 10. 1831, †ebd. 5. 2. 1922, vertrat v. a. A. Re-

NOIR, C. PISSARRO, É. MANET, J.-F. MILLET. In seinen Gal. in Paris und New York trug er wesentlich zur Anerkennung des Impressionismus bei. Er schuf durch die vertragl. Bindung der Künstler eine neue Form des Kunsthandels.

Durazzo, Stadt in Albanien, →Durrës.

Durban [d'ə: bən], Hafenstadt in der Rep. Südafrika, am Ind. Ozean, 506 000 Ew.; in der Nähe Rorke's Drift Art Center (Werkstatt für afrikan. Künstler).

durchbrochene Arbeit, Flachverzierungen in Holz, Elfenbein, Metall u. ä., wobei das Muster ausgeschnitten, ausgesägt oder ausgefeilt und oft unterlegt wird.

Durchdruck, ein Druckverfahren, →Siebdruck.

Durchreibung, Graphik: →Frottage.

Durchwachsen, Maltechnik: das allmähl. Sichtbarwerden einer Unterzeichnung u. ä. durch zunehmende Transparenz infolge Altersveränderung.

Dürer, 1) Albrecht, Bruder von 2), Maler, Kupferstecher, Zeichner, Kunstschriftsteller, *Nürnberg 21. 5. 1471, †ebd. 6. 4. 1528, Sohn des Goldschmieds Albrecht D. (*Gyula in Ungarn 1427, †Nürnberg 1502, ebd. seit 1455). D. lernte zuerst bei seinem Vater, 1486 bis 1490 in der Werkstatt des M. WOLGEMUT in Nürnberg. 1490–94 war er auf Wanderschaft am Oberrhein (Basel, Colmar, Straßburg) und heiratete 1494 in Nürnberg AGNES FREY (†1539). 1494/95 und 1505/07 reiste D. nach Italien (längere Aufenthalte in Venedig). Die 2. Reise führte ihn wahrscheinlich von Bologna aus kurz nach Rom. 1509 erwarb er in Nürnberg das stattl. Haus

Albrecht Dürer: Selbstporträt; um 1500 (München, Alte Pinakothek)

Albrecht Dürer: Der Hl. Hieronymus im Gehäus; Kupferstich, 1514

am Tiergärtnertor und kam in den Großen Rat der Stadt. Seit 1512 war er im Dienst Kaiser MAXIMILIANS I. tätig. 1520/21 reiste er in die Niederlande und erkrankte hier an einem Fieber, das ihn seitdem kränkeln ließ.

D. kam aus dem spätmittelalterl. Handwerkertum, dessen Fleiß und Werktreue er zeitlebens bewahrte; mit wachsender Bewußtheit überschritt er jedoch die Grenzen des Handwerklichen. Dies zeigt schon der gesteigerte Ausdruck seiner Selbstporträts: die kindhafte Silberstiftzeichnung der Albertina (1484), die Erlanger Zeichnung (um 1492), die Bilder des Louvre (1493) und des Prado (1498), in denen sich D. als ›Herr‹ darstellte, und schließlich das christusähnl. Porträt in der Alten Pinakothek in München (um 1500). D. suchte die Kunst aus der Erkenntnis ihrer Formgesetze zu erneuern. Ihr höchstes Ziel, die Schönheit, erschien ihm normativ, mit ›Zirkel und Richtscheit‹ konstruierbar. – Gegensätzl. Kräfte bestimmten sein Werk. Die apokalypt. Stimmung der Zeit und spätgot. Gestaltung sprechen v. a. aus den ausdrucksstarken Holzschnitten (15 Blatt) zur Offb. (1498, Titelblatt 1511), seine Auseinandersetzung mit der südl. Formklarheit der Renaissance v. a. aus dem ›Adam und Eva‹-Stich (1504), dem reifsten Ergebnis seiner theoret. Bemühungen um die vollkommene Proportion der Menschengestalt. Sein Wirklichkeitssinn zeigt sich bes. deutlich in den Porträts. In seinen Landschaftsaquarellen schuf er die ersten in sich geschlossenen Darstellungen der Natur. Mit gleicher Sachtreue schilderte er die Kleinwelt der Pflanzen und

Tiere (Rasenstück, Feldhase u.a.). Vom Humanismus angeregt sind seine allegor. und mytholog. Themen (v.a. in den Kupferstichen). Immer wieder kehrte D. jedoch zur Darstellung der Passion Christi zurück (3 große graph. Folgen und viele Einzelblätter).

Wie die dt. Malerei des ausgehenden MA. wurzeln auch die Anfänge der Kunst D.s in der Malerei der Altniederländer (J. v. EYCK, ROGIER VAN DER WEYDEN). Die erste Begegnung mit der klass. Kunst Italiens vermittelten ihm, noch vor seiner ersten Italienreise, die Stiche A. MANTEGNAS, die ihm v.a. eine Vorstellung von der nackten Figur gaben. Im Mittelpunkt seiner Kunst stand die formgebende Linie der Zeichnung, die auch vom warmen, leuchtenden Kolorit der Gemälde nicht eingeschränkt wird. Als erster stellte D. das graph. Blatt als künstler. Aussage ebenbürtig neben das Gemälde (trotz mancher Vorläufer wie M. SCHONGAUER). Mit den Mitteln der Linie vermochte sich seine Kunst am freiesten auszusprechen und erreichte auf diesem Weg hohe Formvollendung und Ausdruckskraft. Seine etwa 350 Holzschnitte, 100 Kupferstiche und Radierungen sind in ihrer künstler. und techn. Vollkommenheit nicht übertroffen worden. Zu ihnen gehören bes. die Meisterstiche ›Ritter, Tod und Teufel‹ (1513), ›Melancolia I‹ und ›Der Hl. Hieronymus im Gehäus‹ (1514), seine Beiträge zu den umfangreichen Holzschnittfolgen im Auftrag Kaiser MAXIMILIANS I. (seit 1512) und die erschütternde Kohlezeichnung seiner greisen Mutter (1514). Seine Graphik war stilbildend und prägte den Begriff **Dürerzeit.** Sein letztes großes Werk waren die beiden Tafeln der ›Vier Apostel‹ (1526; München, Alte Pinakothek), ein Hinweis auf D.s Nähe zur Reformation. Er hinterließ sie seiner Vaterstadt als Vermächtnis, auf daß sie den ›weltl. Regenten‹ Mahnung und Halt in den Wirren der Zeit seien. (BILDER Akt, Exlibris, Holzschnitt, Kanon, Kupferstich)

WW: Gemälde: Wittenberger Altar (um 1495; Dresden, Gemäldegal.); Anbetung der Könige (um 1502; Florenz, Uffizien); Paumgartneraltar mit der Geburt Christi und den Stiftern als Hl. Georg und Hl. Eustachius (um 1504; München, Alte Pinakothek); Rosenkranzfest (1506; Prag, Nat.-Gal.); Adam, Eva (1507; Madrid, Prado); Allerheiligenaltar (Die Anbetung der Dreifaltigkeit, 1511; Wien, Kunsthistor. Mus.). – **Porträts:** D.s Mutter (1490; Nürnberg, German. Nat.-Mus.); Friedrich der Weise (um 1497; Berlin-West, Staatl. Museen); Das Ehepaar Hans und Felicitas Tucher (1499; Weimar, Staatl. Kunstsammlungen); Maximilian I. (1519; Wien, Kunsthistor. Mus.); H. Holzschuher (1526; Berlin-West, Staatl. Museen); J. Muffel (1526; ebd.). – **Holzschnitte:** ; Große Passion (11 Blatt; um 1498 bis 1510); Marienleben (19 Blatt; 1504–11); Kleine Holzschnittpassion (37 Blatt; 1509–11). – **Kupferstiche:** Der verlorene Sohn (um 1498); Das große Glück (um 1500); Christus am Ölberg (1515); Albrecht von Brandenburg (1519, 1523); Friedrich der Weise (1523); W. Pirkheimer (1524); Melanchthon (1526); Erasmus (1526). – **Zeichnungen:** Porträts, Tiere, Blumen, Vorlagen für Goldschmiedearbeiten, Landschaftsaquarelle, Skizzenbuch von der niederländ. Reise, Randzeichnungen zum Gebetbuch des Kaisers Maximilian I. (1515; mit L. CRANACH D. Ä., A. ALTDORFER, H. BALDUNG u.a.).

Schriften: Tagebuch der Reise in die Niederlande, Familienchronik. Reime, Briefe an Pirkheimer aus Venedig (1506); Underweysung der Messung mit dem Zirkel und Richtscheyt in Linien, Ebenen und ganzen Körpern (1525); Etliche Unterricht zur Befestigung der Stett, Schloß und Flecken (1527); Vier Bücher von menschl. Proportion (1528).

D. Schriftl. Nachlaß, hg. v. H. RUPPRICH, 3 Bde. (1956–69). – A. D. 1471–1971, Ausst.-Kat., Nürnberg (1971); F. ANZELEWSKY: A. D., Das maler. Werk (1971); dies: D., Werk und Wirkung (1980); The complete drawings of A. D., 6 Bde., hg. v. L. STRAUSS (München 1975); The intaglio prints of A. D., hg. v. dems. (New York 1977); E. PANOFSKY: Das Leben und die Kunst A. D.s (a. d. Engl., 1979); F. Winzinger: A. D. in Selbstzeugnissen und Bilddokumenten (1980; mit Bibl. A. D.); T. HETZER: Die Bildkunst A. D.s (1982).

2) Hans, Bruder von 1), Maler, *Nürnberg 21. 2. 1490, †Krakau um 1538, lebte ebd. seit 1525, seit 1529 als Hofmaler von König SIGISMUND I. erwähnt. In der Werkstatt seines Bruders ausgebildet, ist seine künstler. Eigenart nur schwer faßbar.

Meister um D., Ausst.-Kat., Nürnberg (1961).

Duret [dyr'ɛ], Francisque-Joseph (François), frz. Bildhauer, *Paris 19. 10. 1804, †ebd. 26. 5. 1865, Schüler F. BOSIOS und P.-N. GUÉRINS, fand unter A. CANOVAS Einfluß zu einem klassizist. Stil; zahlreiche Arbeiten im Auftrag von Staat und Kirche.

Durga [Skt. ›die schwer Zugängliche‹], hinduistische Hauptgöttin, Erscheinungsform der Gattin Shivas (→Parvati) mit urspr. selbständiger Mythologie. Die meisten Darstellungen zeigen D. als Töterin des Büffeldämons (Mahishasuramardini), wobei sie in ihren 4–16 Armen Waffen trägt (Trishula, Chakra, Bogen, Schwert u. a.), die ihr von Shiva u. a. Göttern übertragen wurden. Kleinformatige Stein- und Terrakottafiguren der D. waren schon in den ersten Jh. n. Chr. verbreitet.

Durham [d 'ʌrəm], Stadt in NO-England in der Cty. D., 24700 Ew., anglikan. Bischofssitz. Burg mit nor-

Durga, Sandsteinskulptur; 8.–9. Jh. (Haiderabad)

Durham: Innenansicht der Kathedrale; 1093 begonnen

mann. Kapelle (1072). Die erhöht über dem Wear gelegene Kathedrale wurde 1093 als roman. Querhausbasilika beg. und 1133 geweiht. Der reich gegliederte Mittelschiffsaufriß bereitet ein Kreuzrippengewölbe vor, das eine der ersten Rippenwölbungen in Europa darstellt; zweitürmige Westfront mit fünfschiffiger Vorhalle; querhausartige frühgot. ›Chapel of the Nine Altars‹. Von der inneren Ausstattung sind v.a. die spätgot. Chorschranke mit Alabasterfiguren (1372–80) und ein 1660 errichteter Baldachin des Taufbeckens, von den Abteigebäuden das roman. Chapter House erhalten. In dem 1398–1404 erbauten Dormitorium befindet sich eine Samml. von Kreuzsteinen des frühen MA.

Duris, attisch-spätarchaischer Schalenmaler (um 500–470 v. Chr.); etwa 30 Vasen tragen seine Signatur; seine rotfigurigen Bilder, oft ungewöhnl. Themen behandelnd (Schale mit Schulszenen, Berlin-West, Staatl. Museen), sind kompositorisch ausgewogen.

Dur Katlịmmu , aus assyr. Texten des 1. Jahrtsd. v. Chr. bekannte Stadt in N-Syrien am unteren Chabur (KARTE Alter Orient), heute **Tell Schech Hamad.** Durch dt. Ausgrabungen seit 1978 (H. KÜHNE) wurden Teile eines Palastes des 13. Jh. v. Chr. mit Tontafelarchiv freigelegt, ferner im ausgedehnten Stadtgebiet Befestigungsanlagen und Gräber.

Dur Kurigạlzu, babylon. Stadt, heute Ruinenstätte →Aqar Quf.

Dürnstein, maler. Städtchen am linken Donauufer in der Wachau, NÖ, 600 Ew. Das Stadtbild wird beherrscht vom ehem. Augustinerchorherrenstift (1410 gegr.) und der Pfarrkirche. Stift und urspr. got. Kirche wurden 1721–25 von J. MUNGGENAST (unter Beteiligung von J. PRANDTAUER und M. STEINL) zu einer architekton. Einheit von unvergleichl. Wirkung barock umgebaut. Das ehem. Klarissenkloster (1300–1571) ist z.T. Ruine; Burg D., seit 16. Jh. Ruine, ist durch Mauern mit der Stadt verbunden.

Dürr, Johann Georg, Bildhauer, →Dirr.

Durrës [alban. d'urəs], ital. **Durazzo,** Hafenstadt an der Adriaküste, Albanien, 57 300 Ew.; als grch. Kolonie Ende des 7. Jh. v. Chr. gegr. **(Epidamnos);** durch Ausgrabungen wurden versch. Architekturdetails und Teile von Befestigungsanlagen freigelegt. Erhalten sind ferner Reste des Amphitheaters und der Stadtmauer aus röm. Zeit sowie Teile der einst mächtigen byzantin. Ummauerung. 1967 wurde ein polychromes, byzantinisch beeinflußtes Wandmosaik entdeckt, das vermutlich den byzantin. Kaiser Alexander (912–913) darstellt.

Durrow, Book of D. [buk ɔv d'ʌrəu, engl.], ein HW der →insularen Buchmalerei.

Dur Scharrukin, assyr. Stadt, heute die Ruinenstätte **Chorsabad**, nördlich von Mosul, Irak (KARTE Alter Orient), 713–708 v. Chr. von SARGON II. von Assyrien als Residenz errichtet, aber nie voll. Die planmäßige Stadtanlage war von einer Festungsmauer mit 183 Türmen und 7 Toren umgeben. Im nordwestl. Abschnitt der Stadtmauer lag auf einer künstl. Terrasse der gleichfalls ummauerte Tempel- und Palastbezirk. Die Repräsentationsräume waren mit Orthostatenreliefs, gewaltigen Torlaibungsstieren, Monumentalreliefs und Malereien reich ausgestattet; neben der Terrasse weitere Tempel und Paläste von Hofbeamten in seltsam unsymmetr. Anordnung.

Dur Untasch, elamische Stadt, heute →Tschoga Zanbil.

Du Ry [dyr'i], frz. Baumeisterfamilie (Hugenotten), wanderte nach den Niederlanden und nach Hessen aus.

1) Paul, *Paris 1640, †Kassel 21. 6. 1714, baute in den Niederlanden Festungswerke und trat 1685 auf Empfehlung WILHELMS von Oranien in den Dienst des Landgrafen KARL von Hessen. 1688 begann er (für weitere Hugenotten-Flüchtlinge) die Anlage der Oberneustadt in Kassel, baute ebd. die Karlskirche als Predigtraum (1698–1710) und war am Bau der Orangerie beteiligt. Bed. sind seine städtebaul. Konzeptionen.

2) Simon Louis, Enkel von 1), *Kassel 13. 1. 1726, †ebd. 23. 8. 1799, ausgebildet in Stockholm, Paris (J. F. BLONDEL) und Italien, wurde 1767 in Kassel Hofbaumeister. In leicht barockem Klassizismus (Nachfolge von A. PALLADIO) schuf D. die Stadtanlage des neuen Kassel und baute dort u.a. die Elisabethkirche (1770 bis 1774), das Museum (1769–79) und Teile (N- und S-Flügel) des Schlosses Wilhelmshöhe (1786 ff.). In Hofgeismar baute er 1787–89 Schlößchen Schönburg.

Dusart [d'ysart], Cornelis, holländ. Maler, *Haarlem 24. 4. 1660, †ebd. 1. 10. 1704, malte in der Art seines Lehrers A. VAN OSTADE sowie J. STEENS sehr farbige, derbe Bauernszenen, oft mit karikaturhaften Zügen. Auch in seinem umfangreichen graph. Werk (Radierungen, Schabkunstblätter) widmete er sich, oft satirisch, dem bäuerl. und volkstüml. Themenbereich.

Du Sommerard [dysɔmr'a:r], Alexandre, frz. Kunstforscher, *Bar-sur-Aube 1779, †Saint Cloud 19. 8. 1842, legte im Hôtel Cluny in Paris eine Samml. ma. Kunstwerke an (Grundstock des Mus. Cluny).

Düsseldorf, Hauptstadt von NRW, 611 700 Ew.; erhielt 1288 Stadtrecht, seit Ende des 15. Jh. Residenz der Herzöge von Jülich-Berg, 1614 an Pfalz-Neuburg. Schönster Sakralbau ist die ehem. Jesuitenkirche St. Andreas, 1622–29 nach dem Vorbild der Hofkirche in Neuburg a. d. Donau erbaut, am Niederrhein einzig dastehender Ableger des römisch-süddt. Barock. Lambertuskirche (1394 gew.) mit Barockausstattung und Kirchenschatz; Max-(früher Franziskaner-)Kirche (1735 bis 1737, Stuck 1766). Vor dem Alten Rathaus (1570 bis 1573) das Reiterdenkmal des Kurfürsten JOHANN WILHELM VON PFALZ-NEUBURG (›Jan Wellem‹) von G. GRUPELLO (1703–11). Vom 1872 abgebrannten Schloß nur der Turm (13./16. Jh.) erh. Klassizist. Ratinger Tor (1811 bis 1815). Kaufhof (Königsallee) 1907–09 von J. M. OLBRICH, Mannesmann-Haus 1911/12 von P. BEHRENS, Stummhaus 1922–24 von P. BONATZ, Wilhelm-Marx-Haus 1922–24 (das erste dt. Hochhaus), Thyssenhaus 1960 von H. HENTRICH und H. PETSCHNIGG. Viele Museen: in Schloß Jägerhof (1752–63) bis 1985 die Kunstsamml. NRW (bed. Werke von P. KLEE, der 1930–33 Prof. an der Düsseldorfer Kunstakad. war, ferner Porzellan und Silber des 18. Jh.); für diese Sammlung wurde von den Architekten Düssing + Weitling, Kopenhagen, ein Neubau erstellt (Eröffnung 1986); Kunstmus. (Malerei 16. bis 20. Jh., ›Düsseldorfer Schule‹, Kupferstichkabinett, Graphik, Glas) nach Renovierung und Erweiterung 1985 wiedereröffnet; Hetjens-Mus. (Keramik); Conzen-Samml. (Alt-Düsseldorfer Ansichten, Rahmen aus 5 Jh., Möbel) u. a. Im Stadtteil **Gerresheim** ehem. Damenstiftskirche (870 gegr.), 1236 gew., in romanisch-got. Übergangsstil erbaut, mit Kruzifix des 10. Jh. Im Stadtteil **Himmelgeist** Nikolauskirche (12/13. Jh.). →Benrath und →Kaiserswerth.

Düsseldorfer Schule, eine eng mit der 1819 in Düsseldorf neu gegr. Akad. verbundene Malschule. War die Akad. unter Leitung von P. CORNELIUS noch ein Mittelpunkt nazarenisch-romant. Tradition, so begann sich unter Leitung von W. v. SCHADOW (seit 1826) in Maltechnik und Kolorit eine naturalist. Auffassung durchzusetzen, wenn auch histor. Themen, poet. Stoffe und ideale Motive weiterhin lebendig blieben. Dieser neuen Natur- und Farbauffassung schlossen sich Maler wie K. R. SOHN, K. F. LESSING, E. BENDEMANN, J. P. HASENCLEVER, F. T. HILDEBRANDT, C. W. HÜBNER und J. W. SCHIRMER an und weckten mit ihren Werken Interesse, das viele weitere Künstler anzog. Eine Wende bedeuteten die Kontroversen um das Bild ›Hussitenpredigt‹

von Lessing (1836; Düsseldorf, Kunstmus.), das von der Akad. abgelehnt wurde. Unter Führung von E. LEUTZE, Lessing und A. ACHENBACH schlossen sich Schüler der Akad. zunächst im ›Künstlerverein‹ (1844), dann im ›Malkasten‹ (1848) zusammen. Unter Einfluß von Lessing, der nicht zum Kollegium der Akad. gehörte, vermischten sich nun die klass. Gattungen von Historienbild, Porträt, Landschaft und Genre. Die Genredarstellungen nahmen auch krit. Bezug zu aktuellen polit. Ereignissen (etwa ›Arbeiter vor dem Magistrat‹ von Hasenclever, 1848; Düsseldorf, Kunstmus.). Diese engagierte Aufbruchstimmung verlor sich allmählich nach der Jahrhundertmitte. Genredarstellungen von L. KNAUS und B. VAUTIER u. a. stellten nun das scheinbar intakte Leben auf dem Lande oder die behaglich-private Sphäre des Bürgers in effektvoller Maltechnik dar.

Die Düsseldorfer Malschule, Ausst.-Kat., Düsseldorf, hg. v. W. v. KALNEIN (1979).

Düttmann, Werner, Architekt, *Berlin 6. 3. 1921, † Berlin-West 26. 1. 1983, wurde durch Wohnungsbauten und öffentl. Bauten im Berlin (West) der Nachkriegszeit bekannt. Seit 1966 war er Mitgl., seit 1971 Präs. der Akad. der Künste.

HW: Gebäude der Akad. der Künste im Hansaviertel in Berlin (1960); Neubebauung um den Mehringplatz in Berlin-Kreuzberg (1970–75).

Duveen of Millbank [dju:v'i:n ɔv m'ɪlbæŋk], Joseph, eigtl. **J. Duveen,** 1. Baron **D. of M.,** engl. Kunsthändler, *Hull (Yorkshire) 14. 10. 1869, †London 25. 5. 1939, übernahm die von seinem Vater Sir Joseph Joel 1877 in London gegr. Kunsthandlung. Er war am Aufbau der →Frick Collection und den Samml. von J. D. ROCKEFELLER und H. MELLON in den USA beteiligt.

Duvet [dyv'ɛ], Jean, eigtl. J. **Drouet** [dru'ɛ], frz. Kupferstecher, Goldschmied, *Langres (Haute-Marne)(?) um 1485, †ebd. nach 1561, erster bed. Stecher Frankreichs, bildete sich an den Werken von RAFFAEL, A. MANTEGNA, LEONARDO DA VINCI und A. DÜRER. Sein Werk zeichnet sich durch myst., emotionale Züge aus.

HW: 24 Kupferstiche zur Apokalypse (1546–56); 5 Blätter zur Einhornlegende.

Dux, tschech. **Duchcov** [d'uxtsɔf], Stadt im Nordböhm. Kreis, ČSSR, 10700 Ew. Die bed. Schloßanlage (1570), urspr. im Stil der Renaissance, wurde 1675–85 barockisiert und im frühen 19. Jh. umgestaltet; Parkfiguren von M. B. BRAUN und seiner Werkstatt. Gemäldegalerie.

Dvarapạla [Skt. ›Torhüter‹], an ind. Tempeln paarweise die Tore flankierende Wächterfiguren, die der dort verehrten Hauptgottheit nachgebildet sind. So tragen shivait. D. Waffen Shivas; sie sind dreiäugig.

Dvaravati, ehem. Königreich in Thailand, etwa 6. bis 9. Jh. Die Kunst von D. wird auch als Mon-Kunst von D. (→Mon) bezeichnet.

Dyce [daɪs], William, schott. Maler, *Aberdeen 19. 9. 1806, †London 14. 2. 1864, bemühte sich, von F. OVERBECK und J. SCHNORR VON CAROLSFELD beeinflußt, um Erneuerung der Wandmalerei in England (Fresken im Londoner Parlamentsgebäude, seit 1846); 1848 Mitgl. der Royal Academy.

Dyck, Ortsteil von Jüchen, Kr. Neuss, NRW, mit vierflügeligem Wasserschloß (1656–63) und 2 Vorburgen (17./18. Jh.) in weitläufigem Landschaftspark.

Dyck [dɛjk], Sir (seit 1632) Anthonis van, fläm. Maler, *Antwerpen 22. 3. 1599, †London 9. 12. 1641, kam nach der Lehre bei H. VAN BALEN in Antwerpen 1616 oder 1617 zu P. P. RUBENS, in dessen Werkstatt er eine wichtige Stellung einnahm. 1620 ging er nach England, 1621 nach Genua, wo er zahlreiche Porträts des Stadtadels schuf. Auf seinen Reisen durch Italien studierte er bes. TIZIAN (Skizzenbuch in London). 1630 wurde er Hofmaler der Statthalterin der Niederlande, Erzherzogin ISABELLA, in Antwerpen. Seit 1632 wirkte er in England (dort geadelt), das er nur 1634 und 1640 zu Reisen nach Flandern und Paris verließ. In London wurde er der gefeierte Hofmaler KARLS I.

Ausgehend von Rubens zeigt er in seinen relig. Bildern schon früh sein lebhaftes Temperament, zugespitzte Formen, brauntonige, venezianisch tiefe Farben, schlanke elegante Körper mit weichem Gefühlsausdruck, allmählich zu einer gedämpften Pathetik relig. Empfindsamkeit übergehend. Seit 1635 malte D. ausschließlich Porträts. Neben Erzeugnissen scharf beobachteter Individualität in ausgewogener Farbigkeit und Komposition, schuf er v. a. in England Bilder verfeinerter Vornehmheit, die in der Auftragsfülle oft routiniert und konventionell ausfielen. – Ab 1630 ent-

Anthonis van Dyck: König Karl I. mit Reitknecht und Page; um 1635 (Paris, Louvre)

stand die ›Ikonographie‹, eine Folge von ca. 100 Radierungen und Kupferstichen mit Porträts von Zeitgenossen nach Vorlagen D.s, 11 von ihm selbst radiert; nach seinem Tod fortgesetzt.

HW: Susanna im Bade (München, Alte Pinakothek); Martyrium des Hl. Sebastian (Louvre); Gefangennahme Christi (Madrid, Prado); Kardinal Bentivoglio (Florenz, Palazzo Pitti); Ruhe auf der Flucht nach Ägypten (München, Alte Pinakothek); Trunkener Silen (Brüssel, Musées Royaux des Beaux-Arts); Hl. Augustinus in Verzükkung (1628; Antwerpen, Augustinerkirche); Vision des sel. Hermann Joseph (1630; Wien, Kunsthistor. Mus.); Königin Henrietta Maria (um 1632; Windsor Castle); König Karl I. mit Reitknecht und Page (um 1635; Louvre); Prinz Willem II. und Maria Stuart (1641; Amsterdam, Rijksmus.).

H. Vey: Die Zeichnungen A. v. D., 2 Bde. (Brüssel 1962); E. Larsen: L'opera completa di v. D., 2 Bde. (Mailand 1980).

Dzibilchaltún [-tʃalt'un], Ruinenstätte der Maya-Kultur in N-Yucatán, Mexiko, in der Nähe von Mérida. D. war eine der am dichtesten besiedelten Stätten in diesem Gebiet (19 km^2). Die meisten Gebäude werden in die Zeit 600/700–1000 datiert.

E

Eakins ['eɪkɪnz], Thomas, amerikan. Maler, *Philadelphia (Pennsylvania) 25. 7. 1844, †ebd. 25. 6. 1916, studierte ebd. und in Paris bei L. Bonnat und L. Gérôme und malte neben Porträts zeitgenöss. Szenen (›Die Klinik des Dr. Gross‹, 1875; Philadelphia, Jefferson Medical College) mit realist. Eindringlichkeit.

Eames [i:mz], Charles, amerikan. Architekt und Designer, *St. Louis (Missouri) 17. 6. 1907, †ebd. 21. 8. 1978, gründete 1930 ein eigenes Büro. Im Anschluß an einen Aufenthalt in Mexiko lehrte er an der Cranbrook Academy of Art in Bloomfield Hills (Michigan). Seit 1941 lebte er in Kalifornien. Nach dem 2. Weltkrieg arbeitete E. vorwiegend für die Möbelfirma Herman Miller, die ihren Ruf weitgehend seinen Entwürfen verdankt. Um 1950 begann er sich mit der Gestaltung von Ausstellungen und der Produktion von Filmen in Zusammenarbeit mit seiner Frau Ray E. zu beschäftigen.

HW: Eigenes Haus in Santa Monica/California (1949); Haus Entenza, Pacific Palisades/California (1949, mit Eero Saarinen). – Möbel: Sessel aus verformtem Sperrholz und Stahlrohr (1944); Lounge Chair (1956); Lobby Chair (1960); Tandem-Sessel (1962).

A. Drexler: C. E. (New York 1973).

Eạnnatum, sumer. König der 1. Dynastie von Lagasch (um 2400 v. Chr.), der in der ›Geierstele‹ seinen Sieg über die Nachbarstadt Umma und die neue Grenzziehung dokumentierte. Die bruchstückhaft erh. Stele (Louvre) zeigt auf beiden Seiten in flachem Relief mehrere Episoden des Krieges: u. a. eine von E. angeführte Phalanx gepanzerter Lanzenkämpfer, die die feindl. Krieger niedertrampeln, Geier mit Beute von abgeschlagenen Köpfen der Gegner sowie der durch besondere Größe hervorgehobene Gott Ningirsu, der die Feinde wie Fische in einem Netz zappeln läßt. Die Geierstele ist das 1. histor. Relief auf mesopotam. Boden.

Earlom ['ə:ləm], Richard, engl. Kupferstecher, *London um 1743, †ebd. 9. 10. 1822, war Meister der

Schabkunst und stach nach Bildern von REMBRANDT, P. P. RUBENS, A. VAN DYCK und nach Originalzeichnungen des ›Liber veritatis‹ von CLAUDE LORRAIN.

Earls Barton [ə: lz b'ɑ: tn], Ort in der Cty. Northamptonshire, nördlich von Northampton, Mittelengland; Pfarrkirche mit 4geschossigem anglosächs. Westturm, spätes 10. Jh., mit reicher Lisenengliederung.

Early English ['ə: lı 'ıŋglıʃ], Bez. des vom Chor der Kathedrale von Canterbury ausgehenden frühgot. Stils der engl. Architektur im letzten Viertel des 12. und der 1. H. des 13. Jh., die sich stilistisch an der gleichzeitigen nordfrz. Gotik orientierte. Charakteristisch für die Epoche ist die Verwendung von Gewölbediensten aus dunklem Purbeck-Marmor von der Halbinsel Purbeck an der engl. S-Küste, gruppierten Lanzettfenstern und Kreuzrippenwölbung.

Eat Art [i: t ɑ: t, von engl. to eat ›essen‹, art ›Kunst‹], ironisch gemeinte Kunstrichtung, die D. SPOERRI Ende der 1960er Jahre in Düsseldorf gründete. In bewußter Umkehrung der Wertvorstellung von Kunst stellte Spoerri einerseits Kunstobjekte aus Lebkuchenteig u. a. her und bot andererseits eingefärbte Speisen zum Konsum an. Seine Aktionen, die in den Bereich des Happenings gehören, sollen auf physische und geistige Sinneszusammenhänge hinweisen.

Ebeltoft, Gem. auf der Halbinsel Mols, Ostjütland, 3600 Ew., eine der malerischsten Kleinstädte Dänemarks; Rathaus (1576, heute Mus.), Färberhof mit Werkstatt und weitere Gebäude aus dem 17. Jh.

Ebenholz, harte Edelhölzer: das echte oder schwarze E. mit braunem bis tiefschwarzem und hartem Kernholz trop. Bäume; das unechte E., durch Beizen hellfarbiger Hölzer wie Birn-, Buchsbaum- und Eibenholz hergestellt. E. wird bei Intarsien, Kunsttischler- und Drechslerarbeiten verwendet.

Ebenist, seit dem 17. Jh. frz. Bez. für den Kunstschreiner, der Intarsien v. a. aus Ebenholz fertigte.

Eberbach, Stadtteil von Eltville im Rheingau, Hessen, mit einem von 4 in Dtl. fast vollständig erh. ma. Zisterzienserklöstern (1135 gegr.). In der monumentalen roman. Basilika (1145–86) mehrere Grabdenkmäler; Klostergebäude 12.–14. Jh. (v. a. Dormitorium, Kapitelsaal, Konversenbau); barockes Refektorium 1738 von D. SCHENK aus Mainz stuckiert. (BILD S. 68)

Eberhard, 1) Franz, Bildhauer, Bruder von 2), *Hindelang 29. 11. 1767, †München 18. 12. 1836, lebte 1806–19 und 1821–26 in Rom. Nach Bildern von GIOTTO und FRA ANGELICO schuf E. in Zusammenarbeit mit seinem Bruder Konrad (→Eberhard 2) Kleinplastiken, Madonnen in Alabaster und andere relig. Reliefs.

2) Konrad, Bildhauer, Bruder von 1), *Hindelang 25. 11. 1768, †München 12. 3. 1859, lebte 1806–19 und 1821–26 in Rom, war 1819–21 Lehrer an der Akad. in München und lebte dort seit 1826. E. war auch Maler und Zeichner; er widmete sich v. a. relig. Themen.

Eberbach: Mönchsdormitorium im ehemaligen Zisterzienserkloster E.; begonnen um 1270

Eberlein, Gustav, Bildhauer, Maler, *Spiekershausen bei Hannoversch-Münden 14. 7. 1847, †Berlin 5. 2. 1926, Schüler von G. BLAESER. E. schuf seit 1890 Denkmäler, die er i. S. des Neubarock ausführte.

HW: Dornauszieher (1880; Berlin-Ost, Nat.-Gal.); Denkmal Kaiser Wilhelms I. (1890; Mannheim); Nationaldenkmal (um 1900; Buenos Aires); Denkmal R. Wagner (1901–03; Berlin, Tiergarten); Denkmal J. W. v. Goethe (1902; Rom).

Lit.: →Berliner Bildhauerschule.

Eberndorf, Gem. im Bez. Völkermarkt, Kärnten, Österreich, mit ehem. Augustiner-Chorherrenstift, im 15. Jh. gegen die Türken befestigt; got. Kirche (um 1500) mit Krypta und freistehendem Wehrturm (15. Jh.); barocker Hochaltar (2. H. 18. Jh.).

Ebersberg, Kreisstadt in Oberbayern, 7700 Ew. Ehem. Kloster (gegr. 934) und Kirche (spätgot. Halle 13.–15. Jh., 1733/34 barockisiert) mit wertvollen ma. Grabdenkmälern. In der Sebastianskapelle über der Sakristei (1668) reiche hochbarocke Stuckdekoration. Spätgot. Rathaus (1529).

Ebersmünster, frz. **Ebersmunster** [-mɛ̃st'ɛːr], Ort bei Schlettstadt im Unterelsaß mit ehem. Benediktinerabtei (gegr. im 7. Jh.) und der bedeutendsten Barockkirche im Elsaß (1719–27 von P. THUMB erbaut).

Ebhardt, Bodo, Baumeister, *Bremen 5. 1. 1865, †Marksburg bei Braubach 13. 2. 1945, restaurierte im historisierenden Stil der Wilhelmin. Zeit mehrere große Burgen und verfaßte (heute meist überholte) burgengeschichtl. Werke.

Restaurierungen: Hohkönigsburg (1899–1908); Marksburg (1899–1905); Veste Coburg (1911–23).

Ebisu, alte japan. Gottheit des Fleißes, auch Beschützer der Märkte; einer der Sieben Glücksgötter (→

Shichi-fukujin), dargestellt in altjapan. Tracht mit Angel und Fisch.

Ebla, heute Ruinenstätte **Tell Mardich**, südlich von Aleppo (KARTE Alter Orient); die altsyr. Stadt wird seit 1964 von ital. Archäologen (P. MATTHIAE u. a.) ausgegraben. Ein trapezförmiger Mauerring umgab die Stadt, in deren Mitte sich eine Zitadelle mit Siedlungsresten (3000–530 v. Chr.) erhebt. Nach bisherigen Grabungsergebnissen lag die Glanzzeit der Stadt und des politisch bed. Reiches E. mit weitreichenden Handelsbeziehungen in der 2. H. des 3. Jahrtsd. v. Chr. Aus dieser Zeit wurde ein großer Palast z. T. ausgegraben, mit großem Hof, von Säulenhallen umgeben; in einer der Hallen ein Thronpodest; ferner 2 Archivräume mit umfangreichen Tontafelfunden in sumer. und eblaitischer Sprache; im Winkel der beiden aneinanderstoßenden Säulenhallen lag ein Treppenturm, in dem sich Steinintarsien und Holzschnitzereien in einem zwar von Mesopotamien beeinflußten, aber in Details der Formgebung und Technik unverkennbar eigenständigen syr. Stil fanden. Auch ägypt. Import ist unter den Kleinfunden bereits feststellbar. Aus der altsyr. Epoche (um 1800 v. Chr.) ist wiederum ein großer Palast bekannt, ferner ein Gebäude, unter dem sich Grüfte mit reichen Beigaben (Schmuck) und Opferresten fanden. Mehrere Tempel des syr. Langraumtyps wurden aufgedeckt, darin z. T. reich reliefierte Steinbecken mit kult. und mytholog. Motiven.

P. MATTHIAE: E. (London 1980).

Ebo-Evangeliar, wichtigste Hs. der →Reimser Schule, im Auftrag des Erzbischofs EBO von Reims im Kloster Hautvillers 816/35 hergestellt (heute Épernay, Bibl. Municipale). Im E.-E. wird der malerisch-illusionist. Stil der →Palastschule Karls des Großen in eine ganz neue, völlig eigenständige Sprache übersetzt. Unruhig zuckende, flüchtig hingeworfene Pinselstriche erfassen gleichermaßen die Landschaftshintergründe wie die Gestalten der Evangelisten.

Ebrach, Markt im Kr. Bamberg, Bayern, 2200 Ew., mit ehem. Zisterzienserabtei (1127 gegr.). Die frühgot. Kirche aus dem 13. Jh. (Fensterrosen) wurde 1778–91 durch MATERNO BOSSI klassizistisch umgestaltet; hervorragende Innenausstattung. Ein spätromanisch-frühgot. Juwel ist die Michaelskapelle (1207); prunkvolle Barock-Klostergebäude (1687 von J. L. DIENTZENHOFER beg., erst 1730 voll.), v. a. Treppenhaus und Kaisersaal.

Ébreuil [ebr'œj], Gem. im frz. Dép. Allier, aus einer um 971 gegr. Benediktinerabtei entstanden. Vorhalle, Turm und Langhaus der roman. Abteikirche stammen aus dem 11./12. Jh., der got. Chor entstand um 1200; im Innern Fresken des 12. Jh.

Ebstorf, Ort im Kr. Uelzen, Ndsachs., mit ehem. Benediktinerinnenabtei, heute evang. Damenstift; zweischiffige Backsteinkirche und gut erh. Kloster aus dem 14./15. Jh. Eine Kopie der Ebstorfer Weltkarte (um 1230/50) ist im Remter ausgestellt.

Écaillemalerei [ek'aj-, frz. ›Schuppe‹], Schuppendekor, bes. in der Porzellanmalerei des 18. Jh.

Écaussines-Lalaing [ekos'in lal'ɛ̃], Ort in der belg. Prov. Hennegau, mit stattl. Schloß (12. Jh., im 13. und 15. Jh. ausgebaut, Mus.); in der Schloßkapelle eine ›Maria mit Kind‹ (14. Jh.), die A. BEAUNEVEU zugeschrieben wird.

Ecce homo ['ɛktse-, lat. ›Siehe, (welch) ein Mensch‹, Joh. 19,5], Übersetzung der Vulgata für den Ausruf des Pilatus, mit dem er Jesus nach Geißelung und Dornenkrönung dem Volk vorstellte; in übertragenem Sinn die künstler. Darstellung Jesu mit Dornenkrone, Spottmantel, der den Körper entblößt, und Rohr als Einzelfigur oder von spottenden Juden umgeben. H. BOSCH stellte die Schaustellung Jesu auf ein Podest (BILD S. 299). Den Ggs. von höhnendem Pöbel und erbarmungswürdigem Jesus betonte M. SCHONGAUER. Die Komposition von A. DÜRER (Kupferstichpassion) ist spannungsreicher. LUCAS VON LEYDEN (Kupferstich von 1510) schuf eine große Szene in bühnenhaft wirkender Architektur, ebenso TIZIAN in seinem Wiener Bild (1543). REMBRANDT dagegen verinnerlicht die Darstellung (Radierung von 1655). – Abgekürzte Kompositionen (Christus als Einzelfigur) kommen in Darstellung und Ausdruck den Erbärmdebildern gleich (→Andachtsbild 2).

Ecce homo (Gemälde von Hieronymus Bosch; Frankfurt am Main, Städelsches Kunstinstitut)

Ecclesia und Synagoge, Personifikationen des N. T. (Ecclesia, lat. ›Kirche‹) und des A. T. (Synagoge). In frühen Darstellungen (5. Jh.; Rom, S. Sabina, Mosaik) wurden sie ›Kirche der Beschneidung‹ und ›Kirche der Völker‹ genannt; in karoling. Elfenbeinwerken und Miniaturen wurden sie schon als Ggs. aufgefaßt, waren aber noch verbunden i. S. einer Übereinstimmung des A. T. und N. T. Vermutlich unter dem Einfluß der Kreuzzüge wurde der scharfe Ggs. von E. u. S. betont. Meist hat die Ecclesia einen Kreuzstab in der Hand, die Synagoge (mit verbundenen Augen) eine zerbrochene Lanze; ihr entgleiten die Gesetzestafeln; Darstellungen v. a. in Straßburg und Bamberg. Im SpätMA. traten an die Stelle von E. u. S. typolog. Gestalten.

Echinus [lat. ›Seeigel‹, aus grch.], Baukunst: der wulstartige Teil des dorischen Kapitells zw. Säulenschaft und Abakus.

Echnaton, der ägypt. König →Amenophis IV.

Echogewölbe, Flüstergewölbe, Flüstergalerie, Räume, die Schallwellen durch Zurückwerfen an parallelen oder gewölbten Wänden wie in einem Rohr weiterleiten und schließlich fast in einem Brennpunkt vereinigen, so daß Töne oder Worte ungewöhnlich weit von der Schallquelle entfernt stark vernehmbar werden; bereits im MA. bekannt und bes. im 18. Jh. beliebt.

Échoppe [eʃ'ɔp, frz.], breite Radiernadel mit scharfer Kante, die den Schnitt des →Grabstichels nachahmt.

Echternach, Stadt im östl. Luxemburg, 3900 Ew., entstand an der Stelle einer Römersiedlung. Die Gebäude der 698 vom HL. WILLIBRORD, Bischof von Utrecht, gestifteten Benediktinerabtei entstanden 1727 bis 1736. Die Kirche, eine viertürmige roman. Basilika, wurde 1017–31 über der Krypta des karoling. Vorgängerbaus errichtet; in der Krypta Willibrordgrab und Altar (8. Jh.; der zugehörige Aufsatz in den Staatsmuseen Luxemburg). Die roman. Pfarrkirche St. Peter und Paul (13. Jh.) steht auf Fundamenten eines röm. Lagers. Das ehem. Rathaus ist ein spätgot. Bau (1520–30) mit Säulenhalle im Erdgeschoß.

Echternacher Malerschule, eine der spätesten großen Schulen der Buchmalerei in otton. Tradition (2. Drittel 11. Jh.), im Kloster Echternach (Luxemburg), von Kaiser HEINRICH III. (1039–56) gefördert. Die 1. bed. Schöpfung der E. M. ist der prächtige, großformatige ›Codex Aureus Epternacensis‹ (Nürnberg, German. Nat.-Mus.). Seine künstler. Wurzeln reichen einerseits zum →Gregormeister zurück, andererseits zu den karoling. Bibeln der Schule von →Tours. Dazu kommen Schmuckseiten, auf denen die Ornamentik sassanid. und byzantin. Stoffe imitiert wird. Ein weiteres Charakteristikum der E. M. sind die länglich geformten Gesichter der Figuren, z. B. im Speyerer Codex (1043–46). Heinrich III. stiftete diese Pracht-Hs. dem Dom von Speyer (heute im Escorial); sie ist mit ihrer reichen Ausgestaltung (Kanontafeln, Zierseiten mit östl. Textilmustern, 54 ganz- oder halbseitigen Miniaturen) das HW der E. M. Bes. die Widmungsseite mit der Darstellung Heinrichs III. und seiner Frau Agnes zu Füßen Christi in der Mandorla ist von großer Monumentalität. Eine Eigentümlichkeit des Speyerer Codex ist, daß man offenbar die zunächst ausgesparten Köpfe

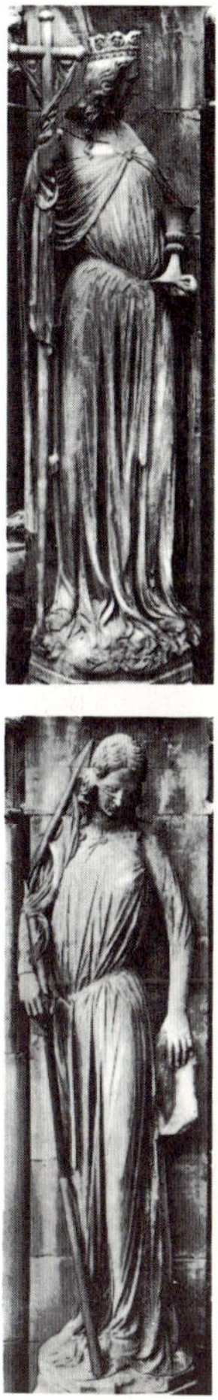

Ecclesia und Synagoge
vom Straßburger Münster

von Christus und Maria eigens durch einen byzantin. Wanderkünstler ausmalen ließ, um so die Hauptfiguren gebührend hervorzuheben. WW der E. M. sind ein Perikopenbuch in Bremen (Stadtbibl.) und ein Evangeliar in Uppsala (Univ.-Bibl.).

L. GRODECKI u. a.: Die Zeit der Ottonen und Salier (1973).

Echter-Stil, Julius-Stil, auf den mainfränk. Raum begrenzte architekton. Sonderform des späten 16. und frühen 17. Jh., die unter Fürstbischof JULIUS ECHTER VON MESPELBRUNN (*1545, †1617) ihre markanteste Ausprägung erhielt. Charakteristisch ist die Vermischung von Elementen der Spätgotik (Fischblasenmaßwerk, Netz- und Sterngewölbe aus Stuckrippen) mit solchen der Renaissance (weite Raumproportionen, schlanke Rundpfeiler mit antikischen Kapitellen) sowie das Aufleben kräftiger farbiger Fassung von Architektur. Hauptbeispiele in Würzburg (Juliusspital, 1576 ff., und Univ.-Kirche, 1582–91), in Iphofen und Dettelbach.

Echtfarben, Teerfarbstoffe, die zu guten, allerdings nicht immer lichtbeständigen Künstler- und Anstrichfarben verlackt werden können. E. sind Echtgelb, -blau, -grün, -rot, -orange und -violett.

Écija ['eθixa], span. Stadt in Andalusien, am Genil, 36 100 Ew.; maler. Altstadt mit zahlreichen Barockpalästen, u. a. Palacio de Valaverde (1756), de Peñaflor (17. Jh., Fassade mit durchlaufendem Balkon und bemalten Vordächern), de Cárdenas (mit Vorhalle). In der Kirche Santa Cruz frühchristl. Sarkophag (5. Jh.) mit Reliefschmuck; Kirche Los Descalzos im Stil des Churriguerismus u. a. Sakralbauten aus Gotik und Barock.

Eckarts|au, Gem. im südl. Marchfeld, NÖ; Jagdschloß, 1722–32 unter teilweiser Einbeziehung einer ma. Burg als Vierflügelanlage erbaut; im Großen Saal Deckenfresko von D. GRAN (1732).

Eckblatt, Eckknolle, in der byzantin., roman. und frühgot. Baukunst blattartige Verzierung an den 4 Ekken einer Säulenbasis, die zw. der quadrat. Fußplatte und dem runden Säulenfuß vermittelt.

Eckernförde, Ostseebad an der Eckernförder Bucht, Schlesw.-Holst., 23 000 Ew.; spätgot. Nikolaikirche (15. Jh.), der wertvolle Schnitzaltar (1640) und ein Epitaph (1661) sind HW des norddt. Knorpelbarock; in der spätroman. Kirche des Ortsteils **Borby** ein altertüml. gotländ. Taufstein (Anf. 13. Jh.).

Eckersberg, 1) Christoffer Wilhelm, dän. Maler, *Blåkrog bei Apenrade 2. 1. 1783, †Kopenhagen 22. 7. 1853, wurde 1818 Prof. an der Kopenhagener Akad. Er malte in klassizist. Geist histor. und relig. Darstellungen, bes. aber schlicht beseelte Porträts (›B. Thorvaldsen‹, 1814, Kopenhagen, Kunstakad.; ›Familie Nathanson‹, 1818, Kopenhagen, Kunstmus.), Landschaften und Seestücke. E. hat die dän. Malerei über einen langen Zeitraum geprägt.

2) Johan Fredrik, norweg. Maler, *Drammen 16. 7. 1822, †Sandvika (heute zu Oslo) 13. 7. 1870, war 1846 bis 1848 Schüler von J. W. SCHIRMER in Düsseldorf. Seine romant. frühen Bilder sind stark von H. GUDE und A. CAPPELEN beeinflußt. Später fand er in seinen Landschaften zu einem nüchtern realist. Stil. Als Lehrer spielte E. eine wichtige Rolle im norweg. Kunstleben.

Eckknolle, →Eckblatt.

Eckmann, Otto, Maler, Buchkünstler, Kunstgewerbler, *Hamburg 19. 11. 1865, †Badenweiler 11. 6. 1902, seit 1895 Mitarbeiter der Ztschr. ›Pan‹ und ›Jugend‹, für die er Titel und Ornamente zeichnete; er entwarf auch Möbel, Textilien und Innendekorationen. – Die von ihm 1899 für K. KLINGSPOR in Offenbach geschaffene und nach ihm benannte Druckschrift **(Eckmann-Schrift)** wurde zur Modeschrift des →Jugendstils, zu dessen frühen Hauptvertretern E. gehörte. (BILD Exlibis)

K. KLINGSPOR: Über Schönheit von Schrift und Druck (1949).

École d'Avignon [ek'ɔl daviɲ'ɔ̃], →Avignon, Schule von Avignon.

École de Paris [ek'ɔl də par'i], zusammenfassende Bez. für eine Anzahl in Paris arbeitender Maler ohne engeren Schul- oder Gruppenzusammenhang, die zum ersten Mal 1949 für eine Ausst. der Royal Academy in London offiziell verwendet wurde. Kennzeichnend ist eine expressive bis lyrische Grundhaltung, die sich meist mit einem sinnlich kultivierten Verhältnis zur Farbe verbindet. Die 1. É. P. mit ihrem Schwerpunkt zw. den Weltkriegen erweiterte das Erbe der frz. Malkultur (H. MATISSE) durch die Dramatik der Spanier (P. PICASSO), den Romantizismus der Deutschen (M. ERNST), die Expressivität der Russen (M. CHAGALL, C. SOUTINE) und die mediterrane Sinnlichkeit eines Italieners (A. MODIGLIANI). – Nach dem 2. Weltkrieg wurde Paris erneut Zentrum für Maler aus aller Welt, doch ist der frz. Anteil für diese 2. É. P., die ihr Zentrum im Abstrakten Expressionismus und im Informel hat, erheblich stärker (J. BAZAINE, R. BISSIÈRE, P. TAL COAT, A. MANESSIER, G. MATHIEU), ohne daß der internat. Zustrom abbrach (H. HARTUNG, S. POLIAKOFF, V. DA SILVA, N. DE STAËL). Ende der 1950er Jahre trat New York an die Stelle von Paris.

B. DORIVAL: L'École de Paris (dt. 1962).

Écouen [ekw'ã], Ort im frz. Dép. Val-d'Oise, nördlich von Paris, 4600 Ew. Das Schloß, heute Nat.-Mus. der Renaissance (mit bed. Samml. von Emailarbeiten des 16. Jh.), wurde etwa 1535–78 von J. BULLANT u. a. erbaut. Bes. hervorzuheben sind der Ehrensaal mit Kamin (von J. GOUJON), die Kapelle (1544), die Kirche (16./17. Jh., mit Glasfenstern der Renaissance) sowie die beiden Hofportale, das südl. mit der ersten Kolossalordnung der frz. Baukunst.

Edam-Volendam, Stadt in der niederländ. Prov. Nordholland, 21 500 Ew. In **Edam** spätgot. St. Nicolaaskerk (Grote Kerk, 15./16. Jh.), eine Hallenkirche mit 3 gleich breiten Langhaus- und Chorschiffen, die jeweils mit eigenem Satteldach gedeckt sind; bemerkenswerte Glasmalereien in allen Fenstern (Anf. 17. Jh.). Von der Liebfrauenkirche ist nur der schlanke spätgot. Turm (15. Jh.) mit Glockenspiel (1561) erh.

Eddy ['edɪ], Don, amerikan. Maler, *Long Beach (California) 4. 12. 1944, verbindet in seinen Bildern unter Zuhilfenahme der Photographie die hyperrealist. Wiedergabe reflektierender Karosseriedetails, blitzender Parkplätze, spiegelnder Schaufenster mit Formproblemen, Farbkomposition und Lichtführung des Abstrakten Expressionismus.

Edelfelt, Albert, finn. Maler, *Borgå 21. 7. 1854, †ebd. 18. 8. 1905, studierte in Antwerpen und Paris (L. GÉRÔME), begann als Historienmaler, schuf dann elegante realist. Porträts und von der frz. Freilichtmalerei beeinflußte finn. Landschaften. E. war der herausragende finn. Maler des 19. Jh.

Edelinck, Gerard, fläm. Kupferstecher, *Antwerpen 20. 10. 1640, †Paris 2. 4. 1707, wo er seit 1666 lebte. E.s Bedeutung beruht auf einem fast 400 Blätter umfassenden Werk von Reproduktionsstichen, in denen sich niederländ. und frz. Stilmerkmale verbinden, darunter rd. 300 Stiche nach frz. Porträts.

Edelkorallen, Skelette der Korallentiere, die im Mittelmeer, an den Kanarischen Inseln, im Malaiischen Archipel und an der Südküste Japans vorkommen. Bes. geschätzt sind ein zartes Rosa (Engelshaut) und ein kräftiges Rosa (Lachsfarbe). E. wurden seit der Bronzezeit als Amulette wegen der ihnen zugeschriebenen Heilkraft geschätzt; später zu Schmuck, Rosenkränzen und v. a. die bizarren Korallenäste mit Edelmetallmontierungen zu Kleinplastiken verarbeitet.

Edenkoben, Stadt im Kr. Südl. Weinstraße, Rheinl.-Pf., 6500 Ew. Das Schloß **Ludwigshöhe** wurde 1845–52 nach Plänen F. v. GÄRTNERS als klassizist. Landsitz König LUDWIGS I. von Bayern erbaut; Gemäldesamml., u. a. Nachlaß von M. SLEVOGT. Reste des ehem. Zisterzienserinnenklosters **Heilsbruck** (1262 von Harthausen bei Speyer nach E. verlegt).

Edfu, Idfu, Stadt in Oberägypten (KARTE ägyptische Kunst), 27 000 Ew., mit einem Tempel aus ptolemäischer Zeit (errichtet 237–57 v. Chr.), der dem falkengestaltigen Horus von E. geweiht war. Der 137 m lange Tempel, der einen Vorläufer des Neuen Reiches ersetzte, gilt als das am besten erhaltene Bauwerk der Antike. Der fast vollständig erhaltene Reliefschmuck seiner

Edfu: Pylon des Horustempels (237–57 v. Chr.)

Wände und Säulen beschreibt die Feste und kult. Handlungen, die im Tempel vollzogen wurden, dazu den Triumph des Horus über seine myth. Feinde.

Edinburgh ['edınbərə], Hauptstadt Schottlands in der Lothian Region südlich des Firth of Forth, 470 100 Ew. Die ma. Stadt wird überragt von der Burg des späten 11. Jh., die ihr heutiges Aussehen bes. im 16. Jh. erhielt. Die im 17. Jh. als Kathedrale dienende Pfarrkirche St. Giles wurde im 14. und 15. Jh. als spätgot. Basilika mit Fächergewölben erneuert, ihr 1495 voll. Turm besitzt einen offenen Helm. Nördlich der Altstadt entstand nach 1760 über regelmäßigem Straßengrundriß mit Platzanlagen die Neustadt. Unter den Kirchenbauten in ihr sind St. Andrew's (1785), ein querovaler Saal mit Säulenportikus und später aufgesetztem Turm, sowie St. John's (1816), eine neugot. Basilika mit Fächergewölben, unter den öffentl. Gebäuden Royal Exchange (1753–60), Register House (1774) und Univ. (1789), von J. und R. ADAM in klassizist. Formen errichtet, zu erwähnen (›Athen des Nordens‹).

Edirne, früher **Adrianopel,** von HADRIAN gegr. Stadt (Hadrianopolis) und Festung (wenige Reste) im europ. Teil der Türkei, 63 300 Ew. – Hauptmoschee ist die Eski Camii (1414) vom Typ einer Vielkuppelmoschee. Die 3 großen Sultanmoscheen sind bed. Denkmäler osman. Baukunst: Die Üç Şerefeli Camii MURADS II. (1437–47) bringt als erste in der osman. Architektur wieder einen monumentalen Arkadenhof, erhöht die Zahl der Minaretts auf 4 und krönt den Gebetssaal mit monumentaler Kuppel von bis dahin nicht gekanntem Ausmaß (Ø 24 m, Scheitelhöhe über 27 m). Die Moschee (1484–88) von BAJEZID II. führt diese Entwicklung weiter. Den Höhepunkt osman. Architektur bildet die Moschee SELIMS II. auf einem Hügel über der Stadt (1568 bis 1574 erbaut von SINAN, dem bedeutendsten osman.

Edirne: Moschee Selims II.; von Sinan 1568–74 erbaut

Architekten). 4 schlanke, nadelähnl. Minaretts von 83 m Höhe umstehen die mächtige Kuppel (Ø 31,28 m, Scheitelhöhe etwa 42 m) über einem gegliederten Rechtecksaal mit 8 Pfeilern und einem chorartigen Michrab-Joch. Den gewaltigen Bezirk (186 × 135 m) säumen 2 Medresen in den Ecken. Einige kleinere Stiftungsmoscheen haben einen T-förmigen Grundriß ähnlich den Moscheen in Bursa (Beylerbey Camii um 1430, Gazi Mihâl Camii 1422, Muradiye 1429, Yıldırım Beyazit Camii um 1400). Das alte Serai war eine weitläufige Anlage mit mehreren, z. T. turmartigen Einzelgebäuden, von denen nur noch Reste erh. sind, im wesentl. unter MEHMED II. seit 1451 erbaut.

Edlinger, Joseph Georg von, Maler, *Graz 1. 3. 1741, †München 15. 9. 1819, wo er seit 1770 lebte, seit 1781 Hofmaler. E. malte, von der niederländ. Kunst des 17. Jh. beeinflußt, psychologisch-feinsinnige bürgerl. Porträts in brauntonigem Kolorit.

Edo, Volksgruppe in S-Nigeria, →Bini.

Edo-Zeit, Tokugawa-Zeit, japan. Geschichtsperiode von 1603 bis 1868, nach dem Regierungssitz der Militärregenten TOKUGAWA in Edo (nach 1868 Tokio) benannt.

Edwardian Style [edw'ɔ: djən staɪl], Stilrichtung der engl. Kunst unter König EDUARD VII. (1901–10).

Eeckhout ['e:khɔut], **1)** Albert van der, holländ. Maler, *Amersfoort, †um 1670, tätig im 2. Drittel des 17. Jh. Er ging 1637 nach Brasilien. Die bildl. Darstellungen seiner Reiseeindrücke sind von hohem kultur- und naturgeschichtl. Wert.

2) Gerbrand van der, holländ. Maler, *Amsterdam 19. 8. 1621, begraben ebd. 29. 9. 1674, war 1635–40 Schüler REMBRANDTS, malte, von dessen Stil der dreißiger und vierziger Jahre beeinflußt, bibl. und antike Darstellungen, Genrebilder und Porträts. Aus seinem vielseitigen zeichner. Werk sind seine Landschaftsaquarelle und Entwürfe für Ornamentstiche bedeutend.

Eesteren ['e:stərə], Cornelius (Cor) van, niederländ. Architekt, Stadtplaner, *Alblasserdam 4. 7. 1897, arbeitete seit 1923 in der Künstlergruppe De →Stijl mit T. VAN DOESBURG zusammen. E. war maßgeblich an der Formulierung der ›Charta von Athen‹ der →CIAM beteiligt und setzte deren Prinzipien 1929–60 als Stadtarchitekt von Amsterdam in die Praxis um.

HW: Formale Studien für Wohnhäuser, zus. mit T. VAN DOESBURG (1923); 1. Preis des Wettbewerbs ›Unter den Linden‹, Berlin (1925); Bebauungsplan für Amsterdam (1928–35).

Eferding, Stadt unweit der Donau in OÖ, 3000 Ew., z. T. erh. histor. Stadtbild; spätgot. Pfarrkirche (1451 bis 1505), Ausstattung v. a. frühbarock, zahlreiche Grabdenkmäler (14.–17. Jh.); das ehem. Hauptgebäude (N-Flügel, um 1416) des Schlosses ist Mus. (Kassettendecken und eingelegte Holztüren z. T. aus anderen Schlössern).

Effigie [lat.], mit Werg gefüllte Puppe aus Holz, Wachs oder Weidengeflecht, die bei den tagelangen ma. Leichenfeiern den Toten vertrat. Die älteste erhaltene E., auf den engl. König EDUARD III. (†1377) bezogen, wird in London in Westminster Abbey aufbewahrt. (→Wachsbildnerei)

Effigy Mounds ['efɪdʒɪmaʊndz, engl. ›Bilderhügel‹], große Erdwallanlagen einer vorgeschichtl. Indianerkultur, die etwa um 500 n. Chr. im Mittelwesten der USA, v. a. in Wisconsin, errichtet worden sind. Sie haben unterschiedl. Formen (Tiere, Vögel, geometr. Figuren) und sind z. T. mehrere 100 m lang, 1 bis 3 m hoch; manche enthielten Reste von Bestattungen. (BILD Indianer)

Effner, Joseph, Baumeister, Dekorateur, getauft Dachau 4. 2. 1687, †München 23. 2. 1745, ausgebildet in Paris (G. BOFFRAND), beeinflußt von R. DE COTTE, war 1715–26 bayer. Hofbaumeister (abgelöst von F. CUVILLIÉS d. Ä.), doch noch bis um 1729 für den Hof tätig und wurde 1738 Gartenbaudirektor. Er leitete u. a. den Ausbau von Schloß und Park Nymphenburg mit Pagodenburg (1717–19), Badenburg (1718–21) und Magdalenenklause (1723–28). Er vollendete das Schloß Schleißheim mit dem großen Treppenhaus und zog für die Innenausstattung die besten Künstler seiner Zeit heran (N. BERTIN, C. D. ASAM, I. GÜNTHER).

E. brachte den Schmuckstil von Régence und Rokoko in Dtl. zur Blüte – vollendet in Empfangs- und Audienzsaal der Reichen Zimmer in der Münchner Residenz. Am Palais Preysing (1723–28) in München übertrug er diese Formen auf die Außenwände.

F. WOLF: Der Künstlerkreis um J. E. (1963).

Eflatun Pınar, Quellheiligtum der hethit. Großreichszeit (um 1230 v. Chr.) in Anatolien, westlich von Konya (KARTE Alter Orient). Erh. ist die Fassade eines unvollendeten Monuments, geschmückt mit dem Hochrelief je einer sitzenden männl. und weibl. Gottheit, darüber Flügelsonnen, die von 10 Mischwesen gestützt werden. Unklar ist noch die Beziehung zu dem in der Nähe liegenden, von Löwen flankierten Thronsitz etwa aus gleicher Zeit.

Egas, Enrique, span. Baumeister, Bildhauer, *um 1455, †1534, Neffe und Schüler des aus Brüssel stammenden Anequin de E. (eigtl. Jan van der Eycken, †um 1494; seit 1458 Oberbaumeister der Kathedrale von Toledo), schuf bed. Bauwerke der Frührenaissance in Spanien. Seine Hospitalbauten (Hospital Real in Santiago de Compostela, 1501–11; Santa Cruz in Toledo, 1504 bis 1515, mit 4 Höfen, Treppenhaus, Fassadendekoration, ein frühes Beispiel des Platereskenstils) sind an ital. Vorbildern geschult und vermischen got. Formen mit Renaissance-Elementen. In Granada begann er den Bau der Kathedrale (um 1520), lieferte die Pläne für die Capilla Real (1506) und das Hospital (1511).

Egbert-Codex, eines der HW der →Reichenauer Malerschule.

Egell, Paul, Bildhauer, Stukkateur, Elfenbeinschnitzer, Graphiker wohl bayerisch-österr. Herkunft, *Mannheim 9. 4. 1691, †ebd. 10. 1. 1752, wurde nach Lehrjahren bei B. PERMOSER (1712–17 in Dresden) 1721 kurpfälz. Hofbildhauer in Mannheim (Stuckarbeiten

Paul Egell: Engel vom Hochaltar der Unteren Pfarrkirche in Mannheim; um 1740/42

im Schloß und Jesuitenkirche). – Die figürl. Gruppen E.s sind in Diagonale und Gegendiagonale komponiert. Seine Kunst mildert das barocke Pathos zu geschmeidiger Eleganz und erreicht z. T. eine tiefe Verinnerlichung; sie steht an der Wende zum Rokoko. Einzigartig sind seine Elfenbeinarbeiten. In seiner Werkstatt lernte 1751/52 I. GÜNTHER.

WW: Figuren des Hochaltars der Unteren Pfarrkirche in Mannheim (um 1740–42, nur in geringen Resten erhalten, früher: Berlin, Dt. Mus.).

Egeln, Stadt im SW von Magdeburg, Dt. Dem. Rep. Die Kirche des 1259 gegr. ehem. Zisterzienserinnenklosters Marienstuhl ist ein sehr reich ausgestatteter barokker Saalbau (1732–34). Die Stadtkirche (1701–03) ist ein schlichter Barockbau mit Westturm des got. Vorgängerbaus. Die 814 erwähnte Burg stammt in der heutigen Anlage v. a. aus dem 16. Jh.

Eger, 1) tschech. **Cheb** [xɛp], Stadt im Westböhm. Kreis, ČSSR, 31 000 Ew.; Stadt mit altertüml. Charakter (bes. am Marktplatz, 13. Jh.). Die 1125 errichtete Burg wurde 1179–88 stauf. Kaiserpfalz, 1741 zerstört, aber z. T. rekonstruiert mit der Doppelkapelle der Hll. Erhard und Ursula; got. Hallenkirche St. Nikolaus und Elisabeth, 1230–70 (mit älteren Teilen), 1742 nach Plänen von B. NEUMANN barockisiert; Bartholomäuskirche des ehem. Kreuzherrenklosters, gewölbter Einstützenraum (1414); Rathaus (1722–28, heute Städt. Gal.); Klara-Kirche von C. DIENTZENHOFER (1708–11; heute Konzertsaal). Im ehem. Franziskanerkloster und einem Komplex ma. und frühneuzeitl. Häuser das histor. Stadtmuseum.

2) Stadt in Ungarn, →Erlau.

Egerer Arbeit, flachgeschnittene Reliefintarsia (→ Intarsia) in farbigen Hölzern zum Schmuck von Möbeln, Kästen und Spielbrettern, im 17. Jh. in Eger (W-Böhmen) hergestellt.

Egeskov ['e:gəsgɔu], Renaissanceschloß im S der dän. Insel Fünen, 1554 im wesentl. voll.; Einflügelbau mit 2½ Stockwerken, 2 runden Ecktürmen und quadrat. Treppenturm; eigenartig die Doppelhauskonstruktion: 2 parallele Häuser mit einer gemeinsamen Langseite, aber selbständigen Giebeln und Dächern; 1884–86 unter eingreifenden Veränderungen restauriert.

Eggenburg, Stadt im östl. Waldviertel, NÖ, 3700 Ew., altertüml. Stadtbild mit z. T. erh. Befestigung (14./15. Jh.) und zahlreichen Bürgerhäusern (v. a. 16. Jh.); Pfarrkirche St. Stephan mit roman. O-Türmen (12. Jh.), got. Chor (14. Jh.) und Langhaus (15./16. Jh.), bemerkenswert der got. Flügelaltar (1505) und die got. Kanzel (1515); ehem. Franziskanerkloster (Kirche 1466 gew.), nach 1833 gotisierend wiederhergestellt.

Egger-Lienz, Albin, Tiroler Maler, *Stribach bei Lienz 29. 1. 1868, †Rentsch bei Bozen 4. 11. 1926, entwickelte, beeinflußt von A. GALLÉN-KALLELA und F. HODLER, in Kriegs- und Bauernbildern einen expressiv-monumentalen, symbolisierenden Stil.

W. KIRSCHL: A. E.-L. Das Gesamtwerk (Wien 1976).

Eggshell Porcelain ['egʃel p'ɔ:slın, engl.], →Eierschalenporzellan.

Egisheim, frz. **Éguisheim** [egis'ɛm], Gem. im Oberelsaß, 1500 Ew. In der Ortsmitte die Burg, eine stauf. Pfalz mit achteckigem Grundriß und Mittelturm, in der Frz. Revolution abgebrochen. Im Zuge der Stadtmauer eng aneinandergebaute Traufenhäuser. In der Vorhalle der 1807 abgebrochenen Kirche (heute Taufkapelle) vorzügl. Säulenportal mit reich skulptiertem Tympanon (um 1220). Über E. am Vogesenrand die Burgruine Hohen- oder Dreienegisheim **(Drei Exen,** 1466 zerstört) mit 3 Türmen über einer vorgeschichtl. röm. Anlage.

Églomisé, frz. **Verre églomisé** [vɛr-, n. dem Pariser Kunsthändler J.-B. Glomy, †1786], Sonderform der Hinterglasmalerei, bei der schwarzer Lack auf eine Glastafel aufgetragen wird. Ornament oder Figuren werden ausgespart oder ausgekratzt und mit Metallfolie oder Goldbronze hinterlegt.

Egna ['eɲa], ital. für →Neumarkt 2).

Egry ['ɛgri], József, ungar. Maler, *Ujlak 15. 3. 1883, †Badacsony 19. 6. 1951, schuf v. a. Öl-, Aquarell- und Pastellbilder nach Motiven der Landschaft am Plattensee. Sein anfängl. Expressionismus in der Nachfolge E. HECKELS wandelte sich im Spätwerk zu spätimpressionist. Farbigkeit.

Éguisheim [egis'ɛm], frz. für →Egisheim.

ehernes Meer, metallenes Becken für kult. Waschungen im Vorhof des Salomon. Tempels, das auf 12 eherne Rinder (entsprechend den 12 Stämmen Israels) gestellt war; bei der Zerstörung Jerusalems (586 v. Chr.) von den Babyloniern zerschlagen. In der christl. Kunst wird das e. M. typologisch als Taufbecken gedeutet und so dargestellt (an Stelle der 12 ehernen Rinder oft die 12 Apostel). (BILD Reiner von Huy)

Ehingen (Donau), Stadt an der Oberschwäb. Barockstraße, Bad.-Württ., bis 1805 eine der vorderösterr. ›Donaustädte‹, 21700 Ew. Konviktskirche (1712–19) von F. BEER; got. Blasius-Pfarrkirche ab 1738 aufwendig barockisiert; Liebfrauenkirche (1454/1723). Ritterhaus des Donaukantons (1692); Ständehaus (1749).

Ehrenhausen, Gem. an der Mur, Steiermark. Die ma. Burg wurde im 16. Jh. von den Herren von Eggenberg zum Schloß umgebaut. Deren Mausoleum (1609 bis 1614) ist ein Zentralbau von genialer Raumwirkung, am Zugang 2 Kolossalstatuen, das Innere (1689) J. B. FISCHER VON ERLACH zugeschrieben.

Ehrenhof, →Cour d'honneur.

Ehrenmal, Denkmal, Denkstein oder eine architekton. Anlage zum Gedächtnis der Gefallenen. Dem gleichen Zweck dienen **Ehrenhaine.**

Ehrensäule, Weihgeschenk in Form einer statuentragenden Säule, sowohl für die grch. wie die röm. Antike (in Heiligtümern, an Gräbern, auf öffentl. Plätzen u. a.) seit dem 5. Jh. v. Chr. belegt; gut erh. sind die Trajans- und die Marc-Aurel-Säule in Rom.

Ehrenstein, seit 1486 bestehendes Kreuzherrenkloster bei Neustadt (Wied), Kr. Neuwied, Rheinl.-Pf. In der spätgot. Dreifaltigkeitskirche (1477) vorzügl. köln. Glasmalereien (zw. 1470 und 1510). Gleichnamige Burgruine aus dem 14. Jh.

Ehrenstrahl, David **Klöcker** von, dt.-schwed. Maler, *Hamburg 23. 9. 1628, †Stockholm 23. 10. 1698, seit 1661 schwed. Hofmaler. Beeinflußt von PIETRO DA CORTONA und CLAUDE LORRAIN, wurde er der Hauptvertreter des repräsentativen Hofstils des Hochbarock in Schweden.

Ehreshoven, Wasserschloß bei Engelskirchen, NRW, jetzt adliges Damenstift; barocke Dreiflügelanlage (um 1700) mit breitgelagerter Vorburg – der prächtigste Adelssitz im Oberberg. Land.

Ei, in der Maltechnik vielfach gebrauchter Rohstoff, z. B. Eiklar als Leim für die Buchmalerei, für →Bolus und Wasserfirnis; der Dotter wird als natürl. Emulsion für Temperabindemittel verwendet.

Eichstätt, Kreisstadt in Oberbayern, 14000 Ew.; seit 743 Bischofssitz. Zentrum dt. Renaissanceplastik (LOY HERING). E. ist eine barocke geistl. Fürstenresidenz von selten guter Erhaltung, deren Bild 1714–47 von G. DE GABRIELI geprägt wurde: Domfassade, sämtl. Bauten am Residenzplatz, Bischofspalais, Notre-Dame-Kirche, Sommerresidenz im Hofgarten, Frauenbergkapelle u. a. Ehem. fürstbischöfl. Residenz (18. Jh.) mit Treppenhaus und Spiegelsaal im Spätrokokostil. Am Leonrodplatz die Schutzengelkirche (17./18. Jh.), Dompropstei (1672) und Domdechantei (1765). Benediktinerinnenklosterkirche St. Walburg (17./18. Jh.) mit reich verziertem Nonnenchor. In der ehem. Kapuzinerkirche (1623–25) ein roman. Hl. Grab (1189). Am Dom, einer got. Halle des 14./15. Jh., spätgot. Kreuzgang und Mortuarium (1487) mit gedrehten Säulen und Glasfenstern von H. HOLBEIN D. Ä.; Diözesan-Mus. Südöstlich über der Stadt die Willibaldsburg (1609 von E. HOLL) mit Archäolog. Mus. Nahe bei E. das ehem. Augustiner-Chorherrenstift **Rebdorf** (1159 gegr.), dessen roman. Kirche 1732–34 barockisiert wurde; schloßartige Klostergebäude von Gabrieli (1715 ff.).

Eiermann, Egon, Architekt, *Neuendorf bei Berlin, 29. 9. 1904, †Baden-Baden 19. 7. 1970, studierte 1923 bis 1927 an der TH Berlin (Schüler von H. POELZIG), seit 1930 selbständiger Architekt in Berlin, 1947–70 Prof. an der TH Karlsruhe; hat die Architektur in Dtl. stark beeinflußt.

HW: Wohnhäuser bei Berlin, z. T. mit F. JAENECKE (1933–39); Dt. Pavillon, Weltausstellung Brüssel (zus. mit S. RUF 1956–58); Kaiser-Wilhelm-Gedächtniskirche, Berlin-West (1961–63); Dt. Botschaft, Washington (1962–64); Hauptverwaltung der IBM Dtl., Stuttgart (1967–72); Hauptverwaltung der Dt. Olivetti, Frankfurt a. M. (1969 bis 1972).

Eierschalenporzellan, engl. **Eggshell Porcelain** [ˈegʃel pˈɔːslın], sehr dünnwandiges Porzellan, urspr. nur in China und Japan hergestellt.

Eierstab, in der antiken Architektur, bes. an ionischen Bauten, eine Zierleiste aus abwechselnd eiförmigen und pfeilspitzartigen Gebilden, unten, manchmal auch oben, von einem Astragal abgeschlossen (→Kymation).

Eiff, Wilhelm Karl von, Glas- und Steinschneider, *Göppingen 11. 9. 1890, †Stuttgart 9. 5. 1943, erhielt seine Ausbildung u.a. in Paris bei R. LALIQUE. E. schuf v.a. Ringsteine, Porträtmedaillons aus Bergkristall in Hochschnitt; Glasdosen, Kristallschalen in Tiefschnitt.

Eiffel [ɛf'ɛl], Alexandre Gustave, frz. Ingenieur, *Dijon 15. 12. 1832, †Paris 28. 12. 1923, konstruierte aus gewalztem Eisen und Stahl zahlreiche Brücken (Douro-Brücke ›Maria Pia‹ bei Porto, 1877–78; Truyère-Brücke bei Garabit, 1880–84) und Hallen sowie 1885–89 den 300,51 m hohen **Eiffelturm.** Die Grundform der Konstruktionen wird bei E.s Entwürfen durch den Kräfteverlauf bestimmt. Später beschäftigte sich E. mit aerodynam. Problemen.

M. BESSET: G. E., 1832–1923 (Mailand 1957).

Eigtved ['aigdveð], Nicolai, dän. Baumeister, *Egtved 22. 6. 1701, †Kopenhagen 7. 6. 1754, lernte bei M. D. PÖPPELMANN, u.a. am Zwinger in Dresden, führte den frz.-sächs. Barockstil in Kopenhagen ein, wurde 1751 Direktor der neu gegr. Kunstakad. ebd.

HW (in Kopenhagen): Residenzschloß Christiansborg (1733–45); Nat.-Mus. (ehemals Prinzenpalais, 1743/44); Gestaltung des oktogonalen Platzes Amalienborg mit Marmorkirche (Entwurf 1749, Baubeginn 1754).

Eilbertus, Kölner Goldschmied und Emailleur um die Mitte des 12. Jh.; der Tragaltar des E. ist als signiertes Werk ein Hauptstück der Kölner Goldschmiedekunst (1150–60, Köln). Er gehört, neben anderen Arbeiten, die E. zugeschrieben werden können, zum →Welfenschatz.

Eilenburg, Stadt im NW von Leipzig, Dt. Dem. Rep., an der Mulde, 22100 Ew.; Stadtkirche St. Andreas und Nicolai (1444 beg., 1945 zerstört, Chor wiederhergestellt) mit spätgot. Flügelaltar; spätgot. Bergkirche St. Marien (1516–22) mit roman. Resten; Renaissance-Rathaus (1544/45).

Einbeck, Stadt im Kr. Northeim, Ndsachs., 29800 Ew.; maler. Altstadtbild mit weitgehend erh. ma. Befestigung. Gotisch sind die ehem. Stiftskirche St. Alexandri (1275–1506), eine langgestreckte Halle, und die Marktkirche (Ende 13. Jh.) mit barocker Westfassade (1741). Rathaus (1550, mit 3 einzigartigen Spitztürmen), Ratswaage (1565) und Ratsapotheke (nach 1562) bilden ein geschlossenes Fachwerkensemble. E. besitzt über 100 gut erh. Fachwerkhäuser des 16. und 17. Jh. In einem spätgot. Bürgerhaus (1548) das Städt. Mus.

Einbeck, Conrad von E., →Conrad von Einbeck.

Einblattdrucke, Einblattholzschnitte, die frühesten Werke des Bilddrucks, die zw. 1400 und etwa 1550 als teilweise handkolorierte Einzelblätter hergestellt wurden, Vorläufer des typograph. Buchdrucks. Sie wurden einseitig bedruckt, da bei der Technik des Holzschnitts auf der Rückseite des Papiers ein Relief entsteht, das keinen Widerdruck erlaubt **(Holztafeldruck);** sie wurden zu →Blockbüchern zusammengefaßt. Schöpfer der E. waren zunächst die anonymen →Briefmaler; später haben auch bed. Künstler (A. DÜRER) E. geschaffen. Gegen Ende des 16. Jh. setzte sich der Kupferstich als Vervielfältigungsverfahren durch. E. mit ihren vielfältigen Funktionen vom Andachtsbild bis zum Flugblatt müssen ehemals große Verbreitung und Wirkung gehabt haben. Aus ihnen sind die →Bilderbogen hervorgegangen. Heute sind nur etwa 3400 erhaltene Exemplare bekannt, die in den Graph. Sammlungen von Wien (Albertina), Berlin, München, Paris und London aufbewahrt werden. Sie fanden sich oft zufällig in alten Büchern, da sie in sparsamen Klöstern als Füllung von Einbänden oder Vorsatzpapier weiterverwendet worden waren.

Eindhoven ['ɛjntho:və], Stadt in der niederländ. Prov. Nordbrabant, 192000 Ew. Die neugot. St. Catharinakerk (1860–67), eine kreuzförmige Basilika mit 2 W-Türmen, ist ein HW von P. CUYPERS. Van-Abbe-Mus., eine der bed. niederländ. Samml. der Skulptur und Malerei des 20. Jh.

Einführungsszene, beliebtes Kompositionsschema in der Bildkunst (Rollsiegel, aber auch Reliefs, Malerei) Mesopotamiens und Syriens im 3. und in der 1. H. des 2. Jahrtsd. v. Chr. Der Adorant steht dabei meist nicht direkt vor der hohen Gottheit oder dem vergöttlichten König, sondern wird zu ihr (teilweise an der Hand gehalten) von einer niederen Gottheit, oft wohl seinem persönl. Schutzgott, eingeführt.

eingeblendete Säule, Baukunst: Säule, die in die Vertiefung einer Wand eingestellt ist.

eingebundene Säule, Baukunst: Säule, die nicht frei steht, sondern als Viertel-, Halb- oder Dreiviertelsäule mit der Wand oder einem Pfeilerkern verbunden ist.

eingezogener Chor, Baukunst: Chor, der im Querschnitt schmaler als das Langhaus der Kirche ist.

eingezogene Streben, Baukunst: in den Innenraum eingezogene Strebepfeiler, die Nischen oder Kapellen bilden, kennzeichnend für die Architektur der →Sondergotik, zuerst in der Architektur der PARLER.

Einhaus, Bauernhaus, bei dem die versch. Funktionen des Gehöfts (Wohnen, Viehhaltung, Futter- und Vorratshaltung) unter einem Dach vereint sind. Der Typ des E. ist in Niederdtl., vereinzelt in Mitteldtl., in Bayern und im Schwarzwald anzutreffen.

einhüftig, Baukunst: **1)** eine Gebäudeform, bei der die Räume auf einer Seite des Ganges liegen. **2)** ein steigender, gewölbter Bogen, dessen Kämpfer auf versch. Höhe liegen, z. B. bei gemauerten Treppenläufen.

Einlege|arbeit, →Intarsia.

Einschlagen, Maltechnik: das Mattwerden von Farben oder Firnissen durch zu schwache Bindung oder durch Abziehen des Bindemittels in die Grundierung.

Einsiedeln, Wallfahrtsort im schweizer. Kt. Schwyz, 9600 Ew., mit dem 934 gegr. Benediktinerkloster **Maria E.** Die barocke Bauperiode begann 1674 mit dem Neubau des Chors, 1704 Grundsteinlegung zum Neubau des gesamten Klosters nach Plänen von K. MOOSBRUGGER (Kloster weitgehend 1718 voll., Kirche 1735 gew.); durch die Verwirklichung seines Gesamtkonzepts entstand ein Gebäudekomplex von großartiger Einheitlichkeit, ein HW der europ. Barockarchitektur; v. a. der Kircheninnenraum ist durch geniale Verschmelzung von Zentral- und Längsraum von außerordentl. räuml. Wirkung. Die reiche Ausstattung, Ausmalung und Stuckierung stammen von den Brüdern ASAM, von D. F. und C. CARLONE, J. A. FEUCHTMAYER u. a.

Einsiedeln: Fassade der Klosterkirche; Anfang des 18. Jh.

Einzug in Jerusalem, der Einzug Jesu in Jerusalem vor der Passion, auf einem Esel reitend und von einer Menge mit Palmzweigen begrüßt. Diese Szene wird schon auf Sarkophagen des 4. Jh. als Ausdruck des Triumphes unter die des thronenden Christus gestellt. Sie findet sich seit dem 6. Jh. in der Buchmalerei und wird zum einleitenden Teil von Passions-Zyklen, seit dem 14. Jh. als eigenständiges Motiv zum Thema der Reliefkunst (L. GHIBERTI, N-Portal des Baptisteriums zu Florenz) wie der Glas- und Tafelmalerei (im 16. Jh. vor landschaftl. Hintergrund, so etwa bei P. P. RUBENS, 1632).

Eisen [εz'εn], Charles, frz. Zeichner, Maler, *Valenciennes 17. 8. 1720, †Brüssel 4. 1. 1778, einer der erfindungsreichsten Illustrations- und Vignettenkünstler des 18. Jh.; schuf galante Blätter und Dekorationsentwürfe in feinster Rokokomanier.

HW: Edition des fermiers généraux der ›Contes et nouvelles‹ von LA FONTAINE (1762).

Eisenach, Stadt am NW-Rand des Thüringer Waldes, Dt. Dem. Rep., 49 700 Ew.; um 1150 unterhalb der

→Wartburg entstanden, 1572–1741 mit Unterbrechungen Residenz der Herzöge von Sachsen-E. Die Altstadt hat ihr altes Gepräge bewahrt. Die roman. Nikolaikirche (um 1200), mit reichen Kapitellen, bildet mit dem Nikolaitor, einem Rest der Stadtbefestigung, eine einheitl. Baugruppe. Die um 1180 gegr. Marktkirche St. Georg ist im wesentl. spätgotisch (1515 beg.); im Innern Grabsteine thüring. Landgrafen aus dem Kloster Reinhardsbrunn (1. H. 14. Jh.). Ebenfalls am Markt liegt das barocke Stadtschloß, 1742–45 durch Ausbau mehrerer Bürgerhäuser entstanden (heute Thüringer Mus. mit Gemäldegal.). In der frühgot. Predigerkirche (ehem. Dominikaner-Klosterkirche, 2. H. 13. Jh.) Skulpturensamml. des Mus. Rathaus im Kern spätgotisch (1508), in Renaissanceformen erneuert (16./17. Jh.), z. T. zerstört. Spätgot. Lutherhaus (Ende 15. Jh.); die früher zahlreichen Fachwerk-Bürgerhäuser wurden im 18. Jh. meist verputzt.

Eisen|architektur, Bauwerke, die überwiegend aus Eisen konstruiert sind. Die E. kennzeichnet den Beginn einer neuen Epoche der Architekturgeschichte, die durch die techn. Entwicklungen als Folge der industriellen Revolution im 19. Jh. ermöglicht wurde. Brükken, Bahnhofshallen, große Gewächshäuser, Markt- und Ausstellungshallen, Fabriken und Warenhäuser stellten funktionelle und konstruktive Anforderungen, die nur mit neuen Baumaterialien, Gußeisen, Schmiedeeisen und Stahl verwirklicht werden konnten: stützenfreie Überdachungen, große Spannweiten, Transparenz durch die vermehrte Verwendung von Glas, Veränderbarkeit der Grundrisse, rasche Montage, Demontage usw. Eisen, Baumaterial, das seit der Antike in Form von Dübeln, Klammern, Zugbändern und Ketten benutzt wurde, stand als sprödes, druckfestes Gußeisen Ende des 18. Jh. in größeren Mengen zur Verfügung. Die damit beginnende 1. Phase der E. (bis 1830) war gekennzeichnet durch den Austausch von Holz und Stein gegen Gußeisen, wobei bewährte Konstruktionen weiter verwendet wurden. Als erstes ersetzte man Stützen aus Holz oder Stein durch Gußeisen. In engl. Textilfabriken entstand v. a. aus Gründen verbesserter Feuersicherheit der Vorläufer des Eisen-, später Stahlskelettbaus: das eiserne Gerüst aus Stützen und Trägern innerhalb steinerner Außenwände. Daneben gab der Brükkenbau im Zuge des rasch wachsenden Straßen-, ab 1830 Schienennetzes entscheidende Impulse. 1779 war mit der Iron Bridge in Coalbrookdale über den Severn in England zum ersten Mal eine Bogenkonstruktion aus Gußeisen errichtet worden, bevor sie als Dachbinder auch im Hochbau verwendet wurden: Halle au blé, Paris, 1812 (F. BRUNET, F.-J. BELANGER); Gießhalle Sayn, Rheinl.-Pf., 1830 (K. ALTHANS); Bibl. Ste. Geneviève, Paris, 1850 (H. LABROUSTE). 1796 begann in den USA mit der Kettenbrücke über den Jacobs Creek in Pennsylvania der moderne Hängebrückenbau, der mit der Menai Bridge, Wales, 1826 (T. TELFORD), bereits 180 m erreichte. Nach solchen Vorbildern wurden hängende Dächer konstruiert: Panorama, Paris 1839 (J. I. HITTDORF).

Zugbeanspruchte Konstruktionen können nur mit dem elast. Schmiedeeisen hergestellt werden. Erst seit

1820, als Schmiedeeisen zu Profilen gewalzt werden konnte, setzte es sich gegen Gußeisen zuerst im Brükkenbau, später auch im Hochbau für Binder und Träger durch. Diese 2. Phase der E. (1830–70) entfaltete sich auf der Grundlage der Baustatik seit 1826, der wissenschaftl. Materialprüfung seit 1854 und der Fachwerktheorie seit 1851. Aus Schmiedeeisen waren 1786 der Dachstuhl des Théâtre Français (V. LOUIS) und 1808 die Dachkonstruktionen der glasgedeckten Passagen in Paris. Der überzeugende Durchbruch des Schmiedeeisens gelang 1850 mit der aus gewalzten Blechen zusammengenieteten Britannia-Brücke in Wales (R. STEPHENSON). Im Hochbau entstanden für neue Bauaufgaben weitere Bautypen: Bahnsteighalle Paddington Station, London 1854 (I. K. BRUNEL), Markthallen, Paris 1852–59 (V. BALTARD), Warenhaus Bon Marché, Paris 1869 (G. EIFFEL, L. BOILEAU). Gewächshäuser, Wintergärten und Ausstellungsbauten verdeutlichten in der Verbindung von Eisen und Glas die Möglichkeiten einer von traditionellen Formvorstellungen freien →Glasarchitektur: Palm House, Kew, 1848 (D. BURTON, R. TURNER). Mit dem Kristallpalast, London 1851 (J. PAXTON), wurde die Idee des mehrgeschossigen, rechtwinkligen Skeletts ohne steinerne Außenwände verwirklicht, bevor das Problem seiner Stabilität dauerhaft gelöst worden war. Das Revolutionäre war die vollkommene Industrialisierung des Bauprozesses, aufbauend auf einem in 3 Richtungen addierten Element von 24 × 24 Fuß (1 Fuß ≈ 0,3 m). Der 1. Skelettbau in modernem Sinn, dessen Stabilität auf der biegesteifen Verbindung von Stütze und Träger beruhte, war der Boat Store, Sheerness 1860 (G. GREEN). Mit dem Curtain Wall der Oriel Chambers, Bürobau in Liverpool 1864 (P. ELLIS), waren die Elemente ausgebildet, die den →Stahlbau der Schule von Chicago kennzeichneten. Typisch für die 2. Phase der E. waren Fassaden aus Gußeisen im ital. Renaissancestil: New York, St. Louis, Glasgow. In den monumentalen Hallen der 3. Phase (1870–90) wurde die Ästhetik der E., die allen Regeln des klass. Steinbaus widersprachen, am augenfälligsten (St. Pancras Station, London 1868, P. BARLOW), nämlich Trennung von tragender und raumabschließender Konstruktion, Auflösung der Masse trotz größter Dimensionen, kontinuierl. Übergang von Wand zu Decke, der Gesimse überflüssig machte, lineare Strukturen statt Baukörperplastik, in der Gal. des Machines, Paris 1889 (C. DUTERT, V. CONTAMIN), die Dreigelenkfachwerkbinder (entwickelt 1865, J. SCHWEDLER), die trotz ihrer Spannweite von 115 m nur punktförmig den Boden berührten.

Mit der E. verbunden war die Verwissenschaftlichung des Bauens. Der Ingenieur rückte gleichrangig neben den Architekten. Im Eiffelturm, Paris 1889 (J. EIFFEL), gelang zeichenhaft ein vollkommenes Beispiel gestalteter Ingenieurkonstruktion, das nachhaltig die Auseinandersetzung um den Eisen- und Stahlbau beeinflußte.

E., die Rolle des Eisens in der histor. Architektur der 1. Hälfte des 19. Jh.; internationales Colloquium... (1979); W. BLASER: Filigran-Architektur; Metall- und Glaskonstruktion (1980); G. BEHNISCH u. G. HARTUNG: Eisenkonstruktionen des 19. Jh. (1982).

Eisenbach, Stammsitz der Frhr. Riedesel zu E. in Lauterbach-Frischborn, Hessen; die prachtvoll gelegene Burg des 13. Jh. wurde in der Renaissance (16. Jh.) schloßartig ausgebaut.

Eisenberg, Stadt nordwestlich von Gera, Dt. Dem. Rep., 13 300 Ew.; Barockschloß Christiansburg (1677 beg.), Schloßkirche (1679–87) mit überaus reichen Stukkaturen; Renaissancebauten sind das Rathaus (urspr. 2 Gebäude 1579 und 1595) und die Superintendentur (1580); spätgot. Pfarrkirche (1494).

Eisen|erz, Stadt in der Steiermark, Österreich, 10 300 Ew., Bergbauort seit röm. Zeit. Got. Kirche (1512 gew.) mit hervorragendem spätgot. plast. Schmuck an den Emporen; 1532 (Türkeneinfall) durch Ringmauer mit Wehrtürmen zur größten Kirchenburg der Steiermark ausgebaut.

Eisenhoit, Anton, Silberschmied, Kupferstecher, *Warburg (Westfalen) 1553 oder 1554, †ebd. 1603, bildete sich in Italien und war seit 1585 in seiner Heimat tätig. In seinen Arbeiten verbinden sich got. Elemente mit Renaissanceformen.

HW: Silberne Altargeräte in Schloß Herdringen (Westfalen).

Eisenkunstguß, ein →Bildguß in Eisen. Der E. ist in China bereits im 6. Jh. v. Chr. durch mit Inschriften versehene Eisenkessel nachweisbar. In der Sung- und Ming-Zeit wurden buddhist. Plastiken aus E. gegossen, die sich durch ihre Schwere und ihre grobe Oberfläche stark von den gleichzeitigen Bronzebildwerken unterscheiden. In Europa kam er mit dem Guß von Geschützen im 14. Jh. auf. Seit Ende des 15. Jh. findet er auch künstler. Anwendung: Guß von Ofenplatten, Grabkreuzen, -denkmälern, -platten. Hauptzentren waren Siegen, Eifel-, Mosel- und Saargebiet, Pfalz, Tirol und Württemberg. Nach Erfindung der Kupolöfen und Verbesserung des Sandteilformverfahrens wurde der Feineisenguß um die Wende zum 19. Jh. im Hüttenwerk Lauchhammer (Niederlausitz) eingeleitet, das schon Ende des 18. Jh. Freiplastiken goß. Im 19. Jh. ragen die Gießereien Berlin, Gleiwitz und Sayn hervor. Für die Königl. Eisengießerei Berlin (1804–73) legten C. D. RAUCH, G. SCHADOW und K. F. SCHINKEL u. a. Entwürfe für Plastiken vor.

Berlin und die Antike, Ausst.-Kat. (1979); EVA SCHMIDT: Der preuß. E. (1982).

Eisenman ['aɪzənmæn], Peter David, amerikan. Architekt, *Newark (New Jersey) 11. 8. 1932, Mitgl. der Architektengruppe ›The New York Five‹, vertritt eine streng geometrisch geordnete Architektur, die die Funktionen den Formen unterordnet. Komplizierte zeichner. Analysen bilden die Grundlagen seiner Entwürfe.

HW: Haus III in Lakeville (1971); Haus VI; Haus X (1976).

Eisenmarkt, Stadt in Rumänien, →Hunedoara.

Eisen|oxidfarben, gelbe, rote und schwarze, den Erdfarben ähnl., künstlich erzeugte Mineralpigmente mit guten maltechn. Eigenschaften. Seit dem 18. Jh. in Gebrauch, spielen sie eine bed. Rolle in der Mal- und Anstrichtechnik. Gelbe E. sind unter den Bez. Eisenoxidgelb, Eisenocker und Marsgelb im Handel, rote E. als Englischrot, Marsrot, Caput mortuum, Morellensalz, Pompejanischrot, Pariser Rot, Oxidrot u. a., schwarze als Eisenoxidschwarz.

Eisenplastik, Plastiken aus geschmiedetem und geschweißtem Eisen (über geschmiedetes Eisen im Bereich des Kunsthandwerks →Schmiedekunst). Die E. unterscheidet sich von der herkömml. Bildhauerpraxis dadurch, daß sie aus Einzelteilen konstruktiv zusammengesetzt wird (›Fügeverfahren‹) und nicht durch Wegnehmen von einer vorhandenen Masse. Die Verwendung von Eisenblech, bereits von P. GARGALLO gegenständlich verarbeitet, bot die Möglichkeit zum Durchdringen des Raumes durch die Fläche. Das Material bot so die Gelegenheit, die analyt. Gegenstandszerlegung des Kubismus dreidimensional zu gestalten (J. GONZALEZ). Die Konstruktivisten W. TATLIN, N. GABO, A. PEVSNER verwirklichten mit kühnen Kombinationen u. a. von stereometr. Eisenteilen ihre Vorstellung vom ›Technischen Zeitalter‹. Mitte der 20er Jahre verwirklichte P. PICASSO neue ästhet. Gesetze durch das Zusammenfügen von Schrotteilen und bewirkte damit eine Wandlung des Menschenbildes. Von den abstrakten Bildhauern arbeiteten mit Eisen D. SMITH, L. CHADWICK, A. CARO, B. LARDERA, H. UHLMANN u. a., wobei meist keine prinzipiellen Unterschiede zur →Stahlplastik zu sehen sind. Seit den 70er Jahren werden Elementar-Untersuchungen über Form, Masse und Gewicht in Eisen gestaltet (J. REINEKING, D. RABINOWITCH, W. NESTLER).

In Schwarzafrika werden bei einer Reihe von Stämmen E. (Figuren und Kultgegenstände) unterschiedl. Art für rituelle Zwecke gefertigt. Die Schmiede genießen bei vielen afrikan. Gesellschaften eine Sonderstellung, die mythologisch begründet ist (Umgang mit dem Feuer, mit übernatürl. Mächten, Mitwirkung beim Schöpfungsakt usw.). E. kommen häufig vor bei den →Dogon und →Bambara in Mali, den Yoruba und →Fon in Nigeria und Benin, seltener im Kongo-Becken (→Kuba).

Eisen- u. Stahlplastik 1930–70, Ausst.-Kat., Stuttgart (1970); Bildhauertechniken, Ausst.-Kat., Berlin-West (1981).

Eisenporzellan, ältere ungenaue Bez. für rotes Steinzeug, dessen Eisenoxidgehalt bei stärkerem Brand eine dunkle Färbung verursacht.

Eisenschmuck, aus Eisen gefertigte Schmuckstükke. Meteor. Eisen war im 3.–2. Jahrtsd. v. Chr. im Vorderen Orient als Schmuckmetall selten und kostbar; aus ihm wurden kleine Ringe gehämmert. In späterer Zeit hatte E. keine nennenswerte Bedeutung; Fibeln der Latène- und silbertauschierte Schnallen der Völkerwanderungszeit waren v. a. Gebrauchsgegenstände.

In Eisenfeinguß gefertigter Schmuck wurde zuerst 1789 in Frankreich angeboten. In Dtl. fanden sich zu Beginn des 19. Jh. Formen von filigranartiger Feinheit. Entsprechend den allg. Tendenzen im Kunsthandwerk gab es antikisierende, seit etwa 1820 auch gotisierende Elemente. Zentren der Herstellung waren Berlin und Gleiwitz (Oberschlesien). Um die Mitte des 19. Jh. kam E. aus der Mode.

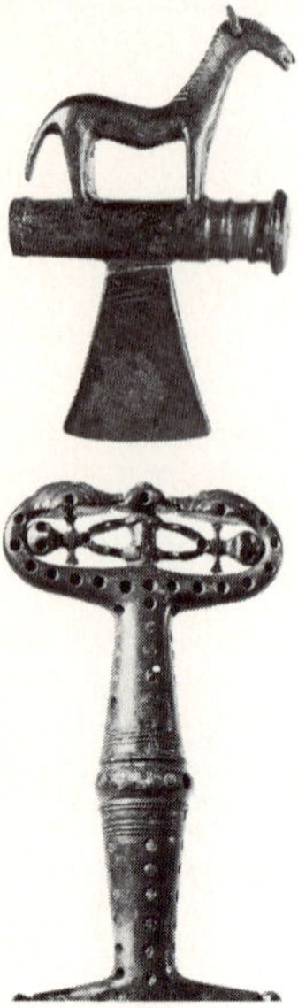

Eisenzeit: OBEN Zierbeil, Bronze mit aufgesetzter Pferdefigur; aus Hallstatt, 800–600 v. Chr. UNTEN Bronzegriff eines eisernen Antennendolchs; aus Hallstatt, 600–500 v. Chr. (beide Objekte Wien, Naturhistor. Museum)

Eisenschnitt, v. a. im 16./17. Jh. von dt., ital. und frz. Schlossern und Waffenschmieden beherrschte Schmucktechnik, bei der Schmiedeeisen zu ornamentalem Relief bearbeitet wurde; z. T. wurde die Wirkung durch →Bläuung und vergoldeten Reliefgrund erhöht. Künstlerisch reife Leistung zeigen die Werke der Brüder E. SADELER (†1610) und D. SADELER (†1632); mit K. SPÄT (†1690) endete die klass. Zeit des dt. E.

Eisenstadt, Hauptstadt des österr. Bundeslandes Burgenland, 10400 Ew. Die ma. Burg (14. Jh.) wurde von den Fürsten ESTERHÁZY barock umgestaltet (1663 bis 1672). Spätgot. Domkirche (um 1460 beg.); Franziskanerkirche und -kloster (1625–30) unter Verwendung von Resten einer got. Anlage. Der Kalvarienberg in **E.-Oberberg** wurde 1701–05 erbaut; der Passionsweg beginnt in der Gnadenkapelle (1706) und verläuft teils innerhalb, teils außerhalb des künstl. Berges, auf dessen Gipfel die Kreuzkapelle steht; die Bergkirche (beg. 1715, nach langer Unterbrechung des Baus 1803 gew.) war als Sanktuarium einer nicht ausgeführten riesigen Wallfahrtskirche geplant.

Eisenzeit, die auf die Bronzezeit folgende Periode (in Europa letzte Phase der Vorgeschichte, im Alten Orient bereits histor. Zeit), die durch die allg. Verwendung des Eisens für Waffen, Geräte und Schmuck gekennzeichnet ist. Die Kunst der E. ist in Technik und Formenschatz unmittelbar mit der Kunst der Bronzezeit verbunden. Die Verwendung der Bronze zu Kultgeräten, Gefäßen und Kleinplastiken wurde nicht unterbrochen; es traten jedoch neue Stilarten auf, die, in Kulturzentren geprägt, letztlich auf Oberitalien, die Balkanhalbinsel und das nördl. Schwarzmeergebiet zurückzuführen sind.

Maßgebend für die Gliederung der frühen E. in Mittel-, N- und W-Europa ist die →Hallstatt-Kultur, die im 8. Jh. v. Chr. begann und im 5. Jh. v. Chr. von der →Latènezeit abgelöst wurde. In O-Europa ist die →skythische Kunst für die vorchristl. E. repräsentativ, im mediterranen W- und S-Europa die →iberische Kunst, die →Villanovakultur und die →italische Kunst. Die nachchristl. E. wird nach histor. Perioden gegliedert (Römische Kaiserzeit, Völkerwanderungszeit, Merowingerzeit).

Die E. des Alten Orients zerfällt in 3 Abschnitte: Der erste erstreckt sich von etwa 1200 bis 900 v. Chr., der zweite bis 539 v. Chr. und der dritte bis 332 v. Chr.; sie sind jeweils gekennzeichnet durch die neuassyr. sowie neu- und spätbabylon. Kunst in Mesopotamien, durch die aramäische, phönik., späthethit., phryg. und lyd. Kunst im westl. und durch die urartäische und neuelam. Kunst im östl. Vorderasien; die daran anschließende achaimenid. Kunst fand über ganz Vorderasien Verbreitung.

In der Metallkunst der E. haben sich neben dem Bronzeguß zunehmend Treib- und Schmiedearbeiten im kunstgewerbl. Formengut durchgesetzt. Das Auftreten von Buntkeramik und die Einführung der Töpferscheibe hat dem keram. Gestalten nachhaltige Impulse vermittelt.

Eisfeld, Stadt im Kr. Hildburghausen, an der Werra, Dt. Dem. Rep., 5500 Ew. Die Stadtkirche St. Nikolai (1488 beg.), eine dreischiffige Hallenkirche mit 3 reich skulptierten Portalen, ist ein HW der thüring. Spätgotik. Schloß (im Kern 12. Jh.) nach Brand im 17. Jh. wiederaufgebaut.

Eisglas, Craquelée-Glas [krakl'e-, frz.], entsteht durch Abschrecken von ofenheißem Glas derart, daß sich im Glaskörper ein dichtes Netz von Sprüngen bildet. Der Zusammenhalt wird durch nachfolgendes kurzes Erhitzen wiederhergestellt. Eine Art E. wird auch durch Anätzen mit verdünnter Flußsäure hergestellt.

Eisgrub, Ort in der ČSSR, →Lednice.

Eisleben, Lutherstadt E., Stadt im östl. Harzvorland, Dt. Dem. Rep., 28 400 Ew. In der Blütezeit der Stadt im 15. Jh. wurden die 3 spätgot. Hallenkirchen errichtet: St. Andreas (Ende 15. Jh.) mit wertvoller Ausstattung, u. a. spätgot. Flügelaltar (um 1500), Tumba des Grafen Hoyer von Mansfeld (1541), bestickter Kanzelbehang (Anf. 16. Jh.); St. Nikolai (gew. 1426) sowie St. Peter und Paul (1486–1513). Im Übergang von der Spätgotik zur Renaissance wurde die St. Annenkirche gebaut (1511–1608). Altstädter Rathaus (1519–30), Neustädter Rathaus (1571–89); Geburtshaus (15. Jh.) und Sterbehaus (um 1500) M. Luthers.

Eiszeitkunst, die bildende Kunst des Paläolithikums, deren Auftreten in der 2. H. der letzten Eiszeit (30 000–8000 v. Chr.) die älteste Kunst der Menschheit dokumentiert. Sie findet sich in Form von Wandmalereien und Gravierungen in über 100 Höhlen und von Relieffriesen an Abriwänden und auf Steintrümmern (Versturzblöcken). Zur Unterscheidung von den ostspan. Felsbildern (→Levantekunst), die man nach ihrer Entdeckung ebenfalls als eiszeitlich angesehen hat, wurde die paläolith. Höhlenkunst W-Europas auch als ›franko-kantabrische Kunst‹ bezeichnet (Hauptverbreitungsgebiet: S-Frankreich, N-Spanien).

Neben der Wandkunst bildet die Kleinkunst (bewegl. Kunst) einen wichtigen Bestandteil der E. Die an lose Steinplatten, an Geräte aus Knochen und Elfenbein gebundene Kleinkunst des Paläolithikums liefert durch die Einbettung in die Kulturschichten eine feste Chronologie der E. Insgesamt steht die paläolith. Kunst ganz im Bann des Tieres. Menschendarstellungen spielen nur eine begrenzte Rolle (→Venusstatuetten). Die Bedeutung des Tierbildes konnte schon in der Eiszeit so vielfältig sein wie die Rolle, die das Tier für den Menschen als Jäger überhaupt spielte. Es war Wirtschaftsfaktor (Jagd, Fischfang), Helfer, Totem (Tierahne, Schutzgeist), Geschlechtssymbol, Gottheit sowie kosm. und jahreszeitl. Symbol.

Durch die meist naturalist. Wiedergabe wird die E. zu einer wichtigen Quelle für die Kenntnis ausgestorbener Tiere wie Mammut, Wollnashorn, Höhlenlöwe, Riesenhirsch u. a.

H. Kühn: E. Die Gesch. ihrer Erforschung (1965); A. Leroi-Gourhan: Prähistor. Kunst (a. d. Frz., 1971); K. Adam und Renate Kurz: E. im süddt. Raum (1980).

Eitempera, Maltechnik: mit Wasser verdünntes, geschlagenes Ei, das, mit trocknenden Ölen oder Harzen emulgiert, ein vielseitiges Bindemittel mit hervorragenden Eigenschaften ergibt. Im MA. wurde auch der Dotter allein verwendet, z. B. in der altital. Tafelmalerei. E. ist durchgehärtet nicht mehr lösbar und gilbt nicht.

Eitoku, japan. Maler, →Kano.

Ejagham, Volk in Westafrika, →Ekoi.

Ekamukhalinga [Skt.], das phallische Kultbild des ind. Gottes →Shiva, an dessen Schaft ein Kopf reliefiert ist, der meist die Yogin-Erscheinung Shivas mit Asketenfrisur darstellt. Nur das älteste bekannte, aus der Mathura-Kunst des 1. Jh. n. Chr. stammende E. zeigt Shivas Kopf mit Turban; ebenfalls selten sind Köpfe mit grimmigem Ausdruck (→Bhairava, Aghora) und solche mit Lockenhaar. Alle 4 Erscheinungsformen treten gemeinsam am →Chaturmukhalinga auf.

Ekoi: Stülpmaske; Grenzgebiet Nigeria/Kamerun (Zürich, Völkerkundemuseum der Universität)

Ekbatana, Hauptstadt des Mederreiches, heute →Hamadan.

Eket, Stamm in O-Nigeria, →Ibibio.

Eklektizismus [von grch. eklegein ›auswählen‹], Künstlertum, das mangels eigener Schöpferkraft sich der Stilmittel oder Motivgestaltung anderer, meist histor. Meister und Epochen bedient. Über den E. in der Architektur des 19. Jh. →Historismus.

Ekoi, Volksgruppe im Waldland SO-Nigerias, östlich des Cross River bis nach Kamerun hinein. Den **Ejagham,** zentraler Stamm der E., wird zugeschrieben, als erste mit Leder überzogene Masken angefertigt und damit getanzt zu haben. Diesen auf der Erde einzigartigen Brauch, der wohl auf die in dieser Gegend bes. stark verbreitete Kopfjägertradition zurückgeht, haben andere Stämme des Cross-Fluß-Gebietes (Keaka, Anyang, Banyang, Widekum, Bangwa und Boki, im W auch Ibibio) und des benachbarten Kameruner Graslands übernommen; bis in jüngste Zeit wurden Schädel präpariert (später aus Holz geschnitzt), mit Tierhaut (Menschenhaut ist nur in einem Fall belegt) überzogen, mit einer Basis aus Holz oder Korbgeflecht versehen und zum Tanzen aufgesetzt. Zwei dieser Exemplare existieren in Privatsamml., eins im Linden-Mus., Stuttgart. – Im E.-Gebiet wurden auch Steinplastiken gefunden, →Cross River.

K. F. Schädler: E. (1982).

El, höchster Gott im kanaanäischen Pantheon (z. B. in Ugarit), meist als alter Mann geschildert. Wahrscheinlich ist er auf einer Stele aus Ugarit dargestellt: thronend, mit vielfacher Hörnerkrone, kurzem Bart und in segnender Haltung (13. Jh. v. Chr., Aleppo, Nat.-Mus.).

El-Alia, Stadt in Tunesien, 24 km südöstlich von Biserta, im frühen 17. Jh. von span. Mauren unmittelbar neben dem antiken **Uzali** am Hang des Djebel Hakima (295 m) angelegt. Große Moschee (1608) mit maurischen Stilelementen.

elamische Kunst, die Kunst des Staates Elam (Gebiet der heutigen Prov. Chusistan, SW-Iran) im Zeitraum vom Ende des 4. Jahrtsd. v. Chr. bis etwa 640 v. Chr. Elam, dessen polit. Grenzen zu anderen Provinzen des Iran noch nicht eindeutig festzustellen sind, hatte eine eigene Dynastieabfolge und Sprache; kulturell stand der Staat in wechselseitig sich befruchtender Auseinandersetzung zu Babylonien.

In der Kunst werden eine frühelam. (um 3000–2000 v. Chr.), altelam. (um 2000–1550 v. Chr.), mittelelam. (um 1550–1200 v. Chr.) und neuelam. (um 1200–640 v. Chr.) Stufe unterschieden. Hauptfundorte sind die Hauptstadt →Susa sowie die Residenzstadt →Tschoga Zanbil (vgl. auch die Fundorte Haft Tepe, Tell-i Malyan und Tepe Jahja). Während in Susa über einen langen Zeitraum hinweg die Akropolis mit Tempeln und Palästen bebaut wurde, ist in Tschoga Zanbil v. a. die mittelelam. Zeit in einem weitläufigen hl. Bezirk mit Zikkurat und einem königl. Bezirk vertreten. Glasierte Ziegel der Zikkurat und Formziegel eines Tempels in Susa zeigen die reiche Bauornamentik dieser Zeit.

Die frühelam. Kunst trägt in den vorhandenen Denkmalsgattungen (Rollsiegel, Beterstatuetten, Weihplatten) verwandte Züge mit der sumerisch-akkad. Kunst Babyloniens, weist aber in der Ausformung beträchtl. Eigenständigkeit auf; durch Stil und Thematik der Rollsiegel wird angedeutet, daß weitläufige Kontakte (bis nach Ägypten) bestanden haben müssen. Die wenigen überlieferten Denkmäler der altelam. Kunst zeigen neben unübersehbarer Abhängigkeit von der gleichzeitigen altbabylon. Kunst eigene Auffassungen im Menschenbild und in der Gestaltung der Kleinkunst. Die mittelelam. Kunst spiegelt neben der Bauornamentik

elamische Kunst: Königin Napir-asu, Bronzetorso, Höhe 1,29 m, um 1250 v. Chr. (Paris, Louvre)

elamische Kunst: Abrollung eines Rollsiegels, Höhe 4,9 cm, Siegel Ende 4. Jahrtsd. v. Chr. (London, Britisches Museum)

Selbstbewußtsein und Originalität in der Metallurgie (Statue der Napir-asu) und im Relief (Stele des Untasch-napirischa, Relieffragment eines Kriegerzuges, alle Objekte aus Susa) wider. Die neuelam. Kunst zeichnet sich v. a. durch Reliefgestaltung (Felsrelief bei Malamir, Fragmente aus Susa) und Baudekor mit glasierten Ziegeln aus. Die achaimenid. Kunst griff diese Schmuckform auf und erwies sich darin als Fortsetzung der e. K.

E. Porada u. a.: The art of ancient Iran (New York 1965); P. Amiet: Elam (Auvers-sur-Oise 1966); W. Orthmann: Der Alte Orient, Propyläen Kunstgesch. Bd. 14 (1975).

El-Araisch, span. **Larache** [lar'atʃɛ], Hafenstadt an der NW-Küste Marokkos, 45 700 Ew.; 1491 gegr. (Kasba, Mauerwall) und im 18. Jh. ausgebaut (Hafen, Batterien, Medrese). Span. Zitadelle (frühes 17. Jh.) mit spitzen Flankierungstürmen; alte Kasba (›Kebibat‹, heute Hospital). Regional-Mus. in einem 1915 von den Spaniern erbauten neo-maur. Palast. 4 km östlich die Ruinen des antiken →Lixus.

Elbasan, Stadt in Mittelalbanien, etwa 42 000 Ew.; ma. Stadtanlage, türk. Festung des 15. Jh.

Elbing, poln. **Elbląg** ['ɛlblɔŋk], Hauptstadt der Wwschaft Elbląg, Polen, 104 000 Ew. Von der 1237 vom Deutschen Orden gegr. Burg sowie von dem ehem. bed. Ordensspital sind Reste erhalten. Nach der fast vollständigen Zerstörung 1945 wurden einzelne histor. Bauten wiederhergestellt: Marienkirche (13.–14. Jh.), jetzt Museum; St. Nikolaus (13.–15. Jh.); Markttor (14. Jh.); St. Georgskapelle (14.–16. Jh.).

Elburg ['ɛlbyrx], Städtchen in der niederländ. Prov. Gelderland, ehem. Hansestadt am Ijsselmeer, wegen Abbruch der Küste seit 1393 mit regelmäßigem rechteckigem Grundriß neu angelegt; Stadttor Vischpoort (1395, heute Fischerei-Mus.); Haus ›Arent Toe Boecop‹ (1393, Fassade von 1767, 1838 im Empirestil erneuert). Die spätgot. Kirche des 1418 gegr. St. Agnietenklosters dient als Städt. Mus.

Elche ['ɛltʃɛ], Stadt in der span. Prov. Alicante,

Wörter, die man unter El vermißt, suche man unter Al

123 700 Ew.; hier wurde 1897 die Kalksteinbüste einer Frau im Festschmuck entdeckt **(Dame von E.)**, ein Meisterwerk römisch-iber. Kunst aus dem 1. Jh. v. Chr., vermutlich nach einer Totenmaske gearbeitet.

Eldena, Ortsteil von Greifswald, Dt. Dem. Rep., mit ehem. Zisterzienserkloster (1199–1556), im 17./18. Jh. verfallen. Die Kirche, deren maler. Ruine mehrfach von C. D. FRIEDRICH dargestellt wurde, war eine dreischiffige Backstein-Basilika (1. H. 13. Jh./14. Jh.).

El-Djem [-dʒ-], Marktstadt in Tunesien, rd. 3000 Ew., zw. Sousse und Sfax, das antike **Thysdrus,** mit gut erhaltenem röm. Amphitheater (3. Jh. n. Chr.), das 30 000 Zuschauer faßte.

El Dorado [span. ›der Vergoldete‹], sagenhaftes Goldland im Innern des nördl. Südamerika. Die Sage von einem vergoldeten Mann entstand auf Grund von Riten bei der Fürsteneinsetzung der Muisca in Guatavita, Kolumbien, und war für die Spanier Anlaß zur Suche nach weiteren Goldschätzen in Altamerika.

El D. Ausst.-Kat., Hannover (1979).

Elea, antike grch. Stadt in Italien, das röm. →Velia.

Elemi [arab.-span.], Maltechnik: Harze trop. Bäume; v. a. das weiche E.-Harz (Manila-E.) wurde Firnissen und Lacken zur Verbesserung der Elastizität zugesetzt.

Elephanta, felsige Insel in der Bucht von Bombay, Indien, mit dem Gott Shiva geweihten Höhlentempeln vom Anf. des 7. Jh. Die Haupthöhle ist als fünfschiffige Säulenhalle in der O-W-Achse, jedoch mit gleichbreitem Querschiff und dem Hauptzugang im N angelegt. Daraus ergibt sich ideell ein Quadrat, das als kosmolog. Mandala zu verstehen ist. Die freistehende Cella mit dem Linga-Kultbild ist aus dem Zentrum nach W versetzt, so daß von N kommend der Blick auf die 5,4 m hohe Reliefplastik des dreiköpfigen Shiva (Maheshamurti, häufig als Trimurti fehlinterpretiert) fällt. Weitere Felsreliefs mit Szenen der Shiva-Mythologie bedekken die Wände.

Elephantine [grch. ›Elefantenstadt‹, nach dem Vorkommen von Elefanten oder Elfenbein], Nil-Insel gegenüber Assuan mit gleichnamigem Ort (KARTE ägyptische Kunst), südlichste Grenzfestung Altägyptens. – Im S der Insel werden seit 1969 das antike Stadtgebiet und die Tempelanlagen für den Gott Chnum ausgegraben; dabei stieß man bis zu den Anfängen der relig. Bedeutung des Ortes vor (Kultnische der ägypt. Frühzeit um 2800 v. Chr., in der Hunderte von faustgroßen Weihefigürchen aus Stein, Fayence, Elfenbein gefunden wurden), die auf der Deutung von E. als Ursprung des Nilstroms beruht. Diese Kultstätte wurde im Laufe der Jahrtausende immer wieder erweitert oder erneuert, zuletzt unter PTOLEMAIOS II. Der Wiederaufbau der Tempelanlage, dessen Entwicklung vom frühen 3. Jahrtsd. bis um 300 v. Chr. zu verfolgen ist, begann 1978.

El-Eubbad, Dorf in NO-Algerien, im östl. Stadtbereich von Tlemcen, mit der Grabstätte des alger. Volksheiligen Sidi Bou Médine. Fünfschiffige Moschee (1339) mit prachtvoller Mukarnaskuppel, im Sahn

Elche: Dame von E.; 1. Jh. v. Chr. (Madrid, Archäolog. Museum)

reichverzierte Zederntür (die gravierten Türklopfer sind nationales Touristikemblem), Stukkatur um die Hufeisenbögen des Gebetssaals mit sämtl. feingliedrigen Elementen andalus. Ornamentik, vor dem Michrab große Kuppel in Durchbruchsarbeit; quadrat. Minarett mit durchbrochenem Dachaufsatz, Oberteil lasierte Fliesen, Unterteil feine Backsteingittermuster. Medrese (1347, Lehrstätte von Ibn Chaldun) mit schönen Türen; Kubba mit Fliesenportal, Stuckskulpturen, Glasmalerei. Unterhalb der Moschee Ruinen des Palastes ›Garten der Sultanin‹ (Stuckornamentik).

Eleusis, ngrch. **Elefsis,** Stadt nordwestlich von Athen, an einer Bucht des Saron. Golfs, Griechenland, 18 500 Ew. E., schon in der Jungsteinzeit besiedelt, wurde in myken. Zeit ein eigener Stadtstaat mit Akropolis; im Kampf mit dem benachbarten Athen um die Vorherrschaft in Attika unterlag E. im 7. Jh. v. Chr., behielt aber das Recht, die Mysterien zu leiten, einen der bedeutendsten Kulte im Altertum.

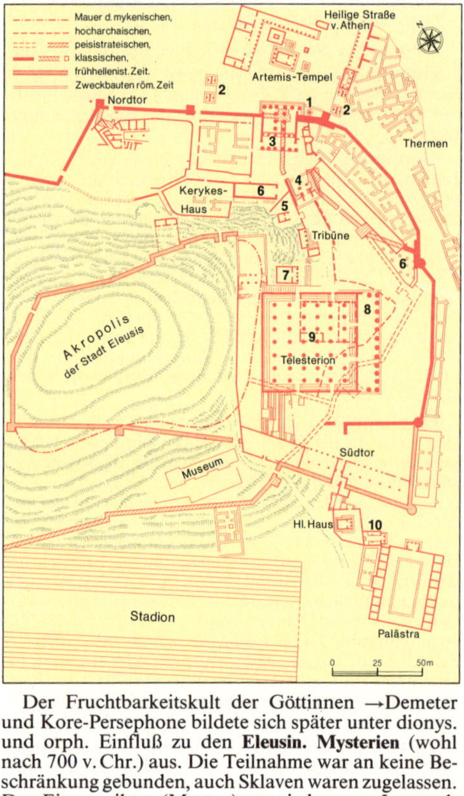

Eleusis: 1 Kallichoros-Brunnen, 2 Festtore, 3 Große Propyläen, 4 Kleine Propyläen, 5 Pluton-Heiligtum, 6 Getreidespeicher, 7 Schatzhaus, 8 Vorhalle des Philon, 9 Anaktoron, 10 Mithras-Heiligtum

Der Fruchtbarkeitskult der Göttinnen →Demeter und Kore-Persephone bildete sich später unter dionys. und orph. Einfluß zu den **Eleusin. Mysterien** (wohl nach 700 v. Chr.) aus. Die Teilnahme war an keine Beschränkung gebunden, auch Sklaven waren zugelassen. Den Eingeweihten (Mysten) war ein besseres Los nach dem Tod gewiß. Absolutes Schweigen war über die Mysterienhandlung geboten; sie bestand wohl in einem Nachvollzug des Suchens Demeters nach ihrer von Pluton geraubten Tochter Kore. Noch in der röm. Kaiserzeit waren die Mysterien von größter Bedeutung; CICERO und MARK AUREL waren Eingeweihte. 391 n. Chr. wurden sie von THEODOSIUS D. GR. verboten.

Ausgrabungen am Rande der heutigen Stadt E. haben die am Fuß der Akropolis gelegene Mysterienkultstätte freigelegt. Mittelpunkt des hl. Bezirks war das Telesterion (der Bau, in dem die Mysterienweihe vollzogen wurde) mit dem Allerheiligsten (Anaktoron); die unter HIPPIAS (527–510) und HIPPARCH (527–514) errichtete quadrat. Anlage mit Sitzstufen auf 3 Seiten wurde von den Persern 480 zerstört, unter KIMON erneuert und vergrößert, unter PERIKLES voll.; um 330 fügte der Architekt PHILON eine Vorhalle hinzu. Den Eingang zu dem von Mauern umgebenen hl. Bez., der mit Athen durch eine hl. Straße verbunden war, bildeten seit etwa 50 v. Chr. die kleinen, seit dem späten 2. Jh. n. Chr. außerdem die großen Propyläen. Im N lagen Versammlungshäuser der kulttragenden alten Geschlechter von E., im S Theater und Stadion, im O seit der röm. Zeit Thermen, vor dem N-Tor seit dem 8. Jh. v. Chr. ein Artemis-Heiligtum. – Im Mus. von E. Funde (v. a. Skulpturen, Reliefs) der Ausgrabungen.

El-Faijum, →Faijum.

Elfenbeinmalerei, Miniaturmalerei mit Aquarellfarben auf dünnen Elfenbeintäfelchen, wobei anstelle von Weißausmischung das durchscheinende Elfenbein mit dünnen Lasuren die hellen Töne bildet. Die hierdurch erzielte lebensnahe Hautfarbe erklärt die große Beliebtheit der E. vom 17. bis 19. Jh.

Elfenbeinporzellan, Porzellan, bei dem durch Färbung der Masse oder Glasur der matte gelbl. Ton des Elfenbeins nachgeahmt wird; im 18. Jh. zunächst in Worcester, später auch in Berlin hergestellt.

Elfenbeinschnitzerei, Plastiken, Reliefs und kunstgewerbl. Arbeiten aus Elfenbein.

In der vorgeschichtl. →Eiszeitkunst kommen Kleinkunstwerke aus Mammutelfenbein bereits in der ältesten Entwicklungsphase vor. Es handelt sich dabei um Tierfiguren und menschl. Statuetten, um Schmuckgegenstände (Anhänger) und Gravierung auf Stoßzahnlamellen.

Im Alten Orient und Ägypten lassen sich E. seit dem 3. Jahrtsd. v. Chr. nachweisen. V. a. im Alten Orient war Elfenbein ein häufig gebrauchter Werkstoff, wobei neben den Zähnen der syr. Elefanten (bis ins 1. Jahrtsd. v. Chr. dort lebend) Importe aus Ägypten und Indien vorliegen. Außer Nadeln, Kämmen und Dosen wurden schon in früher Zeit Schmuck (Perlen, Armreifen) und Figürchen aus Elfenbein geschnitzt, gelegentlich auch die Plättchen der Einlegfriese. Seit der 2. H. des 2. Jahrtsd. v. Chr. fand Elfenbein häufig bei der Verzierung von Zaumzeug, von Möbelstücken und auch bei Wandverkleidungen Verwendung; der Höhepunkt der Produktion lag jedoch im 8. und 7. Jh. v. Chr. E. konnten als einfache Ritzung oder als flaches Relief inner-

Elfenbeinschnitzerei: Relief vom Kopfende eines Bettes aus Kalach, 2. Hälfte 8. Jh. v. Chr. (Bagdad, Irak-Museum)

Elfenbeinschnitzerei: Griff eines Feuersteinmessers aus Djebel el-Arak, Ägypten, um 3000 v. Chr. (Paris, Louvre).

halb eines Rahmens gearbeitet sein; auch rundplast. Ausarbeitung zu Köpfen, Tatzen usw. sind bezeugt. Die Motive mit mytholog., Hof-, Jagd- und Kriegsszenen zeigen gelegentlich starken ägypt. Einfluß (Geburt des Horus, Papyrusbinder, Sphingen u. ä.). Von besonderer Schönheit sind Tierdarstellungen (säugende Kuh, Hirsch, Löwe, Stier). Reiche Funde wurden in Ugarit Megiddo, Arslan Tasch, Ninive und Kalach gemacht. Bes. bei den E. aus Kalach werden stilistisch phönik., aramäische und assyr. Arbeiten unterschieden.

In der kretisch-myken. Kunst wurde E. in der Vorpalastzeit für Siegel (einige in Tiergestalt) verarbeitet. Von der Elfenbein-Miniaturplastik der Älteren Palastzeit unterscheiden sich größere, aus mehreren Stücken gearbeitete Darstellungen wie der →Stierspringer. Nach Resten zu urteilen, muß die Produktion teils noch größerer Elfenbein-Figuren im 16./15. Jh. v. Chr. sehr reich gewesen sein. Elfenbein-Reliefs sind aus Kreta und v. a. vom myken. Festland erh. (Pyxiden, Schwert- und Spiegelgriffe).

Die Griechen bildeten riesige Götterstatuen, deren Holzkern sie mit Gold- und Elfenbeinplatten verblendeten (→chryselephantine Bildwerke). In hellenist. Zeit wurde Elfenbein für Kleinkunst und Hausrat benutzt. In Etrurien wurde Elfenbein v. a. zu reliefverzierten Kästchen und Büchsen verarbeitet, auch Statuetten, Kämme, Spiegelgriffe, Blashörner, sogar Klappstühle wurden aus Elfenbein hergestellt. Das Gros der etrusk. E. stammt aus dem 7. und 6. Jh. v. Chr.

In Rom verfertigte man neben Großplastiken mit Elfenbein furnierte Möbel und Musikinstrumente.

Umfangreich war die E. der spätantiken und frühchristl. Zeit (4.–6. Jh.); die versch. Typen und Formen sind mit figürl. Reliefdekor verziert. Bed. ist v. a. die Form des →Diptychon. Erhalten sind auch Einzeltafeln, die zur Verzierung von Buchdeckeln dienten, und Kästen, in denen u. a. Medikamente oder Reliquien verwahrt wurden. Eine große Gruppe der E. dieser Zeit bilden die Pyxiden (→Pyxis). Das bedeutendste Zeugnis der frühchristl. E. ist die →Maximianskathedra in Ravenna. – Mittelpunkt der E. waren im 5. Jh. v. a. Rom, Oberitalien (Mailand, wahrscheinlich Ravenna) und Konstantinopel, das im 6. Jh. auch in der E. die führende Stellung gewann. Werkstätten in Gallien und Ägypten waren von geringerer Bedeutung.

Zu neuer Blüte kam die E. in mittelbyzantin. Zeit (10.–12. Jh.); bed. Werke sind v. a. aus der Epoche der makedon. Dynastie erhalten. Sie führen jedoch nicht Typen und Formen der frühchristl. und frühbyzantin. E. weiter, sondern stellen im wesentlichen kostbare, transportable Elfenbein-Ikonen dar, die der privaten Andacht dienten. So sind v. a. Triptychen oder Teile davon, seltener Diptychen erhalten, ferner große, mit Rosettenrahmen und figürl. Reliefs (mit christl. oder mytholog. Thematik) geschmückte Kästen, die wohl zur Aufbewahrung von Schmuck dienten. – Die erhaltenen Werke werden in mehrere Gruppen aufgeteilt: 1) die ›maler. oder antikisierende‹ Gruppe, gearbeitet nach

Elfenbeinschnitzerei: LINKS Buchdeckel mit Martyrium des Hl. Kilian, fränkisch, um 1090; Höhe 16 cm, Breite 11,5 cm (Würzburg, Universitätsbibliothek). RECHTS Turmreliquiar aus der Werkstatt des St.-Pantaleon-Klosters in Köln, um 1200; Höhe 47,5 cm (Darmstadt, Hess. Landesmuseum)

Elfenbeinschnitzerei: Der Tod und das Mädchen; Frankreich um 1450 (München, Bayer. Nationalmuseum)

Miniaturen- und Ikonen-Vorlagen; 2) die ›Romanos‹-Gruppe, benannt nach der Darstellung der Krönung eines Kaisers ROMANOS – höfisch-elegant mit klassizist. Körperbildung und zurückhaltender Stilisierung; 3) die ›Rahmen-Gruppe‹, benannt nach dem ornamentierten Rahmen dieser Werke, gearbeitet zum großen Teil nach Malerei-Vorlagen, mit landschaftl. Elementen.

In der islam. Kunst wurden künstler. Höhepunkte der E. v. a. im omajjad. Spanien, im normann. Sizilien und im sarazen. Italien mit reliefverzierten Pyxiden, Kästen und Jagdhörnern (Olifant), auch mit bemalten, auf Holzkästen verarbeiteten Elfenbeinplatten erreicht. In der mameluck. Kunst ist geschnitztes Elfenbein Bestandteil von Holzkassettenwerk an Moschee- und Palastmobiliar.

Aus vorkaroling. Zeit sind nur wenige Beispiele einheim. E. in den german. Ländern bekannt. Erst mit der karoling. Kunst setzt die E. nördlich der Alpen ein. Unter hellenistisch-antikem Einfluß entstanden in Klosterwerkstätten (Lorsch, Metz, St. Denis, Reims, St. Gallen) bes. Buchdeckel und Diptychen mit flachen Reliefs. Der einzige namentlich bekannte Elfenbeinschnitzer dieser Zeit ist der Mönch TUOTILO von St. Gallen. Unter den Ottonen blühte die E. in den Klöstern auf der Reichenau, von Echternach, Trier und Lüttich. In spätroman. Zeit nimmt die Produktion im W merklich ab. Hier ist im 12. Jh. bes. die Werkstätte des Klosters St. Pantaleon in Köln zu nennen, in der Turmreliquiare, Figuren zu Tragaltären, Krümmen von Bischofsstäben, Schachfiguren u. ä. hergestellt wurden. Durch die Kreuzzüge kamen zahlreiche byzantin. und oriental.

Elfenbeinschnitzerei: Maximianskathedra; um 550 (Ravenna, Museo Arcivescovile)

Arbeiten, Olifante, Prachtsättel, Kästchen als Reliquienbehälter usw. als Beutegut nach dem W.

In der Gotik ging die Führung in der E. auf Frankreich über; die wichtigsten Werkstätten waren in Paris. Neben Madonnenstatuetten und Marienaltären wurden bes. Passionsdiptychen und -triptychen gefertigt. Bekannt sind die profanen E.: Spiegelkapseln, Schreibtäfelchen und Kästchen mit Minne- und Jagdszenen, die oft bunt bemalt und vergoldet waren. In den übrigen europ. Ländern hatte die E. während der Gotik geringere Bedeutung.

In Venedig arbeitete seit 1400 die Werkstatt der EMBRIACHI Kästchen, Altärchen, Spiegel u.ä., die mit Knochenreliefs belegt waren. Im 16. Jh. kamen E. nur vereinzelt vor: Einlegearbeiten an Prunkmöbeln und Spielbrettern, Statuetten und Schachfiguren. Im 17./18. Jh. erlebte die E. ihre letzte Blüte, Dtl. übernahm die Führung. Seine Fürstenhöfe nahmen bed. Schnitzer und Drechsler in ihre Dienste. Es arbeiteten für den Münchener Hof C. ANGERMAIR seine Kunstschreine, S. TROGER seine Holz-Elfenbein-Figuren; in Wien war M. RAUCHMILLER tätig, in Dresden B. PERMOSER. In Kassel arbeitete seit 1716 J. DOBBERMANN (*1682, †1745), in Düsseldorf I. ELHAFEN, der virtuoseste der dt. Elfenbeinkünstler. Die niederländ. E. stand ganz unter dem Einfluß von P. P. RUBENS; die Hauptmeister waren: F. DUQUESNOY, G. VAN OPSTAL (*um 1597, †1668), L. FAIDHERBE und F. VAN BOSSUIT (*1635, †1692). Venedig brachte in ANTONIO LEONI einen Meister 1. Ranges hervor, der nach 1700 in Düsseldorf tätig war. In Dänemark gelangte M. BERG zu Ansehen.

Das 17. Jh. brachte bes. Prunkgeschirre hervor, deren Elfenbeingurte in Edelmetall gefaßt wurden, sowie Figuren, Gruppen, Hochreliefs, Porträtmedaillons u.a. Mytholog. und allegor. Vorwürfe waren beliebter als relig.; doch kamen Elfenbeinkruzifixe in Mode.

Das 18. Jh. kehrte zu einfacheren Gebrauchsgegenständen zurück. Beliebt waren im 17./18. Jh. die Spielereien (→Contrefait-Büchse) der Kunstdrechsler, v.a. aus der Familie ZICK in Nürnberg. Mit dem Ende des Rokoko verlor auch die E. an Bedeutung.

Eine Erneuerung ging Ende des 19. Jh. von Belgien aus. In Dtl. gibt es neben einer Fachhochschule für E. (Michelstadt) in Erbach (Odenwald) ein Elfenbein-Mus.

Die frühesten Zeugnisse von E. in Schwarzafrika gehen ins 16. Jh. zurück. Im Kgr. →Benin stand das Arbeiten mit Elfenbein streng unter der Kontrolle des Oba

Elfenbeinschnitzerei: Armreifen, Benin, 16. Jh. (London, Brit. Museum)

(Königs), für den wohl alle bed. E. angefertigt wurden. Die Schnitzer (›Igbesamwan‹) waren in einer Zunft vereinigt; sie arbeiteten im Stammesstil, der sich 4 Jh. auf gleicher künstler. Höhe hielt, während der Hofstil Benins (z. B. Bronzegießerei) im 18. und 19. Jh. der künstler. Dekadenz verfiel. Die schönsten E. Benins dürften im 16. Jh. entstanden sein, doch zeigen auch noch die vermutlich aus dem 19. Jh. stammenden, ringsum reich beschnitzten Elfenbeinzähne für die Ahnenaltäre des Oba sowie das Leopardenpaar (BILD Benin) höchste künstler. Vollendung.

Auch in neuerer Zeit sind E. von kunstschaffenden Stämmen Schwarzafrikas gefertigt worden, selten in Savannen-, häufiger in Regenwaldgebieten. Zauber- und Kultfiguren sind u. a. von den Stämmen des Kameruner Graslandes und von einigen Stämmen des Kongobekkens nachgewiesen. Masken kommen nur in Benin und bei den →Rega häufiger vor, außerdem bei den →Pende in Gestalt von Anhängern (Miniaturmasken). Weit verbreitet sind Trompeten (Querhörner) aus Elfenbein (meist für kult. Zwecke, auch für die Jagd); sie sind aus einem Stoßzahn gefertigt und bei einigen Stämmen mit Figuren, Köpfen, Emblemen u. a. versehen.

Aus China sind kleine buddhist. Elfenbeinplastiken (v. a. der Kuan-yin) seit der frühen Ming-Zeit (14. Jh.) bekannt. Aus späteren Jh. stammen Gebrauchsgegenstände wie Eßstäbchen und Fächer sowie durchbrochen gearbeitete Pinselständer und Dosen. In Japan wurden außerdem Netsuke und kleine Figuren zum Aufstellen (okimono) aus Elfenbein geschnitzt.

In Indien bilden frühe Belege für E. die Funde von →Begram. Indische E. scheinen in vielen Jh. Exportartikel gewesen zu sein (Funde in Pompeji). Seit indoislam. Zeit spielt Elfenbein eine bed. Rolle im Kunsthandwerk für Gebrauchsgegenstände und Spielsteine, auch als Intarsie.

In Indonesien werden die Griffe ritueller Waffen häufig aus Elfenbein geschnitzt. Stilisierte tierische oder anthropomorphe Gestalten finden sich bes. an den Kris, den Ritualschwertern hauptsächlich Javas und Balis.

Nordamerika. Bei den Eskimo Alaskas ist die E. aus den Stoßzähnen von Walrossen schon seit mehr als 2000 Jahren eine hochentwickelte Handwerkskunst (Höhepunkt in der prähistor. →Ipiutak-Kultur), mit der kleine Figuren, Pfeifen, gravierte Anhänger, Harpunenspitzen, Ketten, Maskenteile u. a. hergestellt wurde. Aus dem gleichen Material schnitzten auch die nördl. →Nordwestküsten-Indianer, v. a. die Tlingit, kunstvolle dekorative kleine Amulette.

E. v. PHILIPPOVICH: Simon Troger u. a. Elfenbeinkünstler aus Tirol (1961); ders.: Elfenbein ([2]1982); C. THEUERKAUFF: Elfenbeinarbeiten aus dem Barock (1967); Kat. Europ. Barockplastik am Niederrhein-Grupello u. seine Zeit (1971); C. P. WOODHOUSE: Ivories (New York 1976); W. F. VOLBACH: Elfenbeinarbeiten der Spätantike und des frühen MA. ([3]1976). – Corpus der Elfenbeinskulpturen, hg. v. Dt. Verein für Kunstwiss., 7 Bde. (1969–79).

Elfenbeinschwarz, →Beinschwarz.

Elgin Marbles ['elgɪn mɑːblz, engl.], die von Earl THOMAS ELGIN (*1766, †1841) in Griechenland, bes. in Athen, erworbenen Kunstwerke. 1816 vom brit. Staat angekauft, bilden sie den wertvollsten Besitz des Brit. Mus. Durch die E. M. wurden zum ersten Mal grch. Originalarbeiten der Blütezeit in Europa bekannt. Ihre wichtigsten Stücke sind Skulpturen vom Parthenon und eine Kore vom Erechtheion der Athener Akropolis.

El Greco, grch.-span. Maler, →Greco 1).

Elhafen, Ignaz, Bildhauer, *Innsbruck(?) 1. 8. 1658, †vor dem 1. 6. 1715; Ausbildung in Innsbruck, Wien und vor 1685 in Rom. Seit 1704 in Düsseldorf, Hofkünstler von JOHANN WILHELM von Pfalz-Neuburg. Seine Reliefarbeiten in Elfenbein, wahrscheinlich auch die Statuetten, entstanden nach graph. Vorlagen. Er bevorzugte bibl. und mytholog. Szenen und Bacchanale. Seine Werke werden u. a. im Kunst-Mus. Düsseldorf und im Bayer. Nat.-Mus. München aufbewahrt.

El-Hiba, Ruinenstätte von →Lagasch.

Elias, israelit. Prophet (1. H. 9. Jh. v. Chr.), dessen legendäre Speisung durch einen Raben und v. a. dessen legendäre Himmelfahrt im Feuerwagen seit der frühchristl. Kunst (nach dem Vorbild des antiken Helios auf dem Sonnenwagen) bis in das 18. Jh. (P. P. RUBENS) oft dargestellt wurde. Zyklen der E.-Legende finden sich bereits auf den Fresken von Dura Europos (245/46), in Ahtamar und später v. a. in Kirchen des Karmeliterordens, der E. als geistl. Vater verehrt.

Eliasberg, Paul, dt.-frz. Maler, Graphiker, *München 17. 4. 1907, †Hamburg 1. 10. 1983, übersiedelte 1926 nach Paris, war ebd. Schüler von R. BISSIÈRE. E. zeichnete Landschaften und Architekturen; feingewebte, lichtdurchzogene Bilder erzielt er, indem er Strukturerfahrungen beim Umgang mit gegenstandsloser Kunst verwendet.

Eligius, frz. **Eloi** [elw'a], Heiliger, *Chaptelat bei Limoges um 588, †Noyon 1. 12. um 660, seit 641 ebd. Bischof. Er wird mit den Attributen seines Handwerks (Gold- und Hufschmied) – Zange, Hammer oder ein Pferdehuf – dargestellt, als Schmied von PETRUS CHRISTUS (1449), mit Hammer in Landshut (um 1475; St. Martin, Statue). – Zahlreiche Bildwerke geben seine Legende wieder (E. nimmt einem Pferd den Huf ab, um ihn zu beschlagen), so ein Glasgemälde im Münster zu Freiburg i. Br. (14. Jh.), ein Altarflügel in der Barfüßerkirche zu Erfurt (um 1410) u. a.

Elisabeth die Heilige, Tochter König ANDREAS' II. von Ungarn und seiner Frau GERTRUD VON ANDECHS-MERANIEN, *auf der Burg Sáros Patak (Ungarn) 1207, †Marburg a. d. Lahn 17. 11. 1231. Ihre Mildtätigkeit wurde auch zum Thema der bildl. Darstellung; sie wird im Witwenschleier, umgeben von Kranken und Armen gezeigt, Kanne und Brote sind ihre Attribute (Statue um 1350; Straßburg, Münster), auch das Modell ihrer Kirche in Marburg (um 1340; Magdeburg, Dom, Relief u. a.), ebenso eine (symbol.) Krone (1707; Prag, Karlsbrücke, Statue von F. M. BROKOFF). Ein besonderes Motiv ist das Rosenwunder, v. a. in Italien (14. Jh.; Arezzo, S. Francesco) und Spanien (um 1401; Barcelona, Kathedrale). Ihre Legende erschien schon im 13. Jh. auf Glasfenstern und v. a. auf ihrem Reliquienschrein (um 1240; Marburg a. d. Lahn), in romantischer Sicht auf den Fresken der Wartburg von M. VON SCHWIND (1854/55).

Elizabethan Style [ɪlɪzəb'iːθn staɪl], v. a. in der engl. Profanbaukunst vorherrschender Mischstil von Formen der Gotik und der Renaissance z. Z. der Königin ELISABETH I. (1558–1603); der E. S. vereint frz., fläm. und national-engl. Bauelemente.

El-Jadida [-dʒa-], **Al-Djadida,** Hafenstadt und Seebad an der W-Küste Marokkos, 55 500 Ew. An der Stelle des phönik. **Rusibis** (5. Jh. v. Chr.) gründeten die Portugiesen 1502–06 die Festungsstadt **Mazagan** (Fort; 4 große Eckbasteien). In der Altstadt der Dacadeia-Turm, die alte Maria-Himmelfahrts-Kirche (1921 restauriert) und die Portugies. Zisterne von 1541, ein unterird. Bau (34 m × 33 m) aus Hausteinen mit Kreuzgratgewölben über 6 Schiffen und einer Lichtöffnung von 3,5 m Durchmesser. 14 km südwestlich die Ruinen von **Tit** mit almohad. Ribat (Mitte 12. Jh.).

El-Kab, Ruinenstätte in Oberägypten (KARTE ägyptische Kunst), mit Resten einer Stadtmauer und mehrerer Tempel aus dem Neuen Reich. Nahebei Felsgräber aus dem Mittleren und Neuen Reich sowie Felsinschriften aus z. T. noch älterer Zeit.

Elkan, Benno, Bildhauer, *Dortmund 2. 12. 1877, †London 10. 1. 1960, emigrierte 1933 nach London. Er begann als Maler und bildete sich 1907–10 in Rom zum Bildhauer. Zu seinen HW gehören das Rheinlandbefreiungs-Denkmal, Mainz (1930; 1933 gesprengt); Gefallenendenkmäler, Büsten und die Menora vor der Knesset in Jerusalem.

Ellenrieder, Anna Maria, Malerin, *Konstanz 20. 3. 1791, †ebd. 5. 6. 1863, lebte 1822–24 und 1838–40 in Rom und malte, von F. OVERBECK beeinflußt, relig. Darstellungen im Stil der →Nazarener sowie subtile, farblich reizvolle Porträts.

Ellingen, Stadt im bayer. Mittelfranken, 3100 Ew.; gehörte 1216–1796 dem Dt. Orden (Ballei Franken). Im weitläufigen Barockschloß (1708–81) Mus. (bemerkenswert v. a. Treppenhaus, Schloßkirche, Fürstenzimmer, Festsaal, klassizist. Prunkräume und Deutschordensmus.); zahlreiche barocke Schloßnebengebäude. Ebenfalls barock sind Pfarrkirche (1728–31), Mariahilfkapelle (1730), Maximilianskirche (1733–35), Spitalkirche (1753), Rathaus (1744–47).

Ellora, Felsentempel in Indien, →Elura.

Ellwangen (Jagst), Kreisstadt in Nordwürttemberg, 21 700 Ew. Seit 1460 Fürstpropstei, war E. das bedeutendste geistl. Territorium in Württemberg. Die ehem. Stiftskirche (1182–1233) ist der größte roman. Gewölbebau Schwabens mit Vierungskrypta (1737–41 barockisiert). Jesuitenkirche und Kolleg (1720–24) mit scheinarchitekton. Fresken von C. T. SCHEFFLER (*1700, †1756). Schloß im Renaissancestil (1603–08) mit Innenhof, Barocktreppenhaus und Kapelle; Schloßmus. (Fayencen, Krippen, Eisenkunstguß). Stiftsherrenhäuser (16.–18. Jh.); Palais Adelmann (1688/1782). **Wall-**

Wörter, die man unter El vermißt, suche man unter Al

fahrtskirche auf dem Schönenberg (1682–83) von M. u. C. THUMB mit Stuck- und Freskenschmuck.

Ellwood ['elwud], Craig, amerikan. Architekt, *Clarendon (Texas) 22. 4. 1922; beeinflußt von L. MIES VAN DER ROHE zeigen E.s Entwürfe sowohl in der Baustruktur als auch in der Raumorganisation eine sich ständig steigernde Abstraktheit.

HW (alle in Kalifornien): Case Study House No. 16, Bel Air (1952); Hunt House, Malibu (1956/57); Case Study House No. 18, Beverly Hills (1957/58); Scientific Data Systems Factory, El Segundo (1966), Art Center College of Design, Pasadena (1970–75).

E. MCCOY: C. E. (New York 1968).

Elmina, El Mina, Stadt westlich von Cape Coast, Ghana, 1471 von den Portugiesen gegr. Das Schloß (1482, 1637 von den Niederländern erweitert) gilt als größtes europ. Bauwerk in den Tropen.

Elsaesser, Martin, Architekt, *Tübingen 28. 5. 1884, †Stuttgart 5. 8. 1957, war 1912–20 Prof. an der TH Stuttgart, dann in Köln und Frankfurt tätig. Seit 1947 war er Prof. an der TH München.

HW: Evang. Kirchen in Stuttgart-Gaisburg (1912), Frankfurt-Niederrad (1927); Braunkohlensyndikat Köln u. Mannheim (1922 bis 1924); Großmarkthalle in Frankfurt a. M. (1928); Haus Reemtsma, Hamburg (1932); Bauten in Ankara (1934–38).

Elsene, fläm. Name von →Ixelles.

Elsheimer, Adam, Maler, Radierer, getauft Frankfurt a. M. 18. 3. 1578, begraben Rom 11. 12. 1610, Schüler von P. UFFENBACH in Frankfurt a. M., der ihm die Kenntnis der altdt. Malerei vermittelte. E. kam auch in Berührung mit südniederländ. Künstlern, die aus ihrer Heimat geflohen waren (→Frankenthaler Schule). 1598 wanderte er über München(?) nach Venedig, arbeitete hier bei J. ROTTENHAMMER und erhielt durch ihn Anregungen der Kunst TIZIANS und P. VERONESES. Seit etwa 1600 hielt sich E. in Rom auf (Freundschaft mit P. P. RUBENS; etwa 50 Gemälde, 25 Zeichnungen und 10 Radierungen). – Seine Bilder malte E. (nach Anregungen CARAVAGGIOS) meist auf kleine Kupfertafeln. Lichterfüllte Räume sind in seinen ital. Landschaften mit winzigen, doch lebensvollen Figuren zu vollendeter

Adam Elsheimer: Die Sintflut; vor 1600 (Frankfurt am Main, Städelsches Kunstinstitut)

Einheit verbunden. In diesen auf genauem Naturstudium beruhenden idealen Kompositionen finden sich Naturwahrheit und dichterisch wirkende Anschauung zu vollkommener Stimmungskunst. Die höchste Steigerung erreichte E. in den späten Deckfarbenmalereien. Seine Zeichnungen sind von kühner Ausdruckskraft. – E. hat die Barockmalerei entscheidend beeinflußt, bes. P. P. RUBENS, REMBRANDT wie dessen Vorläufer (v. a. P. LASTMAN) und CLAUDE LORRAIN. Sein Zeichenstil wurde von H. GOUDT so geschickt nachgeahmt, daß sich z. T. nur schwer lösbare Echtheitsfragen ergeben. →Landschaftsmalerei. (BILD Nachtstück)

HW: Die Bekehrung des Paulus (1595/98; Frankfurt a. M., Städelsches Kunstinstitut); Täuferpredigt (1598–1600; München, Alte Pinakothek); Der Brand Trojas (vor 1600; ebd.); Die Sintflut (vor 1600; Frankfurt a. M., Städelsches Kunstinstitut); Ruhe auf der Flucht (kurz nach 1600; Berlin-West, Staatl. Museen); Kreuzaltar (1600–05; Frankfurt a. M., Städelsches Kunstinstitut); Flucht nach Ägypten (1609; ebd.). – Zeichnungen zum größten Teil in Frankfurt a. M., Städelsches Kunstinstitut.

H. MÖHLE: Die Zeichnungen A. E.s (1966); M. R. WADDINGSHAM: A. E. (Mailand 1966); A. E., Ausst.-Kat., Frankfurt a. M. (1967); C. LENZ: A. E. Die Gemälde im Städel (1977).

Elst, Gem. in der niederländ. Prov. Gelderland, südlich von Arnheim, mit einer Kirche im niederrheinisch-got. Stil (Mitte 15. Jh., Turm 1484), die auf den Resten von 2 röm. Tempeln (50 und 80 n. Chr.) erbaut wurde (Mus.).

El Tajín [-tax'in], bed. archäolog. Fundort einer vorkolumb. Kultur im Staat Veracruz, Mexiko. Die große, erst z. T. freigelegte Stätte war wahrscheinlich die Hauptstadt der Totonaken. Das beherrschende Bau-

El Tajín: ›Nischen-Pyramide‹

werk ist die Nischenpyramide mit einer Grundfläche von 35 × 35 m, 25 m hoch. Die senkrechten Wände der 6 Stufen und des Heiligtums auf der obersten Stufe sind durch insgesamt 365 Nischen gegliedert, die kalendar. Symbolcharakter haben. Typisch für El T. und eine Besonderheit in der Architektur des östl. Teils von Zentralmexiko sind die weit vorkragenden Gesimse. Bemerkenswert sind die Flachreliefs der Ballspielplätze. Eine Reihe rätselhafter Steinskulpturen (Joch, Hacha und Palma) waren vermutlich Teil der Ausrüstung der Ballspieler. El T. hatte seine Blütezeit um 600–800 n. Chr. und erlebte, vermutlich unter toltek. Einfluß, einen neuen Aufschwung (bis 1100) mit intensiver Bautätigkeit in El T. Chico.

Elten, Stadtteil von Emmerich, NRW; die Kirche des ehem. Damenstifts **Hochelten** (968 gegr.) ist eine 1129 gew. roman. Basilika mit mächtigem, fünfgeschossigem Westturm und besitzt bed. Silberschatz des 14./15. Jh. Got. Martinskirche (15. Jh.).

Eltville am Rhein, Stadt im Rheingau, Hessen, 15 300 Ew.; seit dem 10. Jh. zum Erzstift Mainz gehörig, dessen Bischöfen die Burg (1330–44) mit ihrem charakterist. Donjon häufig als Residenz diente. In der got. Pfarrkirche (um 1350 beg.) Wandmalereien des 15./16. Jh.; der reich geschmückte, spätgot. Westturm steht in der Nachfolge des Frankfurter Domturms. Zahlreiche Adelssitze und Fachwerkhäuser des 16. bis 18. Jh. **Burg Crass** (ma. Kern, um 1840 neugotisch ausgebaut).

Eltz, Burg in der Gem. Wierschem, Kr. Mayen-Koblenz, Rheinl.-Pf.; zw. dem 13. und 16. Jh. erbaut, eine der besterhaltenen Burgen des MA., mit ihren zahlreichen Türmen von einzigartiger Gesamtwirkung; wertvolle Inneneinrichtung (Mus.). Stammsitz der Grafen E., gehörte mehreren Linien als ungeteiltes Erbe (›Ganerbenburg‹).

Elura, Ellora, ausgedehnte Anlage von Felsentempeln im ind. Staat Maharashtra. Von den 34 Höhlen sind 12 buddhistisch (6.–7. Jh.; so die dreischiffige Chaitya-Halle Nr. 10 mit reich dekorierter Fassade und Balkon), 17 hinduistisch (7.–9. Jh.), 5 jinistisch (8. bis 9. Jh.). Bedeutendster Tempel ist der Shiva-Tempel Kailasanatha, im 8. Jh. als Monolith aus dem Fels gemeißelt (Grundfläche 50 × 33 m, 30 m Höhe). Einem gemauerten Tempel entsprechend ist er mit Tempel-

Elura: Shiva-Tempel Kailasanatha, 8. Jh.

turm, Säulenhalle und Seitentempeln, alle reich reliefiert, im frühen Dravida-Stil ausgestattet. Ihn umgibt ein Hof mit umlaufender Reliefskulpturen-Galerie und Nebenhöhlen. Im westl. Portalbau Reste von Wandmalerei der Rashtrakuta-Zeit, ebenso in der jinist. Indra-Sabha-Höhle (Nr. 32), die architektonisch als die vollendetste ihrer Art gilt.

Elvas ['ɛlvaʃ], Stadt im portug. Distrikt Portalegre, 14500 Ew.; ehem. bed. Grenzfestung gegen Spanien (doppelter Mauerring des 13./14. Jh.). In der gut. erh. Altstadt die spätgot. Kathedrale (1537 gew., Fassade 17. Jh., Seitenportale im Emanuelstil), das Kloster de S. Domingos (um 1550 gegr., kleiner achteckiger Zentralbau, Kuppel mit prächtiger Azulejosverkleidung). Der gewaltige Aquädukt (Aqueduto da Amoreira) wurde 1498–1622 auf röm. Basis erbaut.

Ely ['i:lɪ], Stadt in der Cty. Cambridgeshire, O-England, 10000 Ew., anglikan. Bischofssitz. Die 673 gegr. Benediktinerabtei ist seit 1109 Bischofssitz. Die Kathedrale wurde ab 1083 durch eine Querhausbasilika in anglo-normann. Stil erneuert, deren Langhaus (Mitte 12. Jh.) heute durch ein Tonnengewölbe geschlossen ist. Gegen Ende des 12. Jh. wurde dem Langhaus im W ein zusätzl. Querschiff mit Mittelturm und polygonalen Ecktürmen vorgelegt und nach 1200 durch eine Vorhalle erweitert (der Nordarm fehlt seit dem 15. Jh.). 1234 bis 1252 folgte eine hochgot. Verlängerung des Chores mit einem Flechtrippengewölbe im Hochschiff. Der Einsturz des roman. Vierungsturmes 1322 führte bis 1342 zum Neubau des Vierungsoktogons. Die nordöstlich des Querhauses gelegene ›Lady Chapel‹ (1321 beg.) wurde 1335–53 in Blendbogenformen des Decorated Style und Sterngewölbe ausgeführt; südlich der Kathedrale Teile der Abteigebäude mit Torturm von 1397 erh.

Émail à jour [emajaʒ'u:r], **Fenster|email,** fensterartige Durchbrechungen an Edelmetall|gefäßen, die mit durchscheinendem Email ausgefüllt sind.

Émail biscuit [em'aj biskɥ'i, frz.], ostasiat. Dekorationsweise für Porzellan und Steingut, →Emailkunst.

Émail brun [em'aj brœ̃, frz.], **Braunfirnis,** Firnisbrand, bei dem Leinöl auf Kupferplatten aufgebrannt wurde; aus der dabei entstehenden Schicht wurden figürl. und ornamentale Motive ausgeschabt und die bloßgelegten Stellen feuervergoldet. Das Verfahren wurde bes. im 12. und 13. Jh. angewendet und von THEOPHILUS PRESBYTER beschrieben.

Emailfarben [em'aj-], Gemische aus pulverisiertem Glas zum Bemalen von Porzellan, Steingut und Glas, die über die Glasur aufgetragen werden (Über- oder Aufglasurfarben). Als farbgebende Komponenten dienen v. a. farbige Metalloxide, die dem Glas in feinverteiltem Zustand zugemischt werden. E. werden im Muffelofen, wobei das Brenngut durch Muffeln (Schamottekapseln) geschützt wird, eingebrannt (daher auch Muffelfarben). Die Brenntemperatur liegt zw. 500 und 900° C und richtet sich nach der glasigen Oberfläche.

Emailglas [em'aj-], Hohlglas, das mit Emailfarben, die deckend oder durchsichtig sein können, bemalt ist.

Bekannt seit der röm. Kaiserzeit in Ägypten, war E. im 3.–4. Jh. im Rheinland und im 12.–14. Jh. bes. im Orient gebräuchlich. Von hier gelangte die Kenntnis der E.-Dekoration über Venedig im 16. Jh. wieder nach Europa und erlebte seine Blütezeit im 17. und 18. Jh.; es bildeten sich Typen wie z. B. Reichsadlerhumpen, Halloren- und Hofkellereigläser heraus. Ende des 17. Jh. wurden die →Schapergläser, Anfang des 19. Jh. die →Mohngläser in dieser Technik hergestellt.

Emailkunst [em'aj-], **Schmelzarbeit,** alle künstler. Arbeiten, bei denen auf einen Metalluntergrund (z. B. Kupfer, Bronze, Eisen, Silber und Gold) durch Metalloxide gefärbte Glasflüsse aufgeschmolzen oder zum Bemalen verwendet werden.

TECHNIKEN DES ALTERTUMS

Während die Ägypter eine Art Vorläufer der Emailtechniken, nämlich die **Zelleneinlagen** kannten, wurden die 1. echten Emailarbeiten auf Zypern gefunden, wo sie wahrscheinlich schon im 12. Jh. v. Chr. entstanden waren. Auf Kreta und in den ostgrch. Gebieten um das Schwarze Meer kamen sie etwas später vor. Dabei handelt es sich wohl hauptsächlich um **Drahtemail,** bei dem auf einen Edelmetallgrund Drähte so aufgelegt wurden, daß sie dem Umriß des Dekors folgen, während in die Zwischenräume die farbige Glasmasse einsinkt und die Drähte erhöht stehenbleiben.

Einen 1. Höhepunkt erreichte die Emailtechnik mit den kelt. Arbeiten der Latènezeit. Es entwickelte sich der **Furchenschmelz,** bei dem der undurchsichtig rote Glasfluß, das **Blutemail,** in eingegrabene Furchen ge-

Emailkunst: Triptychon; Maleremail, 16. Jh. (Paris, Musée Cluny)

schmolzen wurde. Der Metallgrund war hier zumeist Bronze. Zu den Prachtbeispielen der kelt. Kunst in England zählt der spätlatènezeitl. Schild von Battersea.

In den 1. nachchristl. Jh. fand der **Grubenschmelz** (Émail champlevé) im provinzialröm. Kunsthandwerk, v.a. bei Fibeln und anderen Schmuckteilen, Verwendung. Als Weiterentwicklung des Furchenschmelzes wurden hierbei aus dem Metallgrund (meist Kupfer oder Bronze) Gruben herausgeätzt oder im Gußverfahren hergestellt. Die darin eingeschmolzenen, farbigen Emails wurden geschliffen, die Metallflächen ziseliert und vergoldet und wurden flächendeckend in den Werken der Völkerwanderungskunst angewendet.

TECHNIKEN DES MITTELALTERS

Um die Mitte des 5. Jh. n. Chr. entwickelte sich dann im byzantin. Kunstbereich (BILD byzantinische Kunst) der (Gold-) **Zellenschmelz** (Émail cloisonné). Auf eine goldene Grundplatte wurden goldene Metallstege hochkant aufgelötet oder geklebt, so daß sie die Zeichnung und gleichzeitig die Zellen (cloisons) bildeten, in die die meist durchscheinenden Glasflüsse eingeschmolzen wurden. Nach dem Brand wurde die Oberfläche abgeschliffen und poliert, damit Email und Stege eine glatte Fläche bilden. Man unterscheidet beim Zellenschmelz 2 versch. Möglichkeiten: Beim ›Vollschmelz‹ bedeckt das Email die gesamte Fläche der Grundplatte, während beim ›Senkschmelz‹ das Emailbild in die Goldplatte versenkt wird. Seine höchste Blüte erreichte der Zellenschmelz in der byzantin. Goldschmiedekunst des 10. und 11. Jh. mit seinem Hauptwerk, der →Staurothek in Limburg a. d. Lahn (948–959 n. Chr.). In Dtl. lagen die Hauptwerkstätten der Zellenschmelzherstellung, die sich in otton. Zeit vom byzantin. Einfluß unabhängig gemacht hatte, im 10. und 11. Jh. v. a. in Trier, Mainz, Köln, Essen. Vereinzelt fanden sich Werkstätten in Frankreich und Italien (Mailand, Palermo).

Im 12. Jh. gewann der Grubenschmelz erneut an Bedeutung und verdrängte den Zellenschmelz. Bes. im Maasgebiet und am Niederrhein entwickelte sich diese Technik zu großer Vollkommenheit. Die Blütezeit der Maas-Schule lag zw. 1150 und 1180; jedoch ist es nur selten möglich, ein Kunstwerk einem Meister zuzuordnen. Dagegen können bei den rhein. Grubenschmelzarbeiten aus Köln schon eher genauere Zuschreibungen vorgenommen werden. So signierte auf einem Tragaltar des Welfenschatzes der Meister EILBERTUS COLONIENSIS und auf einer Grubenschmelzplatte des Maurinusschreines der Meister FRIDERICUS. Entscheidend für den Stil der Kölner Arbeiten der 2. H. des 12. Jh. war der Heribertschrein (um 1170) mit sehr qualitätvollen Grubenemails, hergestellt in einer nicht näher bestimmbaren Goldschmiedewerkstatt. Die bedeutendsten Werke der E. am Ende des 12. und Anfang des 13. Jh. stammen von →Nikolaus von Verdun. Von gleicher Bedeutung wie das Rhein-Maas-Gebiet für den Grubenschmelz ist in Frankreich Limoges, wo sich um 1200 eine charakterist. Eigenart herausbildete: Man nietete gegossene Köpfe oder ganze Figürchen auf die emaillierte Grundplatte auf. Es entwickelte sich in Limoges

Emailkunst: Detail vom Aribert-Evangeliar; Grubenschmelz, 1018–45 (Mailand, Domschatz)

ein Zentrum mit einer vielfältigen Produktion, die auch auf Spanien Einfluß hatte.

Eine Abwandlung des Grubenemails kam um 1300 offenbar gleichzeitig und unabhängig in Italien und Frankreich auf, der **Silberrelief-** oder **Tiefschnittschmelz** (Émail translucide de basse taille). Statt des Kupfers nahm man nun Silber, in das die Darstellung als flaches Relief eingeschnitten und dann mit transparenten Glasflüssen überzogen wurde, so daß die Zeichnung durchscheint. In Italien war bis zur Mitte des 14. Jh. Siena, später dann Florenz in dieser Technik führend. In Frankreich wurden die Silberschmelzarbeiten v. a. in Paris, in Dtl. am Ober- und Mittelrhein hergestellt. Daneben wurden die übrigen Techniken weiter angewendet. Seit etwa 1300 wird, von Italien ausgehend, das Drahtemail verwendet, das bes. in O-Europa im 15. Jh. zu bed. Leistungen führte.

TECHNIKEN DER NEUZEIT

Eine Gruppe von vermutlich in den Niederlanden entstandenen Werken der E. aus der 1. H. des 15. Jh. sind die Vorläufer des **Maleremails.** Dabei bildet der Metallgrund, meist aus Kupfer, aber auch aus Silber oder Gold, nur noch den Malgrund, der mit einer undurchsichtigen, einfarbigen Emailschicht überzogen wird. Dann werden nacheinander versch. undurchsichtige Glasflüsse aufgeschmolzen, die Darstellung wird auf diese Weise ›gemalt‹. Um das ›Werfen‹ der Platte beim Brennen zu vermeiden, wird die Rückseite ebenfalls emailliert (Contre-Émail). Ein weiterer Anstoß kam über die Alpen aus Italien, v. a. wohl aus Venedig, wo das Maleremail mit Metalleinlagen verziert war. Frankreich übernahm diese neue Technik, die in den Werkstätten von Limoges zu Weltruhm gelangte. Hier malte die früheste, spätgot. Gruppe auf schwarzer Vorzeichnung mit starkfarbigen Emails, die durch feine Goldstrichelung schattiert wurden, Klappaltärchen und Täfelchen. NARDON PÉNICAUD und dessen Bruder JEAN I. waren die bedeutendsten Meister. Unter JEAN II. kam eine neue Art der E. auf, die **Grisaillemalerei.** LEONARD LIMOUSIN (†um 1577) schuf in dieser Technik Porträts, PIERRE REYMOND (†nach 1584), dessen Werkstatt internat. Ruf genoß, Prunkgeräte aller Art.

In Dtl. erlebte die E. einen neuen Höhepunkt in der 2. H. des 16. Jh. Für die Prachtentfaltung der dt. Fürstenhöfe spielte die Goldschmiedekunst eine große Rolle; dabei fand die E. reiche Anwendungsmöglichkeiten. Die Zentren dieser Arbeiten lagen in Süd-Dtl., v. a. in München und Nürnberg, später auch in Augsburg sowie in Wien und Prag. Für die Emaillierung der Pokale, Schreine, Kassetten, Altäre, Reliquiare und Kelche, für Gewandschmuck, Waffen und die Herstellung von Gefäßfassungen wurde neben dem Grubenschmelz der **plast. Emaildekor** (Émail en ronde bosse) häufig verwendet. Hierbei wird ein in Gold (seltener in Silber, Kupfer oder Bronze) gegossener oder getriebener Gegenstand von ornamentaler oder figürl. Gestalt mit undurchsichtigen und transparenten Emails überzogen. So wurden ganze Plastiken oder Reliefs farbig emailliert. Eine Einzelerscheinung blieb im 18. Jh. der Dresdner Emailleur J. M. →Dinglinger, der mit seinen Brüdern technisch unübertroffene Werke schuf.

Große Verbreitung fand die von Frankreich ausgehende **Emailmalerei,** bei der (anders als beim Maleremail) die Darstellung mit reinen Metalloxidfarben auf einen weißen Emailgrund aufgeschmolzen wird. Schon um 1632 soll JEAN TOUTIN aus Châteaudun diese Technik verwendet haben. Sie wurde bald in ganz Europa in speziellen Manufakturen für Miniaturen, Dosen und andere Galanteriewaren benutzt, die sowohl figürl. als auch v. a. reichen Blumenschmuck zeigen. Bes. in England traten die Manufakturen von Battersea, Bilston, Birmingham u. a. in der 2. H. des 18. Jh. mit Gebrauchswaren in einer charakterist. Goldreliefverzierung hervor. Mit der Entwicklung der Porzellanmalerei trat die E. im 18. Jh. allmählich zurück; im 19. Jh. begnügte man sich mit der Wiederbelebung der alten Techniken. Mit dem Jugendstil um 1900 und später unter der Einwirkung des Expressionismus hat die E. dann noch einmal neuen Aufschwung genommen.

AUSSEREUROPÄISCHE ENTWICKLUNG

Nach China gelangte die E. aus dem Westen. – Champlevé und Cloisonné, im 18. Jh. mit Treibarbeit (Repoussé) kombiniert, wurden als Fa-lang (für Byzanz?), Tashih yao (Ware aus Arabien) oder auch Kueikuo yao (Ware aus dem Teufelsland) bezeichnet. Das früheste datierte Stück stammt aus der 1. H. des 14. Jh. Während frühe Stücke auf die Farben Türkis, Lapislazuliblau, Korallenrot, Gelb, gelbl. Grün, Schwarz und Weiß beschränkt waren, kleine Einsenkungen des Emails und mangelhafte Oberflächenpolierung aufweisen, sind die Stücke der Palastwerkstätten der Ära Ch'ien-lung (18. Jh.) durch kräftige Vergoldung von Stegen, Gefäßlippe und -fuß, starken Glanz, schemat.

Motive, Buntheit und techn. Perfektion gekennzeichnet. – In Japan schuf HIRATA DONIN (†1641) Grubenschmelze. Im 19. Jh. wurde dort neben technisch vollendeten Schmelzen auf Metall auch vorzüglicher Zellenschmelz auf Porzellan und Steingut (Émail biscuit) hergestellt. – In der ind. Emailkunst ragen die Arbeiten aus Jaipur hervor. – Frühe Werke der islam. E. sind selten, z. B. die Kanne von St. Maurice im Wallis (Zellenschmelz) und die Ortokidenschale des Landesmus. in Innsbruck (Grubenschmelz). In Persien gab es im 18. Jh. Grubenschmelz auf Silber und Email auf weißem Grund.

E. STEINGRÄBER: Email, in Reallex. zur dt. Kunstgesch., hg. v. L. H. HEYDENREICH u. K.-A. WIRTH, 5 (1967); MARIE MADELEINE GAUTHIER: Les émaux du moyen âge occidental (Freiburg im Üchtland 1973); ISA BELLI BARSALI: Europ. Email (a. d. Ital., 1974); ULLA STÖVER: Email... (1976); GUNHILD GABBERT AVATABILE: Die Ware aus dem Teufelsland (1982).

Emaki, japan. Bildform, →Querrolle.

Emanationen [lat.], an ind. Götterfiguren die Symbolisierung der evolutionist. Schöpfung und der Erkenntnis durch das Heraustreten mehrerer Köpfe oder Körper aus dem zentralen Kultbild (→Chaturvyuha, →Panchavaktra Shiva u. a.).

Emanuelstil, Emanuelinischer Stil, der in Portugal unter EMANUEL I. (1495–1521) ausgebildete Baustil (um 1500 bis nach 1550 vorherrschend), verbindet die maurisch geprägte Stilsprache der portug. Spätgotik mit den Formelementen der Frührenaissance und Anregungen aus den neu eroberten Überseegebieten in Indien und Amerika. Charakterist. Dekorationsformen sind tauartig verschlungene Säulen und Bauplastik mit phantasievoller Ornamentik (exot. Pflanzen, Muscheln, Korallen). Hauptvertreter war J. DE CASTILHO; HW des E. in →Batalha, →Belém 1), →Coimbra, →Setúbal, →Tomar.

Emar, antike Stadt am Mittleren Euphrat (KARTE Alter Orient); vor Anlage des Assad-Stausees lag an ihrer Stelle das syr. **Meskene.** E. war wichtige Station auf dem Handelsweg zw. Syrien und Mesopotamien, Verschiffungsplatz der hier über den kürzesten Landweg (Mittelmeer – Euphrat) gebrachten Güter. Frz. Grabungen erforschten 1972–74 vor der Überflutung von der terrassenförmig gebauten Stadt aus mittelsyr. Zeit (Hethiterherrschaft, Ende 14. Jh. v. Chr.) außer Wohnhäusern ein Verwaltungsgebäude (Palast?), 3 Tempel syr. Typs (einer mit Priesterbibl.) und nahebei die hethit. Befestigungsanlage der alten Stadt **Aschtata.**

Emblem [grch. embleme ›Eingesetztes‹], in der antiken Kunst ein gesondert gefertigtes Teilstück, das in größere Ensembles eingelassen wurde: v. a. Bildtafeln in Mosaikböden, getriebene Reliefscheiben oder -platten, die in Prunkgefäße eingearbeitet wurden (z. T. als Gips- oder Tonabformungen erh.). – In der Renaissance entstand das E. als Verbindung von Bild und Text. Die Humanisten entwickelten diese bildliterar. Kunstform, die die Sinnbilder durch Zeichnungen, Holzschnitte oder Kupferstiche **(pictura)** mit einem Motto **(inscriptio)** und einer Unterschrift **(subscriptio)** wiedergaben. Die bedeutendsten Künstler befaßten sich mit Ersinnung und Ausarbeitung von E. (B. CELLINI, LEONARDO DA VINCI). Seit dem ›Emblematum liber‹ des ANDREAS ALCIATUS (1531, Holzschnitte von J. BREU D. Ä.) stand unter dem Bild ein Epigramm, das Motto und Bild interpretierte. Der Autor stellte dem Leser mit der Deutung des E. eine Aufgabe, die seine Bildung herausforderte, und gab ihm eine Regel zur Lebensführung. Sinn und Wortschatz der **E.-Bücher** fanden starken Nachhall in der Dichtung, bes. im Barock.

Emblemata, Hb. der Sinnbildkunst des 16. und 17. Jh., hg. v. A. HENKEL u. A. SCHÖNE (1978).

Embriachi [-ki], auch **Embriaci** [-tʃi], im 14./15. Jh. in Venedig tätige Bildschnitzerfamilie mit großem Werkstattbetrieb (→Elfenbeinschnitzerei). HW der E. ist das mit zahlreichen figürl. Reliefs geschmückte Altarretabel in der Certosa di Pavia (um 1400–1409).

Emden, Hafenstadt am Dollart, Ndsachs., 53400 Ew.; im 2. Weltkrieg stark zerstört. Ref. Neue Kirche (1643–48) in schlichtem niederdt. Barock nach dem Vorbild der Noorderkerk in Amsterdam; im ehem. Rathaus das Ostfries. Landesmus. und die Rüstkammer (u. a. das Emdener Ratssilber).

Emkendorf, Gut in der Gem. Westensee, Kr. Rendsburg-Eckernförde, Schlesw.-Holst.; das prächtige barocke Herrenhaus wurde seit 1795 klassizistisch umgestaltet und besitzt vorzügl. Innendekorationen ital. Künstler.

Emmaus, bibl. Ort (sicher identisch mit dem heutigen Amwas, 25 km nordwestlich von Jerusalem), zu dem nach der Passion Jesu einige Jünger gingen und dort nach bibl. Bericht den Auferstandenen am Brotbrechen erkannten. Der Gang nach E. wird auf einem Mosaik in Ravenna (S. Apollinare Nuovo, 6. Jh.) und einem Fresko in Rom (S. Maria Antiqua, 705) dargestellt, findet sich in der Buchmalerei und wurde seit der Spätgotik zum Anlaß, v. a. Landschaft darzustellen. Für das Mahl in E. wurde meist die Komposition mit 3 Personen gewählt (Christus in der Mitte von 2 Jüngern). Die Szene begegnet in der Buchmalerei (Codex Aureus u. a.) und in der Bauplastik des 12. Jh., v. a. aber in der Malerei des 16. und 17. Jh. (M. DA CARAVAGGIO, REMBRANDT, J. DA PONTORMO u. a.).

Emmerich, ehem. Hansestadt am Niederrhein, NRW, 29500 Ew.; bereits im frühen MA. bed. Rheinhandelsort (Rhein-Mus.); 1944 fast völlig zerstört. Wiederaufgebaut sind die ehem. Stiftskirche St. Martin (11.–15. Jh.) mit roman. Krypta (um 1040) und Kirchenschatz sowie die spätgot. Aldegundiskirche (1449 bis 1514).

Empire [ãp'i:r frz. ›Kaiserreich‹], **Empirestil,** im letzten Jahrzehnt des 18. Jh. in Frankreich einsetzender, von NAPOLEON I. nach 1804 über ganz Europa bis nach Rußland verbreiteter und bis gegen 1830 vorherrschender Dekorationsstil innerhalb des Klassizismus, der gleichermaßen Innenraumdekoration, Möbelkunst und Kunsthandwerk wie Kleidermode erfaßte, im wesentlichen aber auf die Fürstenhöfe beschränkt blieb.

Seine Anfänge bestimmte bes. der Maler J. L. DAVID (unter dessen Leitung 1793 die ›Salle de la Convention‹ in den Tuilerien in Paris ausgestattet wurde), dann wurden die von Napoleon bevorzugten Architekten P. F. L. FONTAINE und C. PERCIER führend in der Ausstattung von Schlössern und Palästen (Tuilerien, Élysée-Palast, beide in Paris; Schlösser Malmaison, Compiègne, Fontainebleau, St. Cloud u. a.). Das Geradlinige, Strenge und Feierliche kennzeichnen das E., das grch., röm., ägypt., in den Wanddekorationen bes. auch pompejan. Motive verwendete. An den Wandflächen wurden rechteckige Felder streng gegeneinander abgegrenzt. Die wuchtigen, schweren Möbel sind geradlinig, aus geometr. Formen gefügt, wobei man an Hölzern Mahagoni, Ebenholz und Zeder bevorzugte, gern auch Goldbronze (für Löwenklauenfüße, Greifen, Maskarons, Säulchen) und Marmor verwendete, um Größe, Macht und Strenge zu veranschaulichen. In der Kleidermode herrschten helle, meist weiße Stoffe vor, die zu schlich-

Empire: Zimmer der Kaiserin Joséphine in Schloß Malmaison

ten langfließenden Gewändern mit nur sehr sparsamem Ornamentbesatz in antiken Motiven verarbeitet wurden. Das Sammelwerk von Percier und Fontaine ›Recueil de décorations intérieures...‹ (1812) erfuhr als Lehrbuch des E. weiteste Verbreitung.

P. FRANCASTEL: Le style E. (Paris 1939); F. WINDISCH-GRAETZ: Klassizismus und E., Möbel-Brevier (1965).

Empoli, ital. Stadt in der Prov. Florenz, 45 500 Ew.; Hauptkirche ist die 1093 begonnene Collegiata di S. Andrea mit Fassade in weißem und grünem Marmor mit Mus. (Gemälde-, Skulpturensamml.).

Empore [von empor ›aufwärts‹], ein in Sälen auf Wänden oder Stützen eingebautes Obergeschoß, meist gesonderter Platz für bestimmte Personenkreise.

In der kirchl. Baukunst finden sich E. bes. über den Seitenschiffen. Die E. war urspr. im Orient für die

Frauen bestimmt (Geschlechtertrennung), später im Abendland auch für Männer zugelassen, bes. in evang. Kirchen (›Mannchöre‹). In einigen roman. Bauschulen haben die E. weniger einen prakt. als konstruktiven Sinn zur Widerlagerung der Gewölbe des Mittelschiffs. Künstlerisch sind die E. für die Gliederung der Langhauswände von großer Bedeutung, man schuf sogar Scheinemporen. E. finden sich häufig auch über der Vorhalle der Eingangsseite: im MA. als Platz für einen 2. Chor, als Loge für Herrscher oder Stifter sowie als Nonnen-E., später für die Orgel und die Sänger, nur selten als Mönchschor. Die Reformation förderte den E.-Bau (auch als Einbau von E. in ältere Kirchen) i. S. der Predigtkirche und fand z. T. eigene Lösungen (Frauenkirche in Dresden, Paulskirche in Frankfurt a. M.). – In neuerer Zeit dienen E. häufig zur Raumgewinnung: Versammlungs- und Konzertsäle; die ›Ränge‹ in den Theatern.

Emporion, grch. Ruinenstätte in Spanien, →Ampurias.

Ems, Bad E., Kurort an der Lahn, Rheinl.-Pf., 10900 Ew. Die Martinskirche, eine roman. Emporenbasilika des 12. Jh., ist eng verwandt mit der Klosterkirche Niederlahnstein (→Lahnstein). Altes Badehaus, die sogenannten ›Vier Türme‹ (Karlsburg), 1696 nach dem Vorbild der untergegangenen Philippsburg in Ehrenbreitstein beg., 1810 voll. Prächtiges Kurhaus (um 1715 erbaut, 1912/13 neubarock erweitert). In der klassizist. Blütezeit entstand neben zahlreichen erh. Wohnbauten das Kursaalgebäude (1836–41). Russisch-orth. Kirche (Kreuzkuppelbau, 1874–76).

Emulsion [lat.], Maltechnik: Dispersion, von zwei nicht oder nur teilweise miteinander mischbaren Flüssigkeiten (z. B. Öl-in-Wasser-E. oder Wasser-in-Öl-E.), von denen die eine in der anderen fein zerteilt ist. **Tempera** ist z. B. eine E. von Leinöl in Kasein.

Encke, Erdmann, Bildhauer, *Berlin 26. 1. 1843, †Neubabelsberg (heute Teil von Potsdam) 7. 7. 1896, Nachkomme von FRIEDRICH WILHELM II. (*1744, †1797) und WILHELMINE E., der späteren Gräfin Lichtenau; Schüler von A. WOLFF, schuf seine Werke nach dem Vorbild von R. BEGAS in neubarockem Stil (→ Neubarock). Sein bedeutendster Auftrag waren die Grabfiguren Kaiser Wilhelms I. und der Kaiserin Augusta für das Mausoleum in Berlin-Charlottenburg (1888–94).

WW: Denkmal Turnvater Jahn (1869; Berlin, Hasenheide); Standbild Königin Luise (1876–80; Berlin, Tiergarten, heute Lapidarium – Pendant zu F. DRAKES Denkmal Friedrich Wilhelm III.).
Lit.: →Berliner Bildhauerschule.

Enckell, Magnus, finn. Maler, *Hamina 9. 11. 1870, †Stockholm 26. 11. 1925, unternahm Studienreisen nach Frankreich, Italien und Spanien. Nach frühen Arbeiten in strengen Linien und sparsamen Farben wurden spätimpressionist. Einflüsse spürbar. Neben Porträts schuf E. auch Monumentalwerke (Fresken in der Johanniskirche in Tampere, 1907) und Glasgemälde.

Ende, 1) Edgar, Maler, *Hamburg-Altona 23. 2. 1901, †Netterndorf (Oberbayern) 27. 12. 1965, studierte in Hamburg und lebte seit 1931 in München. E. gehörte zu den Surrealisten, die figürl. Darstellungen in unendl. perspektiv. Räumen zu phantast. Kompositionen aus rätselhaftem Symbolgehalt verbinden.

2) Hermann, Baumeister, *Landsberg a. d. Warthe 4. 3. 1829, †Wannsee bei Berlin (heute Teil von Berlin-West) 10. 8. 1907, baute in Berlin im klassizist. Stil der Neurenaissance das Rote Schloß (1864), das Völkerkundemus. (1886), Villen u. a.

Endell, August, *Berlin 12. 4. 1871, †ebd. 13. 4. 1925, ein führender Architekt des Jugendstils in Dtl.

HW: Photo-Atelier ›Elvira‹ in München (1898); Theater des Überbrettl in Berlin (1901); Tribüne für die Trabrennbahn Mariendorf (1913); Wohnhäuser in Berlin.

Schrift: Die Schönheit der großen Stadt (1908).

August Endell: Photo-Atelier ›Elvira‹ in München; 1898

Endymion, grch. Mythos: Geliebter der Mondgöttin →Selene.

en face [ãf'as, frz.], von vorn, v. a. beim →Porträt.

Enfilade [ãf-, von frz. enfiler ›aufreihen‹], Raumfolge, bei der die Türen in einer Flucht liegen, so daß man bei geöffneten Türen durch alle Räume hindurchblikken kann. Die Anfänge der E. liegen in der ital. Renaissancebaukunst, konsequent angewendet wurde sie erstmals in der frz. Schloßarchitektur des 17. Jh. (Schloß Vaux-le-Vicomte, 1656–61; Versailles, seit 1678; Schloß Charlottenburg, Berlin, um 1710; ›Reiche Zimmer‹ der Residenz in München, um 1730–40; Oberes Belvedere, Wien, 1721–23).

Engel, im Christentum Mittler zw. Gott und Mensch, denen urspr. überird. Leiblichkeit zugeschrieben wurde. Schon in frühchristl. Zeit wird der E. in der bildenden Kunst dargestellt – erst flügellos und als Mann, seit dem 4. Jh. nach dem Vorbild antiker Viktorien und Genien geflügelt, i. Ggs. zu diesen aber voll bekleidet; seine Attribute sind Nimbus und Zepter oder Buchrolle. Als Symbol des himml. Lichts ist seine Kleidung meist weiß, doch können E. auch purpurne Gewänder tragen (in S. Apollinare in Classe, Ravenna, sogar den ganzen kaiserl. Ornat). Seit dem 5. Jh. wird der

E. vorwiegend jugendlich dargestellt und tritt im MA. (v.a. in der otton. Buchmalerei) als machtvolle Gestalt auf. Seit der Gotik entspricht seine Figur dem jeweiligen Schönheitsideal des Jünglings. Den neuen Typus des Kinder-E. entwickelte die Kölner Malerei des 12. und 13. Jh. (seit der Spätgotik auch gefiedert). Ihm ähnlich ist der antike →Putto, den die Renaissance zum engelhaften Wesen umdeutete. Diese Epoche nahm auch wieder das Vorbild der antiken Viktorien und Genien auf. Halbbekleidet erscheint der E. (v.a. in Barock und Rokoko) sehr sinnenhaft, zuweilen gleicht er der Gestalt des Amor (G. L. BERNINI, Verzückung der Hl. Teresa, 1644). Die tiefste gestalter. Auseinandersetzung mit der Natur des E. begegnet bei REMBRANDT. Seine E. können sowohl kraftvolle Erscheinung wie lichte Jenseitsgestalt sein, feierlich wie unheimlich. – Die Neuzeit stellt den E. als Boten (M. CHAGALL) oder als Chiffre der eigenen Innenwelt (P. KLEE) dar.

Als Einzelgestalt findet sich in der Kunst bes. →Gabriel als E. der Verkündigung, v.a. in der dt. Kunst →Michael, in der ital. Kunst →Raphael als Schutzengel. Die Darstellung der Engelschöre scheint im 11. Jh. im Osten aufgekommen zu sein, ist dann aber auch vom Westen übernommen worden (Monreale, Cefalù, Soest: St. Maria zur Höhe). Das Motiv der Engelsmusik begegnet in der Kunst seit 1100.

Engel, Johann Carl Ludwig, Baumeister, *Berlin 3. 7. 1778, †Helsinki 14. 5. 1840, studierte an der Berliner Akad., wurde 1816 mit Planung und Aufbau des 1812 zur Hauptstadt erhobenen Helsinki beauftragt. Seine klassizist., auch vom russ. Empirestil beeinflußten Bauten (Regierungsgebäude, Univ., Univ.-Bibl., Domkirche) formten das Zentrum von Helsinki.

Engelberg, Gem. im schweizer. Halbkanton Obwalden, 3500 Ew., mit 1120 gegr. Benediktinerabtei; Neubau 1730–37 in Anlehnung an Pläne K. MOOSBRUGGERS im Stil der frühen Vorarlberger Bauschule; Hochaltar von J. A. FEUCHTMAYER (1733), kostbarer Kirchenschatz (u.a. spätroman. Reliquienkreuz, um 1200).

Engelberg, Engelberger, Engelbert, Burkhard, Baumeister, Bildhauer, *Hornberg um 1450, †Augsburg 11. 2. 1512, errichtete ebd. die Kirche St. Ulrich und Afra (1477–1512), festigte in Ulm den Turm des Münsters, stellte im Innenraum durch Einbau von Stützen die Fünfschiffigkeit her und schuf die Kanzel (1493–1507); er war auch beim Ausbau der Bozener Stadtkirche (1499), der Nördlinger Georgskirche (um 1505) und des Berner Münsters (um 1507) beteiligt. Daneben arbeitete E. als Brunnenbauer. Sein Schaffen schließt die Zeit der Spätgotik in Schwaben ab.

Engelbrechtsen [-brɛxtsə], **Engebrechtsz,** Cornelis, niederländ. Maler, *Leiden um 1460/65, †ebd. 1527, erster Leidener Maler mit sicher zuschreibbaren Gemälden; prägte als Lehrer seiner 3 Söhne und LUCAS VAN LEYDENS nachhaltig die Malerschule der Stadt; schuf Altarwerke mit langen, bewegten Figuren in phantast. Kostümen.

HW: Flügelaltar mit Beweinung Christi (um 1508; Leiden, Stedelijk Mus.); Flügelaltar mit Kreuzigung Christi (um 1512; ebd.).

Engelhard, Friedrich Wilhelm, Bildhauer, Maler, *Grünhagen bei Lüneburg 9. 9. 1813, †Hannover 23. 6. 1902, lernte in Paris und London Elfenbeinschnitzerei, später Bildhauerei (1839 bei B. THORVALDSEN in Kopenhagen, 1840 bei L. v. SCHWANTHALER in München) und wandte sich schließlich der Porträtmalerei zu. Für König GEORG V. von Hannover schuf E. das Werk ›Lyrik‹ (vor 1858); der König berief ihn 1859 nach Hannover.

WW: Denkmal F. v. Schiller (1863; Hannover); Eddafries (1851; Marienburg/Westpr., heute Malbork, Wwschaft Gdańsk).

Engelsburg

Engelsburg, ital. **Castel Sant' Angelo** [-'andʒelo], Rundbau in Rom, auf dem rechten Tiberufer an der Engelsbrücke, 135 n. Chr. als Grabmal für Kaiser HADRIAN begonnen, von Kaiser ANTONINUS PIUS zu einem Mausoleum für die röm. Kaiser erweitert, zu Beginn der Völkerwanderungszeit zu einem befestigten Brückenkopf ausgebaut, dann Festung von Adelsgeschlechtern, Fluchtburg von Päpsten (gedeckter Gang zum Vatikan). In der Renaissance wurden die Obergeschosse prachtvoll ausgestattet. Im 17. Jh. war die E. Arsenal für Kriegsmaterial, Kanonenfabrik u. a.; heute Mus. – Den Namen erhielt sie nach einer legendären Engelserscheinung, an die eine Kapelle (um 610) und ein Standbild des Erzengels Michael erinnern.

Engelssturz, der Fall v. a. Luzifers (urspr. ein Engel, später erst als Satan geltend) von seinem ursprüngl. Platz im Himmel – ein von der bildenden Kunst (um 1000 bis in das 19. Jh.) der Bibel (2 Henoch 29; auch Lukas 10, 18) entnommenes Motiv, häufig in Zyklen der Schöpfung (MEISTER BERTRAM, Grabower Altar, 1379) und des Sündenfalls (H. BOSCH), auch des Jüngsten Gerichts. Die Szene bot v. a. im Barock Anlaß zur Schilderung eines Kampfgetümmels (P. P. RUBENS), in dessen Mittelpunkt oft Michael steht, der Luzifer in den Abgrund stößt. – Im 19. Jh. haben v. a. W. BLAKE und J. H. FÜSSLI das Motiv behandelt.

Enger, Stadt im Kr. Herford, NRW, 16 500 Ew.; in

der ehem. Stiftskirche (12.–14. Jh.) das Grabmal des Sachsenherzogs Widukind (†807), eine salische Stuckplastik (um 1100), und ein 6 m breiter Renaissance-Schnitzaltar (1525).

Engers, Teil von →Neuwied, Rheinl.-Pf., mit einem der schönsten rhein. Rokokoschlösser (1758–62 von dem kurtrier. Hofbaumeister J. SEITZ erbaut), prachtvoller Festsaal mit Deckenfresko von JANUARIUS ZICK.

Enghalskrug, bauchiger Steinzeug- oder Fayencekrug (17. und 18. Jh.) mit langem, engem Hals; häufig mit Deckel und geflochtenem Henkel.

Enghien [ag'ɛ̃], Stadt in der belg. Prov. Hennegau; Kapuzinerkirche (17. Jh.) mit dem Grabmal (1615) des Guillaume de Croy, Erzbischof von Toledo, einem bed. Werk der Renaissance aus Alabaster, und Hauptaltar (1616) aus Ebenholz und Elfenbein; got. Pfarrkirche St. Nicolas (14./15. Jh.).

Englischer Garten, Landschaftsgarten, →Gartenkunst.

Englischer Gruß, Grußworte des Erzengels Gabriel an Maria bei Verkündigung der Geburt Christi. Auf Darstellungen der Wand- und Tafelmalerei sind die ersten Worte ›Ave Maria‹ dem Engel häufig auf einem Spruchband beigegeben. Der E. G. von VEIT STOSS (1517/18; Nürnberg, St. Lorenz; BILD V. Stoss) ist das bekannteste Beispiel.

Englischrot, Maltechnik: →Eisenoxidfarben.

Engobe [ãg'ɔb, frz.] *die,* Anguß oder Beguß einer keram. Grundmasse mit andersgefärbtem Tonschlamm, bes. bei mißfarbig brennenden Tonen. Durch Metalloxide kann die E. künstlich gefärbt werden. Mit E. wurde die Halbfayence (→Fayence) hergestellt. Die Ziegeleien verwendeten E. bes. bei bunten Dachziegeln (Beaune, Hôtel Dieu).

Enhuber, Karl von, Maler, *Hof 16. 12. 1811, †München 6. 7. 1867, ein wegen seiner gefällig-anspruchslosen Genrebilder geschätzter Maler des späten Münchner Biedermeier.

Enkaustik [von grch. kausis ›das Brennen‹], Maltechnik (4. Jh. v. Chr.–8. Jh. n. Chr.), bei der die Pigmente mit →Punischem Wachs vermischt, heiß aufgetragen oder kalt aufgespachtelt und anschließend erwärmt wurden. Obwohl bei antiken Schriftstellern (PLINIUS D. Ä.) mehrfach erwähnt, sind nur wenige antike Bilder wirklich als E. nachzuweisen, z. B. einige der Mumienporträts aus Faijum.

Enkenbach, Gem. im Kr. Kaiserslautern, Rheinl.-Pf., 4000 Ew., mit ehem. Prämonstratenserinnenkloster (1148 gegr., Kirche 1220–72 erbaut), dessen kunstgeschichtl. Bedeutung v. a. in der phantasievollen spätroman. Ornamentik des Westportals liegt.

Enkhuizen [ɛŋkh'œjzə], Stadt in der niederländ. Prov. Nordholland, 13 500 Ew., grachtenreiche ehem. Hansestadt am Ijsselmeer mit gut erh. Stadtbild innerhalb der 2. Umwallung (1595–1600, Stadttor ›Koepoort‹ von 1649). E. hat 2 spätgot. Kirchen: Zuiderkerk

(15. Jh.), eine zweischiffige Backstein-Halle mit hohem W-Turm, auf den hölzernen Gewölben Reste von Gemälden (Szenen des A. T. und N. T., 1484), und Westerkerk (15./Anf. 16. Jh.), eine dreischiffige Halle mit hölzernem Tonnengewölbe und freistehendem hölzernem Turm auf Steinunterbau, im Innern reich geschnitzte Chorschranken (1542) und wertvolle Frührenaissance-Orgel (1547). Das Rathaus (1686–88) ist ein stattl. Bau mit Sandsteinfassade, im Innern Malereien des 17. und 18. Jh. In der ›Waage‹, einem Frührenaissancebau (1559) mit Volutengiebel, befindet sich das Städt. Mus.; Zuidersee-Mus. (Volkskunde) in einem ehem. Packhaus der Ostind. Kompanie mit doppeltem Treppengiebel (1625).

Enkomi, Ruinenstätte in O-Zypern, nordwestlich von Famagusta. E. war die bedeutendste spätbronzezeitl. Siedlung der Insel, in deren Gräbern eine Fülle kostbarster Funde, v. a. aus dem 14./13. Jh. v. Chr., gemacht wurden: Keramik, Schmuck, Kleinkunst (Elfenbein-, Fayencearbeiten, Rollsiegel, Bronzegefäße); alle Arbeiten sind stark mykenisch beeinflußt. Die Stadt wurde Ende des 13. Jh. v. Chr. zerstört. Ausgrabungen legten Baureste der bald darauf neu aufgebauten Stadt frei (Megaron-Haus, dreischiffiges Gebäude eines Heiligtums mit Fund einer Bronzestatuette eines gehörnten Gottes des frühen 12. Jh. v. Chr., Kyklop. Mauer).

Enlil, oberster sumer. Gott, im 3. Jahrtsd. v. Chr. bes. in S-Mesopotamien verehrt; Kultort Nippur mit Tempel Ekur (›Berghaus‹). Er trat im 2. Jahrtsd. v. Chr. seine ›Enlilschaft‹ an die Götter Marduk und Assur ab. Darstellungen des Gottes sind nicht bekannt.

Enna, ital. Stadt und Bischofssitz im Inneren Siziliens, auf einer steilen Anhöhe (931 m ü. M.), 29 400 Ew. Die Stadt wird beherrscht von der Burg (Castello di Lombardia), einer normannisch-stauf. Anlage mit 6 (urspr. 20) Türmen, und dem achteckigen Turm FRIEDRICHS II. von Hohenstaufen. Der Dom, urspr. gotisch, wurde im 16./17. Jh. barock umgebaut. Im Mus. Alessi antike Münzsamml., byzantin. und ma. Keramiken.

Enns, Stadt links der Enns, nahe ihrer Mündung in die Donau, OÖ, 9500 Ew.; entstand um die Ennsburg (um 900) an Stelle der Römerstadt **Lauriacum** (Funde im Mus.); gut erh. histor. Stadtbild mit zahlreichen, im Kern oft noch got. Häusern mit Innenhöfen und barokken Schauseiten. Die Burg wurde 1566–70 zu Schloß Ennsegg umgebaut. Got. Pfarrkirche (um 1270–1300) mit der got. Wallseerkapelle (1. H. 14. Jh.) und Kreuzgang (15. Jh.). Auf dem Hauptplatz viergeschossiger Stadtturm (1564–68). Die St. Laurentiuskirche mit got. Fresken (14. Jh.) steht an der Stelle eines röm. Tempels, dem eine frühchristl. Basilika und eine karoling. Kirche folgten (Ausgrabungen).

Enschede [ˈensxədə], Stadt in der niederländ. Prov. Overijssel, 141 100 Ew. Die ref. Kirche, urspr. eine einschiffige roman. Kirche (um 1200) mit W-Turm (Anf. 13. Jh.), wurde 1480 zur zweischiffigen Halle erweitert. Rijksmus. Twente (Malerei, Skulptur, Kunstgewerbe des MA., niederländ. Malerei 15. bis 19. Jh.).

Ensdorf, Gem. in der Oberpfalz, Bayern, 1900 Ew. In E. bestand 1121–1525 und 1695–1802 ein Benediktinerkloster. Barocker Neubau 1694 ff. nach Plänen von W. DIENTZENHOFER, Fresken von C. D. ASAM (1714 bis 1716).

Ensemble [ãs'ãbl, frz.], **Gesamtanlage,** Gruppe baul. Anlagen wie Straßen-, Platz- und Ortsbilder, Schloß- und Parkanlagen, die zufällig oder planmäßig entstanden sind und sich durch künstler. oder histor. Bedeutung auszeichnen.

Ensinger, von Ensingen, Ulrich, Baumeister, *Ensingen bei Ulm oder Oberensingen bei Nürtingen um 1359, †Straßburg 10. 2. 1419, wegen seiner Turmbauten der zu seiner Zeit angesehenste Baumeister. Als Leiter des Ulmer Münsterbaus (1392–1417) änderte er Grund- und Aufriß der urspr. geplanten einfachen Pfarrkirche und entwarf den monumentalen Bau des Münsters, vollendete die Chortürme, das Langhaus und begann den Westturm. In Straßburg begann er den Turmbau des Münsters (1392–1417, bis zum Helm-Ansatz) und war seit 1400 auch Bauleiter der Frauenkirche in Esslingen am Neckar (Entwurf des Westturms). – Seine Söhne Kaspar, Matthias und Matthäus und sein Enkel Moritz setzten sein Werk fort.

Ensisheim, Stadt im Oberelsaß, 5700 Ew., mit ehem. ›Regimentshaus‹ (1535–47, heute Rathaus), eine rechtwinklige zweigeschossige Anlage der Renaissance (Treppenturm mit Sterngewölbe, Säulenhalle).

James Ensor: Musik in der Rue de Flandre; 1891 (Antwerpen, Koninklijk Museum voor Schone Kunsten)

Ensor, James, belg. Maler, Graphiker, *Ostende 13. 4. 1860, †ebd. 19. 11. 1949, begann nach dem Studium an der Brüsseler Akad. und engen Beziehungen zu den belg. Symbolisten mit dunkeltonigen Interieurs und Porträts. 1886 setzte die Serie seiner Stiche und Radierungen ein. Seit 1887 wurde seine Palette hell und bunt, die Technik impressionistisch locker, die Raumdarstellung aperspektivisch kühn. Seine Themen waren jetzt figurenreiche Straßentumulte, relig. Motive, Stilleben und Szenen mit Masken, Skeletten, toten Fischen, Selbstporträts in theatral. Verkleidung – gespenst. Visionen, die den Alltag mit grellen, morbiden Farben ins Bedrohliche, Spukhafte verfremden. E. gewann damit starken Einfluß auf den norddt. Expressionismus (E. NOLDE), v. a. aber auf die Surrealisten, deren Vorläufer im 19. Jh. er war. Nach 1900 ließ seine visionäre Intensität und Produktivität nach. – Sein Wohnhaus in Ostende ist als ›Mus. Ensor‹ eingerichtet. (BILD S. 120)

HW: Der Einzug Christi in Brüssel im Jahre 1888 (Antwerpen, Mus.).

A. TAEVENIR: J. E. Catalogue illustré de ses gravures... (Brüssel 1973); T. KIEFER: J. E. (1976).

Entartete Kunst, diffamierende Bez. der Nationalsozialisten für die gegen Tradition und Konvention eingestellte ›moderne Kunst‹, die von Hitler als ›artwidrig‹ verfemt wurde. Zur Brandmarkung der ›entarteten Künstler‹ fand 1937 in München eine Ausstellung ›E. K.‹ statt, die dann auch in anderen Städten gezeigt wurde. Die ›Entarteten‹ erhielten Ausstellungs-, z. T. Arbeitsverbot, so daß viele emigrierten (M. BECKMANN, L. FEININGER, O. KOKOSCHKA u. a.). Ihre Werke wurden aus den Museen entfernt und viele Bilder ins Ausland verkauft. Eine histor. Erinnerungsausstellung ›E. K.‹ wurde 1962 in München veranstaltet.

E. K., Ausst.-Kat., München (1962).

Entasis [grch.], Baukunst: die leichte Schwellung des antiken, bes. des dorischen Säulenschafts.

Entemena, Stadtfürst des sumer. Staates von Lagasch um 2470 v. Chr. Die in Girsu gefundene silberne Kultvase des Fürsten (heute im Louvre) zeigt in 2 gravierten Friesen 4 löwenköpfige Adler, die mit ihren Fängen je ein Ziegen-, Hirsch- und Löwenpaar halten; im oberen Fries werden liegende Rinder wiedergegeben. Die Darstellungen sind von hoher Qualität.

Entlastung, Baukunst: das Abfangen von Lasten, z. B. durch **Entlastungsbogen,** ein über einem Sturzträger angeordneter Bogen im Mauerwerk.

Entrelacs [ãtrl'a, frz.], Kunsthandwerk, Baukunst: Ornamentformen, die einander kreuzen oder untereinander verschlungen sind.

Entwurf, erste Fixierung eines Kunstwerks, meist als →Skizze. Über den E. für große Gemälde, Wandbilder, -teppiche und Mosaiken →Karton. Über den E. des Bildhauers aus Ton, Wachs, Gips, Holz →Bozzetto.

Environment [ɪnv'aɪərənmənt, engl. ›Umwelt‹] *das,* **Ambiente** [ital.], künstlerisch gestaltetes Raumgebilde, eine häufige Darstellungsart der →zeitgenössischen Kunst. Die wichtigsten Ansätze in der Entwicklung zum E. finden sich im Futurismus (G. BALLA, F. DEPERO), Konstruktivismus (EL LISSITZKYS Proun-Raum, 1923 in Berlin), Dadaismus (K. SCHWITTERS' Merz-Bau, ab 1923 in Hannover) und Surrealismus (M. DUCHAMPS Surrealismus-Ausst. 1938 in Paris). Die vom Konstruktivismus beeinflußte Entwicklung führte in den 1960er Jahren zum E. als vollständiger formaler Durchorgani-

Environment: E. Kienholz, ›The Beanery‹; Detail, 1965 (Amsterdam, Stedelijk Museum)

sation eines Raums, bes. in der Op Art (V. VASARELY, J. AGAM) und Lichtkunst (G. COLOMBO, O. PIENE, D. FLAVIN, R. IRWIN, J. TURRELL, M. ASHER, MARIA NORDMAN). Vom Dadaismus inspiriert, entstand das E. (Zwischenstufe: →Combine-Painting) als dreidimensionale Objekt-Assemblage mit Schwerpunkten in der Pop Art (R. HAMILTON, R. RAUSCHENBERG, C. OLDENBURG, G. SEGAL), in der Junk Art (E. KIENHOLZ, D. SPOERRI) und in der Individuellen Mythologie (P. THEK, M. BUTHE). Andere Künstler verwirklichen das E. als Assoziationsraum für kulturelle Symbole (J. BEUYS, V. ACCONCI, J. KOUNELLIS, D. KARAVAN) oder als Medien-E. (N. J. PAIK, W. VOSTELL, P. CAMPUS).

Eos [grch.], lat. **Aurora,** grch. Mythos: Göttin der Morgenröte und des Tages, die jeden Morgen mit ihren Rossen aus der Tiefe des Meeres herauffährt; sie liebt alles Schöne, raubt aber jeden, der ihr nicht folgen will (Kleitos, Orion, Kephalos, Tithonos).

Im Altertum wurde E. seit dem 6. Jh. v. Chr. geflügelt, bald auch ohne Flügel, im Wagen, mit anderen Lichtgöttern, mit ihrem toten Sohn Memnon, Kephalos und Tithonos verfolgend oder im Gigantenkampf (E. und Kephalos auf einem Krater des AURORA-MALERS, um 360 v. Chr., Rom, Villa Giulia), in der Neuzeit v. a. als Allegorie des Lichts und des Morgens (MICHELANGELO, P. O. RUNGE, O. REDON) dargestellt.

Eosander, Johann Friedrich Frhr. (1713) von, genannt **E. von Göthe,** Baumeister, getauft Stralsund 23. 8. 1669, †Dresden 22. 5. 1728, trat 1692 in den Dienst des Kurfürsten von Brandenburg und späteren Königs FRIEDRICH I., wurde 1699 in Berlin Hauptmann und Hofarchitekt; seit 1713 in schwed., seit 1723 in kursächs. Diensten. 1707 löste er A. SCHLÜTER als Leiter des Berliner Schloßbaus ab; er erweiterte diesen in matteren Formen auf das Doppelte und versah ihn mit einem dekorativen Westportal (einer Umbildung des Severusbogens in Rom). – Seine Bauten zeigen den Übergang vom Spätbarock zum Klassizismus.

HW: Ausbau und Kuppel von Schloß Charlottenburg (seit 1704); Mittelbau des Schlosses Monbijou in Berlin (1708, im 2. Weltkrieg zerstört); Schloß Übigau/Elbe (1724–25).

Epazoyucán [epazojuk'an], Augustinerkonvent im Staat Hidalgo, Mexiko, nach 1540 auf einer gegen das Atrium hin abfallenden Terrasse errichtet, mit Offener Kapelle; die Malereien im Kreuzgang (ein HW des 16. Jh.) werden dem Flamen JUAN GERSON zugeschrieben.

Ephesos, lat. **Ephesus,** antike Stadt an der W-Küste Kleinasiens, rd. 75 km südlich von Izmir bei dem Ort Selçuk, Türkei; urspr. eine im 10. Jh. v. Chr. gegr. ionische Kolonie neben einem uralten Heiligtum der kleinasiat. Muttergöttin. E., das sich zu einer reichen Handelsstadt mit bed. Hafen entwickelte, wurde vom Lyderkönig KROISOS (um 560–546 v. Chr.), später von den Persern, von Athen und Sparta beherrscht. Da durch Verlandung der Bucht der Verlust der Seeverbindung drohte, ließ der Diadoche LYSIMACHOS VON THRAKIEN etwa 290 v. Chr. Hafen und Stadt etwa 2 km nach SW verlegen und umgab die Neugründung **(Arsinoeia)** mit einer Stadtmauer von über 9 km Länge. Diese neue Hafenstadt erlebte in hellenistisch-röm. Zeit eine weitere Blüte; unter den Römern (seit 133 v. Chr.) wurde sie Hauptstadt der Prov. Asia. Der Apostel PAULUS gründete hier 54 n. Chr. eine der ersten großen Christengemeinden. Von den Goten 263 n. Chr. zerstört und fortschreitender Versumpfung ausgesetzt, verlor E. an Bedeutung und wurde im MA. während der Kämpfe zw. Seldschuken, Osmanen und Mongolen zerstört.

Weit bekannt war E. in der Antike durch den Kult der mit der kleinasiat. Magna Mater verschmolzenen Artemis (Diana).

1863–74 fand der Engländer J. T. WOOD Reste des großen Tempels der Artemis (Artemision); er wurde im 6. Jh. v. Chr. vom Baumeister CHERSIPHRON mit Stiftungen des lyd. Königs Kroisos als ionischer Großtempel (etwa 155 × 55 m, 127 Säulen) erbaut, 356 v. Chr. von dem Brandstifter HEROSTRATOS angezündet, aber bald in gleichen Ausmaßen und noch größerer Pracht (reicher Skulpturenschmuck, viele Reliefs im Brit. Mus.) wiederaufgebaut. Das Artemision, von dem heute fast nichts mehr zu sehen ist (Beschädigung durch die Goten 263 n. Chr., seit dem 4. Jh. als Steinbruch benutzt), zählte in der Antike zu den Sieben Weltwundern. Die Reste des Altars lassen auf ein Hofheiligtum (ähnlich Pergamon) schließen.

Um 1900 begannen die österr. Ausgrabungen der Lysimachischen Stadt, die noch heute andauern, ebenso

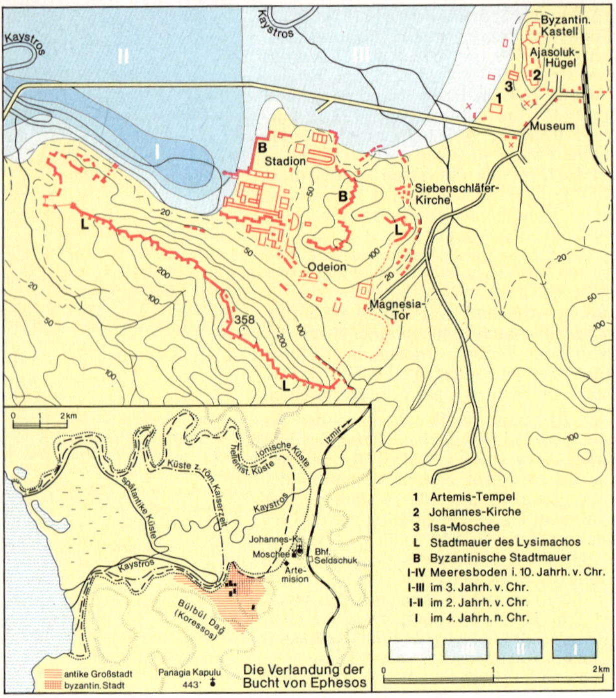

Ephesos: Die historische Stadtfläche (nach E. Kirsten)

der Wiederaufbau einzelner Gebäude. E. war eine glanzvolle antike Weltstadt mit aufwendigen Bauten, Straßen und Plätzen, mit Statuen, Ehrensäulen, Brunnen, Arkaden und Toren geschmückt. In röm. Zeit wurde E. mit Hafenanlagen, 3 Märkten, 2 Gymnasien, dem Stadion und dem Theater für 24 000 Zuschauer ausgestattet. Weitere Gymnasien entstanden im 2. Jh. n. Chr. im N und SO. Häuserkomplexe mit Wandmalereien und Mosaikfußböden, auch am Hang ansteigende Wohnhäuser wurden freigelegt, dazu an der das rechtwinklige Straßensystem schräg durchschneidenden ›Kuretenstraße‹, die Odeion und Celsus-Bibl. (Fassade wieder aufgebaut) verbindet, Kultstätten für die Kaiser DOMITIAN, TRAJAN und (wieder aufgebaut im Zustand des 4. Jh.) HADRIAN.

Unter Kaiser ARKADIOS (395–408) wurde die 21 m breite Säulenstraße (Arkadiane), die Hafen mit Oberstadt verbindet, angelegt; parallel verläuft der untere Abschnitt der byzantin. Mauer um die verkleinerte Altstadt. Die bedeutendsten frühchristl. Bauten in E. sind die Marienkirche, im 4. Jh. in ein über 260 m langes antikes Gebäude unbekannter Funktion eingebaut: eine langgestreckte Basilika mit Narthex und großem

Atrium; im 7. Jh. wurde im westl. Teil der Basilika eine kleinere Kuppelbasilika als Ziegelbau aufgeführt. Aus dieser Zeit stammt auch die das Grab Johannes des Evangelisten ehrende, über älteren Vorgängerbauten von JUSTINIAN I. errichtete Johanneskirche: ein kreuzförmiger Kuppelbau, wahrscheinlich nach dem Vorbild der Apostelkirche in Konstantinopel. – Aus der seldschuk. Epoche ist die große Moschee des Isa Bey von 1375 erh. Im archäolog. Mus. Selçuk Ausgrabungsfunde von E., v. a. Skulpturen (Artemisstatuen) und eine der bedeutendsten Mosaikensamml.

W. ALZINGER: Die Ruinen von E. (1974); W. OBERLEITNER u. E. LESSING: E. (1978).

Epidauros, lat. **Epidaurus,** in der Antike eine bed. argolische Stadt am Saronischen Golf (Griechenland), in deren Nähe wohl Ende des 6. Jh. v. Chr. ein Asklepieion (Heiligtum des Heilgottes Asklepios) angelegt wurde; hier suchten die Kranken durch die Orakel des Gottes und durch ärztl. Behandlung Heilung. Seit 420 v. Chr. wurden von hier aus viele Tochter-Heiligtümer gegr. Der ausgedehnte hl. Bezirk entwickelte sich zu einem der größten Kurorte der Alten Welt mit prachtvollen Bauten, meist aus dem 4./3. Jh. v. Chr., der Blütezeit des Heiligtums; vieles wurde durch Ausgrabungen freigelegt, v. a. der Asklepios-Tempel, ein kleiner Peripteros mit reichem plast. und ornamentalem Schmuck, die Tholos (›Thymele‹, d. h. Opferstätte, genannt; Zweck des Baus ungeklärt), die alte (6. Jh. v. Chr.) und neue Schlafhalle (›Abaton‹, hier wurde der Heilschlaf vollzogen), Gymnasion mit eingebautem röm. Odeon, Gästehaus (›Katagogion‹, 160 Räume um 4 Innenhöfe angeordnet), Badeanlage, Palästra und weitere Tempel. Das Theater, schon in der Antike ein bewunderter Bau mit außergewöhnl. Akustik, ist das am besten erh. aller grch. Theater, wohl aus dem Anfang des 3. Jh. v. Chr.

Epidauros: Theater

(demnach nicht, wie von PAUSANIAS überliefert, von POLYKLET D. J.). Oberhalb des Theaters Reste eines älteren Heiligtums, in dem vor dem Aufkommen des Asklepioskultes Apollon Maleatas, auch wegen heilbringender Kräfte, verehrt wurde.

Epigonos, grch. Bildhauer aus Pergamon; erhaltene Signaturen beziehen sich auf mehrere Weihgeschenke der Zeit von König ATTALOS I. (2. H. des 3. Jh. v. Chr.); E. wird daher mit den Galliermonumenten (→Attalische Weihgeschenke) in Verbindung gebracht.

Epiktet, spätarchaischer, attischer Vasenmaler, tätig 530–500 v. Chr., führender Schalenmaler des frühen Rotfigurigen Stils. Vorbild für spätere Maler wurden seine als Rundbilder angeordneten Darstellungen; Themen aus Alltag und Mythos.

Épinal, frz. Stadt in den Vogesen, 42 800 Ew. Die Basilika St. Maurice (11.–14. Jh.; mit bed. Resten der otton. Kirche der 980 gegr. Abtei St. Goerich, einem blockhaften Westturm des 9./11. Jh. und dem hallenartigen Chor des 14. Jh.) enthält u. a. Madonnen des 14. und 15. Jh. und eine Grablegung des 15. Jh. Im Mus. röm. Funde, ma. Skulpturen und Gemälde (u. a. von J. VAN CLEVE, P. BRIL, J. VAN GOYEN), sowie die Samml. der ›Imagerie d'É.‹ (meist kolorierte →Bilderbogen).

Epiphanie [grch.], das unmittelbare Erscheinen einer Gottheit in eigener Gestalt oder einer besonderen Manifestation in der antiken Religion. Im Christentum die Erscheinung (des Herrn), →Drei Könige, →Parusie.

Epiphanie|gestus, in der minoischen Kunst Darstellung eines Menschen oder Gottes mit erhobenen Armen, z. B. die Statuette der →Schlangengöttin, auch zahlreiche spätminoische Idole; mit diesem Gestus, der auch auf Siegelringen und auf einem Fresko wiedergegeben ist, soll offenbar ebenso die Erscheinung wie die Beschwörung einer Gottheit ausgedrückt werden.

Epistelpult, auf der Epistelseite analog dem →Evangelienpult auf einem Ambo oder Lettner angebrachte Auflage aus Holz oder Stein zur Verlesung der Episteln. Das E. wurde bes. in der Gotik reicher verziert, jedoch nicht im gleichen Maße wie das Evangelienpult.

Epistelseite, in kath. Kirchen bis zur Liturgiereform des 2. Vatikan. Konzils (1965) Bez. für die von der Gemeinde aus rechte Seite des Altar(raum)s; hier wurde am Epistelpult (auch in heute prot. Kirchen aus vorreformator. Zeit noch erh.) die Epistel (Lesung) gelesen oder gesungen. Die E. war im MA. den Männern vorbehalten **(Männerseite).**

Epistyl, Epistylion [grch.], Baukunst: →Architrav.

Epitaph [grch.], Grabschrift (auch in Form eines Epigramms), auch Grabmal (mit Inschrift); aus der Verbindung des Totengedenkens mit dem Andachtsbild entstandenes Gedächtnismal für einen Verstorbenen, an einer Innenwand, einem Pfeiler, auch einer Außenwand einer Kirche; i. d. R. nicht identisch mit der Grabstelle. Das E. kommt seit dem 14. Jh. meist in

Form einer Grabplatte vor, erhält in der Renaissance eine architekton. Rahmung (seitdem Betonung der Person des Stifters) und wird im Barock reich ausgebildet (mehrgeschossige Grabarchitekturen mit reicher plast. Ausstattung). Der Klassizismus kehrte zum Inschriften-E. ohne figürl. Schmuck zurück und bezog seine Vorbilder meist von antiken Grabstelen.

Eppan, ital. **Appiano,** Gem. mit mehreren Ortsteilen, 9500 Ew., in einem Wein- und Obstbaugebiet mit zahlreichen Burgen im Etschtal (Überetsch) bei Bozen, Südtirol. Die auf einem Felskegel gelegene Ruine **Hocheppan** (ital. **Castel d'Appiano**) ist die bedeutendste ma. Burganlage (12. Jh., erweitert im 13. und 16. Jh.) Südtirols. In der roman. Kapelle im Burghof befindet sich ein Freskenzyklus (Ende 12. Jh.). In der Nähe die Burgruine Boymont, die Schlösser Korb, Gandegg u. a.

Épreuves d'artiste [eprʼœv dartʼist, frz.], **Künstlerdrucke,** Graphik: die ersten Abzüge von der Druckplatte, die vom Künstler nach den →Probedrucken vorgenommen werden und von hoher Bild- und Farbqualität sind; seit dem 19. Jh. vom Künstler meist mit E. A. signiert und numeriert. Da diese Abzüge vor dem Druck der →Auflage entstehen und noch die Unmittelbarkeit des Werkprozesses vermitteln, werden sie von Graphiksammlern als Rarität bevorzugt.

Epstein ['epstaɪn], Sir (1954) Jacob, engl. Bildhauer, *New York 10. 11. 1880, †London 19. 8. 1959, nahm seit 1911 Anregungen der afrikan. Plastik auf, entwickelte eine ausdrucksstarke Verbindung von Primitivismus und Maschinenkunst (Vortizismus); arbeitete unter A. RODINS Einfluß in Paris; schuf Bronzebüsten (A. Einstein, G. B. Shaw, Sir W. Churchill, T. S. Eliot u. a.), Grabmäler (O. Wilde, Paris, Père Lachaise) und monumentale Figurengruppen mit v. a. biblischen Themen (Maria mit dem Jesuskind, 1952; London, Cavendish Square).

Equord, Ortsteil von Hohenhameln, Kr. Peine, Ndsachs. Der überkuppelte Zentralbau der Hammersteinschen Gutskapelle, ein HW des niedersächs. Barock, wurde 1687–1700 nach dem Vorbild ital. Mausoleumsbauten errichtet.

Erasmus, Rasmus, Elmo, legendärer Märtyrer des 4. Jh. Seine Attribute sind Zeichen seines Martyriums (Winde mit Eingeweiden, Nägel, Kessel). Darstellungen finden sich in der dt. Kunst erst seit 1400 (bes. in S- und Mittel-Dtl.); Gemälde von M. GRÜNEWALD (um 1522).

Erbach (Odenwald), Stadt an der Mümling, Hessen, 10 500 Ew.; seit dem 12. Jh. Residenz der Grafen von E. Im 18. und 19. Jh. Zentrum der europ. Elfenbeinschnitzerei (Dt. Elfenbein-Mus.). Im Schloß (ma. Kern, 1736 und 1900/02 im Barockstil ausgebaut) reiche Kunstsamml. (u. a. Funde aus Herculaneum und Tivoli). Pfarrkirche (1747–50 von F. J. STENGEL als kreuzförmiger Emporensaal erbaut); Rathaus (1545); Burgmannenhöfe (15.–18. Jh.) im ›Städtel‹.

Erbach (Rheingau), Stadtteil von →Eltville; evang.

Pfarrkirche in filigranhafter Neugotik (1865). Am Ortsrand Schloß Reinhartshausen (1801 beg.) mit Festsaal im pompejan. Stil. Inmitten der Weinberge der klassizist. Markobrunnen (um 1810).

Erbärmde|bild, →Andachtsbild 2).

Erbslöh, Adolf, Maler, Graphiker, *New York 27. 5. 1881, †Irschenhausen (Kr. Wolfratshausen) 2. 5. 1947, gehörte 1909 zu den Gründern der →Neuen Künstlervereinigung München, aus der der →Blaue Reiter hervorging. Er malte anfangs in der Art A. JAWLENSKYS mit starken Farben und kräftigen Umrissen, später realist. Bilder von dekorativ stilisierender Art.

A. E. Werkkat. der Druckgraphik, hg. v. L. KARL (1982); H. WILLE: A. E. (1982).

Erdfarben, Maltechnik: natürl. Mineralpigmente, weiße oder farbige Erden, die gemahlen und geschlämmt seit vorgeschichtl. Zeit als Malfarben verwendet werden. Farbige E. sind meist durch Metalloxide gefärbte gelbe, rote, grüne, braune und schwarze Tonerden von guten maltechn. Eigenschaften, z. B. Okker, Umbra, Grünerden, →Bolus, Schieferschwarz u. a. Kreide, Talkum, Leichtspat u. a. werden als weiße E. bezeichnet.

Erding, Kreisstadt in Oberbayern, 10400 Ew.; Wittelsbachische Neugründung (um 1228) neben dem viel älteren Pfarrort **Altenerding** (dort Barockkirche 1724 mit Rokokoausstattung, Schiffskanzel 1766/67). In der Johanneskirche zu E. (got. Backsteinhalle des 14./15. Jh.) ein Triumphbogenkruzifix von H. LEINBERGER (um 1520). Wallfahrtskirche Hl. Blut (1675) mit Stuckdekoration (1704) und originellem Westemporenaufbau.

Erdmannsdorff, Friedrich Wilhelm Frhr. von, Baumeister, *Dresden 18. 5. 1736, †Dessau 9. 3. 1800, war Ratgeber des Fürsten LEOPOLD FRIEDRICH FRANZ VON ANHALT-DESSAU und bildete sich auf Reisen in England (1763), Frankreich und Italien (1765/66) an der Antike und der zeitgenöss. Bauweise, v. a. der engl. in der Nachfolge von A. PALLADIO. Dessen (schon im Barock) klassizist. Baustil wie die Kunsttheorie des mit ihm bekannten J. J. WINCKELMANN übertrug E. als erster in Dtl. in die Praxis. Sein HW ist das Schloß Wörlitz (1769–73). In Sanssouci schuf er Innenräume in einem vom friderizian. Rokoko abgelösten Stil (1787–89). In Magdeburg (1794) und Dessau (1798, abgebrannt 1855) baute E. Theater; er verfaßte auch kunsttheoret. Schriften.

Erdpech, →Asphalt.

Erechtheion [grch. ›Tempel des Erechtheus‹], einer der Tempel auf der Akropolis von Athen, 421–406 v. Chr. an der Stelle errichtet, wo nach der Sage der Wettstreit zw. Athene und Poseidon um die Vorherrschaft in Attika ausgetragen worden war. Der reiche Marmorbau ist das beste Beispiel des attisch-ionischen Stils, jedoch von ungewöhnl. Grundrißform, der sich aus der Unterbringung von mehreren Kultstätten und -malen erklären läßt: Im O lag hinter einer sechssäuligen Eingangshalle die Cella der Athena Polias, in der das hölzerne Kultbild der Göttin stand; im W, auf tieferem Niveau, befand sich das aus mehreren Räumen bestehende Heiligtum des Erechtheus. Im S führte die Korenhalle, deren Decke von Koren getragen wird, hinab bis zum Grab des →Kekrops unter der SW-Ecke. Die weite N-Halle enthält das Dreizackmal, durch das Poseidon einen Salzquell hervorsprudeln ließ, und einen Zugang zum Pandroseion (Heiligtum der Pandrosos, Tochter des Kekrops, 1. Athene-Priesterin), in dem der hl. Ölbaum der Athene und ein Altar des Zeus Herkeios (Herdbeschützer) stand. Vom Fries der N-Halle (helle Marmorfiguren auf blauem Eleusis-Marmor aufgesetzt) sind zahlreiche Reste erh. (Akropolis-Mus.).

Erechtheus, grch. Mythos: der Erde entstammender König von Athen, urspr. mit →Erichthonios identisch.

Eremitage [-t'a:ʒə, frz. ermitage ›Einsiedelei‹] *die,* Gartenhäuschen, oft in Form von Borkenhäuschen oder in Fachwerk, beliebter Bestandteil des Schloßparks im 18. Jh. I. w. S. auch Bez. für abgeschiedene Lustschlösser, z. B. die E. bei Bayreuth.

Eremitage [-t'a:ʒə, frz.], russ. **Ermitaž** [-ʒ], von KATHARINA II. (1762–96) von Rußland 1764 gewählte Bez. für das dem engsten Kreis ihrer Vertrauten vorbehaltene Kunstkabinett im Winterpalais in St. Petersburg. Ihre Samml. mit hervorragenden Werken von P. P. RUBENS, A. VAN DYCK, REMBRANDT, RAFFAEL, TIZIAN und LEONARDO DA VINCI hatte die Kaiserin von Agenten durch Aufkäufe ganzer Samml. zusammentragen lassen. Unter Kaiser NIKOLAUS I. (1825–55) wurde die E. 1839–52 nach Plänen des Bayer. Hofarchitekten L. v. KLENZE zum öffentl. Mus. umgestaltet.

In der Gemäldegal. (rd. 5000 Werke ital., span., niederländ., frz., dt. und engl. Meister) bilden die Werke Rembrandts (etwa 25) und die moderne frz. Malerei besondere Schwerpunkte. Die graph. Samml. besitzt u. a. etwa 40 000 Handzeichnungen. Bedeutsam sind die Schatzkammer (Goldschatz Peters d. Gr., skyth. und grch. Goldarbeiten), die vorgeschichtl. Funde aus den Frostgräbern des Altai-Gebirges (Pasyryk u. a.), die Funde aus dem Kaukasus (Majkop, Urartu), die Samml. sassanid. und byzantin. Kunst, die Denkmäler vorislam. Kunst aus Mittelasien (Baktrien, Choresm, Pendschikent u. a.). Auch islam., ind. und ostasiat. Kunst sind reich vertreten. In der Antikenabteilung sind grch. Vasen, röm. Porträtköpfe und hellenistisch-röm. Gemmen am interessantesten. Die 1941 gegr. Russische Abteilung ist v. a. kulturgeschichtlich wichtig. Die E. unternimmt umfangreiche archäolog. Expeditionen (etwa 20 pro Jahr).

B. B. PIOTROVSKIJ: Die E., Gesch. und Sammlung (a. d. Ital., 1982).

Eretria, antike Stadt an der W-Küste von Euböa, Griechenland, um 800 v. Chr. gegr., Blütezeiten im 8./7. und 4./3. Jh. v. Chr. Seit 1964 wird E., kaum modern überbaut, durch schweizer. Archäologen ausgegraben. Freigelegt wurden bisher v. a. die westl. Stadtmauer mit monumentaler Toranlage, Dionysos-Tempel, Theater, Gymnasion, Apollon-Tempel und Wohnquartiere. In einem Haus am Fuß der Akropolis gut erhaltener, reicher Mosaikschmuck des 4. Jh. v. Chr.

Erfurt, Hauptstadt des Bez. E., Dt. Dem. Rep., im Thüringer Becken an der Gera, 205 500 Ew., vom 8. Jh. bis 1802 zum Erzbistum Mainz gehörig. Das Stadtbild wird beherrscht vom Nebeneinander von Dom und Severikirche auf dem Domhügel. Der Dom (1154 beg., got. Chorumbau 1370/72 voll., spätgot. Neubau des Langhauses um 1465 voll.), eine dreischiffige Hallenkirche, ist überaus reich ausgestattet; bed. Bauplastik an der auf dreieckigem Grundriß errichteten Portalvorhalle am nördl. Querschiffarm (›Triangel‹), auf die die breite Freitreppe von der Stadt zuführt; fast vollständig erh. sind die spätgot. Glasgemälde des Chors; im Innern u. a. Altaraufsatz (um 1160), bronzene Leuchterfigur (›Wolfram‹, um 1160/70), Flügelaltar (um 1460), reiches got. Chorgestühl (um 1350/60), zahlreiche Grabdenkmäler; an der Südseite des Doms Kapitelgebäude mit Kreuzgang; bed. Domschatz. Die Severikirche (um 1280–15. Jh.) ist eine fünfschiffige frühgot. Hallenkirche; unter der reichen Ausstattung Severisarkophag (um 1365), Taufstein mit Überbau (1467), Alabasterrelief des Hl. Michael (1467). Dem Domhügel benachbart ist der Petersberg mit barocker Zitadelle (1665–1702). E. ist reich an Kirchen (vor der Reformation über 90 Kirchen und Kapellen), u. a.: got. Prediger- oder Dominikanerkirche (nach 1278 bis um 1370) mit spätgot. Lettner (Anf. 15. Jh.) und spätgot. Flügelaltar (1492), vom Kloster Kapitelhaus erh.; got. Barfüßer- oder Franziskanerkirche (im wesentl. 14. Jh.), seit 1944 Ruine; got. Augustinerkirche (im wesentl. 1. H. 14. Jh.) mit Kreuzgang und Kapitelsaal; frühgot. Klosterkirche der Ursulinerinnen (13. Jh.) mit bed. Vesperbild (1320/30); roman. Schottenkirche (im wesentl. 12. Jh., 1964–67 im urspr. Zustand wiederhergestellt); got. Kaufmannskirche (13./14. Jh.) mit Renaissance-Hochaltar. Die got. Ägidienkirche (14. Jh.) bildet den Osteingang der Krämerbrücke (1325), einer nördlich der Alpen einmaligen, beiderseits mit Fachwerkhäusern bebauten Brückenstraße. Bed. Profanbauten sind die barocken, ehem. kurmainz. Gebäude Statthalterei (1711–20) und Packhof (1706–11), in letzterem Angermuseum (u. a. ma. und moderne Kunst, mitteldt. Plastik). Zahlreiche Bürgerhäuser (seit der Renaissance) haben die Zerstörungen des 2. Weltkriegs überdauert.

Ergotimos, attischer Töpfer, schuf und signierte mit dem Vasenmaler →Klitias um 570 v. Chr. die →Françoisvase; mehrere von ihm signierte Schalen sind als Fragment erh.

Erhart, 1) Gregor, Bildschnitzer, Sohn von 2), *Ulm um 1465/70, †Augsburg 1540, arbeitete seit 1494 ebd. in eigener Werkstatt für das Kloster St. Ulrich und Afra. 1502 erhielt E. mit A. DAUCHER als Schreinmacher und H. HOLBEIN D. Ä. als Maler den Auftrag, für den Hochaltar der Zisterzienserkirche in Kaisheim die Bildschnitzereien zu arbeiten. Sein HW war die lebensgroße Mittelfigur in farbiger Fassung, eine Schutzmantelmadonna (1945 in Berlin verbrannt). Sein T. RIEMENSCHNEIDER nahestehender Stil ist von großer Ausdruckskraft und zeigt in der Madonna der Wallfahrtskirche in Frauenstein (OÖ) bereits Formen der Renaissance.

2) Michel, Bildschnitzer, Vater von 1), *Ulm um 1440, †ebd. nach 1522, war zw. 1469 und 1522 ebd. wohl der bedeutendste Bildschnitzer. Sicher für ihn bezeugt ist das überlebensgroße Kruzifix in der Stadtpfarrkirche St. Michael in Schwäbisch Hall (1494). E. zugeschrieben werden Büsten des Chorgestühls im Ulmer Münster und Figuren des Hochaltars der ehem. Klosterkirche Blaubeuren. Seiner einflußreichen Werkstatt zugewiesen werden u. a. die Schutzmantelmadonna aus Ravensburg (um 1480; Berlin-West, Staatl. Museen) und eine Maria mit Kind (um 1480–90; München, Bayer. Nationalmus.).

Erichthonios, grch. Mythos: der Erde entstammender König von Athen, urspr. mit Erechtheus identisch. Als Kind wurde er (in Schlangengestalt oder von Schlangen umzingelt) den Töchtern des Kekrops übergeben, die bei diesem Anblick Wahnsinn befiel. – E.-Darstellungen erscheinen v. a. auf grch. Vasen des 5. und 4. Jh. v. Chr., bevorzugt die Geburtsszene und bis in die Neuzeit (P. P. RUBENS) die Auffindung durch die Kekropstöchter.

Ericsberg, Eriksberg, Schloß bei Katrineholm in der mittelschwed. Prov. Södermanland, Ende 17. Jh. nach Entwurf von N. TESSIN D. Ä. erbaut, mit seinen vorspringenden Flügeln typ. Beispiel tessinscher Architektur.

Eridu, heute Ruinenstätte **Tell Abu Schachrein,** alte Stadt in S-Mesopotamien, urspr. am einst weiter landeinwärts reichenden Pers. Golf gelegen (KARTE Alter Orient). Bei einer Tiefgrabung nahe der Zikkurat wurden 19 Schichten festgestellt, wonach die Anfänge von E. in die Zeit der frühesten Besiedlung Mesopotamiens (5. Jahrtsd. v. Chr.) zu datieren sind. Am Hauptheiligtum, das durch 16 Schichten verfolgt werden konnte, ist die Frühgeschichte babylon. Tempelbaus abzulesen, deren Entwicklungslinie zur Nischenarchitektur und zur Zikkurat führt. In die Frühzeit (Mitte bis Ende 4. Jahrtsd. v. Chr., Obeid-Zeit) gehören auch ein großer Friedhof und Siedlungsreste. Zwei Paläste der Frühdynast. Zeit (etwa 2800–2300 v. Chr.) und Bauten an der Zikkurat um 2000 v. Chr. bezeugen die Bedeutung der Stadt des Gottes der Weisheit und Heilkunde Enki (babylonisch Ea) noch bis zum Beginn des 2. Jahrtsd. v. Chr., doch mußte sie dann wegen Versandung aufgegeben werden.

Eriksson, Christian, schwed. Bildhauer, *Taserud (Värmland) 30. 6. 1858, †Stockholm 6. 11. 1935, schuf elegante Statuen, Fassadenreliefs (Dramat. Theater, Stockholm, 1907) und monumentale Denkmäler (›Karl IX.‹, Karlstad, 1926) mit virtuoser Beherrschung der techn. Mittel.

Erinyen, Erinnyen, grch. Mythos: Rächerinnen von Freveln, bes. von Bluttaten, bei den Tragikern Töchter der Nacht; sie steigen aus dem Tartaros auf, um ihre

Erker

Opfer zu peinigen. Ihre Zahl wurde im Lauf der Zeit auf drei festgelegt. Im Kult sind die E. eher segenspendende Erdgottheiten, der Demeter verwandt. In euphemist. Sinn werden sie auch **Eumeniden** [grch. ›die Wohlgesinnten‹] genannt. Bei den Römern wurden die E. den **Furien** gleichgesetzt. Im Altertum (grch. Vasen und Reliefs, etrusk. Spiegel, röm. Sarkophage), dann wieder im 19. Jh. als Symbol der Verheerung oder der Gerechtigkeit, wurden die E. schreckenerregend oder mit ernsten, schönen Zügen, auch geflügelt, mit Schlangen, Fackeln und Geißeln v. a. im Sagenkreis des Orest dargestellt.

Eriphyle, im grch. Mythos Gattin des →Amphiaraos.

Eriwan, armen. **Erewan,** russ. **Jerewan,** Hauptstadt der Armen. SSR, zw. Ararat und Sewansee, 1,036 Mio. Ew.; auf dem Gebiet zweier riesiger Burgen, Arin-Berd und →Karmir-Blur, entstanden, reiche archäolog. Funde; Arin-Berd-Mus., Histor. Mus., Staatl. Gemäldegal. der Armen. SSR (v. a. russ. Maler des 19./20. Jh.), Ethnograph. Mus.

Erker, der Fassade oder Ecke eines Gebäudes vorgelegter geschlossener, überdachter, durch ein oder mehr Geschosse reichender Ausbau; er ist (i. Ggs. zur vom Boden hochgeführten →Auslucht) dem Gebäude meist frei vorgekragt oder auf Konsolen, kastenförmig, vieleckig oder halbrund, seltener auf eine Säule oder einen Pfosten gestellt. In der islam. Baukunst und im ma. Befestigungsbau diente der E. zur Erweiterung der Sicht, seit der Spätgotik und der Renaissance im Wohnhaus zur besseren Belichtung der Räume und als künstler. Gliederungsmotiv der Fassade. **Fenstererker,** seit dem 16. Jh. im rhein., fränk. und alemann. Holzbau durch Verstärkung der Umrahmung 6–10 cm vor die Flucht tretende Fenstergruppe, durch Schnitzerei verziert.

Erlangen, Universitätsstadt in Mittelfranken, Bayern, 101 100 Ew. Die ma. Altstadt wurde nach 1361 erbaut, die barocke Neustadt seit 1686 für die Hugenotten in strenger Symmetrie angelegt. Mehrere Barockkirchen (u. a. Universitätskirche, 1737 gew., Dreifaltigkeitskirche, 1706–21, Pfarrkirche, 1693 gew., Christuskirche, 1728–34); Schloß (1700–04), Rathaus (1728 bis 1730), ehem. Ritterakad. (1700, seit 1743 Univ.). Im Schloßgarten die Orangerie (1705/06) und der gleichzeitig entstandene Hugenottenbrunnen. Prächtiges Markgrafentheater (1715–18, 1743/44 umgestaltet). Im Altstädter Rathaus (1731–36) das Stadtmus. (Volks- und Heimatkunde); im Palais Stutterheim die Städt. Samml. (zeitgenöss. Kunst); Graph. Samml. der Univ. E.-Nürnberg (u. a. A. DÜRER, M. GRÜNEWALD).

Erlau, ungar. **Eger,** Hauptstadt des Bez. Heves, Ungarn, 61 200 Ew.; aus türk. Zeit (1596–1687) ist ein 35 m hohes Minarett erhalten. Die starke ma. Burg ist z. T. verfallen, in dem um 1470 erb. Palast heute Burghistor. Mus. Die ehem. Minoritenkirche (1758–73, vielleicht nach Entwurf von K. I. DIENTZENHOFER) gehört zu den schönsten barocken Sakralbauten Ungarns; Jesuitenkirche um 1700; Bischofspalast (1758); Kathedrale (1831–46, an Stelle einer ma. Kirche); ehem. Univ. (1763–95) mit Zopfstilfassade, im barocken Bibliothekssaal Deckengemälde von J. L. KRACKER, im Festsaal von F. SIGRIST.

Erler, Erich, gen. **Erler-Samaden,** Maler, *Frankenstein/Schlesien 16. 12. 1870, †Icking (heute Kr. Bad Tölz/Wolfratshausen) 19. 6. 1946, war wie sein Bruder Fritz (*1868, †1940) Mitgl. der →Scholle. E. malte impressionist. Bilder, später v. a. Darstellungen aus dem Hochgebirge und dem 1. Weltkrieg.

Erminold-Meister, Bildhauer des ausgehenden 13. Jh., benannt nach dem von ihm 1283 geschaffenen Grabmal des Abtes Erminold (†1121) in St. Georg in Prüfening bei Regensburg. Ein weiteres Werk des E.-M. ist die monumentale Verkündigungsgruppe (um 1280) im Regensburger Dom. Sein Stil zeichnet sich durch sehr lebendig aufgefaßte Gesichter mit stark mandelförmigem Schnitt der Augen und durch schwere, kraftvoll gebildete Gewandfalten aus. Anregungen fand der E. M. in Straßburger und Mainzer Vorbildern.

THEODOR MÜLLER: Alte Bayr. Bildhauer (1950).

Ermsleben, Stadt am N-Rand des Harzes, Dt. Dem. Rep.; südlich von E. die Reste des ehem. Benediktinerklosters Konradsburg. Von der spätroman. Klosterkirche (um 1200) sind nur Chor und Krypta erh.; die fünfschiffige Krypta zählt durch den ungewöhnl. Formenreichtum ihrer Kapitelle zu den bedeutendsten spätroman. Baudenkmälern des Harzgebietes.

Erni, Hans, schweizer. Maler, Graphiker, *Luzern 21. 2. 1909, bildete sich in Paris und fand, von P. PICASSO ausgehend, einen zeichnerisch bestimmten eigenen Stil, in dem er phantasievolle, sich dem Surrealismus nähernde Bilder, klar gestaltete Wandmalereien (Landesausstellung Zürich, 1939) und Illustrationen schuf; seit 1979 H. E.-Mus. in Luzern.

W. RÜEGG: H. E., Bd. 1: Das maler. Werk (1979).

Ernst, Max, Maler, Graphiker, Plastiker, *Brühl bei Köln 2. 4. 1891, †Paris 1. 4. 1976, gründete 1919 mit H. ARP in Köln die Gruppe ›Dada‹, gehörte 1924 in Paris zu den Begründern des →Surrealismus, siedelte 1941 nach New York über, kehrte 1954 endgültig nach Frankreich zurück; verheiratet (seit 1946) mit der amerikan. Malerin und Objektkünstlerin DOROTHEA TANNING. Seine Bilder, auf denen Naturformen und Zivilisationsrequisiten irrationale Verbindungen eingehen, bringen in oft beklemmender Weise die Gefahren des Unbewußten zum Ausdruck. Dem Surrealismus bes. verpflichtet sind seine sog. Collage-Romane wie ›La femme cent Têtes‹ (Paris 1929, Berlin-West 1962), denen alte Holzschnitt-Drucke des 19. Jh. zugrunde liegen und seine in Durchreibetechnik entstandenen Graphiken (→Frottage). Seine Plastiken (seit 1930) zeigen Anregungen aus der Kunst der Naturvölker (Habakuk, Gips um 1934; 1971 in Bronze gegossen, Düsseldorf, Kunstverein). (BILD S. 134)

M. E. Œuvre-Kat., hg. v. W. Spies, 5 Bde. (1975 ff.); M. E.-Retrospektive 1979, Ausst.-Kat., München, hg. v. dems. (1979); ders.: M. E.-Loplop (1982); M. E. in Köln, Ausst.-Kat., Köln (1980).

Max Ernst: Der große Wald; 1927 (Basel, Kunstmuseum)

Eros, lat. **Amor, Cupido,** grch. Liebesgott wohl vorgrch. Ursprungs, dessen Entstehung in versch. Versionen überliefert ist: nach Chaos und Erde ersterstanden oder als Demiurg dem Weltei vor allem Seienden entstiegen. E. war Sohn des Ares und der Aphrodite und Geliebter der Psyche. Seine der Aphrodite und damit den Bereichen der Fruchtbarkeit nahestehende Gestalt wurde durch Verbindungen mit anderen Schöpfungsgöttern zu einem vielgesichtigen Wesen mit polymorph-perversen Zügen, später zur Personifikation einer kosm. Macht, die alles Leben bewegt und das Schöne und Gute anstrebt. Verehrt wurde E. als Erwecker und Schützer der Liebe und Freundschaft, v.a. auch zw. Männern und Jünglingen. Eigenen Kult hatte er im böot. Thespiai. Seit dem 5. Jh. v. Chr. vervielfältigte sich seine Gestalt in den **Eroten.**

Dargestellt wurde E. v.a. als nackter Jüngling, im 6. Jh. v. Chr. bereits auch geflügelt, im 5. Jh. in Form von Eroten und häufig im Verein mit zahlreichen Göttern, auf die er seine Pfeile abschoß. Seit dem Hellenismus steigerte sich die Wiedergabe der Eroten (Amoretten), zunehmend entgöttlicht, in einer Vielzahl von Kunstwerken (röm. Wandmalereien, Erotensarkophage). Von LYSIPP stammt eine bed. Plastik des E. (4. Jh. v. Chr., Kopie in Rom, Kapitolin. Museen). In der Neuzeit überwiegt die Darstellung des jünglinghaften E., der dann als Kind v. a. Begleiter der Venus wird (TIZIAN, A. CARRACCI, M. DA CARAVAGGIO).

Erskine [ˈəːskɪn], Ralph, engl. Architekt, *Mill Hill (London) 24. 2. 1914, v. a. in Skandinavien tätig. Seine Arbeiten zeichnen sich durch Material- und Formenvielfalt aus; sie sollen auch im genormten Siedlungsbau unserer Zeit dem Bewohner das Gefühl geben, ein Eigenleben führen zu können.

HW: Wohnhaus in Skövde, Schweden (1954); The Byker Wall, Wohnhaus in Newcastle upon Tyne, England (1969–78).

Erwin von Steinbach, Meister Erwin (Beiname im 17. Jh. hinzugefügt), *um 1244, †Straßburg 17. 1. 1318, urkundlich 1284(?), 1293 und 1316 erwähnt, hat wahrscheinlich einen Westfassadenriß des Straßburger Münsters gezeichnet, dessen Obergeschosse nach seinem Tod in anderer Form weitergebaut wurden. Er spielt seit der Erwähnung bei J. W. v. GOETHE (›Von dt. Baukunst‹, 1773) eine wichtige Rolle in der Gesch. der Wiederentdeckung ma. Baukunst.

Erwitte, Stadt im Kr. Soest, NRW, 13500 Ew.; urspr. karoling. Königshof. Die Pfarrkirche (um 1170) besitzt sehr gute roman. Bauplastik und im Westturm (13. Jh.) ein prächtiges Rippengewölbe.

Erxleben, Gem. im W der Magdeburger Börde, Dt. Dem. Rep.; ma. Niederungsburg, schloßartiger Ausbau des Ostflügels (1526) und Südflügels (1563); in der nordöstl. Ecke der weitläufigen Gesamtanlage barokkes Schloß (1782–84); Schloßkapelle (1564–80).

Erz|engel, die vornehmsten der →Engel, v. a. →Gabriel, →Michael, →Raphael.

Erzurum [-z-], Hauptstadt der türk. Prov. E., im Quellgebiet des Euphrat, 162900 Ew.; Zitadelle urspr. von Kaiser THEODOSIOS II. im 5. Jh. angelegt (mit späteren Umbauten); Moscheen: Ulu Camii (Große Moschee), siebenschiffige Säulenhalle mit Michrab-Kuppeln (2. H. des 11. Jh.); Laba Pascha Camii (Kleine Moschee), 1563, dem Baumeister SINAN zugeschrieben, wiederholt in einfacher Bauweise dessen Prinzen-Moschee (Şehzade Camii). – Cifte Minare Medrese, 1253 (in der Bauweise der seldschuk. Koranschulen, reich ornamentiertes Portal, die Minarette kannelliert, mit Fayencen, zweigeschossiger Arkadenhof; heute Mus.), Yakutiye Medresesi, 1310 (reich ornamentiertes Portal, Mukarnas-Werk in der Mittelkuppel).

E. S., Meister E. S., Kupferstecher mit dem Namenszeichen E. S., dessen Tätigkeit um 1450 einsetzt und nach 1467 endet, tätig am Oberrhein oder in der N-Schweiz. Bekannt sind 3 Zeichnungen und mehr als 300 sorgfältig durchgearbeitete Kupferstiche, 18 davon mit der Jahreszahl 1466 oder 1467. In den frühesten Werken begegnet noch die Stichweise des Spielkartenmeisters, in den mittleren und späteren ein neuer Stil, der noch keine entwickelte Perspektive, aber die scharfe Faltenknitterung der Spätgotik zeigt und die unmittelbare Vorstufe zum Werk M. SCHONGAUERS bildet. Da seine Stiche in allen Werkstätten als Vorlagen benutzt wurden, ging von ihnen eine stilbildende Wirkung aus. (BILD S. 136)

Meister E. S., Ausst.-Kat., Philadelphia (1966).

Escher, Maurits Cornelis, niederländ. Graphiker, *Leeuwarden 17. 6. 1898, †Laren (N-Holland) 27. 3. 1972, war 1923–35 in Italien, lebte seit 1941 in den Niederlanden. Nach gegenständl. Anfängen schuf er ab

Meister E. S.: Liebesgarten; Kupferstich

1937, meist in Holzschnitten, Holzstichen und Lithographien, mathematisch durchdachte Bildkonstruktionen mit suggestiver Wirkung, indem er versch. Beobachtungsebenen in einer einzigen Raumperspektive vereinte; oft als Mosaiken, die sich aus regelmäßigen Wiederholungen geometr. Grundfiguren zusammensetzen.

B. ERNST: Der Zauberspiegel des M. C. E. (a. d. Niederl., 1982).

Eschnunna, heute Ruinenstätte **Tell Asmar** im Dijala-Gebiet, Irak (KARTE Alter Orient). Im Altertum zeitweilig Hauptstadt eines eigenen Reiches. Versch. Tempelanlagen (bes. wichtig der Abu-Tempel, in dessen Bereich zahlreiche Funde von Beterstatuetten gemacht wurden) stammen schon aus der Frühdynast. Zeit (etwa 2800–2300 v. Chr.), in der auch Wohnquartiere und die Stadtmauer entstanden. Tempel und Palast sind aus der Ur-III-Zeit (um 2000 v. Chr.), wenig später wurden mindestens 3 Paläste versch. altbabylon. Herrscher erbaut. – Aus E. stammen mehrere als Beutestücke nach Susa verschleppte und dort gefundene Kunstwerke, wohl auch der eindrucksvolle Kopf eines Fürsten altbabylon. Zeit (›Hammurapi-Kopf‹, jetzt Louvre).

Eschwege, Stadt in Nordhessen, 26 000 Ew.; maler. Stadtbild mit großem Renaissanceschloß (Kern 1386 bis 1389, im 16.–18. Jh. neugestaltet), Altem Rathaus (1660), Hochzeitshaus (1578) und zahlreichen Fachwerkhäusern des 17./18. Jh. mit für E. typ. Flachschnitzereien. Marktkirche (1451–1521) mit spätgot. Sterngewölben und prächtigem Barockorgelprospekt (1679). In der Katharinenkirche (15. Jh.) die am reichsten skulptierte spätgot. Steinkanzel Hessens (1509).

Escorial, El E., span. Ort rd. 60 km nordwestlich von Madrid mit dem Kloster **San Lorenzo del E.** [-lɔrˈenθo-], das PHILIPP II. seit 1563 nach Entwürfen von J. B. DE TOLEDO und nach dessen Tod (1567) durch J. DE HERRERA als klösterl. Residenz und Grabstätte für die span. Könige errichten ließ. Die mächtige, festungsähnl. Anlage (ein Rechteck von 206 × 161 m) wird durch eine strenge monumentale Fassade mit 4 Ecktürmen gegliedert und umschließt rd. 300 Räume, 16 Binnenhöfe, 15 Kreuzgänge und im Zentrum die nach dem Vorbild von St. Peter in Rom gebaute Kirche mit der Gruft der span. Könige (Statuen Karls V. und seiner Familie am Hochaltar sowie Königsgrabmäler von P. LEONI; Ausmalung der Kirche von ital. Künstlern, u. a. L. GIORDANO, F. ZUCCARI). Der E. birgt eine Gemäldesamml. mit europ. Meisterwerken, bes. span. Meister; Bibliothek mit kostbaren Hss. und Inkunabeln; Thronsaal Philipps II. mit prächtiger Gobelinsamml. In den Gärten des E. die Casita del Príncipe (von J. DE VILLANUEVA 1773 für Karl III., Sohn Philipps V., erbaut).

Eseler, Baumeister, **1)** Niklas d. Ä., Vater von 2), †vor Mai 1482(?), nachweisbar 1436–81, schuf in Schwäbisch-Hall 1439–42 das Hallenschiff der Michaelskirche, in Nördlingen 1442–61 das Langhaus der Georgskirche und in Dinkelsbühl das der Georgskirche (1444–61 Bauleiter), schließlich in Rothenburg ob der Tauber den Westchor der Jakobskirche (1453–71). E. gehört zu den bed. Kirchenbaumeistern des 15. Jh.

2) Niklas d. J., Sohn von 1), †um 1512(?), setzte den Bau der Georgskirche in Dinkelsbühl fort und wurde 1494 in Mainz Dombaumeister.

Eselsrücken

Eselsrücken, Kielbogen, Baukunst: kielförmig geschweifte Spitzbogen, v. a. in der islam. Kunst, auch in der Spätgotik verwendet.

Eselsschwanz, Name von Ausstellungen, die M. LARIONOW und NATALJA GONTSCHAROWA 1912/13 nach Verlassen des →Karobuben in Moskau organisierten. Auf diesen Ausstellungen wurden Werke des Primiti-

Escorial; seit 1563

vismus, des Rayonismus und des Kubo-Futurismus gezeigt. Die 4. Ausstellung junger Künstler aus dem Kreis um Larionow fand unter der Bez. ›Futuristen, Rayonisten, Das Primitive, Nr. 4‹ 1914 in Moskau statt.

Esels|treppe, Reit|treppe, Baukunst: stufenloser Aufgang (schraubenförmige Rampe), um Baustoffe zu höhergelegenen Gebäudeteilen schaffen zu können.

Esels|turm, Name, der sich für einige Türme ma. Kirchen erhalten hat, vermutlich weil hier der Lastenaufzug stand, dessen Tretrad von einem Esel bewegt wurde (Speyer, Worms, Regensburg).

Esi|e, kleines Dorf in N-Nigeria, am Nordrand des Yorubagebietes im Staat Ilorin. Fundort von Steinskulpturen (Anzahl zw. 800 und 2000), deren Herkunft (sie wurden wohl nicht am Fundort hergestellt) nicht geklärt ist. Manche Details weisen auf Beziehungen zu Nok, Ife, Benin und Igbo-Ukwu hin. Die mehr als halbmeterhohen Skulpturen stehender, sitzender oder kniender Frauen und Männer wirken durch ihre Proportionen wuchtig und klobig; sie sind mit Hut oder knollenartiger Haartracht sowie Schmucknarben und Perlenschmuck versehen. Einige der Skulpturen werden in E. in einem kleinen Hain verehrt.

P. STEVENS: The stone images of E., Nigeria (Buffalo, New York, 1978).

Eskimo: Nähende Frau, Specksteinfigürchen

Eskimo, eigener Name **Inuit.** Die über die nordamerikan. Arktis (von Alaska bis Grönland) und NO-Sibirien verbreiteten E. waren geschickte Schnitzkünstler (Rentierknochen und -geweih, Walroß-Elfenbein, Holz), die ihre Gebrauchsgegenstände oft mit kunstvollen Gravierungen, meist ausdrucksvollen Dorf-, Jagd- oder Fischfangszenen, schmückten. Die schönsten Objekte stammen aus vorgeschichtl. Kulturen (→Ipiutak-Kultur, Okvik-Kultur); die ältesten bekannten sind etwa 2000 Jahre alt. Mit Beginn stärkerer europ. Einflüsse (Anfang 18. Jh.) wurden, v. a. von den Alaska-E., auch eindrucksvolle Masken (meist aus Treibholz) gefertigt.

Seit dem Ende des 19. Jh. werden, v. a. in Alaska, Kanada und W-Grönland, auch Kleinplastiken aus Speck-

Eskimo: Schamanen-Maske, Alaska, Kuskokwim River; Walroß-Elfenbein, Holz, 61 cm hoch (Hamburg, Museum für Völkerkunde und Vorgeschichte)

Eskimo: Funde vorgeschichtl. Eskimo-Kulturen: LINKS Maske aus Walroß-Elfenbein (mit Jett-Einlagen) aus einem Gräberfeld der Ipiutak-Kultur, W-Alaska, Höhe 16,8 cm. RECHTS menschlicher Kopf aus Walroß-Elfenbein, Okvik-Kultur, von einer Insel in der Beringstraße, Höhe 8,6 cm (beide Objekte Kopenhagen, Nationalmuseum)

stein, v. a. für Sammler und Touristen, hergestellt; ihr naturalist. Stil entspricht eher der europ. als ihrer eigenen Tradition. Die E. Ostgrönlands schnitzen bizarre, furchterregende kleine Geisterfiguren (›Tupilak‹). – Die moderne E.-Kunst wird heute weltweit gehandelt und ist ein bed. Erwerbszweig mancher E.-Gruppen geworden.

J. MELDGAARD: E. sculpture (London 1960); G. SWINTON: Sculpture of the E. (Toronto 1972); E. CARPENTER: E. realities (New York 1973); DOROTHEE J. RAY: E. art (London 1977); O. ZERRIES u. J.-L. ROUSSELOT: Die E., Ausst.-Kat., München (1978).

Esmeraldas, Küstenprov. in N-Ecuador, nach der ein Stil der Andinen Hochkulturen benannt ist (etwa 500 v. Chr. bis 500 n. Chr.); bekanntester Fundort ist La Tolita. Charakterist. Zeugnisse sind Tonfigurinen, die in großen Mengen gefunden wurden und z. T. mesoamerikan. Züge aufweisen (eigentüml. Kopfdeformationen), sowie kleine Gegenstände aus Gold-Platin-Legierungen. Die Platinbearbeitung ist hier erstmalig in der Alten und Neuen Welt dokumentiert: Schmelzendem Gold wurden Platinkörner beigegeben; diese Mischung wurde gehämmert, bis eine homogene Masse entstand.

Esna, Stadt in Oberägypten (KARTE ägyptische Kunst), 27 000 Ew., mit den Resten eines Chnum-Tempels: Vorhalle mit 24 Säulen eines Neubaus aus ptolemäischer und röm. Zeit, der an der Stelle eines Tempels der 18. Dynastie (1552–1306 v. Chr.) errichtet wurde. Die Innen- und Außenwände sind mit Hieroglyphentexten und Wandbildern bedeckt (u. a. röm. Kaiser in Pharaonentracht vor ägypt. Göttern). Auch die Säulenschäfte tragen liturg. Texte, die Kapitelle variieren Palmenkapitelle des Alten Reichs.

Espalter y Rull [-i ruʎ], Joaquín, span. Maler, *Sitges (Barcelona) 1809, †Madrid 1880, malte bibl. und histor. Sujets, Genredarstellungen und war ein zu Lebzeiten geschätzter Porträtmaler der span. Romantik.

Espinosa, Jerónimo Jacinto de, span. Maler, *Cocentaina (Valencia) 20. 6. 1600, †Valencia 7. 5. 1680, Schüler von F. RIBALTA, schuf in dessen Stil zahlreiche Gemälde für Barockaltäre in und um Valencia.

Esquilin, Esquilinischer Hügel, einer der 7 Hügel Roms, der mit seinen beiden Kuppen (Cispius und Oppius) den östl. Rand der antiken Stadt bildete. In der Frühzeit Roms diente er als Begräbnis- und Wohnstätte, bes. für die ärmere Bevölkerung. In der Kaiserzeit wurden zahlreiche monumentale Bauten errichtet (Portikus der Livia, ein Heiligtum für Isis und Sarapis, eine Gladiatorenschule) und große Park- und Gartenanlagen geschaffen. Erh. sind die Basilika des IUNIUS BASSUS (331 Konsul), ein Ehrenbogen für Kaiser GALLIENUS, Reste eines Nymphäums, luxuriöse Privathäuser mit Malereien (Odysseelandschaften, Vatikan), bemalte und mit Stuck verzierte Familiengräber und am Rande des E. Reste des Goldenen Hauses des NERO und der Thermen des TRAJAN.

Esquipulas [eski-], Stadt im Hochland von SO-Guatemala, 6500 Ew. Für die in dem bedeutendsten Wallfahrtsort Zentralamerikas verehrte, 1594 aus dunklem Holz geschaffene Christusstatue (Cristo Negro) wurde seit 1737 eine prächtige Kirche nach dem Vorbild der Kathedrale von Valladolid (Spanien) errichtet: dreischiffige Basilika mit oktogonaler Tambourkuppel und 4 durch Pilaster gegliederten Türmen.

Esquivel [eskiβ'ɛl], Antonio María, span. Maler, *Sevilla 8. 3. 1806, †Madrid 9. 4. 1857, beeinflußt von B. E. MURILLO, malte neben andalus. Volksszenen v. a. zahlreiche Bildnisse, die ihn zum gefeierten Maler der span. Romantik machten (›Le lectura de Zorilla‹, 1846; Madrid, Mus. Nacional de Arte Moderno).

Essen:
›Goldene Madonna‹
Ende 10. Jh. (ebd.,
Münsterschatzmuseum)

Essaouira [ɛsawir'a, frz.], **As-Suweira,** früher **Mogador,** Hafenstadt und Seebad an der südmarokkan. Atlantikküste, 30 100 Ew.; 1760 gegr. Malerische ummauerte Medina, 2 Kasbas. An der Medina-Kasba (Seeseite) 200 m lange gezinnte Batterie (span. Eisen- und Bronze-Kanonen des 16.–18. Jh.); Hafenbatterie mit Rundturm. Kunsttischlereizentrum (Intarsien). 7,5 km südlich die Ruine eines ummauerten Sultanspalasts (18. Jh.; z. T. versandet) mit 2 Eckpavillons und säulengestützter Vorhalle. In der Nähe die Ruine eines runden Forts (18. Jh.) mit gezinntem Wehrgang und Brustwehr. Auf den vorgelagerten Purpurinseln Überreste einer Purpurmanufaktur (1. Jh. v. Chr.) und einer großen (wahrscheinlich röm.) Villa mit Thermen.

Essen, größte Stadt des Ruhrgebiets, NRW, 670 200 Ew. Das Münster ist die Kirche eines ehem. Damenstifts (um 850 gegr.); vom spätotton. Bau sind Krypta (1051 gew.) und Westchor (Wiederholung der Aachener Pfalzkapelle) erh., sonst got. Halle (1276–1327); durch ein Westatrium (um 1060/70) mit der got. Johanniskirche (1471) verbunden. Der Essener Münsterschatz ist einer der bedeutendsten in Europa (›Goldene Madonna‹, Ende 10. Jh.; mehrere Vortragekreuze, 10./11. Jh.; Evangeliar der Äbtissin Theophanu, um 1050; Reliquiare u. a.). In **E.-Werden** ehem. Benediktiner-Reichsabtei (um 800 gegr.) mit karoling. Ringkrypta (827–39), otton. Westwerk (943 gew.), frühroman. Außenkrypta (1059 gew.) und spätroman. Kirche (1256 bis 1275); Schatzkammer (Mus.). Roman. flachgedeckte Basilika St. Lucius (1063 gew.) mit Fresken. Villa Hügel (1870–72), spätklassizist. Repräsentationsbau (Histor. Samml. Krupp); Mus. →Folkwang und Dt. Plakat-Mus.; Ruhrlandmus. Auferstehungskirche (1929 bis 1930 von D. BARTNING), St. Engelbert (Backsteinbasilika von D. BÖHM, 1934–36). In **E.-Stoppenberg** kleine roman. Pfeilerbasilika (Mitte 12. Jh.) eines ehem. Damenstifts, heute Karmeliterinnenkirche, und neuroman. Nikolauskirche mit Jugendstilausstattung (1910).

Essenzfirnis, Maltechnik: Lösung von Harzen in flüchtigen Lösungsmitteln (Terpentinöl, Alkohol) als Gemäldefirnis.

Esser, Max, Bildhauer, *Barth (Pommern) 16. 5. 1885, †Berlin 23. 12. 1943, bildete sich bei A. GAUL zum Tierplastiker, schuf bes. Bronzefiguren von lebendigem Reiz, lieferte Modelle für die Meißener Manufaktur.

Esslingen am Neckar, ehem. Reichsstadt bei Stuttgart, 96 000 Ew. Malerische, unversehrte Altstadt: Dionysiuskirche (Ausgrabungsmus.) mit origineller Turmgestaltung und Glasfensterzyklus (um 1300); ehem. Dominikanerkirche (13. Jh.), älteste dt. Bettelordenskirche; Frauenkirche (2. Viertel 14. Jh.), eine der frühesten got. Hallenkirchen Schwabens (bed. v. a. die Portale und der W-Turm, 1398–1478, der Baumeisterfamilien ENSINGER und BÖBLINGER); Altes Rathaus (Fachwerkbau um 1430, Marktseite 1586–89 von H. SCHICKHARDT im Renaissance-Stil umgebaut, astronom. Kunstuhr, Stadtmus.); zahlreiche repräsentative Klosterpfleghöfe und Barockbauten. Die Stadt wird bekrönt von der Burg (13.–16. Jh.).

Es-Souna [-s'una], Numidiergrab für König Massinissa (*um 240 v. Chr., †149/48 v. Chr.) in NO-Algerien, 16 km südöstlich von Constantine. Quadratischstufenförmiger Unterbau mit Mittelgeschoß in Hausteinen, wuchtige punische Stelen im Obergeschoß. Die zahlreichen Grabgaben sind im Mus. von Constantine.

Estany, span. Ort nördlich von Barcelona. Die roman. Stiftskirche S. María (1133 gew.) besitzt im romanisch-got. Kreuzgang hervorragende figürl. Kapitelle mit ikonographisch interessanten Szenen (u. a. Gaukler, Minnedarstellung).

Este, ital. Stadt in der Prov. Padua, 18 000 Ew., mit der Stammburg (Castello) des Geschlechts der ESTE (Mitte des 11. Jh. gegr., Neubau von 1339). Im Dom S. Tecla (1690–1708) ein Gemälde der Hl. Thekla von G. B. TIEPOLO; weitere Kirchen: S. Maria delle Consolazioni (16./17. Jh., auch ›degli Zoccoli‹ gen., mit Altarbild von G. B. CIMA), S. Maria delle Grazie (urspr. 15. Jh., im 19. Jh. verändert), S. Maria della Salute (1639), S. Martino (13./16. Jh.); im Palazzo Mocenigo (16. Jh.) das Mus. Nazionale Atestino (röm. und vorröm. Funde).

Este, Villa d'E., Palast und Gartenanlage des Kardinals IPPOLITO II. D'ESTE in →Tivoli.

Estella [-ʎ-], Stadt in der nordostspan. Prov. Navarra, rd. 10 000 Ew.; im MA. königl. Residenz mit herausragenden Bauten. Älteste Kirche ist S. Pedro de la Rúa (12. Jh.), dreischiffig, mit z. T. erhaltenem roman.

Kreuzgang (Kapitelle mit pflanzl. und figürl. Motiven; ein Pfeiler mit 4 kapriziös verschlungenen Säulen); Kirche S. Miguel (um 1180) mit hervorragender Bauplastik am N-Portal (reich skulptierte Figurenkapitelle und Basreliefs), im Innern Relief des drachentötenden Hl. Georg (frühes 13. Jh.) und Retabel der Santa Elena (1406); got. Kirche S. Sepulcro (13. Jh., qualitätvolle Tympanonskulpturen). Zahlreiche roman. Profanbauten (u. a. ehem. Königspalast).

Estípite [portug.], Baukunst: in der Kolonialkunst Lateinamerikas Bez. für Säule oder Pfeiler, die sich nach oben verjüngen und meist reich ornamentiert sind. E. dienen der Ausschmückung von Fassaden, Altären, Chorgestühl und Mobiliar.

Estofado-Skulptur [span. estofar ›bekleiden‹, ›ausstaffieren‹], realistisch geprägte Richtung der span. Plastik des 17. Jh., die oft zu äußerstem Naturalismus gesteigert wurde. Charakteristisch war die Vorliebe für den Werkstoff Holz, hinzu kamen Vergoldung und Bemalung in leuchtenden Farben. Ein nächster Schritt bestand darin, die Skulpturen mit echter Gewandung auszustatten, wobei nur noch Kopf, Hände und Füße vom Künstler geschaffen wurden; teilweise wurde die Wirkung durch echte Haare, Glasaugen und -tränen noch gesteigert. Es entstanden erstaunlich verist. Plastiken als Ausdruck tiefer Volksfrömmigkeit (z. B. die bei den Prozessionen in der Karwoche mitgeführten Figurengruppen, die ›Pasos‹). Zentren der span. E.-S. im 17. Jh. waren Valladolid, Madrid, Granada und Sevilla. Von der idealen Schönheit, die in Andalusien angestrebt wurde, unterscheiden sich die kastil. Werke durch stärkeres Pathos. Bed. Künstler waren G. HERNÁNDEZ, M. PEREIRA, J. MARTÍNEZ MONTAÑÉS, A. CANO, P. DE MENA Y MEDRANO, J. DE MORA, J. DE MESA.

Estrade [frz.], um eine oder mehrere Stufen erhöhter Teil des Fußbodens im Innenraum; meist zur Aufnahme eines bevorzugten Sitzes, Thrones, Altars u. ä.

Estremoz [ɪʃtrəm'oʃ], Stadt im portug. Distrikt Évora, rd. 9500 Ew.; ehem. wichtige Festung gegen Spanien (Kastell, urspr. 13. Jh.; im 14. Jh. königl. Residenz). In der Oberstadt got. und emanuelin. Bürgerhäuser, Rathaus (1698; Treppenhaus mit Azulejoswandbildern verkleidet), got. Franziskanerkirche (13. Jh.).

Estrich [mlat. astracum ›Pflaster‹], fugenloser Fußboden aus einer breiartigen Mischmasse (Zement, Gips, Kalk, Lehm und Asphalt), die nach dem Auftragen allmählich erhärtet. Der E. wurde schon von PLINIUS D. Ä. und VITRUV beschrieben.

Esztergom ['ɛstɛrgom], Stadt in Ungarn, →Gran.

Étampes [et'ãp], Stadt 50 km südlich von Paris, Dép. Essonne, 20 000 Ew., ma. Stadtbild mit mehreren Kirchen: Notre Dame-du-Fort (12. Jh., Krypta 11. Jh.) mit Figurenportal (um 1150), St. Martin (12./13. Jh.) mit schiefem Turm (16. Jh.), St. Basile (12., 15./16. Jh.), St. Gilles (12., 13., 16. Jh.). Im Hôtel de Ville (Rathaus, 1514) Mus. (Altertümer, ma. Skulpturen). É. wird überragt von der Tour Guinette (ehem. Wachtturm mit Grundriß eines vierblättrigen Kleeblatts, 12. Jh.).

Etar, Museumsdorf in der Nähe von Gabrowo, Bulgarien; seit 1963 aufgebautes Architektur- und Volkskunde-Mus., in dem u. a. auch traditionelle Handwerke und Kunsthandwerke gepflegt werden.

Étienne-Martin [etj'ɛn mart'ɛ̃], eigtl. Étienne **Martin,** frz. Bildhauer, *Loriol-sur-Drôme 4. 2. 1913, schuf Großplastik mit organisch wirkenden barocken Formen und Objektkunst aus Erinnerungsstücken des persönl. Lebens, in der Nähe der Individuellen Mythologien (›Le Manteau‹, ›Demeures‹).

Eton [i: tn], Stadt in der engl. Cty. Berkshire, westlich von London, 4000 Ew., an der Themse gegenüber von Windsor gelegen, mit bedeutender Public School (Eton-College), die 1440 von König HEINRICH VI. (1422–61) mit King's College in Cambridge gegr. wurde. Die mit den um 2 Höfe angelegten Collegegebäuden im Perpendicular Style ausgeführte Kapelle wurde um 1480 erweitert und besitzt eine Reihe von Wandgemälden dieser Zeit.

Etrog [hebr.], eine Citrusfrucht, der sogenannte Paradiesapfel, im jüd. Laubhüttenfest Symbol für die Früchte der Ernte; zur Erhaltung seiner rituellen Unversehrtheit in einer kunstvoll gestalteten Dose (oft in Form der Frucht, Ast- und Blattwerk als Fuß) aufbewahrt.

etruskische Kunst, die Kunst, die von etwa 750 bis 720 v. Chr. in dem von Etruskern bewohnten Gebiet (Latium nördlich Rom, Toskana, Umgebung von Bologna) geschaffen wurde. Sie entwickelte sich aus der Villanovakultur, als im späten 8. Jh. v. Chr. der Handel mit dem in Etrurien gewonnenen Erz enge Kontakte zum östl. Mittelmeerraum und den ersten grch. Kolonien im W (Ischia, Cumae) brachte. Eine durch diesen Handel reich gewordene Führungsschicht, die ihre Toten in reich ausgestatteten Tumulusgräbern bestattete, und ihr Bedarf an Luxusgütern riefen immer mehr Importgüter und wohl auch Handwerker aus dem Orient ins Land. Unter diesem starken oriental. Einfluß entwickelte sich die e. K.

etruskische Kunst: Apoll von Veji; Terrakotta, 175 cm hoch, Ende des 6. Jh. v. Chr. (Rom, Villa Giulia)

etruskische Kunst: Sarkophag; um 520 v. Chr. aus Cerveteri (Rom, Villa Giulia)

etruskische Kunst: OBEN Tänzerin und Tänzer; Wandmalerei, um 510 v. Chr. (Tarquinia, Tomba delle Leonesse). LINKS Flötenspieler; Wandmalerei, um 480 v. Chr. (Tarquinia, Tomba dei Leopardi)

ORIENTALISIERENDE EPOCHE
(etwa 720–620 v. Chr.)

Das rasch aufblühende Goldschmiede-, Elfenbein- und Bronzehandwerk sowie die frühe Plastik (z. B. aus dem Pietrera-Grab in Vetulonia; dem ›Statuen-Grab‹ in Ceri bei Cerveteri) verarbeiteten östl. Vorlagen. Wie in Griechenland nennt man das 7. Jh. deshalb ›orientalisierende Epoche‹. Weniger stark war dieser Einfluß im Innern Etruriens, wo aus Vorstufen der Villanova-Zeit Darstellungen des Menschen und v. a. des menschl. Gesichts in durchaus eigenständiger Weise entwickelt wurden (Masken und Kanopen in Chiusi, Urne aus Montescudaio). In der Bucchero- und Impastokeramik wurden Darstellungen von Tieren und Fabelwesen häufiger; in den Küstenstädten ist auch eine bemalte, grch. Gefäße des geometr. Stils nachahmende Keramik zu finden.

ÜBERGANGSZEIT ZUM ARCHAISCHEN STIL
(etwa 620–550 V. Chr.)

In der 2. H. des 7. Jh. begann der grch. Einfluß den orientalischen zu verdrängen; v. a. der Stil der in größerer Zahl importierten Korinthischen Vasen wurde imitiert; auch die Plastik des frühen 6. Jh. (Kentaur aus Vulci, Statuette aus dem ›Isis-Grab‹, Vulci) folgte grch. Vorbildern, wobei noch starke Einflüsse der griechisch-›dädalischen‹ Kunst des 7. Jh. festzustellen sind. Terrakottastatuen aus Murlo zeigen einen eigentümlich griechisch-orientalisch lokalen Mischstil (Chiusi). In Murlo ist zugleich der erste monumentale Gebäudekomplex (wohl eine Residenz) erh. Die reiche Ausschmückung der Bauten mit Tonstatuen (auf dem Dachfirst) und Tonrelieffriesen bedeutet eine Weiterentwicklung der bemalten oder à-jour gearbeiteten Antefixe, die aus früheren, bescheideneren Bauten (Acquarossa) bekannt sind. Der reiche, farbig bemalte Terrakotta-

etruskische Kunst: LINKS Terrakotta-Kopf des Hermes vom Portonaccio-Heiligtum in Veji; um 500 v. Chr. (Rom, Villa Giulia). RECHTS einhenkelige Kanne; Mitte des 6. Jh. v. Chr. (Florenz, Archäolog. Museum). UNTEN Platte aus Goldblech mit Treibarbeit und Granulation; um 650 v. Chr. (Rom, Villa Giulia)

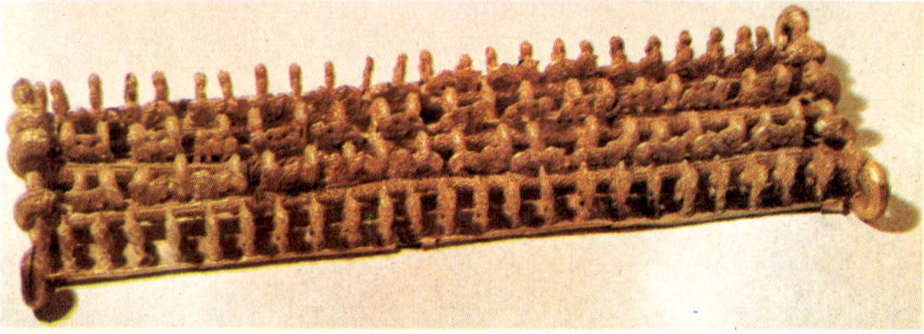

etruskische Kunst: Kanope; Ton, 6./5. Jh. v. Chr. (Florenz, Archäolog. Museum)

schmuck blieb bis in die Spätzeit eines der Charakteristika des etrusk. Tempels.

HOCH- UND SPÄTARCHAIK (etwa 550–470 v. Chr.)

Um die Mitte des 6. Jh. begann, wohl durch einwandernde Künstler, der ostgriechisch-ionische Einfluß den korinth. abzulösen (Maler der Caeretaner Hydrien). Weitere Kontakte ermöglichten grch. Handelskolonien in den etrusk. Hafenstädten (Gravisca); auch Verbindungen zu den grch. Kolonien Süditaliens sind festzustellen. Nicht zu unterschätzen ist der Einfluß der importierten Attischen Vasen auf das etrusk. Bildrepertoire. Vielleicht gerade wegen dieses reichl. Importangebots blieb die etrusk. Vasenmalerei mit wenigen Ausnahmen (→Pontische Vasen) von geringerer Qualität; auch die Buccherokeramik wurde jetzt nur noch in gröberer Qualität produziert. Aber auf allen übrigen Gebieten etrusk. Kunstschaffens stellt die Hoch- und Spätarchaik einen Höhepunkt der e. K. dar. Anregungen versch. grch. Kunstlandschaften wurden aufgenommen und zu einer eigenen etruskisch-archaischen Kunst verarbeitet, deren Glanzleistungen in der Plastik lagen: Terrakottastatuen wie der Apoll von Veji oder die ›Ehepaarsarkophage‹ aus Cerveteri, die sich durchaus mit grch. Kunstwerken messen können. Die seltenere Steinskulptur (Grabplastiken aus Vulci, Marmorkopf aus der Samml. Lorenzini, Volterra) erreichte nicht die Qualität grch. Arbeiten. Reliefs wurden in

etruskische Kunst: LINKS Kentaur aus Vulci; frühes 6. Jh. v. Chr. (Rom, Villa Ciulia). RECHTS Krieger; Bronze, Mitte des 5. Jh. v. Chr., Höhe 33 cm (Florenz, Archäologisches Museum)

Stein und in Ton (diese v. a. zum Tempelschmuck) hergestellt.

Bronzen größeren Formats (Kopf aus Ariccia in Kopenhagen, Ny Carlsberg Glyptothek) sind nur wenige erh., jedoch sind Werke wie die Kapitolinische Wölfin, die ans Ende dieser Epoche gehört, nicht ohne Vorgänger zu denken. Die zahlreich erhaltenen kleinformatigen Bronzen, etwa Geräteschmuck, sind von höchster Qualität, auch z. T. recht große getriebene Bronzereliefs (Dreifüße der ehem. Samml. Loeb und Funde aus Castel S. Mariano, alle in München, Staatl. Antikensammlung), meist mit grch. Sagenszenen geschmückt; auch außerhalb der Grabkunst gehörten nun die grch. Mythen zu den beliebtesten Themen.

Die Wandmalerei erreichte nach ersten Anfängen in der orientalisierenden Epoche (›Entengrab‹, ›Campana-Grab‹, Veji) einen Höhepunkt in den Gräbern von Tarquinia. Dargestellt sind Gelage, Tänze, Sport- und Kampfspiele, seltener Totenklagen, kaum myth. Szenen. Auch für die etruskische Kunst einzigartig in seiner Landschaftswiedergabe ist das Bild der Fisch- und Vogeljagd in dem danach benannten Grab (Tomba della Caccia e Pesca).

etruskische Kunst: Der Redner Aule Meteli, ›Arringatore‹; gefunden in Pila bei Perugia, Bronze, 2.–1. Jh. v. Chr. (Florenz, Archäologisches Museum)

Die Architektur der mehrräumigen Gräber ahmt Hausarchitektur nach (Cerveteri). Aus spätarchaischer Zeit sind auch die ersten typisch etrusk., dreiräumigen Tempel mit tiefer Vorhalle über nahezu quadrat. Grundriß bekannt, deren gedrungene Proportionen durch das weit überragende, reich geschmückte Dach noch unterstrichen wurden.

SUBARCHAIK (etwa 470–300 v. Chr.)

Schwer löste sich die e. K. von den archaischen Formeln. Gerade die Küstenstädte, die bisher führend waren, gerieten im 5. Jh. in eine Krise; der Handel mit Griechenland ging zurück. Zwar wurden z. B. in der Terrakottaplastik (Relief von Pyrgi) auf gravierten Spiegeln und auf Gemmen einzelne Elemente des grch. Strengen Stils übernommen, doch hielt sich nach wie vor die vom Spätarchaischen abgeleitete Formensprache; einzelne ›Formeln‹, etwa in der Wandmalerei Tarquinias, wurden bis ins 4. Jh. verwendet.

Deutlicher zu fassen ist der Einfluß des Strengen Stils und dann der Hochklassik Griechenlands im Innern Etruriens (figürl. Aschenurnen aus Chiusi, 450–350). Führend war Volsinii mit seiner Tempelplastik und Werkstätten, die Bronzestatuen herstellten (›Mars von Todi‹, Vatikan); bei der ›Chimära von Arezzo‹ (1. H. 4. Jh., Florenz, Archäolog. Mus.) sind Einflüsse der klass. grch. Kunst mit subarchaischen Elementen zu einem einheitlich wirkenden, ausdrucksstarken Kunstwerk verschmolzen.

Erst im Lauf des 4. Jh. setzte sich der klass. Stil in Etrurien ganz durch; maßgebend waren dabei wohl westgrch. Einflüsse. Gravierte Spiegel und Cisten sind von grch. Vasen- und Freskenmalerei beeinflußt. Die Qualität der etrusk. Vasenmalerei jedoch blieb weiterhin gering. In der Grabmalerei wurde in der 2. H. des 4. Jh. die noch aus dem frühen 5. Jh. stammende Thematik und Formensprache aufgegeben; zugleich mit neuen Themen (grch. und etrusk. Mythos, v. a. Unterwelt) versuchte man, sich die formalen Errungenschaften der klass. grch. Malerei (Schattierungen, Glanzlichter, Perspektive) anzueignen (Tomba dell' Orco, Tarquinia; Tomba François, Vulci; bemalter ›Amazonensarkophag‹, Florenz, Archäolog. Mus.). Die Plastik folgte jetzt spätklass. grch. Vorbildern (Terrakottafiguren vom Lo-Scasato-Tempel in Falerii, Frauenkopf aus Pyrgi, Flügelpferdegespann aus Tarquinia). Im 4. Jh. setzte die Serie der Steinsarkophage mit liegenden Deckelfiguren ein (Zentrum: Tarquinia), die im Lauf des 3. und 2. Jh. immer stärker Porträtzüge erhielten (einer der Vorläufer des röm. Porträts).

etruskische Kunst: Votivstatuette; Bronze, 5. Jh. v. Chr. (Rom, Villa Giulia)

HELLENISMUS (etwa 300–50 v. Chr.)

Bruchlos vollzog sich der Übergang zum Hellenismus. Ähnlich den Sarkophagen Südetruriens entstanden im 3. und v. a. im 2. Jh. in Nordetrurien (Volterra, Chiusi, Perugia) Aschenurnen aus Alabaster, Ton oder Kalkstein, deren Deckelfiguren meist Massenfabrikate sind; in einzelnen Fällen weisen sie echte Porträtzüge auf; das kistenähnl. Unterteil war mit Reliefs verziert (u. a. Themen aus dem grch. Mythos). Zum Tempelschmuck dienten nun Terrakotta-Giebel und -Friese in Hochrelief (Talamone, Civitalba, Arezzo), die Anregungen der hellenist. grch. Skulptur und Malerei gleichermaßen verarbeiteten – eine der letzten selbständigen Leistungen der e. K. Unter den Votivstatuetten, die in ganz Mittelitalien in ähnl. Stil hergestellt wurden, ist eine Gruppe stark überlängter Figuren als charakteristisch etruskisch zu bezeichnen.

Seit dem 2. Jh. hatte Rom die Führungsrolle auch auf künstler. Gebiet übernommen. Die e. K. verlor zusehends an Niveau. Ausläufer im 1. Jh. v. Chr. (späte Urnen) erreichten nicht mehr als handwerkl. Mittelmaß. Fähigere Künstler waren mehr und mehr in das Gravitationsfeld der sich von Rom über ganz Mittelitalien verbreitenden Stilrichtungen geraten. Dies wird deutlich an einer Reihe von Bronzeporträts hoher Qualität (sog. Kapitolin. Brutus, Rom, Kapitolin. Museen; Knabenkopf und ›Arringatore‹, Florenz, Archäolog. Mus.), die, obwohl sie in der Tradition der etrusk. Bronzeplastik stehen, doch nicht mehr als rein etruskisch bezeichnet werden können.

Die e. K. blieb in ihrer Entwicklung immer abhängig von äußeren Anregungen, die sie aber nicht sklavisch imitierte, sondern in durchaus eigenständigen schöpfer. Leistungen verarbeitete; es fehlt ihr jedoch die innere organ. Entwicklung, die etwa die grch. Kunst auszeichnet. Immer wieder auftauchende, durch grch. Einfluß z. T. überdeckte Wesenszüge sind ein Hang zum Dekorativen, Unterordnung des Körperlich-Organischen unter ein übergeordnetes Kompositionsprinzip, Mißachtung natürl. Proportionen und Überbetonung einzelner Teile, etwa des Kopfes gegenüber dem Körper. Diese Züge, verbunden mit einer starken, spontanen Ausdruckskraft, verleihen der e. K. ihre Eigenart.

T. DOHRN: Grundzüge e. K. (1958); G. A. MANSUELLI: Etrurien u. die Anfänge Roms (a. d. Ital., 1979); M. PALLOTTINO: Die Etrusker (a. d. Ital., 1965); J. HEURGON: Die Etrusker (a. d. Frz., 1971); FRANCESCA BOITANI u. a.: Die Städte der Etrusker (a. d. Ital., 1974); M. MORETTI: Etrusk. Malerei in Tarquinia (1974); MAJA SPRENGER u. a.: Die Etrusker (a. d. Ital., 1977); O. J. BRENDEL: Etruscan art (New York 1978); M. CRISTOFANI: L'arte degli Etruschi (Turin 1978); A. HUS: Les Étrusques et leur destin (Paris 1980); S. STEINGRÄBER: Etrurien (1981); K.-W. WEEBER: Funde in Etrurien (1982).

Etschmiadsin, bis 1945 **Wagarschapat,** Stadt in der Armen. SSR, 20 km südlich von Eriwan, 37 000 Ew.; seit 1441 Sitz des Katholikos der Armen. Kirche. Die 303 gegr. und 495/496 neu erbaute Kathedrale ist die älteste christl. Kirche Armeniens, eine Kreuzkuppelkirche mit 4 Apsiden, im Innern Fresken von 1720, Glokkenturm (1653–58); Ruine der Swartnoz-Kirche (641 bis 661); Kreuzkuppelkirche der Hl. Ripsime (618, 1653 restauriert); Kirche des Hl. Gajane (630) mit Vorhalle von 1683; Schogakat-Kirche (1694); in der Kathedrale seit 1955 Mus. (v. a. Werke kirchl. Kunsthandwerks).

Ettal, Gem. im Kr. Garmisch-Partenkirchen, Oberbayern, 1000 Ew., mit Benediktinerabtei (1330 gegr.). Heutige Anlage seit 1710 von E. ZUCCALLI erbaut, nach Brand 1744 Neugestaltung der Kirche (kuppelgewölbter Zentralbau) durch J. SCHMUZER; Innenausstattung von J. G. ÜBLHÖR, J. J. ZEILLER, M. KNOLLER und J. B. STRAUB.

Ettlingen, Kreisstadt in Nordbaden, 35 000 Ew. Martinskirche (vorkaroling. Gründung, spätgot. sterngewölbter Chor, Barockfassade); Rathaus (1737); Schloß (14.–16. Jh.) von Markgräfin SYBILLA AUGUSTA v. BADEN 1728–33 umgestaltet, Fassadenmalerei von L.

A. Colomba (*1661, †1737); Hofkapelle mit Deckenfresko von C. D. Asam (1732, ›Asamsaal‹).

Etty [ˈetɪ], William, engl. Maler, *York 10. 3. 1787, †ebd. 13. 11. 1849, Schüler von T. Lawrence, reiste zw. 1815 und 1843 wiederholt nach Paris und Italien. Stark von P. P. Rubens und Tizian beeindruckt, schuf E. virtuos gemalte Historien-, Genre-, bes. Aktdarstellungen in venezian. Farbigkeit.

Eumeniden, grch. und röm. Rachegöttinnen, →Erinyen.

Eunate [eu-], südwestlich von Pamplona (span. Prov. Navarra) gelegene ehem. Templerkirche (um 1180), im MA. Pilgerstation auf dem Weg nach Santiago de Compostela, ein achteckiger Zentralbau mit umlaufender Arkadengalerie und polygonal gebrochener Apsis.

Eupen, Stadt in der belg. Prov. Lüttich, nahe der dt. Grenze, 15 000 Ew. Aus der Blütezeit als Textilstadt im 18. Jh. sind mehrere barocke Patrizierhäuser erh., einige von dem Aachener Stadtbaumeister J. J. Couven (*1701, †1763), der auch den Hochaltar (1740) der doppeltürmigen Barockkirche St. Nikolaus (1721 beg.) schuf.

Euphranor, vielseitiger grch. Maler und Bildhauer des 4. Jh. v. Chr. vom (korinth.?) Isthmus; schuf Wandbilder für die Stoa Eleutherios an der Agora in Athen. Obwohl die antiken Schriftst. ihm viele Skulpturen (v. a. Götterstatuen) zuweisen, läßt sich keine der überlieferten Kopien sicher mit seinem Werk verbinden.

Euphronios, ausdrucksstarker attischer Vasenmaler der ersten rotfigurig malenden Generation (um 510 bis 490 v. Chr.). Mehrere Signaturen bezeugen ihn auch als Töpfer; zu seinen herausragenden Werken gehören u. a. Kelchkratere (Paris, Berlin, New York, München), auf denen Szenen aus Mythos und Alltag mit plastisch gestalteten Figuren wiedergegeben sind.

Europa, grch. Mythos: eine Schwester des Kadmos, von Zeus (in Stiergestalt) nach Kreta entführt. Die Kunst zeigte diese Entführung auf grch. Vasen und Reliefs (Metopen von Selinunt und Sikyonierschatzhaus in Delphi), röm. Gemmen der Kaiserzeit, Reliefs und Wandbilder sowie auf neuzeitl. Gemälden (Paolo Veronese, Tizian, Tiepolo, M. Beckmann.

Euskirchen, Stadt am NO-Rand der Eifel, NRW, 43 500 Ew., im 2. Weltkrieg zu 70 % zerstört; in der Martinskirche (12.–15. Jh.), einer roman., in der Gotik erweiterten Pfeilerbasilika, Antwerpener Schnitzaltar (um 1520) und roman. Taufbecken (12. Jh.).

Eußerthal, Gem. nördlich des →Trifels im Kr. Südl. Weinstraße, Rheinl.-Pf. Vom ehem. Zisterzienserkloster (1148 gegr.) ist nur die 1262 gew. Kirche im Stil der oberrhein. Spätromanik erh.

Euthymides, attischer Vasenmaler der ersten rotfigurig malenden Generation, um 510–490 v. Chr. Er malte großflächige Figuren auf vorwiegend große Gefäße (Amphoren, Hydrien u. a.).

Eutin, Stadt in der Holstein. Schweiz, Schlesw.-Holst., 18 100 Ew.; war Residenz der Lübecker Bischöfe, 1586–1773 der evang. Fürstbischöfe aus dem Hause Holstein-Gottorf. Spätromanisch-got. Michaeliskirche (13.–15. Jh.); die urspr. Wasserburg wurde 1716–27 zum Barockschloß umgebaut; Kapelle (1694), Repräsentationsräume (Mus.).

Eutychides, grch. Bildhauer aus Sikyon, Schüler des LYSIPP, arbeitete nach 300 v. Chr.; sein HW ist die in zahlreichen Kopien überlieferte Gruppe der ›Tyche von Antiochia‹ (die Göttin auf einem Felsen sitzend, vor ihr, aus dem Wasser auftauchend der Flußgott Orontes).

Evangeliar, Buch mit dem vollständigen Text der 4 Evangelien; war ähnlich dem **Evangelistar** im MA. mit kostbarer Buchmalerei ausgestattet.

Evangeli|enpult, das auf der Evangelienseite auf einem Ambo oder Lettner befestigte Holz- oder Steinpult (→Adlerpult), Träger der Hl. Schrift, aus der die Evangelien verlesen werden. Das E. konnte auch als selbständiges Stehpult im Altarraum ausgebildet werden und erfuhr bes. in der Gotik häufig eine reiche künstler. Gestaltung. Bed. ist das ›Alpirsbacher Lesepult‹ (um 1150, Freudenstadt, Stadtkirche), das von den Holzstatuen der vier Evangelisten getragen wird. Ein Sonderfall des E. ist der →Atzmann.

Evangeli|enseite, in kath. Kirchen bis zur Liturgiereform des 2. Vatikan. Konzils (1965) Bez. für die von der Gemeinde aus linke Seite des Altar(raum)s; hier wurde am Evangelienpult (auch in heute prot. Kirchen aus vorreformator. Zeit oft noch erh.) das Evangelium gelesen oder gesungen. Die E. war im MA. den Frauen vorbehalten **(Frauenseite).**

Evangelistar, liturg. Buch mit Auszügen der Evangelien (Perikopen).

Evangelisten, die Verfasser der 4 Evangelien: Matthäus, Markus, Lukas und Johannes. Ihre Darstellung in frühchristl. Zeit nimmt die Tradition des antiken Redner- und Philosophenbildes auf. In der byzantin. Kunst treten nach dem Bilderstreit Matthäus und Johannes als Greise mit weißem Bart, Markus und Lukas dagegen als jüngere Männer auf, im Westen meist in jugendl. Gestalt, stehend oder sitzend (in vielen Variationen). Attribute werden den E. bis in das frühe MA. nicht beigegeben; ihre symbol. Darstellung (4 Lämmer zu Füßen des Paradiesberges, dem die 4 Paradiesflüsse – die Evangelien – entströmen) begegnet im 6. Jh. – Im Apsismosaik von S. Pudenziana in Rom (402–17) erscheinen erstmals die den Visionen des Ezechiel und der Apokalypse entstammenden Flügelwesen. Die Deutung dieser **E.-Symbole** geht auf HIERONYMUS zurück: Löwe = Markus (Wüstenpredigt Jesu bei Markus), Mensch = Matthäus (Stammbaum Jesu bei Matthäus), Stier = Lukas (Opfer des Zacharias bei Lukas), Adler = Johannes (Höhenflug des Prologs bei Johannes oder Anfang der Offenbarung). Die Beziehung zw. den (schreibend, schauend, auch diktierend oder von einem Engel inspiriert erscheinenden) E. und ihren

Symbolen war oft lose. Eindrucksvoll sind die E.-Bilder im Aachener Evangeliar (BILD karolingische Kunst) und im Münchner Evangeliar OTTOS III., ausgefallen bes. die Darstellungen, in denen die menschl. Gestalten der E. (mit Ausnahme des Matthäus) die Tierköpfe ihrer Symbole tragen (B. ANTELAMI in Parma, 12. Jh.). →Autorenbild

Evans ['evənz], Sir (seit 1911) Arthur, brit. Archäologe, *Nash Mills (Herts) 8. 7. 1851, †Youlbury bei Oxford 11. 7. 1941, Prof. in Oxford. Er begann seine Forschungen 1893 auf Kreta. Seine auf eigene Kosten unternommenen Ausgrabungen (seit 1900) in Knossos führten ihn zur Aufdeckung des bedeutendsten Palastes der Insel aus dem 2. Jahrtsd. v. Chr., des Hauptzentrums der minoischen Kultur (→kretisch-mykenische Kunst).

HW: The Palace of Minos, 4 Bde. u. Index-Bd. (London 1921–36, Neuaufl. 1964).

Evenepoel ['e:vənpu:l], Henri Jacques Édouard, belg. Maler, *Nizza 2. 10. 1872, †Paris 27. 12. 1899, lebte seit 1892 in Paris, wo er nach Ausbildung bei G. MOREAU Landschaften, Kinderbilder, moderne Szenen und Stilleben in starken Farben malte.

Everdingen [-ŋə], **1)** Allaert van, holländ. Maler, Radierer, getauft Alkmaar 18. 6. 1621, begraben Amsterdam 8. 11. 1675, Schüler von P. DE MOLYN, reiste 1644 nach Norwegen und Schweden, malte bes. skandinav. Gebirgslandschaften mit Wasserfällen, die u. a. auch J. VAN RUISDAEL beeinflußt haben.

2) Caesar Boëtius van, holländ. Maler, Bruder von 1), *Alkmaar 1617, begraben ebd. 13. 10. 1678. Während sich in seinen allegor. und mytholog. Darstellungen klassizist. und realist. Züge verbinden, ist E. als Porträtmaler ein sachl. Beobachter.

HW: Dekoration im Huis ten Bosch, Den Haag (1648–50).

Évora ['ɛvurə], Distriktshauptstadt und Erzbischofssitz in S-Portugal, 35400 Ew.; vom 14.–16. Jh. bed. Kunst- und Kulturzentrum, zeitweilig königl. Residenzstadt. É. ist umgeben von einem ma. Mauerring (mit röm. und westgot. Resten); röm. Tempelruine (3. Jh. n. Chr.; Unterbau, 14 korinth. Säulen und Reste des Architravs erh.). Stadtmittelpunkt ist die Praça do Giraldo (rechteckige Platzanlage mit prächtigen Häusern, Laubengängen, Marmorbrunnen). Die dreischiffige Kathedrale mit Kreuzgang ist ein frühgot. Bau (1186–1300, Chor 1718 klassizistisch umgebaut) mit reicher Innenausstattung: Am Portalgewände der Vorhalle 12 got. Apostelfiguren (14. Jh.); geschnitztes Renaissance-Chorgestühl (1562) mit burlesken Figuren; Vasconcelos-Kapelle (1527); in der Sakristei reicher Kirchenschatz (u. a. Elfenbein- und Emailarbeiten des 13. Jh.). Zahlreiche Kirchen, u. a. São Francisco im Emanuelstil (Ende 15. Jh.; einschiffig mit je sechs Seitenkapellen; im Chor Königsloge im Mudéjar-Stil, 16. Jh.; ›Knochenkapelle‹, 17. Jh.); die festungsartige Ermida de São Brás (1485) im Mudéjar-Stil; Igreja da Graça im Stil der ital. Renaissance (16. Jh.); ehem. Lóios-Kloster (Klosterkirche 1485 gestiftet, mit 2 Renaissance-Grabmälern; Kreuzgang und Kapitelsaal im Emanuelstil); Alte

Universität (1551; zweigeschossiger Innenhof mit Arkaden und Schmuckgiebelfassade; Universitätskirche, 1574 gew.). Im ehem. Bischofspalast (16./17. Jh.) das Regionalmus. (mittelalterl. Plastik, Gemälde altportug. Meister).

Évreux [evr'ø], Hauptstadt des frz. Dép. Eure, Normandie, 51000 Ew., eine der ältesten Städte Frankreichs, seit dem 3. Jh. Bischofssitz. Die Kathedrale (Langhaus mit roman. Arkaden, 12. Jh.; got. Chor, um 1300; Querhaus und Chorkapelle, 15. Jh.; nördl. Querhausfassade im Flamboyant-Stil, Anf. 16. Jh.; Westtürme in Renaissanceformen, 16./17. Jh.) besitzt den bedeutendsten frz. Glasmalereizyklus des 14. Jh. sowie hölzerne Kapellenschranken des 16./17. Jh. In der Kirche St. Taurin ein Reliquienschrein (BILD Reliquiar) des 13. Jh.; ehem. Bischofspalast (15. Jh.; Mus.).

Eworth [j'u:əθ], **Ewoutsz** ['e:wɔuts], Hans, engl. Maler niederländ. Herkunft, *Antwerpen, †London nach 1574, war seit 1550 (?) als maßgebender Meister in London tätig, schuf, von H. HOLBEIN D. J. und A. MOR beeinflußt, höf. Porträts und allegor. Darstellungen.

exc., excud., Abk. für **excudit** [lat. ›hat geprägt‹], steht auf Kupferstichen hinter dem Namen des Verlegers (→Adresse); ist dieser mit dem Stecher identisch, steht oft ›sculpsit et e.‹ (→sculpsit).

Exedra [grch.], in der Antike ein halbrunder oder rechteckiger Sitzplatz im Freien; auch ein ebensolcher gedeckter Raum, der sich frei oder mit einer Säulenstellung auf einen Hof oder Platz öffnet. In frühchristl. Zeit wurde der Name E. auf die Apsis übertragen.

Exekias, attischer Töpfer und wohl der herausragendste Vasenmaler der schwarzfigurigen Technik, um 550–530 v. Chr.; er hat mehrere Gefäße signiert. Zu seinen besten Werken gehören die Schale mit der Meerfahrt des Dionysos (München, Staatl. Antikensamml.), die Amphora mit den brettspielenden Helden Achilleus und Aiax (Vatikan) und Pinakes von einem Grabbau (Berlin-West, Staatl. Museen). E.s dramat. Kompositionen konzentrieren sich auf wenige Figuren in viel freiem Raum, die in großem Ernst an ihre Tätigkeit hingegeben sind. (BILD Vasen)

Exemplum [lat. ›Muster‹], ma. Ausdruck für Modell, Bozzetto oder Skizze.

Exeter ['eksɪtə], Stadt in der engl. Cty. Devon, 93900 Ew., an der Mündung des Exe an der S-Küste gelegene, bereits seit vorröm. Zeit bed. Stadt. Von der 1133 gew. roman. Kathedrale sind nur die Doppeltürme über dem Querhaus erhalten; ein Neubau im Decorated Style wurde im letzten Viertel des 13. Jh. mit dreigeschossigem got. Mittelschiffsaufriß und Flechtrippengewölbe beg. Der turmlosen Westfassade wurde im späten 14. Jh. eine spätgot. Vorhalle mit 2 Reihen von Baldachinfiguren vorgesetzt. In der im 2. Weltkrieg stark zerstörten Stadt ist die 1468 erbaute und 1592 mit neuer Fassade versehene Guildhall erhalten; die normann. Burg wurde 1774 bis auf einige Reste abgebrochen.

Exlibris [lat. ›aus den Büchern‹], Zettel, die auf die

Exlibris: Otto Eckmann, Exlibris Emy Fierz; um 1890

Innenseiten von Bucheinbänden geklebt werden, um den Eigentümer des Buches zu bezeichnen. Der Text beginnt meist mit den Worten ›ex libris‹ (daher der internat. gebräuchl. Name E.), dann folgt der Name des Besitzers. Daneben weisen die E. größtenteils zeichner. Schmuck auf. Urspr. brachte man fast ausschließlich das Wappen an, später Motive aus dem Gesamtgebiet des Darstellbaren, die in Beziehung zum Buchbesitzer stehen (Bücherstilleben, Studierzimmer, allegor. oder symbol. Bilder, Bildnisse, Landschaften). Gedruckte E. (meist Holzschnitte) waren typisch im dt. Humanismus: u.a. A. DÜRER für Nürnberger Patrizier. Im Barock wurde der Holzschnitt durch den Kupferstich verdrängt, der auch in Frankreich, Italien und England Eingang fand. Im 18. Jh. haben frz. und dt. Stecher reizvolle Arbeiten geschaffen. In England entstanden neben Wappenstichen zahlreiche lineare Zeichnungen von Präraffaeliten. Hervorragende E. stammen auch

Exlibris: Albrecht Dürer; Exlibris Willibald Pirckheimer, mit dem Ehewappen Pirckheimers und Crescentia Rieters; 1504

von dt. Malern und Graphikern des 19. und 20. Jh. wie L. RICHTER, H. THOMA, M. KLINGER, O. GREINER, H. VOGELER, E. ORLIK. – Große E.-Sammlungen besitzen das Brit. Mus. London, die Österr. Nationalbibliothek Wien, die Bayer. Staatsbibliothek München, das Gutenbergmuseum Mainz.

Die Kunst des E., hg. v. ANGELA u. A. HOPF (1980).

Expertise [frz.], schriftl. Gutachten über ein Kunstwerk durch einen Sachverständigen. Die E. enthält genaue Angaben über Zustand, Herkunft, Format, Stil und bei unsignierten Werken wenn möglich die Zuweisung an einen best. Künstler.

Expressionismus, eine künstler. Bewegung, die im frühen 20. Jh. bes. in Dtl., aber auch in anderen europ. Ländern als Kunst des seelischen Ausdrucks dem Impressionismus entgegentrat.

Malerei, Graphik, Bildhauerkunst. Der E. ist die dt. Form der Kunstrevolution, die gegen Ende des 19. Jh. mit P. CÉZANNE, V. VAN GOGH, P. GAUGUIN, H. MATISSE ebenso wie mit E. MUNCH, F. HODLER, J. ENSOR einsetzte und bei der der äußeren, akadem. Form die ›innere‹ entgegengesetzt und nur dieser wirkliche Offenbarungskraft zugestanden wurde. Die sinnlich wahrnehmbare Wirklichkeit bedeutete im E. nur Durchgang zur seelisch erfahrbaren. Das Kunstwerk sollte nicht dem ästhet. Genuß dienen, sondern das elementare Erlebnis in völlig neuer Weise zum Ausdruck bringen. Die expressionist. Künstler suchten zu den Urelementen der Malerei vorzustoßen und ihrem reinen Malerinstinkt zu folgen. Bezeichnend ist, daß sie auf ›Programme‹ verzichteten. Die Kunst des MA. mit ihren unrealist. Figurationen und Farbenklängen, die Kunst der Primitiven, die Buntheit der Volkskunst beeindruckten die Expressionisten tief, so daß ihre Bilder unter diesen Eindrücken eine stark suggestive Ausdruckskraft gewannen (Deformieren der Form zur Ausdrucksübersteigerung, ungebrochene Farben in großen Flächen). Manche Grellheit der Farbe, manche Härte oder Zerreißung der Form, die sie wagten, blieb ›Willkür‹ und bloßer Affront gegen den bürgerl. Geschmack; im ganzen war der E. aber eine echte, sozial und auch religiös ergriffene Bewegung. Ihre wichtigsten Vertreter waren in Dresden die Gründer der →Brücke (1905), die Maler und Graphiker (bes. Holzschnitt) E. L. KIRCHNER, E. HECKEL, K. SCHMIDT-ROTTLUFF, daneben M. PECHSTEIN, OTTO MUELLER, in N-Dtl. außerdem PAULA MODERSOHN-BECKER und E. NOLDE. Gegen den wirklichkeitsnäheren E. der Brücke steht seit 1911 in München der auf Formprobleme konzentrierte, eher romantisch und mystisch orientierte E. des →Blauen Reiters mit W. KANDINSKY, A. JAWLENSKY, F. MARC, A. MACKE. Den erotisch stimulierten, die Psychostrukturen des Unterbewußtseins aufdeckenden Wiener E. vertreten E. SCHIELE und O. KOKOSCHKA. Ein weiteres Zentrum wurde Berlin durch die 1910 von H. WALDEN gegründete Ztschr. ›Sturm‹ und die gleichna-

Expressionismus: Ernst Ludwig Kirchner, Akt mit schwarzem Hut; Holzschnitt 1908–09

Expressionismus: Ernst Barlach, ›Berserker‹; 1910 (Hamburg, Ernst-Barlach-Haus)

Expressionismus: Ernst Ludwig Kirchner, ›Atelierecke‹; 1922 (Berlin-Ost, National-Galerie)

migen Ausstellungen, aber auch durch den Zuzug der Brückekünstler aus Dresden (1910) und durch die Künstlergruppe ›Die Pathetiker‹ (1912) mit L. MEIDNER und J. STEINHARDT. Starke expressionist. Elemente finden sich bei so versch. Künstlern wie C. ROHLFS und M. BECKMANN. In der Bildhauerei stehen W. LEHMBRUCK und E. BARLACH dem E. nahe.

Als frz. Parallele wird meistens der Fauvismus betrachtet, dem aber – mit der einzigen Ausnahme G. ROUAULT – die psych. Intensität und das soziale Pathos der Deutschen fehlte. Von beiden Richtungen war der Primitivismus in Rußland inspiriert.

Expressionismus: Karl Schmidt-Rottluff, ›Drei Akte‹; 1913 (Dauerleihgabe der Staatl. Museen in Berlin-West an den Senator für Bundesangelegenheiten, Bonn)

Der →Abstrakte Expressionismus greift in manchem auf die Befreiung der Farbe und die Malgeste des histor. E. zurück.

Architektur. Expressionist. Stilströmungen äußerten sich auch in der Architektur, wenn auch weniger deutlich als in der Malerei und Dichtung, vor und während des 1. Weltkrieges, bes. in Dtl. Die frühesten Zeugnisse sind P. BEHRENS' AEG-Bauten in Berlin (1908 bis 1913), H. POELZIGS Fabrik in Luban (1911/12) und Wasserturm in Posen (1911) sowie M. BERGS Jahrhunderthalle in Breslau (1912/13). Nach dem 1. Weltkrieg sammelte sich ein Großteil der expressionist. Kräfte in

Expressionismus: Emil Nolde, ›Grablegung‹; 1915 (Stiftung Seebüll Ada und Emil Nolde)

den beiden Berliner Vereinigungen ›Arbeitsrat für Kunst‹ und ›Novembergruppe‹. Wichtige schriftl. Zeugnisse jener unruhigen, auf das Visionäre gerichteten Zeit sind die ›Utop. Briefe‹ (→Gläserne Kette), die zw. B. und M. TAUT, H. und W. LUCKHARDT, H. SCHAROUN, C. KRAYL (*1890, †1947), H. FINSTERLIN, P. GÖSCH (*1885, †1940) u. a. hin und her gingen, die Publikationen B. Tauts sowie die Schriftenreihe ›Frühlicht‹. Baul. Realisierungen und Entwürfe der Nachkriegszeit waren in Dtl. v. a.: H. Poelzigs Großes Schauspielhaus in Berlin (1919), L. MIES VAN DER ROHES Projekte eines Bürogebäudes an der Berliner Friedrichstraße (1919) und eines Glashochhauses (1920/21), E. MENDELSOHNS Einsteinturm in Potsdam (1920), P. Behrens' (BILD) Verwaltungsgebäude der Farbwerke Hoechst (1920–24), F. HÖGERS Chilehaus in Hamburg (1922/23), H. HÄRINGS ›organhaftes‹ Gut Garkau bei Lübeck (1924/25) sowie R. STEINERS zweites Goetheanum in Dornach (1924–28).

Die größte Breitenwirkung außerhalb des dt. Sprachraums erzielte die Architektur des E. in den Niederlanden, wo den um die Ztschr. ›Wendingen‹ gescharten Architekten der Schule von Amsterdam, wie M. DE KLERK (*1884, †1923) und P. L. KRAMER (*1881, †1960), ein weites Betätigungsfeld im Wohnungsbau geboten wurde. – Die Architektur des E. findet erst wieder seit Beginn der 60er Jahre größere Beachtung, nachdem sie lange im Schatten des →Internationalen Stils 2) gestanden hat.

Expressionismus: Max Beckmann; Frau mit Kerze, Holzschnitt; 1920

Expressionismus: Erich Mendelsohn, Einsteinturm in Potsdam; 1920

L.-G. BUCHHEIM: Graphik des dt. E. (1959); ders.: Künstlergemeinschaft Brücke ([2]1961); E. ROTERS: Europ. E. (1971); W.-D. DUBE: Die Expressionisten (1973); R. HAMANN u. J. HERMAND: Epochen dt. Kultur von 1870 bis zur Gegenwart, Bd. 5: E. (1976); M. SCHNECKENBURGER in: Die Kunst des 20. Jh., Propyläen Kunstgeschichte, Bd. 12 (1977); Expressionisten Sammlung Buchheim, Ausst.-Kat., Köln u.a. (1981); Dt. E., 1905–1920, hg. v. P. VOGT (1981).

D. SHARP: Modern architecture and expressionism (London 1966); F. BORST u. G. K. KÖNIG: Architettura dell' espressionismo (Genua 1967); W. PEHNT: Die Architektur des E. (1973).

Externsteine, Sandsteinfelsen des Teutoburger Waldes bei Horn-Bad Meinberg, Kr. Detmold (NRW), möglicherweise urspr. eine heidnische Kultstätte; 1093 vom Benediktinerkloster Abdinghof in Paderborn erworben. Wahrscheinlich unter dem Paderborner Bischof HEINRICH VON WERL (1084–1127) wurden in den Felsen Kapellen hineingehauen, die die hl. Stätten in Jerusalem nachahmen sollten. Die Außenfront des Felsens schmückt ein Relief mit der Kreuzabnahme Christi (um 1130). In gedrungenen, urwüchsigen Formen treten die Figuren stark aus der Fläche hervor. Ikonograph. Vorbilder werden in byzantinisch beeinflußten Werken der Kleinkunst (Bronzeguß, Elfenbein, Miniaturmalerei) gesehen. (BILD S. 159)

J. MUNDHENK: Forschungen zur Gesch. der E. in 4 Bdn., bisher 2 Bde. (1980).

Exultet|rollen, Exsultet|rollen, Buchrollen des 10.–13. Jh. aus S- und Mittelitalien mit dem Exultet-Text (Lobpreis der Osterkerze) und großfigurigen, auf den Kopf gestellten Malereien, die von der den Diakon umstehenden Gemeinde gesehen werden konnten.

ex voto [lat. ›auf Grund eines Gelübdes‹], eine seit altröm. Zeit auf Weihinschriften übliche Formel.

Eybl, Franz, österr. Maler, *Wien 1. 4. 1806, †ebd. 29. 4. 1880, schuf Porträts, Genredarstellungen und Landschaften nach genauer Naturbeobachtung. Er war ein Hauptmeister des Wiener →Biedermeier.

Eyck [ɛjk], **1)** Aldo Ernest van, niederländ. Architekt, *Driebergen 16. 3. 1918, Vertreter des →CIAM der Niederlande nach dem 2. Weltkrieg bis zu dessen Auflösung, Gründungsmitgl. des →Team X, arbeitet seit 1950 im eigenen Architekturbüro in Amsterdam. In der Formensprache des →Brutalismus verfolgt E. in seinen Planungen mehrere Ziele: Das Verhältnis von Innen- und Außenraum soll verdeutlicht werden und Übereinstimmung finden; ein Haus soll den Mechanismus der Stadt, die kleine Welt soll die große widerspiegeln.

HW: Kinderheim in Amsterdam (1960); Skulpturen-Pavillon in Arnheim (1966); Galerie Schmela in Düsseldorf (1969); Haus für ledige Mütter und ihre Kinder in Amsterdam (1976).

2) Hubert van, niederländ. Maler, Bruder von 3), *Maaseyck bei Maastricht um 1370, †Gent 18. 9. 1426, bekannt durch die Inschrift des →Genter Altars, die ihn als den größten aller Maler rühmt und ihn als Schöpfer des Altars bezeichnet (→Eyck 3). Die Forschung hat ihm einige Bilder im Stil seines Bruders, jedoch mit altertümlicherer Gewandbehandlung, zugewiesen (›Verkündigung an Maria‹, New York, Metropolitan Mus. of Art; ›Jüngstes Gericht‹, ebd.; ›Die drei Marien am Grabe‹, Rotterdam, Mus. Boymans-van Beuningen).

3) Jan van, niederländ. Maler, Bruder von 2), *Maaseyck um 1390, begraben Brügge 9. 7. 1441, war seit 1422

Externsteine: Kreuzabnahme; um 1130

Jan van Eyck: Madonna des Kanzlers Rolin (Paris, Louvre)

Hofmaler bei JOHANN VON BAYERN in Den Haag. Nach dessen Tod trat er 1425 in den Dienst PHILIPPS VON BURGUND, für den er versch. Reisen unternahm, so 1428/29 nach Lissabon, um die Prinzessin ISABELLA, die spätere Gemahlin Philipps, zu porträtieren. Von 1430 bis zu seinem Tode hielt er sich meist in Brügge auf.

Werk. Seine bedeutendste Leistung ist der angeblich von seinem Bruder begonnene →Genter Altar in Sint Baafs (St. Bavo) zu Gent (1432 vollendet), ein 4,5 × 3,5 m großer Flügelaltar mit festem Mittelteil und zwei einklappbaren Flügeln. Dieser Altar stellt ma. Themen auf Einzeltafeln unter genauer Beobachtung der Teilszenen dar. Porträt, Akt, Landschaft und Stilleben treten erstmals in eigener Stofflichkeit und Beleuchtung auf. Über die Abgrenzung der älteren (vielleicht von Hubert van E. herrührenden) von den jüngeren gemalten Teilen des Altars hat sich die Forschung nicht einigen können. Doch wirkt die Altarinnenseite altertümlicher als die Außenseite, so daß man zumindest ihre Anlage auf Hubert van E. zurückführen kann. Die Malerei E.s erwuchs aus der niederländ. Buchmalerei, die im 14. Jh. bes. an den frz. Höfen geblüht hatte. Einige Miniaturen eines vor 1417 entstandenen Gebetbuchs des Herzogs von Berry in Mailand (jetzt Turin, Museo Civico) und in Turin (1904 verbrannt) zeigen, wie sich der Stil E.s aus der Kunst der Brüder →Limburg entwickelte. Erst in der Harzöltechnik der Tafelmalerei ließen sich die neuen, bürgerl. Aufträge voll verwirklichen. – Als frühe Ölbilder gelten die ›Madonna in der Kirche‹ (Berlin-West, Staatl. Museen) und die ›Verkündigung‹ (Washington, Nat. Gal. of Art). Auf den Genter Altar folgten Gemälde mit Datierungen zw. 1432 und 1439, v.a. Flügelaltäre (Brügge, Stedelijk Mus., 1436; Dresden, Gemäldegal., 1437) und Madonnentafeln (Antwerpen, Koninklijk Mus. voor Schone Kunsten, 1439; Paris, Louvre; Frankfurt a. M., Städelsches Kunstinstitut), außerdem Porträts von größter Naturnähe (London, Nat. Gal., 1432, 1433, 1434; Wien, Kunsthistor. Mus., 1436; Brügge, Stedelijk Mus. voor Schone Kunsten, 1439). HW sind der groß aufgebaute Altar des Kanonikus van der Paele (Brügge, Stedelijk Mus. voor Schone Kunsten), die Madonna des Kanzlers Rolin (Louvre) und das Doppelporträt des Kaufmanns Arnolfini mit seiner Gattin (London, Nat. Gal.).

Aus allen Werken E.s spricht eine damals neue Weltanschauung, die der sichtbaren Erscheinung einen tiefen Sinn entnimmt und alle überkommenen theologisch-symbol. Elemente in diese Schilderung der Welt und ihrer Formen einbezieht. In der freien Anordnung der Personen in Raum und Bildfläche, der stoffl. Wiedergabe der feinsten Oberflächenzüge, der bis ins einzelne gehenden Beobachtung von Gesichtszügen und Händen, in der Darstellung atmosphär. Innenräumlichkeit und heller, weiter Landschaft ist die Weltschau der Zeit künstlerisch verwirklicht. Der Ruhm E.s war für die Zeit ungewöhnlich groß; die Kunstlit., von Malern geschrieben, rühmt v. a. seine Erfindung der Ölmalerei (in Wirklichkeit Übertragung der Ölharztechnik auf die Tafelmalerei). Die Auswirkung dieser Kunst auf die nordeuropäische und selbst auf die südeuropäische Malerei seit dem 15. Jh. war außerordentlich. (BILD Perspektive)

Tout l'œuvre peint des frères E., hg. v. A. CHATELET u. G. T. FAGGIN (Paris 1970); ELISABETH DHANENS: H. u. J. v. E. (1980).

Eysen, Louis, Maler, *Manchester 23. 11. 1843, †München 21. 7. 1899, gehörte ebd. dem Leibl-Kreis an und neigte in Paris (1869/70) der Schule von Barbizon zu. Seine Porträts, Stilleben und intimen Stimmungslandschaften zeichnen sich durch originelle Ausschnitte, exakte Beobachtung der Lichtwerte und sensible Malweise aus.

Ezechi|el, bei M. LUTHER **Heseki|el,** israelit. Prophet des 6. Jh. v. Chr., dessen Visionen oft zum Motiv künstler. Darstellung wurden (Evangelistensymbole: →Evangelisten; →Maiestas Domini). Zyklen finden sich bereits in den Fresken von Dura Europos, auch in den Gewölbekappen der Unterkirche von Schwarz-Rheindorf (Mitte des 12. Jh.). Die Vision E.s im Tal der Knochen findet Aufnahme in die frühmittelalterl. Buchmalerei und wirkt als Bild auf Darstellungen des Weltgerichts (L. SIGNORELLI, Fresko in Orvieto, nach 1499; MICHELANGELO, Sixtin. Kapelle).

F

Carl Fabergé:
Kuckucksuhr-Osterei; verschiedenfarbiges Gold, Email und Perlen, Höhe 20,3 cm, 1899–1908

Fabbri, Agenore, ital. Bildhauer, *Barba (bei Pistoia) 20. 5. 1911, lebt in Mailand, entwickelte nach naturalist. Anfängen unter dem Eindruck von M. MARINI, G. MANZÙ u. a. einen persönl. Stil bes. in farbigen Terrakotten: Themen aus dem relig. Bereich und v. a. aus der Widerstandsbewegung des 2. Weltkriegs.

Faber [f'eɪbə], John, engl. Kupferstecher, *Den Haag um 1684, †London 2. 5. 1756, stach über 500 Blätter in Schabkunstmanier, so die ›Beauties of Hampton Court‹ nach G. KNELLER, eine Folge von Porträts schöner Frauen des engl. Hofs.

Faber du Faur [-dyf'or], Otto von, Maler, *Ludwigsburg 3. 6. 1828, †München 10. 8. 1901, Sohn und Schüler des als Schlachtenmaler bekannten Generals Wilhelm F. du F. (*1780, †1857), arbeitete 1870–73 bei K. v. PILOTY. F. du F. malte von E. DELACROIX und T. GÉRICAULT beeinflußte Bilder aus dem Orient sowie histor. Schlachtenbilder.

Fabergé [fabɛrʒ'e], russ. Goldschmiedefamilie, Juweliere; bedeutendstes Mitglied Carl, *St. Petersburg 18. 5. 1846, †Lausanne 24. 9. 1920, der mit seinen 4 Söhnen eine international bekannte Firma mit vielen Filialen führte. Neben eklektizist. Arbeiten (oft im Auftrag des Zarenhofes), u. a. mit Email, und Miniaturen (Schmuck, Dosen, Ostereier), entstanden naturalist. Tier- und Pflanzendarstellungen aus Schmucksteinen, um 1900 Werke im Jugendstil.

G. v. HABSBURG u. A. v. SOLODKOFF: F. (1979).

Faber von Creuznach, Conrad, Maler, Zeichner für Holzschnitte, *Bad Kreuznach um 1500, †Frankfurt a. M. um 1552/53, lebte ebd. seit 1525. F. v. C. zeichnete die Belagerung Frankfurts um 1552 (ebd. Histor. Mus.) und schuf die ›Holzhausenporträts‹ (1536; ebd. Städelsches Kunstinstitut). Der Landschaftshintergrund läßt an den Einfluß der →Donauschule denken.

Fabi Altini, Francesco, ital. Bildhauer, *Fabriano (Prov. Ancona) 15. 9. 1820, †San Mariano (Prov. Perugia) 27. 2. 1906, schuf klassizist. Statuen und Grabdenkmäler.

Fåborg [f'ɔbɔr], Stadt auf der dän. Insel Fünen, 4800 Ew.; spätgot. Heiliggeistkirche (Ende 15. Jh.); das Museumsgebäude von C. PETERSEN ist ein HW des dän. Neoklassizismus (1912–15); den Schwerpunkt der Gemäldesamml. bilden die Werke der ›Fünenmaler‹ (P. M. HANSEN, F. SYBERG u. a.).

Fabriano, Stadt und Bischofssitz in der ital. Prov. Ancona, am Osthang des Apennin, 30000 Ew. Im gut erhaltenen ma. Stadtkern um die Piazza del Comune mit Stadtbrunnen (1351 erneuert) befinden sich der got. Palazzo del Podestà (1255) und der Palazzo Vescovile (erzbischöfl. Palast, 1545) mit der Städt. Pinakothek (v. a. Gemälde aus der Schule von GENTILE DA FABRIANO). Zahlreiche Kirchen: Dom (urspr. got.; 1617 erneuert; mit zweigeschossiger Backsteinfassade; reiche Innenausstattung), S. Benedetto (urspr. 1290; Barockfassade des 18. Jh.), S. Lucia (14. Jh.; Fresken) u. a.

Fabritius, 1) Barent, holländ. Maler, Bruder von 2), getauft Midden-Beemster 16. 11. 1624, begraben Amsterdam 20. 10. 1673, lernte um 1645/50 bei REMBRANDT, in dessen Art er, z. T. auch von der hellen Farbgebung seines Bruders beeinflußt, biblische und mythologische Historienbilder, Allegorien und Porträts malte.

2) Carel, holländ. Maler, Bruder von 1), getauft Midden-Beemster 27. 2. 1622, †Delft 12. 10. 1654, der bedeutendste Schüler (1640–43) REMBRANDTS, seit 1650 in Delft. F. ging von Rembrandts Malerei der späten 40er Jahre aus und entwickelte sie im Sinne einer rein auf das Anschauliche, nicht auf das Erzählerische gerichteten Kunst. Statt räuml. Vertiefung bevorzugte er eine fein gelockerte Flächigkeit der Darstellung, häufig silhouettenhaft zusammengefaßt vor hellem Grund, und gelangte schließlich zu einer schattenlosen Hellmalerei, die den Stil seines Nachfolgers VERMEER VAN DELFT entscheidend bestimmte.

HW: Lazaruserweckung (Warschau, National-Mus.); Selbstbildnis (Rotterdam, Mus. Boymans-van Beuningen); Musikinstrumentenhändler (1652; London, National Gal.); Selbstbildnis (1654; ebd.); Torwache (1654, Schwerin, Staatl. Mus.); Distelfink (1654; Den Haag, Mauritshuis).

C. BROWN: C. F. (Oxford 1981).

Carel Fabritius: Distelfink; 1654 (Den Haag, Mauritshuis)

Fächer, Handgeräte aus federndem Werkstoff, waren schon im Altertum in Ägypten, Babylonien, Persien sowie in Indien und China bekannt und wurden als solche auch zum Zeichen der Herrscherwürde in Gestalt eines Wedels aus Palmblättern, Straußen- oder Pfauenfedern an langem Stiel verwendet. Auch die Griechen und Römer benutzten den Wedel in Blattform. Von den liturg. F., die aus der östl. Kirche von der lat. zum Schutz von Brot und Wein bei der Liturgie (Flabellum) übernommen wurden, sind einige aus dem frühen MA. erhalten.

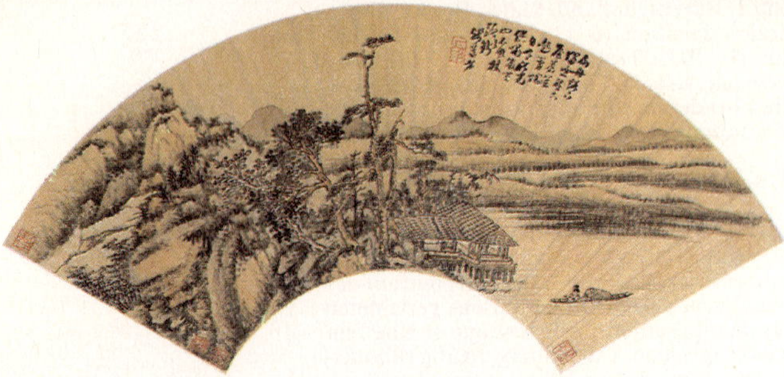

Fächer: Marschige Flußlandschaft mit Bäumen, Häusern und einem Bootsfahrer, von Shih-ch'i, Tusche und leichte Farben auf Goldgrundpapier, 18 cm hoch, 55,8 cm breit, China, 17. Jh. (Zürich, Museum Rietberg, Sammlung C. A. Drenowatz)

Als modische Geräte sind Wedel, Fahnen- und Rad-F. seit dem 13. Jh. bekannt. Im 16. Jh. verbreitete sich über Spanien der aus Japan stammende Faltfächer, viertel- bis halbkreisförmig und aus einzelnen, von einem Stift festgehaltenen, keilförmigen Teilen oder unter ein Deckblatt geklebten Stäbchen zusammengesetzt. Unter König LUDWIG XIV. von Frankreich wurde er zu einem Luxusgegenstand. Blatt und Gestänge erreichten eine hohe künstler. Ausgestaltung im Rokoko durch Juweliere und nach Entwürfen bekannter Maler (J. A. WATTEAU, F. BOUCHER, D. CHODOWIECKI). Das F.-Blatt wurde wegen seines halbkreisförmigen Formats von Malern des 19. Jh. und des Jugendstils immer wieder gestaltet; ein spätes Beispiel ist der F. für Alma Mahler von O. KOKOSCHKA (1914; Hamburg, Mus. für Kunst und Gewerbe).

OSTASIEN

In China, Korea und Japan hat der F. als Träger bed. Werke der Malerei und Kalligraphie einen eigenen Stellenwert, was sich bereits auch darin äußerte, daß man früh dazu überging, das Papier oder die Seide vom Rippengerüst zu lösen und diese Kunstwerke zum besseren Schutz in Alben, auf Stellschirme oder Hängerollen zu kleben. Man unterscheidet 2 versch. Typen: 1) Der **Blattfächer** mit starrem Stiel, der, rund oder trapezförmig, mit Seide oder Papier bespannt und polychrom über Blattgold- oder Alaungrundierung bemalt oder in Tusche beschrieben ist. Er war in China sehr verbreitet und seit der Nara-Zeit auch in Japan gebräuchlich. 2) Der **Klapp-** oder **Falt-F.** aus Plättchen oder mit bogenförmigem Papier bespanntem Gerippe, der in Japan seit der Heian-Zeit verbreitet war und im 11. Jh. aus Japan über Korea nach China gelangte. Er erfreute sich in den Kreisen der chines. Literatenmaler großer Beliebtheit. Es entsprach dem intimen Format des F., daß er als Geschenk zw. Freunden ausgetauscht und mit Widmungen versehen wurde oder bei freundschaftl. Zusammenkünften spontan bemalt und mit das Sujet untermalenden Gedichtversen beschriftet wurde. Eine große Blüte erlebte der bemalte Falt-F. Anf. des 15. Jh. in den Kreisen der Wu-Schule (→chinesische Kunst, Ming-Zeit). Die Sujets umfassen Landschaftsszenen, Blumen, Vögel u. a. Tierdarstellungen sowie figürl. Motive aus dem Bereich der höf. Welt, des buddhist. oder taoist. Pantheons oder des alltägl. Lebens.

M. HENDERSON: The art of Chinese fan painting (London 1974); SUSAN MAYOR: F. (a. d. Engl., 1981).

Fächerfenster, in der dt. spätroman. Baukunst (v. a. der Rheinlande) vorkommende Fensterform, die sich von einem schmalen unteren Teil nach oben fächerförmig erweitert (Neuß, St. Quirin, 1209–23; Bonn, Münster, um 1200; Sinzig, St. Peter, beg. um 1225; Mönchengladbach, ehemalige Abteikirche, zwischen 1200 und 1242).

Fächergewölbe, eine v. a. auf die engl. Architektur der Spätgotik beschränkte Gewölbeform aus maßwerküberzogenen Kegelsegmenten. Die früheste Großwölbung dieser Art ist im Kreuzgang der Kathedrale von Gloucester (um 1360–70) erhalten; seit dem 17. Jh. trat eine Wiederaufnahme dieser Gewölbeform ein.

Fächer|rosette, Schmuckmotiv in der Fachwerkarchitektur der Renaissance, bes. in Ndsachs. Die F. hat die Form einer halben Rosette und ziert die Fußstreben der Pfosten im Brüstungsfeld.

Fachwerk

Fachwerk, Bauweise für Häuser, bei der zunächst ein Stabwerk aus Holz hergestellt wird, dessen einzelne Fächer dann mit Ziegelsteinen, Schwemmsteinen oder Lehm ausgefüllt werden. Die Grundlage des hölzernen F. bildet eine Schwelle, in der die Säulen (Stiele oder Ständer) eingezapft sind. Diese werden waagerecht durch Riegel verbunden und durch schräge Streben versteift. Die Streben an den End- oder Ecksäulen heißen Sturmbänder. Den oberen Abschluß des F. bildet der Rahmen. Säulen, auf die eine innere Scheidewand des Hauses stößt, heißen Bundsäulen. Wird ein Haus in F. errichtet, so legt sich auf das F. des unteren Geschosses die Balkenlage und darauf die Saum-, Sattel- oder Brustschwelle.

Geschichtliches. Vorstufen gab es im Altertum im Vorderen Orient (königl. Palast Alalakh 18. Jh. v. Chr.), in der kretisch-myken. Baukunst (mehrgeschossige Häuser auf Kreta 2500–2000 v. Chr., Belagerungsfestung vor Troja 2. Jahrtsd. v. Chr., Bauten in Tiryns und Mykene 13. Jh. v. Chr.) und in der seit dem Neolithikum übl. Ständerbauweise in Mittel- und Südeuropa. Vollständiges F. trat jedoch erst im Röm. Reich der Kaiserzeit auf, wo es sich wahrscheinlich unter Einfluß der traditionellen Holzbauweise der nördlich der Alpen gelegenen Länder entwickelt hatte. Größere Bedeutung hatte das F. damals lediglich in diesen nördl. Prov., während es in Rom und den benachbarten Städten allenfalls bei billigen Mietshäusern Anwendung fand. Wichtig für die Verbreitung des F. war das Vorkommen von Eichenholz.

Im MA. wurde das F. in Dtl. für Bauten im bürgerl. wie im ländl. Bereich vorherrschend; es war auch in England, Dänemark, Schweden, den Niederlanden und in den am meisten fränkisch beeinflußten frz. Prov.

vertreten. Es trat entweder in der Form des reinen F.-Baues auf oder, indem die Untergeschosse gemauert waren, mit dem Steinbau kombiniert. Die ältesten bekannten Beispiele in Dtl. stammen aus dem 13. Jh. (Frankfurt, Schellgasse 8, 1292; Limburg, Römer 1, 1296). Vom 14. bis 16. Jh. sind Weiterentwicklungen hinsichtlich der Konstruktion (Vermehrung der Verstrebungen, Wechsel der Holzverbindungen, Übergang vom Ständer- zum Rähmbau) und der äußeren Schmuckformen zu beobachten (durch Form des Balkengefüges und Schnitzereien am Holzwerk). Die Arten der Konstruktion und damit die Musterungen der Wandfläche durch das außen sichtbare Holzskelett sind landschaftlich unterschiedlich; in Dtl. sind, außer den von S nach N abnehmenden Stielabständen, die Sicherungen gegen Neigung bezeichnend; beim alemann. F. die Kopf- und Fußstreben an den Stielen, beim hessisch-fränk. F. Überschneidungen und Figuren aus langen Streben und im niedersächs. F. die enge Folge der Ständer mit Riegeln dazwischen.

Als Material diente in erster Linie Eiche, aber auch Tanne oder Fichte; die Ausfachung wurde durch Lehm mit Reisig und Mörtel oder durch Ziegel, im alemann. Bereich auch durch Holzbohlen vorgenommen. Eine wesentl. Rolle für das äußere Bild des F.-Hauses spielt die Farbigkeit, die i. a. als Rot-Weiß- oder Schwarz-Weiß-Kontrast auftritt: weiße Gefache, die mitunter durch Kratzputz geschmückt sind, und mit Ochsenblut oder mit Teer gefärbte Holzteile. Ein Charakteristikum mehrgeschossiger Bürgerhäuser bis ins 16. Jh. war das starke Vorkragen der Obergeschosse. Die F.-Konstruktion blieb i. d. R. auch innen sichtbar. In seiner künstlerisch reichsten Form trat das F. im 16. und 17. Jh. auf und ist als geschlossenes Straßenbild z. B. in Goslar und Halberstadt erhalten. Seit dem späteren 16. Jh. begann es hinter den Steinbau zurückzutreten; im 18. Jh. fand es im bürgerl. Wohnbau nur noch als betont billige Bauweise Anwendung und wurde außen wie ein Steinbau völlig verputzt. Im ländl. Bereich wurde dagegen noch lange an der Tradition festgehalten. Aus dem 18. Jh. sind zahlreiche F.-Kirchen erhalten; Wohn- und Wirtschaftsgebäude wurden bis ins 20. Jh. hinein aus F. errichtet und werden in der Gegenwart häufig restauriert.

H. WALBE: Das Hessisch-Fränk. F. ([3]1980); G. BINDING u. a.: Kleine Kunstgesch. des dt. F.-Baus ([2]1977); K. KLÖCKNER: Alte F.-Bauten (1978); ders.: Der F.-Bau in Hessen (1980); M. GERNER: F. (1979).

Fadenglas: Venezian. Deckelpokal mit weißen Fäden; 1583 (Kassel, Staatl. Kunstsammlungen)

Fadenglas, Hohlglas, hergestellt durch ein kompliziertes Verfahren, bei dem dünne Fäden, meist aus weißem Milchglas, in einer Holzform geordnet und durch eine eingeblasene Glasblase eingeschmolzen werden. Durch Verdrehen des heißen Glases ergeben sich spiralige Windungen, durch Vereinigung zweier Glasschichten mit gegenläufigem Muster entsteht →Netzglas. Im Altertum wurde F. nur als Randabschluß von Mosaikglasschalen verwendet. Die seit der Antike bekannte Technik ging später verloren und wurde im 16. Jh. in Venedig wiederentdeckt; in Dtl. stellte man im 16. und 17. Jh. F. her. Verwandt, aber einfacher auszuführen ist die Fadenauflage, die schon im vorchristl. Ägypten bekannt war: Ofenweiche Glasfäden oder -stränge aus

Buntglas werden von außen auf einen heißen Glaskörper aufgelegt und durch Rollen auf glatter Unterlage in das Grundglas eingedrückt.

Faenza, Stadt und Bischofssitz in der ital. Prov. Ravenna, an der röm. Via Aemilia (Emilia), 55600 Ew.; bekannt durch das in der Renaissance zur Vollendung entwickelte keram. Kunsthandwerk der Fayence (**F.-Majoliken**; Samml. im internat. Keramikmus.). Dreischiffiger Renaissance-Dom (1474 nach Entwurf von GIULIANO DA MAIANO beg., 1581 gew.); Palazzo del Podestà (12./13. Jh.; Mus.); Palazzo del Municipio (14. Jh.; Innenausstattung des 18. Jh.); in der Pinakothek Gemäldesamml. einheim. Meister des 15.–18. Jh.

Făgăraş [fəgər'aʃ], Stadt in Rumänien, →Fogarasch.

Fahlcrantz, Carl Johan, schwed. Maler, *Stora Tuna (Dalarna) 29. 11. 1774, †Stockholm 9. 1. 1861, der bedeutendste Landschaftsmaler der schwed. Romantik, geprägt v. a. von CLAUDE LORRAIN.

Fahlström, Öyvind, schwed. Maler, Dichter, *São Paulo 28. 12. 1928, †Stockholm 9. 11. 1976, lebte seit 1961 meist in New York, wo er eine europäisch komplexe, politisch wie gesellschaftskritisch engagierte Sonderform der Pop Art voll dadaist. Ironie und analyt. Witze entwickelte.

O. F., Kat. der Städt. Gal. im Lenbachhaus, München (1976).

Fahne, der Rand von Tellern und Platten im Unterschied zur vertieften Mitte, dem ›Spiegel‹.

Fahrenkamp, Emil, Architekt, *Aachen 8. 11. 1885, †Düsseldorf 24. 5. 1966, war, v. a. durch die horizontale Fassadengliederung und Gebäudestaffelung seines Entwurfs für das Shell-Haus in Berlin-West (1928–31), wegweisend für die moderne Architektur von Geschäfts- und Verwaltungsbauten in Dtl. 1. Preis im Wettbewerb Völkerbundpalast Genf (1927).

WW: Fabrik- und Verwaltungsgebäude der Rheinstahlwerke, Berlin, Frankfurt a. M., Stuttgart, Nürnberg und Düsseldorf (1921–23); Kaufhaus Karstadt Köln (1963).

Faichtmayr, süddt. Künstlerfamilie, →Feuchtmayer.

Faidherbe [frz. fɛd'ɛrb], **Faydherbe,** Lucas, niederländ. Bildhauer, Baumeister, getauft Mecheln 19. 1. 1617, †ebd. 31. 12. 1697, Schüler von P. P. RUBENS, dessen Stil er auf seine phantasievolle Bildhauerkunst übertrug. HW in Mecheln in der von ihm erbauten Liebfrauenkirche van Hanswijck (1663–78) und in St. Romuald (Grabmal des Erzbischofs Creusen).

Faijum, El-F., El-Fayum, große Oase in der Libyschen Wüste, Ägypten (KARTE ägyptische Kunst). Das Sumpfgebiet um den Karunsee (im Altertum Möris-See), der einen Teil der Senke ausfüllt, wurde im 19. Jh. v. Chr. von Pharaonen der 12. Dynastie in Kulturland verwandelt. Damals errichteten SESOSTRIS II. (in Illahun) und AMENEMHAT III. (in Hawara, mit dem als Labyrinth gebauten Totentempel) ihre Grabpyramiden im F., dazu zahlreiche Tempel, von denen die in Medinet Maadi und Kasr el-Sagha am besten erhalten sind. Eine

2. Blütezeit begann im 2. Jh. v. Chr., als Ptolemäer und Römer neue Städte mit Tempelanlagen errichteten (so in Dimae, Karanis, Kasr Karun, Tebtunis), die wie in der 12. Dynastie v. a. dem Kult des krokodilgestaltigen Sobek dienten. Aus der röm. Zeit stammen Hunderte von →Mumienporträts.

Failaka, kleine Insel vor Kuwait im Pers. Golf (KARTE Alter Orient). Dän. Archäologen legten hier Reste der Tilmun-Kultur frei (Tempel des Gottes Inzak, Häuser, Gräber) aus der Zeit um 2000 v. Chr.; Funde von charakterist. Stempelsiegeln im Kerbstil, ferner eine Siedlung mit Tempel aus seleukid. Zeit.

Faistauer, Anton, österr. Maler, *St. Martin bei Lofer (Salzburg) 14. 2. 1887, †Wien 13. 2. 1930, während der 1920er Jahre einer der Protagonisten moderner österr. Kunst in der Nachfolge P. CÉZANNES; auch als Freskenmaler hervorgetreten (Dekorationen im Festspielhaus Salzburg, 1926).

Faistenberger, aus Hall in Tirol stammende Künstlerfamilie der Barockzeit. Andreas (getauft Kitzbühel 29. 11. 1646, †München 8. 12. 1735) ist als Bildhauer bekannt geworden. Anton (*Salzburg 1663, †Wien 29. 2. 1708) malte v. a. Landschaftsbilder, ebenso sein Bruder Joseph (*Salzburg 1675?, †ebd. 30. 8. 1724). Sein Bruder Simon Benedikt (getauft Kitzbühel 27. 10. 1695, †ebd. 22. 4. 1759) malte für viele Kirchen in N-Tirol wuchtige, dunkle Fresken, die den Einfluß von C. D. ASAM und J. M. ROTTMAYR zeigen.

Faksimile [lat. fac simile ›mach ähnlich‹], weitgehend getreue Wiedergabe oder Nachbildung einer Originalvorlage (Handschrift, Druckgraphik, Zeichnung, Gemälde) mittels eines druckgraph. Verfahrens (z. B. ein reproduzierender Holzschnitt, -stich, Kupferstich; →Reproduktionsgraphik) oder der Photographie.

Fałat, Juljan, poln. Maler, *Tuligłowy (Galizien) 30. 7. 1852, †Bystra (Beskiden) 9. 7. 1929, nach Studien in Krakau und München (1875/76–79) seit 1885 in Berlin, 1895–1910 in Krakau (Leiter der Kunstakad.), seitdem in Bystra. F. malte v. a. (in Aquarell) Jagd- und (Winter-) Landschaftsbilder aus Polen. In der Krakauer Kunstakad. führte er die neue Freilichtmalerei ein.

Poln. Malerei von 1830–1914, hg. v. J. C. JENSEN (1978).

Falbelgewand, im Alten Orient seit der Akkade-Zeit (etwa 2350 v. Chr.) bes. für Götter und hochgestellte Personen üblicher Gewandtyp aus einem Stoff, der in mäßig breiten Bahnen senkrecht ›plissiert‹ erscheint.

Falcone, Aniello, ital. Maler, *Neapel 1607, †ebd. 1656, wichtiger Vertreter des Frühbarock in Neapel; relig. Fresken, Schlachtenbilder, Bambocciate.

Falconet [falkɔn'ɛ], Étienne-Maurice, frz. Bildhauer, *Paris 1. 12. 1716, †ebd. 24. 1. 1791, Schüler von J.-B. LEMOYNE, leitete 1757–66 die Porzellanmanufaktur in Sèvres, für die er anmutige Kleinplastiken anfertigte (›La Baigneuse‹, 1757). In St. Petersburg (heute Leningrad), wo er sich 1766–78 aufhielt, schuf er unter KATHARINA II. sein HW, das Reiterstandbild PETERS D. GR. Wieder in Paris, vertrat er als Akademie-Direktor

Étienne-Maurice Falconet:
Denkmal Peters des Großen in Leningrad

gegen die galante Anmut des Rokoko einen nüchternen, auf den Klassizismus verweisenden Realismus. – F. schrieb u. a. ›Réflexions sur la sculpture‹ (1761).

Falconetto, Giovanni Maria, ital. Maler, Baumeister, *Verona 1468, †Padua 8. 1. 1535. Seine dekorativen Fresken stehen unter dem Einfluß von A. MANTEGNA und MELOZZO DA FORLÌ und sind v. a. wegen der darin verarbeiteten Studien des Künstlers zur Topographie der Stadt Rom bed. Als Baumeister griff F. auf die röm. Antike zurück.

HW: Fresken in Verona: S. Nazaro e Celso (1497–99), Dom (1503); in Mantua: Casa della Valle (Sala dello Zodiaco). Bauten in Padua: Loggia Cornaro (1524), Porta S. Giovanni (1528), Porta Savonarola (1530).

Faldistorium, →Faltstuhl.

Faleri|i, Hauptstadt der italischen Falisker, →Civita Castellana.

Falguière [falgj'ɛ:r], Alexandre, frz. Maler, Bildhauer, *Toulouse 7. 9. 1831, †Paris 20. 4. 1900, gehörte als Bildhauer zu den ersten frz. Realisten des 19. Jh., schuf zahlreiche Büsten und Standbilder (Gambetta, 1884; Cahors) sowie Kleinplastiken; malte relig. und mytholog. Szenen, auch Landschaften.

Falk, Robert Rafailowitsch, russisch-jüd. Maler, *Moskau 1886, †ebd. 1. 10. 1958, malte unter starkem Einfluß von P. CÉZANNE und des frz. Kubismus bes. Architekturlandschaften, Porträts und Stilleben. In den Jahren nach der Oktoberrevolution auch als Lehrer an Moskauer Kunstschulen tätig, hat er um 1930 mehrfach in Paris ausgestellt.

Russ. Malerei 1890–1917, Ausst.-Kat., Frankfurt a. M. (1976).

Fälschung, Nachbildung oder Veränderung eines Kunstwerks in betrüger. Absicht. Die Bez. F. ist nur dann zutreffend, wenn der oft schwer zu führende Nachweis erbracht werden kann, daß die Herstellung oder Veränderung eines Kunstwerks mit der Absicht

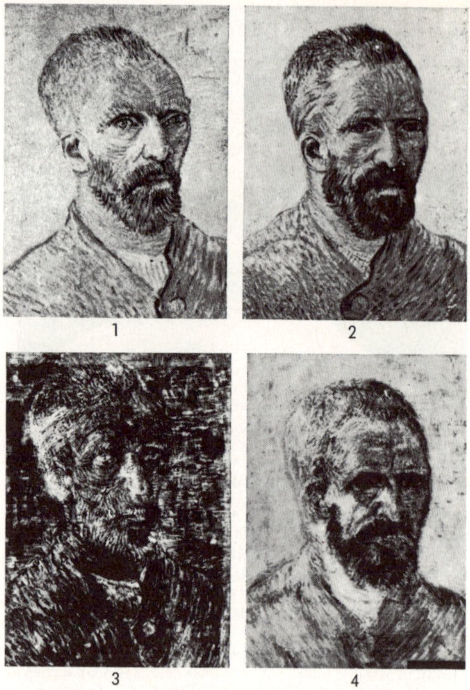

Fälschung: 1 Gefälschtes Selbstporträt des Vincent van Gogh. **2** Echtes Selbstporträt van Goghs als Vergleich. **3** Röntgenaufnahme der Fälschung. **4** Röntgenaufnahme des echten Selbstporträts

der Täuschung vorgenommen wurde. Kopien und Repliken, die durch irrtümliche oder absichtl. falsche Zuschreibung als Original ausgegeben werden, sind keine F., ebenso wie die Bez. unzutreffend ist für Werke, deren Hersteller über die betrüger. Absicht des Auftraggebers und Verkäufers in Unkenntnis gehalten wurde.

Man unterscheidet freie Fälschungen und Verfälschungen. Freie F. sind Werke, deren Urheber in Stil und Malweise, eventuell auch in Thematik, Format usw. die Art eines bestimmten Künstlers oder einer Epoche vorzutäuschen versucht. Dabei werden häufig Teile von Bildern oder Bildwerken übernommen und zu neuen Kompositionen zusammengefügt, ähnlich wie beim Pasticcio, dem jedoch die Täuschungsabsicht fehlt. Nicht selten werden Bildvorlagen in eine andere Technik übersetzt, z. B. Motive aus Holzschnitten A. Dürers in ein Ölbild übernommen oder eine Radierung von E. Nolde ins Aquarell übertragen. Darüber hinaus soll durch künstliche Alterung der Oberfläche, falsches Craquelée, dunklen Firnis, Abreiben von Vergoldungen, künstl. Beschädigungen und Wurmfraß der Erhaltungszustand alter Meisterwerke imitiert werden. Die häufigste Art der F. dürfte die Veränderung vorhandener Kunstwerke sein, durch Maßnahmen, die über eine reguläre Restaurierung hinausgehen. Durch

Übermalen, Verdecken und Ergänzen von einzelnen Motiven oder Signaturen werden zweitklassige Werke, Schüler- und Werkstattarbeiten zum Original aufgearbeitet. Dabei begünstigt die Gewohnheit einzelner Künstler, mehrere Fassungen desselben Werkes anzufertigen, die Arbeit der Kunstfälscher (C. COROT, H. DAUMIER, V. VAN GOGH). Den Radierungen REMBRANDTS, von denen oft mehrere Zustände existieren, konnten durch nur geringfügige Änderungen neue Zustände hinzugefügt werden. Eine dritte Variante der F. betrifft die Dokumentation eines Kunstwerks, gefälschte Expertise, falsche Angaben über die Provenienz.

Neben der Stilkritik gibt es heute differenzierte naturwissenschaftl. Methoden zur Erkennung und zum Nachweis von Kunstfälschungen, wie Röntgen- und Infrarotaufnahmen, die Fluoreszenzuntersuchung, mikroskop. und mikrochem. Untersuchung der Pigmente und der Bindemittel sowie Verfahren zur Altersbestimmung des Bildträgers (Dendrochronologie, Radiocarbonmethode). →Gemäldeuntersuchung

Die Voraussetzung für das Kunstfälschen ist das autonome, mobile und sammelfähige Kunstwerk, das durch Händler an den Käufer vermittelt wird. Die Geschichte der F. ist daher aufs engste mit der Geschichte des Sammelns, mit dem erwachenden Interesse für die Besonderheiten künstler. Stile z. Z. der Renaissance verknüpft. Sie spiegelt auch die Wandlungen des Kunstgeschmacks und der Nachfrage auf dem Kunstmarkt wider. Gefälscht werden bewegl. Kunstwerke aller Zeiten und Völker, vom urgeschichtl. Fund über Münzen, Medaillen, Glas, Porzellan, Terrakotten zu Gemälden, Skulpturen, Graphik, Möbeln, Textilien u. a.

Eine ausgedehnte Fälscherpraxis ist schon seit dem 15. Jh. belegt. Aus der Samml. des Herzogs von BERRY sind Antikenfälschungen bekannt; MICHELANGELOS ›Schlafender Cupido‹ wurde Ende des 15. Jh. als antikes Original verkauft; Holzschnitte von HANS BALDUNG wurden mit neuem Monogramm als Werke Dürers verkauft. Holländ. Kunstfälscher befriedigten im 18. Jh. die Nachfrage nach Werken ihrer Malervorfahren aus dem 17. Jh. Der Maler T. GANSEN fertigte in den 1920er Jahren nach Vorlagen aus Mus. und Fachztschr. Terrakotten im Stil des 14. und 15. Jh.; von dem Fälscher F. GIESSMANN sind Porträts im Stil der dt. Renaissance aus Holz und Stein bekannt. Berühmt wurde der Fall des Vermeer-Fälschers H. VAN MEEGEREN, der seine Fälschungen erst zugab, als er damit den Verdacht der Kollaboration mit den Nationalsozialisten entkräften konnte.

Faltstuhl, Klappstuhl, Feldstuhl, zusammenklappbarer Stuhl meist aus einem Holzgestell und einem Sitz aus Leder oder Stoff, in N-Europa bereits in der Bronzezeit bekannt, ebenso in Ägypten, bei den Griechen und Römern. Erhalten ist der bronzevergoldete Dagobert-Thron aus der Kirche St. Denis, Paris, der für NAPOLEON I. wieder hergerichtet wurde (heute in Paris, Cabinet des Médailles), eine fränk. Arbeit, der untere Teil wohl aus der Zeit des Frankenkönigs Dagobert I (623–39), die oberen Armlehnen aus dem 9. Jh. – Im MA. war der F. weit verbreitet, seit dem 15. Jh. auch mit Seiten- und Rückenlehnen. Der F. ging mit anderen

Thronformen des antiken Kaiserzeremoniells auch in den kirchl. Gebrauch ein **(Faldistorium).** BILD merowingische Kunst

Faltwerk, geschnitztes Ornament in Form gradliniger, meist senkrechter Falten an Möbeln und anderen Holzarbeiten der Spätgotik und Renaissance, bes. in Nord-Dtl., den Niederlanden und England.

Famagusta, Hafenstadt im O der Insel Zypern, 43 600 Ew.; erh. die 1291–1324 als Krönungsstätte für das Kgr. Jerusalem im Stil der frz. Gotik (Champagne) erbaute Kathedrale Hagios Nikolaos (seit der türk. Eroberung 1571 Moschee) und Ruinen zahlreicher anderer Kirchen: v. a. der nestorian. Kirche (1359, got. Elemente, syr. Fresken und Inschriften; eines der wenigen Baudenkmäler der syr. Nestorianer) und der Georgskirche der Griechen (got. und byzantin. Elemente, Apsisfresken von 1431). Aus venezian. Zeit (seit 1489) sind die vom Veroneser Baumeister M. SANMICHELI mit Bastionen und Zitadelle errichtete Stadtbefestigung und der Renaissance-Portikus des Kapitänspalastes (1552 bis 1554) erh.

Familienbildnis, eine dem →Gruppenbild zugehörige Bildgattung. Als Vorläufer des neuzeitl. F. gelten die ma. →Stifterbildnisse, die im Spät-MA. aus dem Zusammenhang einer übergeordneten Szene eine Verselbständigung erfuhren, sowie das seit dem späten MA. beliebte Bildmotiv der Hl. Familie, das sich seit dem 15. Jh. zum profanen F. entwickelte. Das fürstl. F. diente der Repräsentation und stellte eine Demonstration von Einheit und Kontinuität der Dynastie in der Vielfalt ihrer Rangstufen dar. Im Barock wurden in großen fürstl. F. die Figuren vielfach durch Elemente einer Handlung oder allegor. Zutaten verbunden, doch die unpersönl., formelle Beziehung der Porträtierten zueinander blieb bestehen. Die öffentl. Existenz der Dargestellten hatte Vorrang vor der privaten Sphäre. Seit Mitte des 18. Jh. zeigt das bürgerl. F. die Familie in häusl. Umgebung als moral. Einheit (J. B. GREUZE, D. CHODOWIECKI), die im F. des Biedermeiers als gefühlsmäßige Bindung der Familienmitgl. zueinander dargestellt wird.

Famille jaune: Porzellanvase mit Émail sur biscuit, K'ang-hsi; 42,2 cm hoch (Köln, Museum für Ostasiat. Kunst)

Famille jaune [famij'ʒo:n, frz. ›gelbe Familie‹], polychromes, nach dem Émail-sur-biscuit-Verfahren hergestelltes chines. Porzellan (seit 17. Jh.). Die beim Emailfarbendekor über der Glasur verwendeten Schmelzfarben werden direkt auf den schon einmal gebrannten Scherben aufgetragen und im Muffelofen bei ca. 900° C aufgeschmolzen. Die europ. Bez. F. j. leitet sich aus der vorherrschenden antimongelben Grundfarbe ab. Die **Famille verte** [-v'ɛrt, ›grüne Familie‹] ist durch einen grünen Fond gekennzeichnet. Der schwarze Grund der **Famille noire** [-nw'a:r, ›schwarze Familie‹] entsteht durch eine transparente kupfergrüne Schmelzfarbe, die über ein braun-schwarzes Pigment aufgetragen wird. Die Bez. Famille verte und Famille rose werden auch für Waren mit opakem, vorherrschend grün- oder rosa-farbigem Schmelzfarbendekor über bereits glasiertem Grund verwendet und sind deutlich von dem nach dem Émail-sur-biscuit-Verfahren hergestellten Porzellan zu unterscheiden. Blütezeit Ära Ch'ien-lung (1736–95).

Fang, Pạngwe, Bantu-Volk in S-Kamerun, Äquatorialguinea und N-Gabun, etwa 1 Mio. Menschen. Die F. hatten bis zur 1. H. des 20. Jh. eine bed. Kunstschnitztradition. 3 Maskentypen lassen sich unterscheiden: ein langgezogener, abstrakt ästhetisierender, immer weiß gefärbter Typ (›Ngel‹), ein mehrgesichtiger, helmartiger ähnl. Stilgebung (›Ngongtang‹) und ein etwas plumperer (›Ekekek‹) mit Röhrenaugen und offenem Mund, schwarz-weiß und ocker bemalt. Für die Reliquienbehälter ihrer Ahnen stellten die F. (ähnlich wie die Kota) Wächterfiguren und -köpfe aus Holz her, die v. a. bei den nördl. F. (Kamerun), häufig mit Messingblechstreifen beschlagen wurden; diese ›Bieri‹ saßen, mit einem Stab verbunden, auf den zylindr. Schachteln aus Baumrinde, in denen sich die Gebeinsreste befanden, und wurden bei jeder Kulthandlung mit Öl oder Blut bestrichen sowie mit Nahrung versorgt. Die nördl. Bieri (›Ntum‹-Stil) sind durch lange, dünne Formen gekennzeichnet, die südl. weisen eher massige, gedrungene auf. Weniger bekannt sind die mit einem bieri-ähnlichen Kopf geschmückten Saiteninstrumente (›Citar‹) sowie figürlich beschnitzte Pfosten aus den Versammlungs- oder Gebetshäusern.

L. PERROIS: Arts du Gabon (Arnouville 1979).

Fang: Reliquiarfigur auf einer Schachtel aus Baumrinde, die Gebeinreste eines Ahnen enthält (Privatsammlung)

Fan Ku'an, chines. Landschaftsmaler, *Huayüan (Prov. Shensi), tätig zw. 960 und 1030, widmete sich taoist. Studien, zog sich später ins Gebirge zurück, um den Geist der Berge zu überliefern. Die signierte Hängerolle ›Reisende zw. Strömen und Bergen‹ (Palastmus. Taipeh) ist eines der wenigen echten erh. Meisterwerke der monochromen Landschaftsmalerei der nördl. Sung-Zeit. Charakteristisch ist die Vertikalkomposition mit hintereinandergesetzten Raumschichten.

Fano, Stadt und Bischofssitz in der ital. Prov. Pesaro e Urbino, am Adriat. Meer, 51 500 Ew. Aus röm. Zeit stammen die Reste der Basilika des Vitruv und der Augustusbogen (2 n. Chr.), daran schließen sich die Loggie di S. Michele (5 Arkaden; 1495) und die Kirche S. Michele (mit Renaissanceportal) an. Mehrere Paläste seit dem MA., u. a. Palazzo della Ragione (1299), Palazzo Montevecchio (18. Jh.) und der Komplex der Case Malatestiane (urspr. 15. Jh.) mit dem Mus. Civico Malatestiano (v. a. Gemälde). Dom (Neubau 1113–30; Fresken von DOMENICHINO), S. Maria Nuova (im 16. Jh. erneuert; mit 2 Gemälden von PERUGINO), S. Pietro ad Vallum (17. Jh.; barocke Innenausstattung).

Fansạga, Cosimo, ital. Baumeister, Bildhauer, →Fanzago.

Fantin-Latour [fãt'ɛ̃ lat'u:r], Henri, frz. Maler, Graphiker, *Grenoble 14. 1. 1836, †Buré (Orne) 25. 8. 1904, ausgebildet in Paris, als Freund J. WHISTLERS mehrmals in England. Im Umkreis der Impressionisten fand er zu einer romant. Kunst zw. Realismus und Symbolismus. Gruppenbildnisse der Freunde (→Batignolles), subtile Blumenstilleben und szen. Motive als ›Pa-

Henri Fantin-Latour: Stilleben; 1865 (Paris, Musée d'Orsay)

raphrasen‹ zur Musik von R. WAGNER, H. BERLIOZ, J. BRAHMS u. a. sind seine wichtigsten Themen.

H. F.–L., Ausst.-Kat., Paris (1982).

Fanzago, Fansaga, Cosimo, ital. Baumeister, Bildhauer, getauft Clusone bei Bergamo 31. 10. 1593, begraben Neapel 13. 2. 1678, Schüler P. BERNINIS in Rom, seit 1608 in Neapel tätig, richtungweisend auf dem Gebiet der neapolitan. Barockornamentik. Überreich geschmückte Fassaden kennzeichnen bes. seine späten Bauten.

HW (alle in Neapel): Klosterhof v. S. Martino (1623–31); S. Maria della Sapienza (1640–49); Palazzo di Donn' Anna (1642–44; unvollendet); S. Giuseppe degli Scalzi (um 1660).

Fa-presto-Malerei [ital. fa presto ›mach schnell‹], →Tonmalerei.

Fara, Ruinenhügel der alten Stadt **Schuruppak,** Stadt des sumer. Sintfluthelden Zinsudras, S-Mesopotamien (KARTE Alter Orient). Bei Grabungen wurden v. a. Gräber mit Funden aus der Djemdet-Nasr-Zeit (etwa 3200 bis 2900 v. Chr.) und der frühen Frühdynast. Periode (etwa 2800 v. Chr.) aufgedeckt; außerdem zahlreiche sehr alte Tontafeln mit Schul- und Verwaltungstexten.

Faras, das antike **Pachoras,** von dem durch den Assuan-Staudamm aufgestauten See überfluteter Ort im nördl. Sudan, nahe der ägypt. Grenze; im 5.–12. Jh. ein Mittelpunkt des christl. Nubien. Die gut erh. Wandmalereien aus der Kathedrale von F. (1961–64 durch poln. Grabung freigelegt, heute in den Mus. von Warschau und Khartum) stammen aus der Zeit zw. 700 und 1200; sie verbinden den Einfluß der byzantin. Kunst mit einheim. Elementen und wirkten ihrerseits auf die nub. Kunst an anderen Orten. Bei der Grabung fanden sich auch Reste eines altägypt. Tempels.

Das Wunder aus F., Ausst.-Kat., Essen (1969).

Farbe ist der Eindruck, den bestimmte elektromagnet. Wellen auf der Netzhaut hervorrufen. Der Begriff F. wird in naturwissenschaftl. Literatur nur für die sinnl. Wahrnehmung benutzt; sonst spricht man von Farbmitteln oder von →Ölfarben, →Farbstoffen.

Farbenlehre, Wissenschaft von den Farben als optischer Erscheinung und den Gesetzmäßigkeiten der Farbwirkung. In der Antike zählte die F. zur Naturphilosophie (ARISTOTELES), im MA. war sie einer ›Lichtmetaphysik‹ zugeordnet (BONAVENTURA). Erst in der Renaissance wurde sie in eine allg. Kunstlehre eingebaut (ALBERTI, LEONARDO). Eingehende Untersuchungen beginnen im Abendland im 17. Jh. (ANTONIUS DE DOMINIS, DESCARTES). Der engl. Physiker I. NEWTON veröffentlichte 1671 Versuche über die unterschiedl. Brechbarkeit der Spektrallichter, in denen er Lichtbeschaffenheit und Farbe gleichsetzt. Diese stießen auf den erbitterten Widerspruch GOETHES, der in seiner 1810 erschienenen ›Farbenlehre‹ Newtons physikal. Analyse der Farbe zu Unrecht bestritt, andererseits aber zur psycholog., ästhet. und symbol. Betrachtung ausweitete. Auf Goethes 12stufigen Farbenkreis baute P. O. RUNGE seine Farbenkugel (1810) auf. V. a. haben die Ausführungen des Philosophen G. HEGEL über das Verhältnis von Licht und Farbe (Vorlesungen über Ästhetik, 1827/28), das Farbsystem des Chemikers M. E. CHEVREUL (1839) und die Forschungen des Physikers H. v. HELMHOLTZ über die physiolog. Optik (Optisches über Malerei, 1871–73) im 20. Jh. zu einer F. geführt, die auf der Grundlage von Physik, Physiologie und Psychologie immer mehr die Eigenwertigkeit der Farbe als künstler. Gestaltungsprinzip erkennt.

Die theoret. Erkenntnisse der F. wurden zuerst von den Impressionisten bewußt für die Bildgestaltung genutzt (Linien werden durch Farben erzeugt; Licht als Beleuchtungslicht verschwindet). Bei P. CÉZANNE besitzt Farbe außer Licht- auch noch Raumwert. Im Pointillismus oder Neoimpressionsismus wird außer der Harmonie der Komplementärfarben in Anlehnung an Chevreuls Farbenkreis auch die Harmonie der einzelnen Tonhöhen untereinander und die der Farben auf gleicher Tonhöhe erkannt und angewandt (G. SEURAT, C. PISSARRO). Im Orphismus führte R. DELAUNAY die Farbanwendungen Cézannes weiter und steigerte sie in seinen Formrhythmen zu Farbklängen aus komplementären Werten. Die Farben als gegenstandsunabhängige, frei komponierbare Tonwerte, setzten auch W. KANDINSKY und A. MACKE ein, um analog zu den Tönen der Musik die Farben im Bild zu reinen Klängen zu führen. Mit der optisch-ästhet. Relation vom Raumwert der Farbe experimentiert die Op Art.

W. SCHÖNE: Über das Licht in der Malerei ([4]1977); H. KÜPPERS: Das Grundgesetz der F. (1979).

Färber|röte, Maltechnik: wichtiger roter oder blauer, dem Indigo verwandter Alizarinfarbstoff aus der Krappwurzel. Aus F. erhielt man durch Verlacken den begehrten Krapplack.

Farbfeldmalerei, engl. **Color-field-painting** [kʹʌlə fiːld pʹeɪntɪŋ], Malerei, die sich in ihrer Ausdrucksweise auf Farbflächen beschränkt, seit Ende der 1950er Jahre bes. in der amerikan. Kunst (M. LOUIS, K. NOLAND, A. REINHARDT, F. STELLA).

Farbholzschnitt, Farbdruck im Hochdruckverfahren (→Druckverfahren). Den Wunsch, →Holzschnitte farbig zu fassen, dokumentieren schon einzelne handkolorierte →Einblattdrucke. Um 1500 wurden in Dtl. und Italien nahezu gleichzeitig erste Versuche unternommen, farbig zu drucken. Mehrere Druckformen, in die jeweils nur ein Teil der Darstellung geschnitten ist, werden mit jeweils einer Farbe eingefärbt. Übereinander gedruckt ergänzen sie sich zu einem mehrfarbigen Bild. Man beschränkte sich zunächst auf Rot, Gelb und Blau, dazu trat eine Schwarzplatte, welche die Umriß- und Binnenzeichnung konturierte und die Möglichkeit bot, durch vollständiges Freilassen einzelner Stellen das Weiß des Papiers mitwirken zu lassen. Eine Sonderform des F. ist der **Clairobscur-Holzschnitt** [klɛːrɔbsk'yr-] **(Helldunkelschnitt),** der mit 2 Druckformen, der schwarzen Umrißplatte und einer Tonplatte für die Erzeugung eines einheitl. Grundtons (Blau, Grün, Braun oder Grau) die Wirkung einer weißgehöhten Federzeichnung auf farbigem Papier erzeugen soll. Beim **Camaïeu-Holzschnitt** [kamaj'ø-] **(Grau-in-Grau-Schnitt)** werden 4 Platten in Abstufung eines Farbtons gedruckt; die erste trägt Umrisse und Schatten, die nächsten die Mitteltöne, die letzte die Grundfarbe; die Schwarzplatte entfällt. Das Ziel ist die maler. Wirkung einer lavierten Pinselzeichnung.

Über den Farbdruck im Tiefdruckverfahren →Farbstich, im Flachdruckverfahren →Lithographie.

OSTASIEN

In den außereurop. Kulturen war der F., wie der →Holzschnitt, v.a. in Ostasien ein wichtiges künstler. Medium. Der F. entstand in China, wo er sich jedoch i. Ggs. zu Japan nicht zu einer solchen Eigenständigkeit

Farbholzschnitt: Katsushika Hokusai, ›Tellergespenst‹; aus der Serie ›Einhundert Erzählungen‹; 1830–40

Farbholzschnitt: Suzuki Harunobu, Mädchen auf nächtlicher Pilgerfahrt; um 1770

entwickelte. Das erste chines. Werk von mit 5 versch. Blöcken gedruckten Illustrationen ist ein 1605 herausgegebenes zwölfbändiges Musterbuch über verzierte Tuschesteine (Ch'eng-shih mo-yüan). Berühmter jedoch sind die Mallehrbücher →Zehnbambushalle und der →Senfkorngarten. Eine bes. Gruppe innerhalb des F. bildet das verzierte Brief- oder Gedichtpapier – eine Tradition, die bis in die Gegenwart gepflegt wird.

Der japan. F. entwickelte sich vom Schwarzdruck (Sumizuri-e), der nach der Art der Handkolorierung in →Tan-e, →Beni-e, →Urushi-e eingeteilt wird, zum Mehrfarbendruck. Beim Einzelblatt findet man den Zweifarbendruck (Beni Zuri-e) seit 1742, den Vielfarbendruck (Nishiki-e) seit 1765, dessen Entwicklung v.a. auf →Harunobu zurückzuführen ist. Die lineare Vorzeichnung schufen Maler, die Druckausführung übernahmen spezialisierte Handwerker, die unter Verlegern arbeiteten. Der F. entstand im Handdruck. Auf Langholzplatten wurde die Vorzeichnung seitenverkehrt aufgeklebt und ausgeschnitten, bis die Linien als erhabene Stege stehen blieben. Auf den eingefärbten Druckstock wurden Papierbögen aufgelegt und mit einem Reiber angepreßt. Paßkerben, um 1742 erfunden, ermöglichten das Registrieren der Platten beim Mehrfarbendruck. Farben waren Tusche, Pflanzen-, Metall- und Mineralfarben, seit etwa 1825 Preußisch-Blau. Die Papierarten wechselten; dickes Papier verwendete man bei den frühen Kalenderblättern (um 1765) und den privat edierten →Surimono. Die Entwicklung des F. verlief stilistisch und thematisch parallel zur Ukiyo-e-Malerei. Die wichtigsten Themen sind bis etwa 1800 das Sittenbild, die Frauen- und Schauspielerdarstellung, Erotika. Führende Meister der klass. Epoche von 1780–1800 sind KIYONAGA, EISHI, UTAMARO, SHARAKU, TOYOKUNI. In der 1. H. des 19. Jh. nimmt das Naturbild die führende Rolle ein; Meister der Landschaft sind HOKUSAI, HIROSHIGE, KUNIYOSHI. Nach 1850 beginnt durch Verwendung von Anilin-Farben und Formerstarrung der Untergang des alten Ukiyo-e-F., obwohl so versierte Zeichner wie KYOSAI, YOSHITOSHI, BAIREI hierfür zeichneten.

W. KLEMKE: Die Technik des chines. F. (1956); R. GOEPPER: Meisterwerke des japan. F. (1973).

Farbige Grundierung, Maltechnik: die Einfärbung des Malgrundes in einem einheitl. Grundton. Sie erlaubt eine wirkungsvolle, maler. Lichtmodellierung mit sparsamsten Mitteln. Experimente mit F. G. im 16. Jh. führten zur barocken →Tonmalerei, meist auf Bolusgrund, Vorläufer sind im ma. →Verdaccio zu sehen. Bilder mit F. G. zeichnen sich durch ein harmon. Kolorit aus, das von der unterlegten Farbe bestimmt wird.

Farbigkeit der Architektur, die urspr. farbige Erscheinung histor. Architektur, sowohl im Innen- wie im Außenbau. Die Vergänglichkeit von Farbe und Putz lassen dies meist vergessen. F. d. A. kann erreicht werden durch Wechsel des Steinmaterials oder durch farbige Fassung von Putz und Stein, sie kann das architekton. System unterstützen oder negieren.

In der Architektur Mesopotamiens und Persiens wurde schon seit frühgeschichtl. Zeit versucht, die Bauten farbig zu gestalten, so die Mosaikverkleidung aus farbigen Tonstiften in Uruk (um 3000 v. Chr.). Assyrer, Babylonier und Perser schmückten ihre Bauten mit bunten glasierten Ziegeln (Assur, Babylon, Susa). Altägypt. und grch. Tempel waren stark farbig behandelt. Die Architektur des MA. war durch oft auffällige Farbigkeit bestimmt (Aachener Münster, außen rot; Elisabethkirche in Marburg, außen und innen rosa mit weiß aufgemalten Fugen). Durch detaillierte Befunduntersuchungen hat die →Denkmalpflege in letzter Zeit viele neue Aufschlüsse über F. d. A. erlangt. Weitere Quellen für die Neuzeit sind →Architekturzeichnungen, Ansichten auf Gemälden und farbige Graphiken und Schriftquellen, z. B. Materialrechnungen. Seit den Bauverordnungen des Barock v. a. in Residenzstädten (Dresden 1720, Mannheim 1738) sind Angaben manchmal sogar mit beigefügten Farbkarten wichtige Quellen. Im 19. Jh. begann die Forschung sich im ›Polychromiestreit‹ mit der F. d. A. der Antike und des MA. zu beschäftigen, was Auswirkungen auf die Farbvorstellungen in der Architektur des Historismus hatte. Das Neue Bauen des Funktionalismus bevorzugte Weiß als Farbe, seltener auch ungebrochene, kräftige Farben. (→Polychromie)

Farblack, Farbstoffe, die, um sie als Malfarben verwenden zu können, auf einen farblosen Träger (Substrat), meist eine weiße Erdfarbe, verlackt werden.

Farbmischungen, Zusammenstellung von Farbtönen, die für die Gewänder bestimmter Heiligenfiguren und für die →Inkarnate in den vorgot. Epochen weitgehend festgelegt und zeichenhaft verstanden wurden. In der Ikonenmalerei z. B. wird das Inkarnat einer Figur mit einer grünen F. dem →Proplasmus angelegt (→Anlegen 2). Mit einer rotbraunen F. werden sodann die Konturen und Schatten eingezeichnet und mit einer Mischung aus Proplasmus und Karnation, dem →Glykasmus, erste Höhungen modelliert. Mit der Karnation, die nach Bedarf noch einmal in drei Stufen mit Weiß aufgehellt werden kann, wird, was plastisch erscheinen soll, weiter schichtenweise gehöht. In gleicher Weise waren auch die Farben der Gewänder und die F. für ihre Modellierung bestimmt. Ähnliche Malanweisungen kennen auch westliche ma. Quellenschriften. Erst mit der Entdeckung der Lichtmodellierung Ende des 15. Jh. verschwinden die F.

Farbmittel, Maltechnik: von der naturwissenschaftl. Lit. verwendeter Sammelbegriff für Mal- und Anstrichfarben und deren Komponenten.

Farbstich, die im Tiefdruckverfahren von einer einzigen, in mehreren Farben eingefärbten Druckplatte, oder von mehreren, verschieden eingefärbten Druckplatten abgezogene Druckgraphik (Kupferstich, Stahlstich, Radierung u.a.). JAKOB CHRISTOF LE BLON (*Frankfurt a. M. 21. 5. 1667, †Paris 16. 5. 1741) nutzte seit 1737 die Newtonsche Farbenlehre, nach der sich alle Farbtöne aus den Grundfarben Rot, Gelb und Blau zusammensetzen, und erfand den **Vierfarbendruck.** Mit 3 Schabkunstplatten und einer Schwarzplatte druckte er Reproduktionen nach Gemälden. Die Farbplatten trugen jeweils Farbanteile der 3 Farben – und zwar entweder als reine Farben nur auf einer Platte oder als Mischfarben im Übereinanderdruck auf 2 oder allen 3 Platten. Die Farbdichte entstand durch geringes oder stärkeres Glätten der Schabkunstplatte. Durch die **Farbradierung,** dem Abdruck von mehreren Aquatintaplatten, wurde der Farbentiefdruck noch verfeinert.

Der F. gelangte im 18. Jh. in Frankreich zu höchster Vervollkommnung. F. JANINET (v. a. Farbradierungen) und L. P. DEBUCOURT (v. a. Farbkupferstiche) verwendeten bis zu 8 Druckplatten, womit sie zarteste Abstufungen und bis zu 18 versch. Farbtöne erreichten. Das Problem der exakten Deckung der versch. Platten suchte man mit dem →Passer zu lösen. Man führte die Paßnadel in die Paßlöcher am Plattenrand und prüfte so die Deckungsgleichheit. Anf. des 19. Jh. wurde der F. von der farbigen Lithographie verdrängt.

Über den Farbdruck im Hochdruckverfahren →Farbholzschnitt, im Flachdruckverfahren →Lithographie.

Farbstifte, farbige Schreib- und Zeichenstifte; sie werden für unterschiedl. künstler. Zwecke mit versch. Bindemitteln hergestellt. Älteste Formen der F. sind Holzkohle und Erdfarbkreiden (Höhlenmaler). Neben den länger bekannten Pastellkreiden (Tragant) sind heute Wachsstifte, Ölstifte (mit Wachs gebundene Stifte von unterschiedl. Härte), holzgefaßte F. (Leim) und Allstifte (eine moderne Bez. für Stifte, die z. B. auch auf Glas und Papier haften, das Bindemittel ist ebenfalls Wachs) im Handel.

Farbstoffe, Maltechnik: in Wasser oder Lösemitteln lösl. organ. Farbmittel. Natürl. F. (z. B. Karmin, Purpur, Schüttgelb, Indigo) sind pflanzl. oder tier. Ursprungs; sie wurden seit der Antike zum Färben von Stoffen u. a. verwendet. Um F. als Malfarben verwenden zu können, müssen sie erst unlöslich gemacht, d. h.

verlackt werden. Heute sind die natürl. F. fast vollständig von den zahlreichen, meist lichtbeständigeren Teer-F., unter denen es auch unlösliche F. (Pigment-F.) gibt, verdrängt worden.

Farfa, Benediktiner-Abtei in den Sabiner Bergen, nordöstlich von Rom, gegr. im 6. Jh., nach Zerstörung 690 wiedergegr., seit KARL D. GR. reichsunmittelbar, seit 1841 mit St. Paul in Rom verbunden. Die Klosteranlagen reichen bis ins 7. Jh. zurück; in der Abteikirche S. Maria (Neubau 1492) Fresken (16. Jh.).

Farinati, Paolo, ital. Maler, Radierer, Baumeister, *Verona 1524, †ebd. 1606, wurde von GIULIO ROMANO, später von PAOLO VERONESE beeinflußt; entwickelte einen manierist. Duktus oberital. Prägung.

HW: Ecce homo (1562; Verona, Mus. Civico).

Farnese, Palazzo F., Palast an der Piazza F. in Rom, 1514 von A. DA SANGALLO D. J. für Kardinal F. beg. und nach dessen Thronbesteigung als Papst PAUL III. 1534 in größerem Maßstab fortgeführt. Nach Sangallos Tod setzte MICHELANGELO 1546 das Kranzgesims der Front auf und fügte im Hof das 2. Obergeschoß hinzu. G. DELLA PORTA öffnete die Gartenloggia und vollendete 1589 den Bau, der den Typus des ital. Renaissancepalastes verkörpert. 1596–1604 wurde die Galerie im Flügel der Gartenseite mit Fresken von ANNIBALE und AGOSTINO CARRACCI, F. ALBANI und DOMENICHINO ausgeschmückt. 1731 ging der Palast durch Erbfolge an die Bourbonen über. Seine Antikensamml. (→ Farnesische Sammlungen) wurde nach Neapel überführt.

Über den von G. DA VIGNOLA für Kardinal Alessandro F. erbauten Palazzo F. →Caprarola.

Farnesina, Villa im Stadtteil Trastevere in Rom, für den Bankier A. CHIGI 1508–11 von B. PERUZZI erbaut, mit Fresken von RAFFAEL, SODOMA und Peruzzi ausgestattet; seit 1580 im Besitz der Farnese, nach 1731 durch Erbschaft im Besitz der Bourbonen, heute (zugleich mit dem Palazzo Corsini) Sitz der Accademia dei Lincei (Akad. der Wissenschaften).

Farnesische Sammlungen, Neapel, Antikensamml. der Familie Farnese; zunächst in Rom, kam die Samml. 1731 durch den span. König KARL III. (1759 bis 1788), einem Erben der Farnese, nach Neapel; seit 1826 im Archäolog. Nat.-Mus., enthält u. a. den 1547 in den Caracalla-Thermen in Rom gefundenen ›Farnes. Stier‹ (→Apollonios), den ›Farnes. Herakles‹ (Marmorkopie nach →Lysipp) und die ›Farnes. Flora‹.

Farnfiguren, Figuren aus Baumfarnen, oft überlebensgroß, auf den Banks-Inseln und auf Ambrym, Neue Hebriden (Vanuatu), als Zeichen der Rangstufe des Auftraggebers hergestellt. Die Gesichter, auf Ambrym konkav ausgeformt, mit großen runden Augen, geraden Nasen und tief herabgezogener Kinnpartie, sind meist überdimensioniert, die übrigen Teile des Körpers z. T. nur angedeutet. A. GIACOMETTI rühmte den Wahrheitsgehalt der Figuren, insbesondere ihres Blicks.

Faruffini, Federico, ital. Maler, *Sesto S. Giovanni (bei Mailand) 6. 2. 1831, †Perugia 16. 12. 1869, schuf Historien- und Genrebilder in altmeisterl. Manier.

Fasanerie, Fasanengarten, Einrichtung zum Heranziehen eines Fasanenbestandes. Im Barock gelangte die seit dem MA. in Klöstern und Pfalzen beliebte F. zu größerer Bedeutung; der Name bürgerte sich als Bez. von Residenzen oder deren Anbauten ein.

Fasanerie, weitläufiges Barockschloß (auch ›Adolphseck‹) bei Fulda, ehem. Sommerresidenz der Fürstäbte von Fulda, um 1710 von J. DIENTZENHOFER beg., 1739–50 durch A. GALLASINI fortgeführt, das Innere 1825–27 teilweise klassizistisch umgestaltet; wertvolle Einrichtung und Kunstsamml.

Fasche, Baukunst: die der Wandfläche vor- oder eingelegte rahmenartige Einfassung von Türen oder Fenstern, meist aus Holz, Stein oder Putz, die (bes. in der Renaissance und im Barock) auch zur ornamentalen Gliederung und Bereicherung der Fassade diente.

Fascia [lat.], Baukunst: horizontale, abgetreppte Gliederung des Architravs der ionischen und korinth. Bauordnung (→Säulenordnung).

Fase, Baukunst: die schmale Fläche, die durch Abfasen oder Brechen einer Kante an Bauwerken entsteht. Die F. kommt allein vor oder ist Teil eines Profils.

Fassade [frz.], Hauptansichtsseite eines Gebäudes, die den äußeren Anspruch der Architektur repräsentiert. Die F. kann die dahinterliegende Raumform oder Raumaufteilung widerspiegeln oder sie verschleiern. Sie ist durch architekton. Gliederung oder ornamentale Gestaltung hervorgehoben, an ihr liegt meist der Haupteingang des Gebäudes.

Die hellenistisch-röm. Architekturform der F. entstand aus der Mischung von Elementen des Tempelbaus (Säule, Gebälk, Giebel) mit solchen der Wand (Nische, Tor, Exedra) und war erst möglich, als die grch. Bauweise der isoliert stehenden, von allen Seiten sichtbaren Gebäude in späthellenistisch-röm. Zeit von einer Ensemble-Architektur abgelöst wurde; die hier zusammenstehenden Bauten wie Hallen, Tore und Tempel präsentierten ihre Fronten zu einem Platz oder Hof. Dementsprechend entstanden reichgestaltete F. an der zum Innenraum gerichteten Bühnenwand (Scenae frons) des antiken Theaters, bes. in röm. Anlagen; hier wurde die Vertikalgliederung von den 3 oder 5 Bühneneingängen bestimmt und die Horizontalgliederung von den Umgängen des Zuschauerraums abgeleitet, denen die Stockwerke mit ihren Fenstern, Nischen, Giebeln und Archivolten entsprachen. F.-Formen fanden sich in der röm. Architektur an vielen Bautypen, v.a. an Stadttoren, Triumphbögen, Nymphäen und Grabbauten; sie bildeten Hintergrund und Rahmen für die vielgestaltigen Bildwerke (Statuen, Reliefs), die ihnen eingefügt wurden.

Bei den frühchristl. und ma. Kirchen liegt die F. i.d.R. im W. In der Romanik kamen neben mächtigen Front-F. an den Querhausabschlüssen Zweitfassaden vor, wobei bes. die W-Fassaden reich dekoriert wurden. Es wurden auch Fassadenlösungen gewählt, die in ihren Proportionen weder in Höhe noch Gliederung dem zugehörigen Bau entsprachen (Rom, Peterskirche: Hier ist die F. der Vorhalle, aber nicht der Kirche angepaßt; beim Pantheon wurde einem Rundbau eine gerade F. vorgesetzt). Andererseits nahmen z.B. bei süddt. Barockkirchen die F. die Linienführung der häufig ovalen Innenräume auf.

Bei Repräsentationsbauten der Renaissance und des Barock wie Schlössern, Rathäusern, Palais u.ä. wurden oft die Ideen der antiken F.-Gestaltung wieder aufgegriffen, je nach ihrer Lage in der Stadt oder Landschaft.

Straßenraum und Platz werden gebildet durch Aneinanderreihung von F., wobei die Bedeutung des Gebäudes oder seiner Nutzung durch das Architektursystem und den gestalter. Aufwand repräsentiert wird. Das relative Gleichgewicht von Nutzungsanspruch und Aufwand bei der Fassadengestaltung blieb bis zum Ende des 18. Jh. erhalten. Im Historismus mit der geschlossenen Bauweise in der Stadt des 19. Jh. und ihren endlosen dekorierten F. bekam der Begriff eine negative Nebenbedeutung bes. durch die Kritik des Funktionalismus. In neuerer Zeit werden zur äußeren Gestaltung von Verwaltungs- und Industriebauten vorfabrizierte Vorhang-F. (Curtain Wall) verwendet.

Faßbender, Josef, Maler, Graphiker, *Köln 14. 4. 1903, †ebd. 5. 1. 1974, malte abstrakte Bilder voller Phantasie und poetischer Naturbezogenheit, auch Graphik und Wandbilder (Beethovenhalle, Bonn).

Faßmaler [zu fassen], seit dem ausgehenden MA. geläufige Bez. für den Maler, der plast. Bildwerke bemalt (→Fassung 1).

Fassonierung [frz.], eingekerbter Randdekor bei Geschirr aus Keramik und Metall.

Fassung, 1) Bemalung eines plast. Bildwerks durch den Faßmaler. Unter F. versteht man den vollständigen, meist komplizierten Aufbau: die oft modellierende →Grundierung mit einem Kreide- oder Gipsgrund, das Belegen der Fugen mit Leinwand, die →Vergoldungen und →Applikationen, auch das farbige oder farblose, die Wirkung naturbelassener Materialien (Holz, Stein) steigernde Lasieren. Die F. hat im Laufe der Zeit deutlich stilist. Ausprägungen erfahren. Die meisten Bildwerke seit der Antike waren auf F. angelegt, der Verlust bedeutet immer eine irreparable Entstellung des Gesamtkunstwerks.

2) In der Goldschmiedekunst die dauerhafte Befestigung von Edelsteinen und Perlen in Metall.

Fastentücher, →Hungertücher.

Fatẹhpur Sịkri, ab 1571 unter Akbar an der Wohnstatt eines muslim. Heiligen (Salim Chisti) erbaute Palaststadt westlich Agra, Indien; mußte gegen Ende des 16. Jh. (angeblich wegen Wassermangels) verlassen werden, so daß die meisten der (v.a. in rotem Sandstein ausgeführten) Bauten unzerstört erhalten sind. Zu den wenigen Bauten, deren Funktion gesichert ist, gehört die Freitagsmoschee. Sie ist von S über eine große Frei-

Fatehpur Sikri: ›Audienzpalast‹ Diwan-i-Khas

treppe, die durch das größte freistehende Tor der Erde, dem Baland Darwasa (›Siegestor‹), führt, betretbar. Im Hof mehrere Grabbauten, von denen das des Salim Chisti (nachträglich unter Shah Jahan erbaut) sich mit den durchbrochenen Fenstern aus weißem Marmor effektvoll vom Rot des Sandsteinhofes abhebt. Die vielen Palastgebäude nordöstlich der Moschee sind überaus phantasievoll gegliedert und angeordnet. Sie gehören – mit z. T. erh. Wandmalereien – zu den interessantesten Beispielen früher mogul. Baukunst.

Fatimiden, islam. Dynastie (909–1171), herrschte in N-Afrika, in Syrien und bes. seit 973 in Ägypten, das unter den Kalifen Mu'iss (953–75), Asis (975–96) und Hakim (996–1021) eine Blüte materieller und geistiger Kultur mit dem Zentrum Kairo erlebte (→islamische Kunst).

Fattori, Giovanni, ital. Maler, *Livorno 6. 9. 1825, †Florenz 30. 8. 1908, malte anfangs zeitgenöss. Schlachtenbilder, später, angeregt von den frz. Realisten und Frühimpressionisten, Landschaften, Tier- und Figurenbilder sowie Porträts; gehörte zu den wichtigsten Mitgl. der →Macchiaioli. – HW in Florenz, Gal. d'Arte Moderna (Palazzo Pitti).

Faurndau, Stadtteil von Göppingen, Bad.-Württ. Die Kirche des ehem. Benediktinerkollegiatsstifts gehört wegen der reichen Bauplastik (um 1220/35) zu den bedeutendsten roman. Bauwerken Württembergs.

Fautrier [fotrj'e], Jean, frz. Maler, *Paris 16. 5. 1898, †Châtenay-Malabry bei Paris 21. 7. 1964, löste sich um 1928 ganz vom gegenständl. Bezug und wurde neben P. Soulages, Wols und H. Hartung ein wichtiger Mitbegründer des Informel in Frankreich. Seit 1945 gab er seinen Bildern durch Auftrag plast. Materialien einen reliefartigen Grund, auf dem die meist lasierend aufgetragenen Farben faszinierende Leuchtkraft gewinnen.

J. F., Ausst.-Kat., Hamburg (1973).

Fauves: Maurice de Vlaminck, ›Das Haus von Chatou‹; 1908 (Genf, Privatbesitz)

Fauves [fo:v, frz. ›Wilde‹], **Fauvismus,** Stilrichtung einer zuerst im Pariser Salon d'Automne 1905 geschlossen aufgetretenen Gruppe von Malern um H. MATISSE. Ihren Namen verdankte sie dem spontanen Ausruf des Kunstkritikers L. VAUXCELLES: ›Donatello parmi les fauves!‹ (Unter den wilden Tieren) in einem Saal mit einer Skulptur von A. MARQUE und den farbstarken Bildern dieser Gruppe. Zu den F. gehörten außer Matisse A. MARQUET, A. DERAIN, O. FRIESZ, M. DE VLAMINCK, G. BRAQUE, G. ROUAULT, H. C. MANGUIN, J. PUY, K. VAN DONGEN, R. DUFY u. a. Die F. beriefen sich im Ggs. zu der differenzierten Farbigkeit des Impressionismus auf die Ausdrucksdynamik der reinen Farben, der sie die Form insoweit unterordneten, als sie den vollkommenen Einklang zw. der Ausdruckskraft und dem Dekorativen innerhalb ihrer Kompositionen erstrebten. Sie setzten die Farben ohne Licht- und Schattenmodellierungen in großen Flächen nebeneinander und verzichteten auf plastische Werte. Sie standen damit in der Nachfolge von P. GAUGUIN und V. VAN GOGH, den v. a. Vlaminck verehrte. In den Jahren 1905–07 fanden sie ihre reichste Entfaltung. Die Kunst der Primitiven zog sie an, ebenso ma. Glasfenster und alte Holzschnitte. In der radikalen Abkehr von allen Konventionen, in der freien Farbwahl und dem ungestümen Farbauftrag ist der F. dem Expressionismus verwandt, jedoch suchten die F. nicht die inhaltsschweren Themen der dt. Expressionisten, sondern malten lebensbejahend Straßenszenen, Stilleben und Aktdarstellungen. Die Gruppe löste sich zw. 1907 und 1909 auf. Braque u. a. wandten sich dem Kubismus zu. – Über eine Ten-

Fauves: Henri Matisse, ›Luxus I‹; 1907 (Paris, Musée d'Orsay)

denz in der Malerei der 70er Jahre des 20. Jh.: Les nouveaux fauves →Neue Wilde.

Der frz. Fauvismus und der dt. Frühe Expressionismus, Ausst.-Kat., München (1966); Fauves et cubistes, Ausst.-Kat., Paris (1972).

Fåvang [f'o:vaŋ], Gem. im südl. Gudbrandsdal, Norwegen, mit Stabkirche (Anf. 12. Jh., umgebaut 17. Jh.), darin Renaissancealtar und -kanzel, geschnitzte Chorschranken von K. LISTAD (*1726, †1802).

Favretto, Giacomo, ital. Maler, *Venedig 14. 8. 1849, †ebd. 12. 6. 1887, malte in typisch venezian. Realismus Bildnisse, Figurengruppen und maler. Szenerien seiner Vaterstadt; zahlreiche Federzeichnungen.

Favrile-Glas [fəvr'i:l-, engl.], farbig irisierendes Hohlglas, das nach einer Technik von L. C. TIFFANY hergestellt wurde. Auf ein heißes Glas wurde eine farbige Glasdekoration aufgetragen, der Gegenstand wieder erhitzt und in die gewünschte Form geblasen. Der irisierende Effekt wurde durch Lüsterauftrag erzeugt.

Faworskij, Wladimir Andrejewitsch, russ. Graphiker, Maler, Kunsthistoriker, *Moskau 14. 3. 1886, †ebd. 29. 12. 1964, bevorzugte histor. Themen und wurde durch seine Holzstichillustrationen zu literar. Vorlagen international bekannt.

Russ. Graphik des 19. und 20. Jh., Ausst.-Kat., Berlin-Ost (1977).

Faydherbe [frz. fɛd'ɛrb], Lucas, niederländ. Bildhauer, Baumeister, →Faidherbe.

Fayence [faj'ãs, frz.] *die,* Tonware, deren poröser roter oder ockerfarbener Scherben mit einer farbigen oder weißdeckenden Glasur überzogen ist. Zum Trüben der Glasur dient Zinnoxid. Der Name F. stammt von der ital. Stadt Faenza, die im 15. Jh. Mittelpunkt der F.-Herstellung war. Gleichbedeutend ist die ital. Bez. **Majolika** nach der Insel Mallorca. **Halbfayencen** oder **Mezzomajoliken** sind Tonwaren, deren unedler, mißfarbiger Scherben mit einem Anguß (Engobe) von Tonschlamm dünn überzogen und mit einer durchsichtigen Bleiglasur überschmolzen sind.

Herstellung. Bei der F.-Herstellung werden die Stücke aus einem durch Schlemmen gereinigten Gemenge versch. Tonsorten geformt, getrocknet, gebrannt und nach dem Erkalten in das Glasurbad getaucht. Hierbei bleibt die Glasurmasse, da das Wasser aufgesaugt wird, als weißer Überzug auf der Oberfläche haften und schmilzt bei einem 2. Brand zur Glasur. Für den farbigen Dekor gibt es 2 Möglichkeiten: Die **Scharffeuerfarben,** die wegen der hohen Brenntemperatur auf Blau, Mangan, Gelb, Grün, Rot, Braun und Schwarz beschränkt sind, werden vor dem Glasurbrand aufgetragen und sinken beim Brand in die Glasur ein. Um den Glanz der Farben zu heben, können die Stücke vor oder nach dem Glasurbrand eine zusätzl. Bleiglasur (niederländ. kwaart, ital. coperta) erhalten. Die **Muffelfarben** werden auf die fertig glasierten Stücke in einem schwachen 3. Brand, bei dem sie durch Muffeln (Schamotte-Kapseln) geschützt sind, aufgebrannt. Wenn ein metallisch schimmernder Lüster erzielt werden soll, wird das glasierte Stück mit Schwefel, Kupfer- oder Silberoxid und Ocker überzogen und erneut gebrannt.

Geschichte. F.-Glasuren sind im Alten Orient schon im frühen Chalkolithikum verwendet worden, bes. oft (bei Perlen, Stempelsiegeln und Gefäßen) in der Djemdet-Nasr-Zeit (um 2800 v. Chr.), dann wieder seit der Mitte des 2. Jahrtsd. v. Chr., u. a. auch bei der Baupla-

Fayence: LINKS Deckelgefäß, eine Eule darstellend, Süddeutschland, um 1535 (Nürnberg, German. Nationalmuseum), RECHTS Platte, italienisch, 16. Jh. (Florenz, Bargello)

Fayence: Vase der ›Grünen Familie‹; Ansbach um 1738 (München, Bayer. Nationalmuseum)

stik. Farbig glasierte Gefäße und Schmuckstücke wurden auch in Ägypten seit dem 4. Jahrtsd. v. Chr. hergestellt. In der kretisch-myken. Kunst gab es Statuetten (→Schlangengöttin), à jour gearbeitete Reliefs (Gazellen, fliegende Fische, Tintenfische, Muscheln, Felsmotive, Blumen usw.), verschiedenartige Kultgefäße, Einlegearbeiten und Schmuck (z. B. Anhänger) aus F. **Echte F.** findet sich erst in den Fliesenwänden pers. Paläste um 500 v. Chr. In der islam. Kunst erlebte die F. eine lange Blütezeit. F.-Gefäße mit farbigem Tonscherben, durch opake Glasur gedeckt und mit eingeschmolzenem oder aufgemaltem Dekor stellen eine bes. Lei-

Fayence: Apothekerkanne, Caffagiolo; 1529 (München, Bayer. Nationalmuseum)

stung irakisch-iran. Töpfer abbasid. Zeit dar. Während die Form chines. Anregungen folgt, ist die Bemalung in Kobaltblau und Kupfergrün, mit aufgebrannten Lüsterfarben eine islam. Kunstschöpfung. Künstler. Höhepunkte bilden die figürlich bemalten F.-Gefäße der Fatimidenzeit. In Iran wurde seit dem 11. Jh. die Technik der Bemalung auf dem neuen, weißen Quarzfrittescherben angewendet, von hoher Qualität bei der →Lakabi-Ware und der →Mina'i-Ware. – Mit den Arabern gelangte die F. nach Spanien, wo v. a. ein prächtiger Lüsterdekor ausgebildet wurde. Málaga und Valencia waren die Hauptsitze der spanisch-maur. **F.-Industrie,** die ihren maur. Charakter in der Dekoration bis in das 16. Jh. bewahrt hat. Die Balearen, bes. Mallorca, übernahmen die Einfuhr nach Italien. Aus Anfängen des 14. Jh. entwickelte sich hier in der Renaissance die **F.-Kunst** (Majolika) mit bed. Werkstätten wie Faenza, Urbino, Deruta. Florenz kam eine besondere Bedeutung durch die **F.-Plastik** der della →Robbia zu. Eine Nachblüte erlebte die ital. F. um 1700 in Castelli. – Von Italien aus gelangte die F. nach Frankreich, wo sich im 17. und 18. Jh. bes. in den Fabriken von Rouen, Nevers, Moustiers, Marseille, Straßburg ein eigener Dekorationsstil ausbildete. Ebenfalls von Italien aus gelangte die F. nach den Niederlanden, wo sie seit dem 16. Jh. und in Delft seit dem 17. Jh. als Nachahmung chines. Porzellane gepflegt wurde und Weltruhm erlangte; von Delft aus wurden seit 1660 die ersten dt. Fabriken gegr.

Fayence: Stockelsdorfer Ofen, 1773 (Hamburg, Museum für Kunst u. Gewerbe)

Fayence: Enghalskrug, Hausmalerarbeit frühes 18. Jh. (Nürnberg, German. Nationalmuseum)

(Hanau, Frankfurt a. M.). Gegen 1800 wurde die F., die sich lange neben dem Porzellan behauptet hatte, durch das engl. Steingut verdrängt.

A. KLEIN: Dt. F. (1975); ders.: F. Europas (1980); C. FRÉGNAC: Europ. F. (a.d. Frz., 1976); H.-P. FOUREST: Delfter F. (a.d. Frz., 1981); Bruckmann F.-Lexikon (1981); J. G. T. GRAESSE: Führer für Sammler von Porzellan u. F.,... ([25]1982).

Fayencemosa|ik [faj'ãs-], für bestimmte Muster zugeschnittene, opak glasierte Keramikplatten; als Wandverkleidung islam. Bauten seit dem 13. Jh. mit geometr. (Nasridenzeit) und floralem Dekor (Timuriden-, Safawidenzeit).

Fazzini, Pericle, ital. Plastiker, *Grottamare bei Ascoli Piceno 4. 5. 1913. Neben frühen Porträts überwiegen Gestalten, bei denen die raumgreifende Bewegtheit der Gebärde freies und phantasievolles menschl. Verhalten zum Ausdruck bringt.

Fearnley [f'æ:rnli], Thomas, norweg. Maler, *Fredrikshald 27. 12. 1802, †München 16. 1. 1842, studierte in Oslo, Kopenhagen, Stockholm, arbeitete 1828–30 bei J. C. C. DAHL in Dresden, seit 1841 in München. Sein ›Labrofossen‹ (1837; Oslo, Nat.-Gal.) ist ein HW der romant. norweg. Landschaftsmalerei.

fec., Abk. für **fecit** [lat. ›hat gemacht‹], steht oft hinter dem Künstlernamen (Signatur) auf Gemälden, Zeichnungen; auf Kupferstichen häufig neben →inv.

Fécamp [fek'ã], frz. Fischereihafen in der Normandie, 22000 Ew. Die Kirche der ehem. Benediktinerabtei ist im Stil der normann. Frühgotik erbaut (12./13. Jh., Fassade 18. Jh.); mehrere Museen, darunter Benediktiner-Mus. mit alter Brennerei und Kunstgegenständen, Städt. Mus. (Fayencen, Zeichnungen des 16. Jh.).

Feddersen, Hans Peter, Maler, *Wester-Schnatebüll (Holstein) 29. 5. 1848, †Kleiseerkoog bei Niebüll 13. 12. 1941, malte in Licht- und Farberscheinung nuancenreiche, intime Landschaften, bäuerl. Innenräume und Porträts.

LILLI MARTIUS u. a.: Der Maler H. P. F. Leben und Briefe, Gemäldeverz. (1966).

Federal Style [f'edərəl staıl, engl.], Baustil der amerikan. Architektur, der sich, von engl. Vorbildern ausgehend, seit 1776 entwickelte und bis etwa 1820 vorherrschend war. Er löste den Kolonialstil ab. Die Häuser, v.a. Ziegelbauten im Stil der engl. Georgian Architecture, hatten weißgestrichene Fenster- und Türrahmungen. Die führenden Architekten waren C. BULFINCH in Boston und S. MCINTIRE (*1757, †1811) in Salem (Oregon).

Federarbeiten wurden in vielen Kulturen angefertigt. Bei ›Naturvölkern‹ dienten sie als Schmuck, Abzeichen, Bekleidung und Wertgegenstände, daneben auch zu kult. Zwecken. Sie finden sich bes. in Gebieten, in denen bunt- und stark gefiederte Vögel vorkommen, so im Pazifik (Neuguinea, Neuseeland, Hawaii u. a.) und in Amerika (Amazonasgebiet, Peru, Mexiko u. a.). Die Federn wurden kunstvoll in Netze eingeknüpft, auf Stoffe geklebt oder auf Gewebe genäht. In Hawaii waren die aus gelben und roten Federn gefertigten Mäntel, Halsschnüre, Helme und Zeremonialstäbe Herrschaftsinsignien, ebenso bei den Maori, wo Umhänge mit Federbesatz hochgestellten Persönlichkeiten vorbehalten waren. Einzigartig sind die Götterdarstellungen in →Hawaii (BILD), für die Federn über einem geflochtenen Gestell in einem Netz befestigt wurden. Bei den Tupinambá an der Küste Brasiliens trugen die Schamanen hohe Federkronen und Mäntel, bei denen Federn des roten Ibis in Netze eingeknüpft waren. Auch andere

Federarbeiten: Teil eines Federmantels, mittlere Küste Perus, 70 × 48 cm (München, Staatl. Museum für Völkerkunde)

Stämme O-Brasiliens und v. a. Guayanas fertigten reichen und kunstvollen Federschmuck an, z. T. bis in die Gegenwart. Bekannt wurde der zeremonielle Kopfschmuck der Plains-Indianer Nordamerikas, bestehend aus Adlerfedern, die durch Lederspulen an der Kappe und der über den Rücken fallenden langen Schleppe befestigt waren.

In den altamerikan. Kulturen wurden F. für die Herstellung von Gewändern, Kopfschmuck, Schilden und Kriegsemblemen verwendet. Die höchste Entwicklung in Mesoamerika haben die F. der Azteken gefunden. Aus dem andinen Bereich sind Ponchos und Decken aus Gräbern der Küste Perus belegt. Bemerkenswert ist die Technik des **Federmosaiks,** bei dem die Federn wie Dachziegel in Lagen aus versch. Farben übereinandergelegt wurden; das gewünschte Motiv wurde danach mit dem Messer herausgeschnitten.

Federighi [feder'i:gi], Antonio, eigtl. **F. dẹi Tolomẹi,** ital. Bildhauer, Architekt aus Siena, *um 1420, †Siena 1490, lernte bei J. DELLA QUERCIA, schuf einige der Steinintarsien des Domfußbodens in Siena sowie das Obergeschoß des Domes von Orvieto mit den Skulpturen. 1450 Dombaumeister in Siena, baute er für Pius II. die Loggia del Papa (1460–63) und das Obergeschoß der Cappella di Piazza (1460) und schuf 3 Figuren am Casino dei Nobili (1456–63), den Taufbrunnen in S. Giovanni und 2 Weihwasserbecken im Dom (1462–63) von Siena.

Federschlange, myth. Wesen, dargestellt als Klapperschlange, die mit den Federn des Quetzalvogels geschmückt ist. Sie kommt in der Kunst Mesoamerikas u. a. als Skulptur, als funktionelles oder dekoratives Element der Architektur vor, z. B. bei den Maya im toltekisch beeinflußten Chichén Itzá und bei den Azteken.

Federzeichnung, eine der ältesten Techniken der →Zeichnung.

Fedi, Pio, ital. Bildhauer, *Viterbo 31. 5. 1816, †Florenz 1. 6. 1892, in Wien als Kupferstecher ausgebildet, seit 1846 in Florenz, später in Rom tätig; zunächst dem Klassizismus zugeneigt, später bed. Vertreter des Neubarock in Italien.

HW: Raub der Polyxena (1865, Florenz, Loggia dei Lanzi).

Fedọskino, Dorf in der Nähe Moskaus. Hier entstand Ende des 18. Jh. die Lackmalerei auf Pappmaché. Motive sind Miniaturporträts, Landschaften und Genreszenen sowie Kopien von Gemälden russ. Künstler. Seit 1931 besteht in F. eine Schule zur Ausbildung des künstler. Nachwuchses.

Fedọtow, Pawel Andrejewitsch, russ. Maler, *Moskau 4. 7. 1815, †St. Petersburg 26. 11. 1852, studierte nach Offiziersausbildung an der Petersburger Akad. u. a. bei A. P. BRÜLLOW. F. malte minutiöse, kleinformatige Genrebilder, z. T. mit Begleittexten, aus dem Leben des Kleinbürgertums und des Adels, in der Tradition von W. HOGARTH und D. WILKIE und der holländ. Genremalerei.

Fehrle, Jakob Wilhelm, Bildhauer, *Schwäbisch

Gmünd 27. 11. 1884, †ebd. 4. 2. 1974, studierte an der Akad. in Berlin (A. GAUL; auch Studium der Anatomie bei R. VIRCHOW) und München, ferner in Rom und Paris (A. MAILLOL, A. RODIN) und entschied sich v.a. seit der Begegnung mit W. LEHMBRUCK für die Bildhauerei. In der Zeit des Nationalsozialismus war sein Werk verfemt. – F. schuf klar gebaute Figuren in Bronze und Stein, Bronzebüsten und (bes. für schwäb. Städte) viele Denkmäler und Brunnen.

O. ROMBACH: W. F. (1966); J. W. F. Plastik, Zeichnungen, Ausst.-Kat., Esslingen (1971).

Feichtmayr, süddt. Künstlerfamilie, →Feuchtmayer.

Feilner, Simon, Porzellanmaler und Modelleur, *Weiden i. d. Opf. 20. 2. 1726, †Mannheim 13. 3. 1798; war 1753–68 Modellmeister in Fürstenberg, gestaltete u.a. realist. Figuren aus der Commedia dell'arte und Bergmannsgruppen.

Feingehalts|stempel, engl. **Hallmark** [h'ɔ:lmɑ:k], frz. **Poinçon** [pwɛ̃s'ɔ̃], Stempelung auf Gold- und Silbergegenständen (→Beschauzeichen), die Auskunft über den Anteil an Edelmetall in der Legierung gibt; heute in Tausendsteln (Anteil des Edelmetalls auf 1000 Teile der Legierung), früher bei Silber in Lot, bei Gold in Karat.

Feininger, Lyonel (Charles Léonell), dt.-amerikan. Maler, Graphiker, *New York 17. 7. 1871, †ebd. 13. 1. 1956, ausgebildet in Hamburg, Berlin und Paris; 1919

Lyonel Feininger: Marktkirche in Halle, 1930 (München, Staatsgalerie moderner Kunst)

bis 1933 lehrte er am Bauhaus und war Herausgeber der Bauhaus-Bücher; kehrte 1936 in die USA zurück. F. begann als Karikaturenzeichner, malte, angeregt vom Kubismus und R. DELAUNAY, Straßen, Architekturen und Meeresbilder, die aus prismatisch gebrochenen, sich in zarten Tönen überblendenden Formen komponiert sind und von starker suggestiver Wirkung sind. Sein umfangreiches graph. Œuvre umfaßt v. a. Radierungen und Holzschnitte.

L. F. Das graph. Werk, hg. v. LEONA PRASSE (a. d. Engl., 1972); L. F., Ausst.-Kat., Kiel (1982).

Feke [fi:k], Robert, amerikan. Maler, *Oyster Bay, Long Island (New York), um 1710, †auf der westind. Insel Barbados (?) nach 1750, einer der ersten bed. amerikan. Porträtisten (›I. Winslow‹, 1748; Boston, Mus. of Fine Arts).

Feldbach, Gem. im Oberelsaß, südl. von Mülhausen; die Kirche des ehem. Benediktinerklosters ist eine dreischiffige flachgedeckte Basilika (etwa 1065/70 gegr., im 19. Jh. wiederhergestellt) mit karolingisch anmutendem Grundriß.

Feldbauer, Max, Maler, *Neumarkt i. d. Opf. 14. 2. 1869, †Straubing 20. 11. 1948, war Mitgl. der →Scholle in München und Mitarbeiter der Ztschr. ›Jugend‹ (Illustrationen). Im Stil von W. TRÜBNER malte F. farbkräftige Bilder von Bauern, Soldaten und Ackerpferden.

Feldkirch, Stadt in Vorarlberg, Österreich, 24000 Ew.; altertüml. Stadtbild mit Resten der Befestigung, Türmen und Toren; zahlreiche Bürgerhäuser mit Laubengängen und Treppengiebeln, Rathaus (1493) mit geschnitzten Decken. Spätgot. Pfarrkirche St. Nikolaus mit zweischiffigem Langhaus (1478); der Chor (um 1520) ist ein frühes Beispiel für den Übergang zur Renaissance; reiche Ausstattung, u. a. Teile des Annenaltars von W. HUBER (1515–21, BILD Huber 2). Über F. die Schattenburg (älteste Teile 12. Jh., Mus.).

Feldkirchen in Kärnten, Stadt südlich der Gurktaler Alpen, Österreich, 11900 Ew.; roman. Pfarrkirche (11./12. Jh.), eine dreischiffige Pfeilerbasilika mit got. Chor (14. Jh.), Langhaus mit spätgot. Gewölbe (15. Jh.), qualitätvoller spätgot. Flügelaltar (um 1515); roman. Karner (13. Jh.); got. Michaelskirche (14./15. Jh.); Renaissancebrunnen (16. Jh.).

Feldsberg, tschech. **Valtice** [v'altitsɛ], Ort im Südmähr. Kreis, ČSSR. Die urspr. Burg der Bischöfe von Passau wurde 1643–1730, u. a. unter Beteiligung J. B. FISCHERS VON ERLACH, zu einem monumentalen Barockschloß umgebaut; war 1391–1945 Hauptresidenz der Fürsten Liechtenstein.

Felicitas, röm. Christin, nach der Legende Märtyrerin und Mutter von 7 Söhnen, die mit ihr das Martyrium in den Verfolgungen des 3./4. Jh. erlitten. Sie wird seit Mitte des 12. Jh. dargestellt; Attribute sind Buch, Palme und Schwert, v. a. die Häupter ihrer 7 Söhne oder diese Söhne in ganzer Gestalt als Knaben (Altarflügel vom Meister des Bartholomäusaltars, um 1500; Köln, Wallraf-Richartz-Mus.).

Felixmüller, Conrad, Maler, Graphiker, *Dresden 21. 5. 1897, †Berlin (West) 24. 3. 1977, schuf bes. Holzschnitte und Kaltnadelradierungen im Stil eines expressiven Realismus, häufig mit sozialkrit. Inhalt; zahlreiche Porträts (u. a. M. Liebermann, A. Schönberg).

Das Graphische Werk, 1912–1974, hg. v. G. SÖHN (1981; Bibliogr. C. F.); Werke und Dokumente, hg. v. P. W. GUENTHER u. a. (1982).

Fellner, Ferdinand, Baumeister, *Wien 19. 4. 1847, †ebd. 22. 3. 1916, baute mit H. HELMER (*1849, †1919) im historisierenden Stil der Gründerzeit v. a. Theater: 1872 Stadttheater in Wien, 1876 in Augsburg, 1890 in Zürich, 1892 Metropoltheater in Berlin, 1894 in Wiesbaden, 1899 in Graz, 1900 in Hamburg; ferner die Sternwarte in Wien, die Sprudelkolonnade und das Kaiserbad in Karlsbad.

Felsbilder, an Felswänden, bes. in Höhlen, und an Steinblöcken angebrachte bildner. Darstellungen versch. Inhalts, die v. a. an schriftlose Kulturen der Vorzeit und heutiger Naturvölker gebunden sind.

Europa: F. des jüngeren Paläolithikums finden sich in zahlreichen Höhlen W-Europas, vereinzelt in S- und O-Europa (Höhlenbilder). Sie zählen zur →Eiszeitkunst und gelten als in ihrem Alter gesicherte Kunstgruppe (30 000–8000 v. Chr.). Ihr Hauptgegenstand

Felsbilder: RECHTS Urrind (trächtige Kuh) und Wildpferde; Lascaux.
UNTEN Mammuts, übereinanderliegende Gravierungen; Chabot, Dép. Ardèche

sind die eiszeitl. Jagdtiere, die in Zeichnungen und Malerei, in Gravierung und Relief wiedergegeben sind. Daneben finden sich Abbildungen von Pfeilen und Harpunen, keulenförmige (klaviforme), geometr. und dachförmige (tektiforme) Zeichen sowie menschl. und menschenähnl. Gestalten. Als Farbstoffe wurden bei den altsteinzeitl. F. Mineralien (Ocker, Braunstein, Feldspat, Mangan) und Holzkohle verwendet. Rote und braune Farbtöne kommen neben Schwarz am häufigsten vor; seltener sind Gelb, Violett und Weiß. Wie benutzte Farbstücke beweisen, wurden Zeichnungen und Malereien unmittelbar mit dem Farbkörper aufgetragen. Als Lösungsmittel genügte Wasser oder Speichel. Bei nacheiszeitl. Malereien kommen auch Pflanzensäfte oder andere organ. Stoffe als Bindemittel in Betracht. Der Erhaltungszustand der F. ist unterschiedlich. In Höhlen ohne Temperaturschwankungen haben sie sich seit mehr als 10000 Jahren unverändert erh. (Niaux); bei Luftzutritt mit Feuchtigkeitszunahme verwittern sie rasch (Font-de-Gaume, Lascaux). Die Gravierungen wurden in der Steinzeit mit Feuersteinsticheln eingeritzt, später mit Metallsticheln. Der Übergang von der Ritzung zum Relief ist fließend. Stark modellierte Reliefs setzen voraus, daß schon im Paläolithikum Meißel und Schlegel verwendet wurden (Cap Blanc).

Zahlreiche F.-Gruppen des Mesolithikums und Neolithikums finden sich in O-Spanien (→Levantekunst). Hier sind an freien Felswänden bes. Jagd-, Kampf- und Tanzszenen dargestellt, zumeist in schattenbildartiger Malerei. Während die Tierbilder des ostspan. Kreises noch Anklänge an die Eiszeitkunst zeigen, sind die menschl. Gestalten streng stilisiert. Die Bildaussage ist weitgehend auf die Wiedergabe von Bewegung und Rhythmus reduziert; daneben wird auch das Statisch-Beharrende betont.

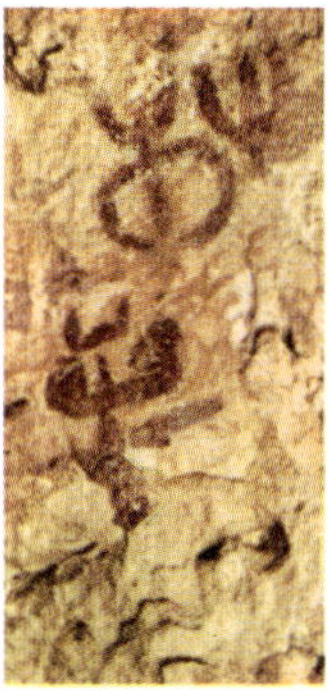

Felsbilder: schematisierte menschliche Figuren; Socovos, Prov. Albacete (Spanien)

Die über ganz Spanien und Portugal verstreuten F. der ›schematischen Kunst‹ überschneiden sich häufig mit den Darstellungen der Levantekunst. Die bronzezeitl. F. des Alpengebietes sind auf die frz. Seealpen (→Mont Bego), N-Italien (→Val Camonica), die O-Schweiz und Österreich konzentriert. Für SO-Europa sind die Menschendarstellungen in der Rabisa-Höhle bei Vidia nennenswert.

In Skandinavien ist die weitaus größte Zahl bronzezeitl. F. entstanden. Es wird eine ›nordskandinav. Gruppe‹ mit eher naturalist. Tierdarstellungen, die auf einer neolith. Tradition beruhen, von einer ›südskandinav. Gruppe‹ mit schematischeren Darstellungen unterschieden. Letztere zeigen Menschengruppen mit Schiffen, Pflügen und Haustieren (auch menschl. Fußspuren, Spiralen, Kreise) und liefern Vorstellungen von Leben und Kult dieser Bauernkultur bis in die Eisenzeit.

Afrika: Die Gebirge der Sahara enthalten über 30000 F., etwa die Hälfte davon finden sich im Tassili N'Ajjer, weitere im Hoggar, Adrar des Iforas, Tibesti, Ennedi, Djebel Uweinat, Fessan, Djebibina, Bligi, Dra-Tal u.a. Es handelt sich sowohl um ein- und mehrfarbige Felsmalereien (auf glatten Oberflächen und an witterungsgeschützten Stellen) wie um Gravuren und Ritzzeichnungen. Nach den dargestellten Tierarten und Waffen lassen sich die F. in Stil- und Themengruppen gliedern, deren Abfolge in großen Zügen geklärt ist. Die ältesten F. der Sahara datieren wohl aus der Zeit um 6000–4500 v. Chr. (›Bubalus-Periode‹); sie stellen häufig den (ausgestorbenen) Büffelstier Bubalus antiquus sowie andere Wildtiere (Elefanten, Nashörner, Giraffen, Gazellen u. a.) dar. Die Jäger sind mit Keulen, Äxten und Bögen bewaffnet, jedoch niemals mit Speeren. Um 4500 v. Chr. beginnt die ›Hirten-‹ oder ›Rinder-Periode‹; der Bubalus antiquus erscheint nicht mehr; neben den anderen wilden Tieren werden bes. häufig Hirtenszenen mit Hausrindern dargestellt. Der Stil ist weniger naturalistisch, Details werden vernachlässigt. Die Zeichnungen sind kleiner als in der vorhergehenden Periode, etwa zw. 40 und 120 cm hoch. – Die um 1200 v. Chr. einsetzende ›Pferde-Periode‹ wird in mehrere Phasen eingeteilt. In der Phase der Streitwagen erscheinen gelegentlich Elefanten, jedoch nicht mehr andere Dickhäuter und große Antilopen; Hausrinder, Mufflons und als Haustiere gehaltene Hunde werden weiterhin häufig dargestellt. Der Stil wird zunehmend geometrisch abstrahiert; die ersten Streitwagen werden

Felsbilder: die weiße Dame vom Brandberg, Namibia

noch genau gezeichnet, mit einer Achse und einem Pferd an jeder Seite, später jedoch nur noch Räder und Achse und die Menschen als 2 mit der Spitze aufeinandergestellte Dreiecke skizziert. Die wiederum kleiner werdenden Abbildungen zeigen nun neuere Waffen: Speere, Rundschilde und etwas später auch vom Unterarm hängende Messer. Die 2. Phase dieser Pferde-Periode spiegelt den Übergang vom Fahren zum Reiten wider. Stil und Waffen ändern sich nicht, allerdings tragen die Krieger von nun an einen Kopfputz aus Federn und auf den Gravuren in der Zentral-Sahara erscheinen libysch-berber. Schriftzeichen. – Wohl erst in der Römerzeit taucht das Kamel auf den F. auf; diese vierte

Periode (›Kamel-Periode‹) reicht bis in die Gegenwart (Tuareg im Hoggar). Auch die anderen abgebildeten Tiere finden sich heute noch in der Sahara, Antilopen, Gazellen, Gemsen, Mufflons, Strauße, Ziegen und Zeburinder. Pferde werden ebenfalls gelegentlich dargestellt, v.a. in Mauretanien, versehen mit arab. Sattelzeug und Steigbügeln. Der Stil ist sehr schematisch, die Linien weiter vereinfacht, die Dimensionen weiter reduziert (etwa 15–20 cm). Der Speer war zu Beginn dieser Periode noch die einzige dargestellte Waffe; später kommen Schwert und Feuerwaffe hinzu.

Die meisten der Felsmalereien, insges. weniger zahlreich, lassen sich in die genannten Phasen einordnen. Von bes. künstler. Qualität und Stilvariation sind sie im Tassili. Hier treten auch rundköpfige Figuren auf (›Stil der Rundkopfmenschen‹), i.a. mit einfachen Äxten bewaffnet; ihre Datierung (Bubalus- oder Rinder-Periode oder Übergang zw. beiden) ist noch nicht geklärt.

Während die F.-Kunst in Westafrika relativ selten ist und dort nur als ein südl. Ausläufer der Sahara-Kunst angesehen wird, gibt es sowohl in Ost- als auch in Südafrika zahlreiche F.-Fundstellen. Malereien, insges. häufiger, finden sich bes. im randl. Bereich des südl. Afrika (Matopos Hills in Simbabwe, Drakensberge in Südafrika, Brandberg in Namibia u. a.), Gravierungen v. a. im Landesinnern (bei Kimberley u. a.). Die südafrikan. F. werden nach den Ureinwohnern als **Buschmannkunst** bezeichnet, da es vom späten 18. bis zum Anf. 20. Jh. Belege über Buschmannmaler gibt (Drakensberge, N-Botswana) und Buschmannlegenden vielfach zur Interpretation herangezogen wurden. Die Datierung beruht weitgehend auf Schätzungen, da keine seit langem ausgestorbenen Tiere dargestellt sind und datierbare Artefakte fehlen.

Felsbilder:
Felsgravierung, Pniel, westlich von Kimberley, Südafrika

Die früheste Art der F.-Kunst im südl. Afrika – neuere Funde gehen bis auf 25000 Jahre zurück – besteht aus einfachen Gravuren, z. T. kaum erkennbar. Die noch existierenden Malereien wurden wahrscheinlich im Laufe der letzten 2 Jahrtausende ausgeführt; die Technik ist jedoch offensichtlich älter. Dabei läßt sich eine ältere Periode (etwa 8000 v. Chr. bis zum frühen 17. Jh.) und eine jüngere Periode (nach der Bantu-Einwanderung) unterscheiden. Die frühesten Malereien sind bereits stark verwaschen und zeigen nur noch schwache, aber abbildgetreue tierförmige Silhouetten. Es handelt sich um Darstellungen friedl. Szenen in naturalist. Manier. Die späteren Werke sind weniger sorgfältig ausgearbeitet, aber enthalten ausführl. Szenen von Zeremonien, Überfällen und Schlachten. Dabei lassen sich i.a. Buschmänner (kleine Statur, in Gelb, Rot oder Braun, mit Pfeil und Bogen bewaffnet), Bantu (große Statur, meist in schwarzer Farbe, mit Ornamenten an Armen und Beinen, mit Schild und Speer ausgerüstet) und Europäer (charakterist. Kleidung, oft mit Pferd und Gewehr) unterscheiden. Die Hottentotten sind ähnlich dargestellt wie die Buschmänner und lassen sich lediglich bei Kampfszenen identifizieren (größer als die Buschmänner, in roter oder brauner Farbe, mit Pfeil und Bogen oder mit Speeren bewaffnet). Höhepunkt dieser polychromen Malerei, die mit Eisenoxiden (Gelb, Braun, Rot), Gips und Kaolin (Weiß) sowie

Holzkohle (Schwarz) ausgeführt wurden, sind plastisch wirkende schattierte Antilopenbilder von hohem künstler. Niveau aus den Drakensbergen.

Amerika: Die meisten der nordamerikan. Fundstätten liegen im felsenreichen Westen, v. a. von Texas über Neu-Mexiko bis Kalifornien. Die Gravierungen und (selteneren) Malereien stellen vorwiegend geometr. Symbole dar, auch Tiere (Klan- und Stammessymbole), Menschen (gehörnte Schamanengestalt) und myth. Wesen. Aufgrund des Bildinventars wird für die ältesten F. ein Alter von 2000 Jahren angenommen; die meisten dürften jedoch aus den letzten 2 Jh. stammen.

Felsbilder: menschliche Figuren und Steinböcke; Tassili N'Ajjer

Asien: In Vorderasien waren gewaltige, weit sichtbare →Felsreliefs als Siegesmal verbreitet. Entlang der Fernhandelswege finden sich F. bis nach Innerasien. Eine Sonderstellung nimmt Sibirien mit seiner seit dem Neolithikum auftretenden Jägerkunst ein. Diese F. zeigen stark stilisierte Tier- (Elch, Hirsch, Bär) und Menschendarstellungen (auch Gespenster und Masken), die eine anschaul. Vorstellung vom Jagdleben und Mythos bis in die Eisenzeit geben.

In Australien und Ozeanien finden sich F. überall in verstreuten Vorkommen, sowohl in Form von gravierten, gepickten oder gehämmerten bildl. Darstellungen unterschiedl. Art sowie als Malerei mit figurativen und geometr. Motiven in Positiv-Darstellungen, ferner bes. Hände als Negative. Bes. bekannt sind die F. von SO-, Zentral- und N-Australien. Ihre Motive sind vielfältig: Kulturheroen u. a. myth. Wesen, Menschen beiderlei Geschlechts sowie versch. Tiere, in Frontal- und Profilansicht, z. T. zu Szenen gruppiert, ferner Spuren von Tieren, Jagd- und Kultgeräte. Für die austral. Felskunst wird, abgesehen von einfachen Ritzungen aus allen archäologisch erarbeiteten Zeitstufen nach 22 000 v. Chr., eine Entwicklung angenommen, die von frühen Stilen (in ganz Australien verbreitet), welche außer Echsen keine figurativen Elemente aufweisen, dafür v. a.

Tierspuren und geometr. Symbole, über eine mittlere Gruppe von einfachen figürl. Stilen (bisher kein Beleg aus Zentralaustralien) zu komplexen, regional stark differenzierten figürl. Stilen (Schwerpunkte in N- und NW-Australien) reicht. Innerhalb der jüngsten Gruppe kann ein Wandel von den belebt agierenden Menschen und Geistwesen (›Mimi‹-Figuren) zu den ruhenden Tier- und Menschendarstellungen im →Röntgenstil (Arnhemland) sowie zu den mundlosen →Wondjina (Klanahnen, im Kimberley-Gebiet) im Laufe der letzten Jh. erschlossen werden. – Die Tradition der Felsbildkunst in Ozeanien ist erloschen; in N-Australien leben Maltechnik und Motive in den Malereien auf Eukalyptusrinde weiter; in Zentral-Australien ist die Kunst der F. im Rahmen von kult. Handlungen (Initiationen) noch lebendig.

Allgemein: IPEK, Jb. für prähist. und ethnograph. Kunst (seit 1925); F. BEHN: Zur Problematik der F. (1962); F. BIEDERMANN: Lexikon der F. (1976). **Europa:** H. KÜHN: Die F. Europas (1971); EDITH EBERS u. F. WOLLENIK: F. der Alpen (1980). **Afrika:** H. LHOTE: Die F. der Sahara (1958); E. GOODALL u. a.: Prehistoric Rock Art of the Federation of Rhodesia and Nyasaland (Harare 1959); A. WILLCOX: The Rock Art of South Africa (Camden, New Jersey, 1963); E. SCHERZ: F. in Südwest-Afrika, 1 (1970), 2 (1975); E. DE BARY: Wanderungen im Tassili (1971); F. TROST: F. des zentralen Ahaggar (1981). **Amerika:** K. F. WELLMANN: Muzzinabikon. Indian. F. Nordamerikas aus fünf Jahrtausenden (1976). **Asien:** A. P. OKLADNIKOV: Der Hirsch mit dem goldenen Geweih (a.d. Russ., 1972); M. UYANIK: Petroglyphs of south-eastern Anatolia (New York 1974). **Australien** und **Ozeanien:** J. RÖDER: F. und Vorgesch. des MacCluer-Golfes, West-Neuguinea (1959); AGNES SCHULZ: F. in Nord-Australien (1971); E. J. BRANDL: Australian Aboriginal paintings in Western and Central Arnhem Land (Canberra 1973); Exploring the visual art of Oceania, hg. v. S. M. MEAD (Honolulu 1979); G. KREUZER u. M. DUNN: Die F. Neuseelands (1982); weitere Lit. →Australier.

Felsendom, oktogonaler Kuppelbau mit 2 Umgängen über einem Felsen in Jerusalem vom Kalifen ABD AL-MALIK 691/92 errichtet. Der Fels wurde als Stätte des Abrahamsopfers verehrt und war bereits Zentrum des jüd. Tempelbez. (1. Tempelbau unter Salomo, 10. Jh. v. Chr.). Mit der visionären Himmelfahrt Mohammeds verbunden, wurde er zu einem der wichtigsten Pilgerzentren des Islam. Der Bau besitzt im Inneren Marmorinkrustation, spätantike Säulen- und Kapitellspolien, getriebene Metallbleche zur Verkleidung der Holzanker sowie floral-ornamentale Mosaiken mit Goldgrund. Der Außenbau, oft erneuert, wurde im 16. Jh. mit Fliesen verkleidet. (BILD Jerusalem)

Felsengräber, in Felsen angelegte Gräber. Die ältesten F. in Vorderasien sind formlose Höhlengräber. Die phönik. Fürstengräber von Byblos (Anfang 2. Jahrtsd. v. Chr.) zeigen schon eine künstler. Ausgestaltung. Die kleinasiat. F. des 1. Jahrtsd. v. Chr. (Paphlagonien, Phrygien, Lydien und v. a. Lykien) ahmen in ihren Fassaden hölzerne Giebelhäuser mit Säulenvorhallen nach. In Ägypten wurde das F. zunächst ähnlich wie die →Mastaba gestaltet (Kulträume mit tiefer liegendem Sargraum); im Neuen Reich entwickelte sich ein eigener Typus, bei dem sich hinter einer Querhalle eine oder mehrere Längshallen auf einer Ebene anschließen. Die meist bunt bemalten Wände geben Szenen aus dem Leben des Verstorbenen wieder. Während es sich im Alten und Mittleren Reich um reine Privatgräber handelte

Felsengräber in Naksch-e Rustam bei Persepolis

(Beni Hasan, Assiut, Assuan), gingen seit dem Neuen Reich auch Könige dazu über, sich statt Pyramiden F. anzulegen (→Tal der Könige und Tal der Königinnen); die älteren waren verhältnismäßig klein; unter der 19. und 20. Dynastie entwickelten sie sich zu langen Sälen und Korridoren (Grab Sethos' I., 100 m lang), deren Wände mit relig. Darstellungen und Texten geschmückt waren.

In Persien wurden F. von den achaimenid. Großkönigen in →Naksch-e Rustam und in Persepolis hinter der Palastterrasse angelegt, auch von Satrapen in versch. Bergen des westl. Persiens; entgegen früherer Ansicht stammen diese Gräber nicht aus medischer Zeit, sondern sind z. T. nachachaimenidisch, daher auch die teils hellenistisch-ionischen Kapitelle (Da-o Dochtar, Kizkapan). Die Gräber der Könige, meist künstl. Felshöhlen mit ein oder zwei Kammern und Grablegen, sind nach außen durch eine Fassade mit Säulen und Reliefdarstellungen (der König auf einer Thronplattform im Gebet vor dem Feueraltar) abgeschlossen. – Bes. aufwendig gestaltet waren die in die Felshänge hineingearbeiteten mehrgeschossigen Grabanlagen der Nabatäer in →Petra.

Felsina, etrusk. Name von →Bologna.

Felsing, Jacob, Kupferstecher, *Darmstadt 22. 7. 1802, †ebd. 9. 6. 1883, bildete sich in Italien. F. stach technisch vollendete Wiedergaben von Gemälden.

Felsrelief, Reliefdarstellungen an senkrechten Felswänden; eine v. a. in Vorderasien sehr verbreitete Denkmälergattung, häufig an strategisch wichtigen Punkten (z. B. Pässen) angebracht. Themen der meist überlebensgroßen Darstellungen vorderasiat. F. waren Sieges- oder relig. (Anbetung, Prozession) Szenen.

Komposition und Stil lehnen sich an die Flachbildkunst des jeweiligen Landes und der entsprechenden Epoche an. In einigen Fällen sind an einem Ort mehrere Reliefs aus versch. Epochen angebracht, z.B. in Naksch-e Rustam aus mittelelam. und achaimenid. Zeit und am Nahr el-Kelb (Libanon) Siegesmale assyr., spätbabylon. sowie ägypt. Herrscher.

Ältestes F. Vorderasiens ist das von Darband-i Gaur (Irak) mit einer Siegesszene (Triumphatormotiv) aus neusumer. Zeit, Ende 3. Jahrtsd. v. Chr. Assyr. Könige ließen F. an der Tigrisquelle (Siegesmal Tiglatpilesars I., um 1100 v. Chr.) und in N-Irak in Maltai und Chinnis-Bavian (König Sanherib in Anbetung vor assyr. Hauptgöttern, Anf. 7. Jh. v. Chr.) anlegen. Hethit. Großkönige errichteten zw. 1400 und 1200 v. Chr. zahlreiche F. in Kleinasien (Sirkeli, Fıraktın, Immamkulu, Gavur Kalesi, Karabel). Die F. im Heiligtum von Yazılıkaya stellten das gesamte hethit. Pantheon dar. Aus späthethit. Zeit (8. Jh. v. Chr.) ist in Ivris ein F. mit einer Anbetungsszene erh.

In Iran stammt das F. von Sar-i Pol (König Anubanini in Siegespose vor der Göttin Ischtar) aus dem Anf. des 2. Jahrtsd. v. Chr., und die Reliefs von Kurangun und Naksch-e Rustam wurden in mittelelam. Zeit geschaffen, mit Hinzufügungen in neuelam. Zeit. In pers. Zeit ließ König Dareios I., dem Schema altoriental. F. folgend, 520 v.Chr. ein Siegesrelief mit Inschrift in →Bisutun errichten. Während unter den Parthern nur einige größere F. entstanden (Izeh, Sar-i Pul, Tang-e Sarwak), legten die Sassaniden monumentale Königs- und Siegesreliefs an (→Firuzabad, →Naksch-e Rustam, →Naksch--e Redjeb, →Bischapur, →Taq-e Bostan).

Jutta Börger-Klähn: Altvorderasiat. Bildstelen und vergleichbare F. (1982).

Felten, Josef, Baumeister, *Köln 1799, †ebd. 20. 4. 1880, restaurierte 1849 die Kirche St. Maria im Kapitol in Köln und entwarf den (von König Friedrich Wilhelm IV. modifizierten) Bauplan für das an die Minoritenkirche angelehnte städt. Museum.

Feltre, Stadt und Bischofssitz in der ital. Prov. Belluno, Venetien, 22000 Ew. In der Altstadt zahlreiche

Felsrelief: Trankopfer des Hattuschili III. und der Puduchepa, hethit. F. bei Fıraktın, Türkei; um 1275 v. Chr.

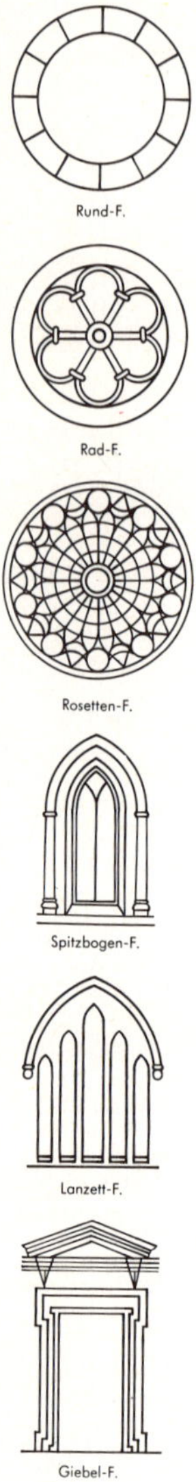

Fenster
(histor. Beispiele)

Häuser des 16. Jh. mit gut erhaltenen Freskenfassaden. An der Piazza Maggiore der ehem. Palazzo Comunale (16. Jh.; wohl unter Mitwirkung von A. PALLADIO erbaut; im Inneren Theatersaal). Dom (Mitte 16. Jh. wiedererrichtet; im Inneren Gemälde); Kirche Ognissanti (14. Jh.). Mus. Civico (mit Pinakothek) und Gal. d'Arte Moderna (Mus. für moderne Kunst).

Feministische Kunst, →Frauenkunst.

Fendi, Peter, österr. Maler, Graphiker, *Wien 4. 9. 1796, †ebd. 28. 8. 1842, wurde 1818 ebd. Zeichner und Kupferstecher des k. u. k. Münz- und Antiquitätenkabinetts. F. war mit seinen malerisch feinen, leicht sentimentalen Genreszenen aus dem kleinbürgerl. Wiener Vorstadt-Alltag einer der beliebtesten Künstler des österr. Biedermeier; vom Hochadel als Porträtist bevorzugt; reizvolle Aquarelle mit Kindermotiven.

P. F., Ausst.-Kat., Wien, hg. v. H. ADOLPH (1963).

Fénis [fen'i], ital. Gem. rd. 10 km östlich von Aosta, Piemont, mit der bedeutendsten der rd. 110 ma. Wehrburgen des Aosta-Tals, nach 1337 schloßartig ausgebaut, im 19. und 20. Jh. restauriert, seit 1936 Mus. (Mobiliar aus Gotik und Renaissance). Die von zinnengekrönten Mauern umgebene Anlage umschließt einen trapezoiden Innenhof (mit Fresken des 15. Jh.), um den sich die Wohnbauten (mit freskengeschmücktem Thronsaal) und wuchtige Ecktürme gruppieren.

Fenster, Maueröffnung zur Belichtung und Belüftung von Innenräumen.

Geschichtliches. Die älteren grch. Häuser waren spärlich, die späteren hellenist. reichlich befenstert, aber weitgehend nur dem Innenhof zu. Als F.-Füllungen dienten hier wie im Vorderen Orient Gitterwerk aus Stein, Metall, Ziegel oder Holz, auch durchbrochene Ton-, Marmor-, Alabaster- und Gipsplatten. Eine einfachere Art des Verschlusses bildeten hölzerne F.-Läden. Die Römer haben als erste Glas als Füllungen verwendet (1. H. des 1. Jh. n. Chr.). In ihrer auf Fassadenwirkung angelegten Baukunst erhielt das F. eine neue architekton. Bedeutung.

Im MA. bekam das F. nördl. der Alpen eine wichtige baukünstler. Funktion. Roman. Kaiserpfalzen und Burgen, aber auch andere Profanbauten hatten durch Säulen unterteilte F.-Arkaden. Die Skelettbauweise der Gotik ermöglichte die weitere Vergrößerung der F.-Fläche und erreichte in den Kathedralen die Auflösung der massiven Wand, an deren Stelle die zw. schmalen Stützen gespannten farbigen Glasflächen traten. Auch im städt. Kommunalbau und Wohnbau des 14.–16. Jh. machte sich die Auflösung der Wand in durchgehende F.-Bänder bemerkbar, und zwar sowohl im Massiv- wie im Fachwerkbau. Die F.-Verglasung setzte im Profanbau später ein als im Kirchenbau und war in den wohlhabenden dt. Städten erst Ende des 15. Jh. allg. verbreitet, wenn auch wegen der Kostbarkeit noch nicht für jeden erschwinglich. Ersatzstoffe waren Pergament und geölte Leinwand. Nachdem anfangs hölzerne F.-Läden, z. T. mit kleinen Öffnungen, Teppiche und Tierhäute als F.-Verschluß gedient hatten, begann man zunächst, die oberen Bogenfelder durch einen waagerechten Sturz abzutrennen und zu verglasen, während die eigtl. F.-Flächen weiterhin mit Gittern, Läden und anderen undurchsichtigen Stoffen verschlossen blieben.

Aus techn. Gründen waren die F.-Scheiben zunächst ziemlich klein, sie wurden als rechteckige oder rautenförmige Stücke in Bleiruten verlegt, bis sich im 16. Jh. die Butzenscheiben durchsetzten.

Erst Ende des 17. Jh. gelang in Frankreich das Gießen größerer Glastafeln und damit die Herstellung der hohen und nur von wenigen Sprossen unterteilten F. des Spätbarock.

Nachdem die Architektur des 19. Jh. mit dem Kristallpalast der Weltausstellung London (1851) und dem Münchner Glaspalast (1853–54) eine an got. Baukunst orientierte architekton. Neubewertung des F. versucht hatte, entstand im 20. Jh. mit der Entwicklung der modernen Architektur eine Glashausarchitektur, an deren Ausbildung Dtl., Frankreich, die Niederlande und die USA wesentlich beteiligt waren (→Glasarchitektur).

Fensterbierscheiben, →Glasmalerei.

Fenster|email [-emaj], →Émail à jour.

Fensterkorb, Korbgitter, aus der Wandflucht vortretendes Fenstergitter, in Renaissance und Barock oft kunstvolle Schmiedearbeit.

Fensterrose, in der Spätromanik und bes. der Gotik ein großes rundes Fenster mit Glasmalereien, meist über den Westportalen, auch an den Stirnseiten der Querschiffe. Es wurde in der Frühzeit oft als Radfenster gebildet, später mit reichem Maßwerk gefüllt.

Feofạn Grek, →Theophanes der Grieche.

Ferber [f'ə:bə], Herbert, amerikan. Plastiker, *New York 30. 4. 1906; beeinflußt von J. GONZALES und dessen ›Zeichnen im Raum‹, konstruiert er frei ausschwingende Gebilde (›Bogen‹, Blei, 1950), deren Schwerpunkt im oft dichten Gewirr kosmisch angehauchter Verbindungsstränge liegt (›Spheroid 2‹, 1959).

Ferenczy [f'ɛrɛntsi], **1)** István, ungar. Bildhauer, *Rimaszombat 23. 2. 1792, †ebd. 4. 7. 1856, Schüler von B. THORVALDSEN, in dessen klassizist. Stil er v. a. treffende Porträtbüsten schuf.

2) Károly, ungar. Maler, *Wien 8. 2. 1862, †Budapest 18. 3. 1917, malte Landschaften, Porträts und große bibl. Zyklen. F. war 1896 Mitbegründer der Künstlerkolonie in Nagybánya (Baia-Mare), die sich einer naturalist. Freilichtmalerei widmete.

Fermo, Stadt und Bischofssitz in der ital. Prov. Ascoli Piceno, 34900 Ew., auf steiler Felsenhöhe gelegen, überragt vom Dom, an Stelle einer frühchristl. Kirche (Reste des Mosaikbodens) seit 1227 errichtet (Ende des 18. Jh. erneuert); zahlreiche Kirchen, u. a. S. Agostino (um 1250, seit 1360 verändert) und S. Francesco (1240 bis Anf. 15. Jh.). An der Piazza del Popolo liegen Palazzo Comunale (Neubau 1446–1525; mit Gemäldegal.), Palazzo degli Studi (16. Jh., mit reicher Bibliothek) und erzbischöfl. Palast (1391).

Fernandes [fɛrn'andɪʃ], **1)** Mateus d. Ä. und Mateus d. J., portug. Architekten des 15./16. Jh.; Vater und Sohn wurden nach Batalha berufen, um die seit 1438 unterbrochenen Arbeiten am Kloster S. Maria da Vitória fortzuführen (F. d. Ä. 1490–1513, F. d. J. 1513 bis 1528). Sie schufen im Emanuelstil die den Zentralbau umgebenden Wölbungen der Grabkapellen und den ornamentierten Portalbau der Capelas Imperfeitas.

2) Vasco, gen. **Grão Vasco** [gr'ãu v'aʃku], portug. Maler, *Viseu um 1480, †ebd. nach 1540, vermutlich Schüler des Lissaboner Hofmalers J. AFFONSO; schuf, beeinflußt von der niederländ. Malerei, Meisterwerke der portug. Renaissancemalerei (Altargemälde für die Kathedrale in Viseu, heute ebd., Mus. de Grão Vasco).

Fernández [-θ], **1)** Alejo, span. Maler vermutlich niederrhein. Herkunft, †Sevilla um 1543/45, erstmals 1496 in Córdoba nachweisbar, kam 1508 mit seinem Bruder, dem Bildhauer Jorge **Fernández Alemán,** nach Sevilla, wo er mit diesem zus. den Hochaltar der Kathedrale schuf. Sein Stil verbindet spätgot. Züge mit Einflüssen der ital. Renaissancemalerei zu harmon. Einheit und machte ihn bereits zu Lebzeiten zum bedeutendsten Maler Andalusiens (weitere Altarwerke Sevilla, Capilla de la Puerta de Jerez; S. Ana di Triara).

2) Gregorio, span. Bildhauer, →Hernández.

3) F. de Navarrete [-naβa-], Juan, gen. **el Mudo** (›der Stumme‹), span. Maler, *Logroño um 1526, †Toledo 28. 3. 1579, wahrscheinlich in der Werkstatt TIZIANS in Venedig ausgebildet (daher sein Beiname ›Tiziano Español‹); seit 1568 Hofmaler PHILIPPS II., arbeitete er ab 1571 an der Ausstattung für den Escorial (HW: Hl. Hieronymus, 1572; 32 Tafeln für Altäre und Kapellen, seit 1575).

Fernkorn, Anton Dominik, Ritter von (1860), Bildhauer, *Erfurt 17. 3. 1813, †Wien 16. 11. 1878, lernte 1836–40 in der Stiglmaier'schen Erzgießerei in München und studierte zur gleichen Zeit bei L. v. SCHWANTHALER; 1840 ging er nach Wien. Sein erster Auftrag hier (›Erzherzog-Karl-Denkmal‹, 1853, 1860 enthüllt; Wien, Heldenplatz) wurde zu einem Meisterwerk des Erzgusses, zugleich die erste Guß-Ausführung der neu gegr. kaiserl. Erzgießerei, deren Leiter F. 1855 wurde. – F. schuf monumentale Erzwerke (Denkmäler, Brunnen u. a.), wie auch Porträts in neubarockem Stil.

Ferrara, ital. Stadt und Bischofssitz in der Po-Ebene, 155300 Ew. Unter der Herrschaft der ESTE erlebte die Stadt im 15. und 16. Jh. ihre Blütezeit. Der ma. Stadtkern mit dem roman. Dom (1135 beg. von WILIGELMUS VON MODENA, Fassade mit reichem plast. Schmuck von NICCOLÒ, bes. am Vorbau über dem Mittelportal; im Inneren Dommus.) wurde 1498 nach einheitl. Plan von B. ROSSETTI erweitert. Zahlreiche Kirchen wurden verändert, vergrößert oder neu gebaut (z. B. S. Cristoforo, 1498 beg.; S. Francesco, Neubau 1494; S. Maria in Vado, 1495–1518). Zu den wichtigsten Profanbauten zählen der Palazzo dei Diamanti (von Rossetti 1492/93; Fassade mit über 12000 diamantartigen Marmorquadern; im Inneren Pinakothek mit Samml. ferrares. Malerei des 15.–18. Jh. und Mus. für Moderne Kunst), Palazzo Ludovico il Moro (1500–03, ein HW

Rossettis; mit Archäolog. Nationalmus.), Palazzo di Schifanoia (1385 beg.; mit doppelgeschossigem Marmorportal und freskengeschmücktem Festsaal mit Monatsbildern; heute Mus.), Palazzo Comunale (1243, erneuert 1493), Palazzo dell' Università (1391, erweitert um 1600; mit Bibliothek und Grab des ARIOST), Casa Romei (1442; Groteskendekorationen des 16. Jh.; heute Mus.). Das Kastell (Castello Estense) ist ein quadrat. Backsteinkomplex mit Innenhof, 4 Ecktürmen und Wassergraben (Ende 14. Jh., 1554 und 1570 verändert); im Palazzo Massaro das G. DE CHIRICO und der →Pittura Metafisica gewidmete Museum.

Ferrara, Malerschule von Ferrara, die in F. unter dem einheim. Fürstengeschlecht der ESTE seit dem 13./14. Jh. geförderte Ausbildung einer Maltradition. Die Malerschule von F. entwickelte die ihr eigentüml. Züge in steter Auseinandersetzung mit den benachbarten Kunstlandschaften. Um die Mitte des 15. Jh. waren es neben dem aus Verona stammenden PISANELLO und dem Umbrer PIERO DELLA FRANCESCA v. a. C. TURA, F. COSSA und E. DE'ROBERTI, die nachhaltigen Einfluß auf die lokale Kunsttätigkeit ausübten. Im 16. Jh. bestimmten in erster Linie D. DOSSI und B. DA GAROFALO den Charakter der Malerei; dabei zeigte sich ersterer bes. durch den poet. Gehalt der Dichtung ARIOSTS sowie die venezian. Landschaftsmalerei beeindruckt, während Garofalo nach einem Aufenthalt in Rom den klass. Figurenstil RAFFAELS in seine Heimatstadt übertrug. Letzter Höhepunkt war in der Malerei des Barock C. BONONI, dessen künstler. Entwicklung sich in enger Verbindung zur Akad. der CARRACCI in Bologna vollzog.

Ferrari, 1) Defendente, ital. Maler, *Chivasso (Piemont), tätig zw. 1500 und 1535, beeinflußt durch fläm., dt. und burgund. Vorbilder, schuf Altarbilder für Kirchen in Turin und Piemont.

2) Gaudenzio, ital. Maler, Bildhauer (wahrscheinlich auch tätig als Architekt), *Valduggia (Piemont) um 1475, †Mailand 31. 1. 1546, malte figurenreiche Szenen von volkstüml., oft bizarrem Realismus (Fresken der Kreuzigungs-Kapelle in Varallo, 1523). Sein reifer Stil ist bezeichnend für den lombard. Manierismus (Kuppelfresko, Wallfahrtskirche von Saronno, nordwestl. von Mailand, 1535–36).

Ferrata, Ercole, ital. Bildhauer, *Pelsotto im Val d'Intelvi bei Como 1610, †Rom 10. 7. 1686, arbeitete seit 1647 unter dem Einfluß G. L. BERNINIS und A. ALGARDIS in Rom. In seinen Reliefs suchte er eine extreme Annäherung an Wirkungen der Malerei (Steinigung der Hl. Emerentia, Rom, S. Agnese in Agone, an der Piazza Navona, 1660 ff.). Unter den Vollfiguren ist die Hl. Agnes auf dem Scheiterhaufen (1660 begonnen, ebd.) sein HW; er war auch Antikenrestaurator.

Ferrer Bassa, span. Maler, Miniaturmaler, →Bassa Ferrer.

Ferri, Ciro, ital. Maler, *Rom 1634, †ebd. 13. 9. 1689, Schüler des PIETRO DA CORTONA, schuf Altarbilder und Deckenfresken in Rom, Florenz und Bergamo; seit 1645 Vorsteher einer von Großherzog COSIMO III. von

Toskana in Rom gegr. Akad., an der zahlreiche Florentiner Künstler ihre Ausbildung erhielten.

Ferrucci [ferr'uttʃi], Andrea, gen. **A. da Fiesole,** ital. Architekt und Bildhauer, *Fiesole 1465, †Florenz 1526, Vertreter der Florentiner Renaissance-Skulptur, seit 1508 ebd. für die Dombauhütte tätig.

HW: Marmoraltar, Fiesole, Dom (1493); Taufbrunnen, Pistoia, Dom (1497); Hl. Andreas, Florenz, Dom (1517); Marmorbüste des Marsilio Ficino, Florenz, Dom (1521).

Ferstel, Heinrich Freiherr von (1879), österr. Baumeister, *Wien 7. 7. 1828, †Grinzing (seit 1890 Teil von Wien) 14. 7. 1883, war maßgebend am Ausbau Wiens beteiligt (v. a. Bauten an der Ringstraße: im neugot. Stil die Votivkirche 1856–79, im Stil der Neurenaissance das Österr. Mus. für angewandte Kunst 1868–71 und die Univ. 1873–84).

N. WIBIRAL u. RENATA MIKULA: H. v. F. (1974).

Fertőd [f'ɛrtø:d], bis 1945 **Eszterháza** ['ɛstɛrha:zɔ], Ort im Bez. Raab-Ödenburg, Ungarn, 2800 Ew. Ein Jagdschloß (1720) ist Kern des prachtvollen Barockschlosses (›ungar. Versailles‹), das N. J. FÜRST ESTERHÁZY 1760–69 errichten ließ; mit Park, Reitschule, Gemäldegalerie und (zerstört) Theater. 1760–90 wirkte hier J. HAYDN als Hofmusiker (Haydn-Mus.).

Fès [fɛs], **Fez,** Stadt in N-Marokko, 499 000 Ew., kulturelles, geistiges und religiöses Zentrum des Landes, rangälteste seiner 4 ›Königsstädte‹. Die Altstadt (F. el-Bali) wurde 1981 von der UNESCO als Weltkulturerbe deklariert und gilt – mit den vielen kunstvollen Bauwerken im ausgedehnten Gassenlabyrinth – als schönste Medina des islam. Kulturkreises. 791/92 als Doppelstadt und Regierungssitz der Idrisiden-Dynastie (789–974) gegr. und von Zuwanderern aus Córdoba und Kairouan besiedelt; im 11. Jh. Zusammenschluß und Ummauerung beider Stadtteile durch die Almoraviden. Blütezeiten im 13./14. Jh. unter den Me-

Fertőd: Schloß Eszterháza; 1760–69

Fès: En-Nejjarin-Brunnen

riniden (Gründung des Stadtteils F. el-Djedid, 1276, mit Königspalast Dar el-Makhzen) und unter den Aliden im 18./19. Jh. (weitläufige Palastanlagen).

Die Karawijin-Moschee wurde 857 gegr. (Minarett 956) und 1135 von den Almoraviden zur größten Moschee Nordafrikas ausgebaut: 16 Schiffe mit je 21 Jochen, getrennt durch 15 Säulenreihen, im Hof 2 maur. Pavillons (1613–24, Bild maurischer Stil), Marmorbekken (1202), reichverziertes Eingangstor im Stil der Alhambra; im Innern prachtvoller Minbar (1144) und Bronzelüster (1203). Die Andalusier-Moschee, Mitte des 9. Jh. gegr. (Minarett 956), von den Almohaden 1203–07 und den Meriniden 1307 und 1415 erweitert, hat ein prachtvolles N-Portal (13. Jh.) mit Schnitzvordach und glasierten Fliesen sowie Minbarteile aus dem 11. Jh. Die Attarin-Medrese (1323–25) und der Komplex der Bou-Inania-Medrese (1350–57) sind die Meisterwerke der Merinidenbaukunst und Höhepunkte der →maurischen Kunst. Mit ihrem überreichen verfeinerten Dekor der Innenhöfe, Räume und Minarette (Fliesenmosaike, Marmor- und Gipsstukkatur, Mukarnas-Arkaden, Zedernholzschnitzwerk) entsprechen sie völlig dem Dekor der Alhambra in Granada. Die Misbahije-Medrese (1346, prachtvoller Eingang, weißes Marmorbecken aus Algeciras), die Cherablijin-Moschee (1331–51, Minarett mit glasierten Fliesen), die Seffarin-Medrese (1280, älteste Meriniden-Lehrstätte), die Zawija Mulei Idris (1437, Grab Idris II.), die Abu-el-Hasan-Moschee (1341, Stuckvorhalle) und der En-Nejjarin-Brunnen (glasierte Fliesenmosaike, lambrequinierter Hufeisenbogen, Zedernholzschnitzwerk) sind weitere Marksteine merinid. Baukunst; der Komplex der kunstvoll gestalteten Cherratin-Medrese wurde 1670 in dieser Tradition errichtet. Die Paläste Dar el-Beida und v. a. Dar Batha (beide spätes 19. bis frühes 20. Jh.) sind prachtvolle neo-maurische Bauwerke in der Nachfolge des Generalife in Granada. Im Dar Batha das Mus. für marokkan. Kunst.

In F. el-Djedid umfaßt der Komplex Dar el-Makhzen (Medrese 14. Jh., Palastbauten 18. Jh.) mit Gartenanlagen 80 ha. Die Große Moschee (1276, Abu-Inan-Grab aus dem 14. Jh.), die Al-Ahzar-Moschee (1357, behauenes Tor aus Andalusien) und die Moscheen El-Hamra und El-Beida haben schlanke, elegant gestaltete quadrat. Minarette (14. Jh.). Im ausgedehnten Komplex der Mulay-Abdallah-Moschee befinden sich die Scherifengräber (18.–20. Jh.). Im Mellach-Viertel schöne Synagogen (Serfati, Fassiin).

Zu den Befestigungsanlagen gehören typ. almohad. und merinid. Monumentaltore (meist mit Basteien) wie Bab ech-Chorfa, Bab Segma (1315), Bab el-Mahrouk (1214), Bab es-Seba, Bab Semmarin, Bab Dekaken und das Boujeloud-Doppeltor (jüngerer gerader Torteil mit blauer und grüner Lasurfliesenornamentik) sowie die almohad. Kasbas Filala (1199–1214) und Boujeloud (heute Wohnviertel), ferner die Cherarda-Kasba (1670) und die Debibagh-Kasba (1729). Im N außerhalb des Guissa-Tors die letzte und bedeutendste Nekropole der Merinidensultane (14. Jh.).

Feston

Feston [fest'ɔ̃, frz.], Schmuckmotiv in Form eines Gehänges aus Bändern, Blumen, Früchten und Laubwerk, seit der Antike in Baukunst, Kunsthandwerk und Malerei beliebt.

Festung, ständige größere Befestigung, die militär. Angriffen längeren Widerstand leisten kann.

Geschichte. Vor der Erfindung der Feuerwaffen kann man nicht von F. im eigtl. Sinn sprechen (→Burg). Durch die Pulvergeschütze wurde es dem Angreifer möglich, die ungedeckten Mauern aus der Ferne zu zerstören, während der Verteidiger weder auf der schmalen Mauerkrone noch auf den engen Türmen Geschütze aufstellen konnte. Die Einrichtung der Umwallung zur Geschützverteidigung hatte daher zunächst eine Verbreiterung und Verstärkung beider zur Folge. Anstelle der Mauertürme entstand im 16. Jh. die vorn halbrunde, hinten viereckige →Bastion, die so weit in den Graben vorsprang, daß sie ihn flankieren konnte. Solche bastionierten F. bauten z. B. die Stadtbaumeister D. SPECKLIN (*1536, †1589) in Straßburg und E. HOLL in Augsburg.

In Frankreich wurde im 17. Jh. der bastionierte Grundriß weiter ausgearbeitet und von S. VAUBAN (*1633, †1707) auf einfache Formen und Grundsätze zurückgeführt. Ende des 18. Jh. schlug L. CARNOT (*1753, †1823) eine auf aktive Führung der Verteidigung berechnete Anordnung des Aufrisses vor. In Frankreich selbst fanden seine Vorschläge keine Beachtung, dagegen bildeten sie die Grundlage der sich in Dtl. nach 1815 entwickelnden neupreuß. Befestigungsart, nachdem schon im 18. Jh. FRIEDRICH D. GR. F. wie Neisse (Oberschlesien) und Glatz (Niederschlesien) nach besonderem System hatte ausbauen lassen.

Die Einführung der gezogenen Geschütze (Mitte des 19. Jh.) bedeutete das Ende für die Einzelfestung. Die zw. den Weltkriegen entstandenen Befestigungsfronten büßten ihren Sinn durch Weiterentwicklung der Waffensysteme ein.

Während in Mesoamerika der Bau befestigter Anlagen v.a. aus dem Maya-Gebiet belegt ist (Utatlán im Hochland von Guatemala, Tulum an der W-Küste von Yucatán), ist die Entwicklung im andinen Bereich ausgeprägter. Dort sind aus der Vorinkazeit und Inkazeit regelrechte F.-Ketten zu finden. Es gibt sowohl Anlagen aus sorgfältig behauenen Steinen als auch solche aus grob gehauenen; die bekanntesten sind Sacsayhuamán, Pisac, Paramonga, Machu Picchu und Ollantaytambo.

O. W. Förster: Das Befestigungswesen (1960).

Fêtes galantes [fɛ:t gal'ãt, frz. ›galante Feste‹], →Gesellschaftsstück.

Feti, Domenico, ital. Maler, →Fetti.

Fetisch [portugies. feitiço ›Zauber(mittel)‹], mit magischer Kraft aufgeladener, meist von Menschenhand hergestellter Gegenstand, der um Hilfe angerufen wird; kann nicht eindeutig von Amulett und Talisman unterschieden werden. F. sind bes. in Westafrika verbreitet. Bei den künstlerisch bedeutsamen F. handelt es sich meist um geschnitzte Tier- und Menschenfiguren, z. B. →Nagelfetisch, →Spiegelfetisch.

Fetti, auch **Feti,** Domenico, ital. Maler, *Rom um 1589, †Venedig 16. 4. 1623, in Rom zunächst Schüler von L. Cigoli, der neben den damals dort tätigen Caravaggisten für die Ausbildung seines Frühstils von ausschlaggebender Bedeutung war; danach Hofmaler in Mantua, siedelte er 1622 nach Venedig über. Unter dem Einfluß der venezian. Malerei bildete er einen durch farbigen Reichtum gekennzeichneten Stil aus. Seine kleinfigurigen Bibelszenen verbinden scharfe Beobachtungsgabe mit poet. Empfinden.

HW: Apostelfolge (Mantua, Akademie); Die Speisung der Zehntausend (ebd., Palazzo Ducale); Acht bibl. Gleichnisse (Dresden, Gemäldegal.).

Feuchtmayer, Faichtmayr, Feichtmayr, aus Wessobrunn (heute Kr. Weilheim; Oberbayern) stammende Künstlerfamilie, deren Mitgl. im 17. und 18. Jh. als Stukkateure und Bildhauer tätig waren (→Wessobrunner Schule).

1) Johann Michael, Bildhauer, Stukkateur, Ornamentstecher, *Wessobrunn-Haid 1709 oder 1710, †Augsburg 4. 6. 1772, schuf mit unerschöpfl. Phantasie die hervorragenden Stuckdekorationen der Kirchen in Amorbach (1744–47), Zwiefalten (1747–58), Ottobeuren (nach 1754), Vierzehnheiligen (1764 ff., mit J. G. Üblhör) und die des Schlosses in Bruchsal (1751–56; nach Kriegseinwirkungen wiederhergestellt), die Ornament und Architektur zu einer Einheit verbinden.

2) Joseph Anton, Bildhauer, Stukkateur, Kupferstecher, getauft Linz a. d. Donau 3. 6. 1696, †Mimmenhausen am Bodensee 2. 1. 1770, verbrachte ebd. den größeren Teil seines Lebens und arbeitete hier als Bildhauer für das Zisterzienserkloster Salem. Jenseits aller klassizist. Tendenzen ist F. Hauptmeister einer eigenständ.

Joseph Anton Feuchtmayer: Wallfahrtskirche St. Marien, Birnau; 1748–57

dt. Spielart des Rokoko, in der sich dramat. Ausdruck mit Neigung zum Spielerischen und Absonderlichen und eine stark bewegte Gestaltung der Oberfläche verbinden. Details seines Stils lassen an das Werk des aus der gleichen Landschaft stammenden Malers F. A. MAULBERTSCH denken.

Werke: Maria (wohl ehemals von einer Lactatio-Bernhardi-Gruppe aus dem Kloster Salem, 1738–40, Berlin-West, Staatl. Museen); Ausstattung der Schloßkapelle Meersburg (1741–43), der Wallfahrtskirche St. Marien, Birnau (1748–57); Hochaltar der Franziskanerkirche Überlingen (1760); Chorgestühl der Stiftskirche St. Gallen (1761–68).

Feuchtwangen, ehem. Reichsstadt im bayer. Mittelfranken, 10500 Ew.; seit 1376 in Besitz der Burggrafen zu Nürnberg. Spätroman. Kreuzgang (13. Jh.) der ehem. Benediktinerabtei (817 genannt), Stiftskirche (13.–16. Jh.). Malerische, gut erh. Altstadt.

Feuerbach, Anselm, Maler, *Speyer 12. 9. 1829, †Venedig 4. 1. 1880, bildete sich 1845–48 an der Düsseldorfer Akad. (W. SCHADOW, K. SOHN, J. W. SCHIRMER), dann in München (C. RAHL) und seit 1850 in Antwerpen (G. WAPPERS). In Paris (1851–54) studierte F. v. a. den Stil von E. DELACROIX und G. COURBET. Für ihn entscheidend wurde hier der Eintritt in das Atelier von T. COUTURE (1852). Seinen eigenen Stil fand F. jedoch erst in Italien (1855–73, seit 1856 in Rom; Studium des Stils von TIZIAN, PALMA VECCHIO und RAFFAEL) aus der Synthese eines starken realist. Elements mit einem monumental gesinnten Idealismus. In der dt. Kunst wurde F. damit zum Vollender wie zum Überwinder des Klassizismus. 1873 folgte F. einem Ruf an die Wiener Akad., zog sich aber bereits 1877 enttäuscht nach Venedig zurück.

In seiner überfeinerten, auf das klass. Griechentum ausgerichteten Bildung suchte F. die Antike in neuer

Idealität zu beleben. Das Zwiespältige seiner Kunst liegt in dem Versuch, Erhabenheit und in sich ruhende Geschlossenheit der Gestalten, ihre träumer. Verbindung mit der Natur mit realist. Stilmitteln zu erreichen. In ihrer hoheitsvollen antikischen Atmosphäre vollendet sind seine mythologisch gesteigerten Darstellungen seines röm. Modells NANNA RISI, seine schwermütigen ital. Landschaften und die Porträts seiner Stiefmutter HENRIETTE, geb. HEYDENREICH (*1812, †1892). Sie hat seine künstler. Entwicklung gefördert und seine an sie gerichteten Briefe mit einer nachgelassenen Selbstbiographie zu dem Buch ›Ein Vermächtnis‹ (1882) verarbeitet.

HW: Hafis vor der Schenke (1852; Mannheim, Städt. Kunsthalle); Dante und die edlen Frauen von Ravenna (1858; Karlsruhe, Staatl. Kunsthalle); Porträts der Nanna (1861–64; v. a. Karlsruhe, Stuttgart, Berlin-Ost); Iphigenie I (1862; Darmstadt, Hess. Landesmus.), Iphigenie II (1871; Stuttgart, Staatsgal.); Garten des Ariost (1863; München, Schack-Galerie); Porträts der Stiefmutter (1867; Heidelberg, Kurpfälz. Mus. und Berlin-Ost); Gastmahl des Plato I (1869; Karlsruhe, Staatl. Kunsthalle), Gastmahl des Plato II (1873; Berlin-Ost, Staatl. Museen); Medea auf der Flucht (1870; München, Neue Pinakothek); Titanensturz (1875–79; Wien, Deckenbild der Aula in der Akad.).

A. F. Gemälde und Zeichnungen, Ausst.-Kat., Karlsruhe (1976); H.-M. SASS: A. F. (1978).

Feuertempel, altiran. Kultbauten seit Zarathustras Religionsgründung im 6. Jh. v. Chr. zum Schutz des ewig brennenden hl. Feuers, in dem man Gott verehrte. Die Verehrung von Götterbildern kennt die zarathustr. Religion nicht. Reste eines Kultgebäudes in →Nuschijan mit Feueraltar und reich verzierten Wandnischen lassen auf einen frühen F. aus medischer Zeit schließen. Aus achaimenid. und parth. Zeit (6. Jh. v. Chr.–3. Jh. n. Chr.) sind wenige F.-Ruinen erh., während aus sassanid. Zeit (3.–7. Jh. n. Chr.) viele Beispiele zentraler F. (→Tschahar Taq) bekannt sind.

K. SCHIPMANN: Die iran. Feuerheiligtümer (1971).

Fiale [ital.] *die,* in der got. Baukunst ein schlankes Türmchen als Bekrönung von Strebepfeilern und an Tür- und Fensterverdachungen. Der untere Teil, der vier-, auch achtseitige Leib oder Schaft, ist oft mit Maß-

Anselm Feuerbach: Medea auf der Flucht; 1870 (München, Neue Pinakothek)

Fiale

Fibel: Silberne Bügelfibel aus Falster, Süd-Dänemark, etwa 15 cm hoch; um 600 n. Chr. (Kopenhagen, National-Museum)

werk verziert, auch als Tabernakel gebildet und mit Giebeln versehen; der obere, pyramidenförmige Teil, der ›Helm‹ oder ›Riesen‹, ist mit Krabben besetzt und von einer Kreuzblume gekrönt.

Fiammingo [ital. ›Flame‹], **Fiamingo,** Beiname niederländ. oder nordfrz., später auch dt. Künstler, die in Italien tätig waren (z. B. F. DUQUESNOY, PAOLO DEI FRANCESCHI, P. FRANCAVILLA). Die F. bildeten in Rom eigene Künstlervereinigungen, z. B. ›de Bentvueghles‹.

Fibel [von lat. fibula ›Spange‹] *die,* Bez. einer in vorgeschichtl. Zeit verwendeten Nadelkonstruktion zum Zusammenheften der Kleidung. Unterschieden werden zwei- und eingliedrige F. sowie Scheiben-F.

Die älteste bekannte F. ist eine zweigliedrige Goldplatten-F. aus Alaca Hüyük (Anatolien; 2. H. 3. Jahrtsd.). Wahrscheinlich unabhängig davon ist die F. in der nord. Bronzezeit und in Ungarn/Norditalien entstanden. Sie erlebte in Europa eine sehr differenzierte Enwicklung und zählt daher zu den wichtigsten ›Leitfossilien‹ der prähistor. Archäologie.

Die **zweigliedrige F.** kommt seit etwa 1400 v. Chr. in Nord-Dtl. und Südskandinavien vor: Nadel und Bügel sind einzeln gefertigt und frei beweglich miteinander verbunden.

Bei der **eingliedrigen F.** sind Nadel und Bügel mittels einer Federspirale elastisch miteinander verbunden, aus einem Stück, oder die selbständige Feder mit der Nadel ist starr am Bügel befestigt (sekundär kann sich daraus wieder eine zweigliedrige F., die Scharnier-F., entwickeln). Verbreitet ist sie seit der jüngeren Bronzezeit (etwa 13. Jh. v. Chr.) in S- und SO-Europa, seit der älteren Eisenzeit auch im ehem. Gebiet der zweigliedrigen F. – In der jüngeren Eisenzeit (seit etwa 450 v. Chr.) herrschten Latène-F., darunter Masken- und Tier-F., vor. Röm. F. liegen in einer Vielzahl von Typen vor; dasselbe gilt für die Bügel-F. der Völkerwanderungszeit (oft mit kunsthandwerkl. Gestaltung von Bügel, Fuß- und Kopfplatte).

Bei der **Scheiben-F.** wird die Funktion des Bügels von einer (meist verzierten) Scheibe übernommen, an der einerseits die Federkonstruktion mit Nadel und andererseits die Nadelrast befestigt ist. Die Scheiben-F., auch mit figürl. ›Scheibe‹ (z. B. in Adlerform), ist von der Latènezeit bis in das frühe MA., als Brosche bis in die Gegenwart verbreitet. Als Gebrauchsgegenstand wurde die F. mit dem Aufkommen geknöpfter Kleidungsstükke im Spät-MA. überflüssig.

Fichtelberger Gläser, Fichtelgebirgsgläser, im 17. und 18. Jh. im Fichtelgebirge, bes. in der Nähe von Bischofsgrün, angefertigte Humpen, Henkelseidel und Trinkgläser; sie bestehen aus leicht grünl. Glasmasse und sind mit Emailfarben dekoriert. Dargestellt werden bes. der Ochsenkopf (einer der Hauptberge des Fichtelgebirges) mit den 4 Flüssen (Main, Naab, Saale und Eger), die in seinem Gebiet entspringen, und eine Kette mit Hängeschloß als symbol. Hinweis auf den Metallreichtum des Gebirges.

Ficoronische Ciste, qualitätvollste der praenestin. →Cisten (nach ihrem ehem. Besitzer F. FICORONI benannt, heute in Rom, Villa Giulia), etwa aus der Zeit 330/310 v. Chr., signiert von NOVIOS PLAUTIOS. Ein in das Bronzeblech gravierter, von Ornamentbändern gerahmter Fries mit Szenen aus der Argonautensage schmückt das Gefäß, das auf Löwenfüßen steht, die mit gegossenen Reliefattaschen an der Ciste befestigt sind. Als Deckelgriff dient eine Statuettengruppe.

Fidenza, Stadt und Bischofssitz in der ital. Prov. Parma, 24200 Ew. Der roman. Dom (um 1200 beg., Ende des 13. Jh. gotisch voll.) besitzt Skulpturenschmuck von B. ANTELAMI und seiner Schule (v. a. an der Fassade).

Fidus, eigtl. Hugo **Höppener,** Zeichner, Baumeister, *Lübeck 8. 10. 1868, †Schönblick bei Woltersdorf 23. 2. 1948; seine Zeichnungen und Buchschmuckentwürfe gehören dem Jugendstil an.

Fi|eravanti, Fioravanti, ital. Architektenfamilie aus Bologna. Fieravante F. (*um 1390, †um 1430) schuf den Palazzo degli Anziani in Bologna. Sein Sohn Aristotele F. (*um 1415/20, †Moskau wohl 1486) war Architekt, Ingenieur, Bronzegießer, Medailleur, erwarb großen Ruf durch die maschinelle Versetzung eines Turmes in Bologna um 15 m, arbeitete auch in Venedig, Mailand und für den ungar. König und war seit 1462 bolognes. Stadtbaumeister. Seit 1475 stand er in Diensten IWANS III. und baute die Uspenskij-Kathedrale (Mariä Himmelfahrt) im Moskauer Kreml (voll. 1479) in einer Mischung russ. und ital. Formen, endete aber in Ungnade und starb im Gefängnis.

Fi|esole, ital. Stadt und Bischofssitz auf steiler Anhöhe nordöstlich von Florenz, 15000 Ew., mit Resten etrusk. Mauern, eines röm. Bades und Theaters. Im roman. Dom (1028 beg., im 13./14. Jh. erweitert) Skulpturen von MINO DA FIESOLE; Franziskanerkloster mit got. Kirche (um 1330); 3 km südlich das ehem. Benediktinerkloster Badia Fiesolana (heute Sitz der Europ. Universität Florenz) mit einer Frührenaissance-Kirche (Fassade des 15. Jh. unter Einbeziehung einer weißgrünen Marmorfassade des 12. Jh.; roman. Marmorportal). Archäolog. Mus. und Mus. Bandini (Gemälde).

Fi|esole, Andrea da F., ital. Architekt und Bildhauer, →Ferrucci.

Fi|esole, Fra Giovanni da F. [-dʒovˈanni-], ital. Maler, Fra →Angelico.

Fi|esole, Mino da F., ital. Bildhauer, →Mino da Fiesole.

Fietz, Gerhard, Maler, *Breslau 25. 7. 1910, ausgebildet bei A. KANOLDT und O. SCHLEMMER. F. malte anfänglich figurativ, seit 1947 abstrakt; war Gründungsmitgl. der Gruppe →Zen.

Figueiredo [fiɣɛirˈeðu], Cristovão de, portugies. Maler, Schüler von J. AFFONSO, tätig zw. 1515 und 1540, Hofmaler. Charakteristisch für seine Altarretabel, die er oft in Zusammenarbeit mit GARCIA FERNANDES schuf, sind strenge Komposition und dekorative Farbigkeit (HW in Lissabon, Mus. Nacional de Arte Antiga).

Ficoronische Ciste: von Novius Plautios, 330/310 v. Chr.

Figurengefäße: F. der Zapoteken aus Ton, 43 cm hoch (Berlin-West, Museum für Völkerkunde)

Figurengefäße: Männliches F. aus Ton; 56 cm, Keaka, Kamerun (München, Privatsammlung)

Figueras [fiγ'eras], span. Stadt in der Prov. Gerona, 22 000 Ew.; Castillo de San Fernando (1743), Mus. del Ampurdán (Gemälde altspan. Meister); Mus. Salvador Dalí mit reicher Samml. von Werken des span. Surrealisten in seiner Geburtsstadt (nach dem Prado das meistbesuchte span. Mus.).

Figura piramidale [ital.], Kompositionsschema in Malerei und Bildhauerkunst, bei dem eine Figurengruppe dem gedachten Aufbau einer Pyramide eingeordnet ist, bes. beliebt in der ital. Hochrenaissance (LEONARDO DA VINCI, Hl. Anna Selbdritt, um 1500/07, Paris, Louvre; RAFFAEL, Hl. Familie, um 1507, München, Alte Pinakothek, und Madonna im Grünen, 1505/06, Wien, Kunsthistor. Mus.).

Figura serpentinata [lat.], Kompositionsschema der Plastik im →Manierismus, das einen vom Sockel her sich nach oben entwickelnden, um die Mittelachse sich drehenden (lat. serpentinatus ›geschlängelt‹) Figurenaufbau aufweist, wobei außerdem der Kontrapost verwendet wird; bes. bei Werken GIAMBOLOGNAS.

Figurenband, Ordnungsprinzip bei der Gestaltung mesopotam. Rollsiegel, das nach etwa 2600 v. Chr. einige Zeit vorherrschte: Die im unendl. Rapport abrollenden, eng ineinander verflochtenen Szenen (z. B. Helden im Kampf mit Löwen und Stier) lassen mit ihren einzelnen Figurengruppen (durch Isokephalie, Verschränkung der Beine, Aufrechtstellen der Tiere u. ä. charakterisiert) ein abstrakt-ornamental gestaltetes Band entstehen.

Figurengefäße, Tongefäße in Form von Menschen- und Tierfiguren. Sie sind im vorgeschichtl. Europa seit dem Neolithikum bekannt. F. weisen oft stilist. und ideolog. Zusammenhänge mit Tonstatuetten auf. Auch äußerl. Verbindungen von Figuren und Gefäßen (Tierfiguren als Henkel; Tierköpfe als Ausguß) sowie Gesichtsurnen gehören zum Formenkomplex der F.

In den Kulturen des Alten Orients, Ägyptens und im ägäischen Bereich wurden F. in Form von Rhyta hergestellt. In der grch. Antike sind aus dem 6. Jh. v. Chr. Salbgefäße mit figürl. Formen v. a. aus Rhodos und Korinth überliefert. **Figurenvasen** in Form von Frauen- und Satyrkopfvasen gab es in der attisch-rotfigur. Technik (1. H. 5. Jh. v. Chr.); aus dem 4. Jh. v. Chr. sind attische Vasen überliefert, die ganze Figuren oder Figurengruppen, gleichsam hohle Terrakotten, darstellen.

F. aus Ton finden sich in Mesoamerika besonders ausgeprägt bei den Zapoteken; sie stellten meist Gottheiten, z. T. mit großem Kopfputz dar und dienten als Grabbeigaben. Höhepunkt der vielfältigen F., die in vielen der →Andinen Hochkulturen hergestellt wurden, sind wohl die der Moche-Kultur, darunter realist. Porträtkopfgefäße, aber auch, z. T. szenische, Darstellungen von Tieren, Menschen und Göttern. Es wurden auch F. aus Gold hergestellt (z. B. Hohlfiguren mit flaschenähnl. Öffnung im Quimbaya-Stil). F. aus Stein, als Weihrauchgefäße verwendet, sind v. a. aus dem Maya-Zentrum Copán überliefert. (WEITERES BILD Moche)

In Afrika stellen v. a. die Wongo in Zaire, die zum Einflußbereich der Kuba zählen, aus Holz geschnitzte

F. her, aus denen bei rituellen Anlässen Palmwein getrunken wird, ebenso die Ngbandi in Zaire, die Kopffüßler-Formen herstellen. F. aus Ton finden sich bei allen Volksgruppen, die →Seelengefäße (v. a. NO-Nigeria) herstellen, aber auch bei den Keaka und den Akan; sie dienen unterschiedl., doch ausschließlich relig. Zwecken. Die Tradition der F. bei den Bata (NO-Nigeria) riß 1965 mit der Islamisierung ab.

IMMINA V. SCHULER-SCHÖMIG: F. aus Oaxaca, Mexico (1970).

Figurenmenhir, →Menhirstatuen.

Figurenportal, Typus von Portalen, die mit Skulpturen geschmückt sind. Seit dem frühen 12. Jh. ist das Kirchenportal der bevorzugte Ort roman. Skulptur, v. a. in Frankreich (Burgund, Provence, Languedoc), Italien (Modena, Ferrara, Verona) sowie vereinzelt auch in Dtl. Ein sich gegenseitig bedingendes System von Portalskulptur und -architektur entwickelt die nordfrz. Gotik (Chartres, W-Portal, seit 1145). Die beiden Hauptthemen der F. an den großen Kathedralen des 12. und 13. Jh. in Frankreich (z. B. Paris, Reims, Amiens) sind das Weltgericht mit den Aposteln an den Gewänden und die Marienkrönung mit einem Prophetenzyklus. Zentrales Bildfeld ist das →Tympanon, unterstützt von dem Türsturz und den seitl. Türpfosten, die wie der Mittelpfosten (Trumeau) Träger von Reliefs sind. Auch die Bogenläufe (Archivolten) können für figürl. Reliefs genutzt werden. Außerdem werden häufig in die Stufung des Gewändes Figuren gestellt (in der Gotik v. a. →Säulenfiguren).

W. SAUERLÄNDER: Got. Skulptur in Frankreich 1140–1270 (1970).

Figurensteine, lat. **Lapides figurati,** menschen- oder tierkopfähnl. Feuersteinknollen (Naturspiele), gelegentlich als altsteinzeitl. Kunstwerke aufgefaßt.

Figurierter Verband, Mauerwerksmuster aus versch. gestellten Backsteinen und deren Fugen im Ziegelrohbau und als Füllung bei Fachwerkwänden.

Fikelluravasen [nach einem Fundort auf Rhodos benannt], ostgrch. Gattung schwarzfiguriger Vasen (2. und 3. Viertel des 6. Jh. v. Chr.). Tiere, menschl. Figuren (v. a. Tänzer) und Ornamente in reicher Variation (Flechtband, Mäander, Voluten, viele pflanzl. Formen) sind die bestimmenden Verzierungsformen.

Filarete, eigtl. Antonio di Pietro **Averlino,** ital. Bildhauer, Baumeister, Kunsttheoretiker, *Florenz um 1400, †Rom 1469, schuf 1433–45 die reliefgeschmückte Bronzetür von St. Peter ebd.; ferner Porträtbüsten, Statuetten und Reliefs. Nach längeren Irrfahrten folgte er 1451 dem Ruf des FRANCESCO SFORZA nach Mailand, wo er bis 1469 als Architekt und Dombaumeister tätig war und 1457 das wegen seiner symmetr. Anlage vorbildlich gewordene Ospedale Maggiore entwarf. In seinem ›Trattato dell'architettura‹ entwickelte er die Idealstadt ›Sforzinda‹.

Filigran [aus lat. filum ›Faden‹ und granum ›Korn‹], Goldschmiedearbeiten aus rundem gekörntem, geperltem oder gezwirntem Gold-, Silber-, versilbertem Kupfer- oder Eisendraht, häufig in Verbindung mit Granu-

Figurengefäße: Attische Weinkanne in Gestalt eines Mädchenkopfs vom Töpfer Charinos; gefunden in Vulci, 500 v. Chr. (Berlin-West, Staatl. Museen)

Filigran: Teuderich-Reliquiar; 7. Jh. (Abtei Saint-Maurice)

lation. F. dient zu Schmuck- und Kunstgegenständen oder als Zierwerk an Edelmetallarbeiten. Es kann auf eine Metallplatte aufgelötet oder als Geflecht feinster Drähte in durchbrochener Arbeit vorkommen. Erstmalig erscheint F. um 2500 v. Chr. in Troja. Eine bed. Rolle spielte es in der Kunst der Völkerwanderungszeit. In neuerer Zeit hat F. in der Volkskunst Europas Verbreitung gefunden. Im 19. Jh. stellte man in Berlin Schmucksachen aus Eisenfiligran her (frz. ›Fer de Berlin‹).

Filigranglas, fälschl. Bez. für →Fadenglas.

Filliou [filj'u], Robert, frz. Künstler, *Sauve (Dép. Gard) 17. 1. 1926, lebt seit 1968 in Düsseldorf. Seit 1961 nahm F. mit aktionist. Gedichtvorträgen an Fluxus-Veranstaltungen teil. Seine Arbeit kreist um die Idee der Kreativität und will Kunst und Leben zusammenführen. Daraus erwuchsen poetisch-provokative Schautafeln, subtil-iron. Objekte und Aktionen.

R. F. Kat. des Kunstmus. Luzern (1975).

Finiguerra, Maso, Goldschmied, *Florenz März 1426, †ebd. August 1464, Gehilfe L. GHIBERTIS, berühmt durch Niello-Arbeiten und Entwürfe für Intarsien. Vermutlich als einer der ersten Italiener auf dem Gebiet des Kupferstichs tätig, erklärte ihn G. VASARI irrtümlich zum Erfinder dieser Technik.

Finson, Louis, auch **Finsonius,** Ludovicus, fläm. Maler, *Brügge vor 1580, *Amsterdam 1617, studierte in Rom (1600–09) die Helldunkel-Malerei CARAVAGGIOS, dessen Stil er nach Flandern vermittelte.

HW: Auferstehung (1610; Aix-en-Provence, St. Jean-de-Malte); Nacktes Selbstporträt (1613; Marseille, Mus.); Stephansmarter (1614; Arles, Kathedrale).

Finsterer, Alfred, Graphiker, Buchgestalter, *Nürnberg 8. 6. 1908, wurde 1937 an der Akad. in Leipzig Leiter einer Meisterklasse für Buchgestaltung. Sein von P. KLEE beeinflußtes graph. Werk zeichnet eine phantast. Welt von Narren.

A. F., Ausst.-Kat., Friedrichshafen (1976).

Finsterlin, Hermann, Dichter, Maler, Architekt, *München 18. 8. 1887, †Stuttgart 16. 9. 1973, entwarf zw. 1917 und 1924 plast. Architekturen, die sich von der Vorstellung des Hauses als orthogonalem Baukörper lösen. F. war Mitgl. des ›Arbeitsrates für Kunst‹ (1918 bis 1921) und der →Gläsernen Kette (1919–20).

Finsterwalde, Stadt in der westl. Niederlausitz, Dt. Dem. Rep., 22400 Ew.; Renaissance-Schloß (im wesentl. 2. H. 16. Jh.), bestehend aus 2 Vierflügelanlagen; die spätgot. Dreifaltigkeitskirche (beg. 1578) ist eine dreischiffige Hallenkirche (Kanzel 1615, Epitaphien und Grabsteine 16./17. Jh.).

Fioravanti, ital. Architektenfamilie, →Fieravanti.

Fiori, Ernesto de, Bildhauer, →De Fiori.

Fıraktın, Fraktın, Ruinenstätte in Zentralanatolien südöstlich von Kayseri (KARTE Alter Orient) mit einem hethit. Felsrelief (BILD Felsrelief). Die z. T. unvoll. Darstellung zeigt den Großkönig HATTUSCHILI III. (etwa 1280–1250 v. Chr.) und seine Gemahlin, Königin PUDUCHEPA, im Libationsgestus gegenüber dem Gott Teschup und der Göttin Chepat.

Firnis [von frz. vernis ›Lack‹], transparenter, schnelltrocknender Klarlack, ein Filmbildner (meist Harze) in flüchtigem oder trocknendem Lösemittel. Als Überzug auf Gemälden schützt der F. und läßt die Farben brillanter und tiefer erscheinen. Seit dem 18. Jh. werden für Gemälde meist F. aus Harzen in Terpentinöl oder Alkohol verwendet. Früher dienten in Öl verkochte Harze als F. Ölfirnis ist ein wichtiges Bindemittel für Lackfarben.

Firnismalerei, europ. Imitation ostasiat. Lackmalerei im 18. und 19. Jh. F. wurde mit Schellack oder Öllakken ausgeführt, da originale Rezepturen und Materialien kaum erhältlich waren.

First, Dachfirst, die meist waagerechte Linie, die durch das Zusammentreffen zweier geneigter Flächen des Daches entsteht.

Firth of Forth [fə:θ ɔv fɔ:θ], 75 km ins Land reichender Mündungsarm des Forth an der S-Küste Schottlands, seit 1882 bei der Enge von Queensferry von einer Eisenbalkenbrücke der Ingenieure J. FOWLER (*1817, †1898) und B. BAKER (*1840, †1907) überspannt.

Firuzabad, Firusabad, Ort in der iran. Prov. Fars (KARTE Alter Orient), in dessen Umgebung die Reste der von dem Sassanidenkönig ARDASCHIR I. (224–240) gegr. kreisrunden Stadt Gor mit dem Turmtempel Tirbal liegen. Etwas entfernt der Palast des Königs, eine an 3 Seiten geschlossene, blockartige Anlage mit 3 überkuppelten Thronsälen, davor eine Iwanhalle mit Seitensälen; hinter den Thronsälen der Wohnpalast mit Mittelhof. In der den Zugang zu F. bildenden Schlucht sind 2 Felsreliefs des Königs mit Schlachtenszenen erh.; über F. die Ruinen einer Burg Ardaschirs.

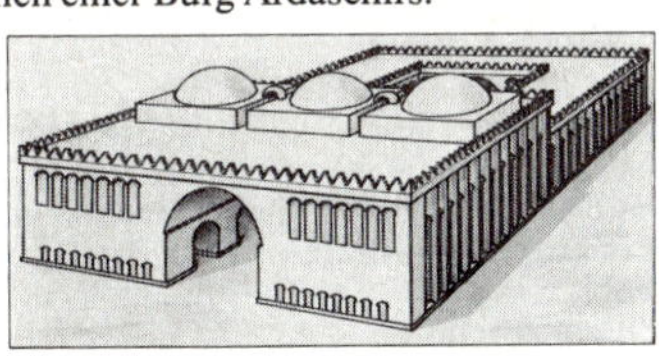

Firuzabad: Rekonstruktion des Palastes

Fischblase: F. im gotischen Maßwerk

Fisch, eines der frühesten →christlichen Symbole, seit dem 2. Jh. in Kleinasien, Ägypten, Afrika und Südgallien bezeugt; oft mit dem Anker und 4 kreuzförmig eingekerbten Broten dargestellt, später mit dem Kreuz auf der Patene eingeritzt.

Fischbachau, Gem. östlich von Tegernsee, Oberbayern, mit ehem. Benediktinerkloster; die urspr. roman. Abteikirche (1110 gew.) wurde 1733–65 aufwendig barockisiert.

Fischbeck, Stadtteil von Hessisch Oldendorf, Ndsachs.; das ehem. Augustiner-Kanonissenstift (955 gegr.), jetzt Damenstift, hat seine roman. Bauformen (1. H. 12. Jh.) trotz späterer Veränderungen gut erh. In der Hallenkrypta originelle Vierlingssäulen.

Fischblase, Schneuß, spiralige oder flammenförmige Ornamentform, die sich in der kelt. Kunst der Latènezeit und in der irischen Buchmalerei findet; in der Spätgotik eine Form des →Maßwerks, die seit dem 14. Jh. vorkommt. Sie ist in ihrem Umriß der Schwimmblase des Fisches ähnlich und kann in versch. Anordnung auftreten: 2 ineinandergreifende F. füllen den Kreis völlig aus; 3 F. im Kreis ergeben eine Wirbelform, den **Dreischneuß.** In der frz. und engl. Spätgotik wurde die F. in vertikaler Richtung aneinandergereiht, so daß der Eindruck von Flammen entsteht. Diese Stilstufe wird deshalb Flamboyant-Stil genannt.

Fischer, 1) Alfred, Architekt, *Stuttgart 29. 8. 1881, †Murnau 10. 4. 1950, war seit 1911 Direktor der Folkwang-Schule Essen. F.s Bedeutung liegt auf dem Gebiet des Industrie-, bes. des Zechenbaus.

HW: Bauten für die Zeche Sachsen bei Hamm (NRW).

2) Carl von, Baumeister, *Mannheim 18.9.1782, †München 12.2.1820, Schüler von P. A. v. VERSCHAFFELT ebd., baute das Palais Salabert (1804–06, seit 1825 Prinz-Carl-Palais), 1811–18 in klassizist. Stil v. a. das Hoftheater (Nationaltheater; 1823–25 nach Brand von L. v. KLENZE wiederaufgebaut) und gestaltete die Briennerstraße und den Karolinenplatz.

C. v. F., Ausst.-Kat., München (1982/83).

3) Ferdinand August, Bildhauer, Modelleur, *Berlin 17. 2. 1805, †ebd. 2. 4. 1866, studierte nach der Lehre als Goldschmied ebd. bei G. SCHADOW und C. D. RAUCH. F. war Lehrer an der Berliner Akad. und unterhielt in Berlin eine Gießerei (u. a. Gußausführung der ›Amazone‹ von A. KISS). – F. schuf Großplastik (4 Kriegergruppen, Auftrag 1842, Aufstellung 1876; Berlin-West, Belle-Alliance-Platz), Architekturplastik und modellierte Entwürfe zu Schaumünzen, Vasen, Tafelaufsätzen, Ehrenschilden (von Goldschmieden ausgeführt).

Lit.: →Berliner Bildhauerschule.

4) Hans, gen. **Fis,** schweizer. Maler, Graphiker, *Bern 6. 1. 1909, †Interlaken 19. 4. 1958, zeichnete mit einer P. KLEE verwandten Freude an ausdrucksvollem Linienspiel Illustrationen für Kinderbücher (auch zu Fabeln von LA FONTAINE) und malte farbenfrohe Wandbilder in Schulen.

5) Johann Martin, Bildhauer, *Bebele bei Hopfen (Allgäu) 2. 11. 1741, †Wien 27. 4. 1820, lernte bei einem Dorfbildhauer und studierte 1760–66 in Wien. Hier war F. seit 1786 Prof. der Anatomie an der Akad. für bildende Künste, seit 1815 ebd. Rat und Direktor der Allg. Mal- und Bildhauerschule. In klassizist. Stil schuf F. Denkmäler, Architekturplastik und Porträtbüsten.

HW: Mosesbrunnen (1798; Wien, Franziskanerplatz); Marmorbüste des Erzherzogs Karl (1800; Wien, Zeughaus).

6) Johann Michael, Baumeister, *Burglengenfeld (Oberpfalz) 18. 2. 1692, †München 6. 5. 1766, war seit 1721 im Kirchen- und Klosterbau Altbayerns und Schwabens tätig. Seine Innenräume verschmelzen Zentral- und Langhaus durch rhythm. Gruppierung verschieden gestalteter Haupt- und Nebenräume um einen bestimmenden Mittelraum. Unter reichem, später sparsameren Rokoko-Dekor bleibt das Raumgefüge durchsichtig klar; die Außenfronten sind schlicht. – F. zählt zu den Hauptmeistern des dt. Spätbarock; sein Spätwerk nähert sich bereits dem Klassizismus. – Für die Innenausstattung seiner Bauten arbeitete F. mit bed. Meistern zusammen: J. M. FEUCHTMAYER und J. G. ÜBLHÖR, C. D. ASAM, J. STRAUB, I. GÜNTHER.

HW: Pfarrkirche Murnau (1725–27); St. Anna im Lehel, München (1727–36); Kollegiatskirche Diessen (1733–39); St. Michael, München, Berg am Laim (1737–51); Augustinerkirche Ingolstadt (1739, im 2. Weltkrieg zerstört); die Klosterkirchen Zwiefalten (1741–53), Ottobeuren (übernommen nach 1744) und Rott am Inn (1759–63).

N. LIEB: J. M. F. (1982).

7) Lothar, Plastiker, *Germersheim (Pfalz) 8. 11. 1933, studierte 1952–58 in München, war 1958 Mitbegründer der Gruppe ›Spur‹, schuf Terrakotta-Plastiken, zuerst als dünnwandig aufgezogene Gestalten, später als raumgreifende, bewegungsintensive Hüllen oder vertikal gefaltete Gebilde von Kleidungsstücken, die immer, auch wenn Gegenstände das Motiv sind, die Existenz des Trägers oder Benutzers sichtbar machen.

8) Theodor, Baumeister, *Schweinfurt 28. 5. 1862, †München 25. 12. 1938, war 1886–89 Mitarbeiter P. WALLOTS beim Bau des Reichstagsgebäudes in Berlin, seit 1893 Leiter des Stadterweiterungsamtes in München (Entwurf des bis zum 2. Weltkrieg geltenden Generalbebauungsplans der Stadt), 1901–08 Prof. an der TH Stuttgart, seit 1908 an der TH München. Von weiter Wirkung war F. als Lehrer, Städteplaner und Architekt. Seine Bauten zeichnen sich durch sorgfältige Materialbehandlung und Detailgestaltung aus. Ihr Stil steht an der Wende vom Historismus zur neueren, zweckbetonten Bauweise. Wichtige Anregungen verdankt ihm die ›Stuttgarter Schule‹. F. gehörte zu den Mitbegründern des Dt. Werkbundes (→Werkbund).

HW: Erlöserkirche, München (1899–1901); Pfullinger Hallen (1905–06); Univ. Jena (1905–08); Erlöserkirche, Stuttgart (1907); Cornelianum, Worms (1908–11); Garnisonkirche, Ulm (1908–11); Kunstgebäude und Sieglehaus, Stuttgart (1909–11); Landesmus. Kassel (1909–12) und Wiesbaden (1912–15); Polizeigebäude, München (1911–14); Stadttheater, Heilbronn (1912).

R. PFISTER: T. F. (1968).

Fischer, Galerie F., Kunstversteigerungshaus in Luzern, als 1. Auktionshaus der Schweiz 1907 gegr. Neben dem Galerieverkauf gelangen bei der jährl. Frühjahrsauktion v. a. Gemälde alter und moderner Meister, Graphik, Helvetica sowie Waffen zur Versteigerung; im Herbst werden neben Gemälden Möbel und Kunstgegenstände angeboten.

Fischer von Erlach, 1) Johann Bernhard, geadelt 1696, Baumeister, Vater von 2), *Graz 20. 7. 1656, †Wien 5. 4. 1723, anfangs Bildhauer, zum Baumeister ausgebildet bei C. FONTANA in Rom (1682–86), tätig v. a. in Salzburg und Wien, wurde 1705 kaiserl. Oberbauinspektor. – Seine Kirchen- und Schloßbauten, Fassaden und Dekorationen verbinden Formelemente des ital. Hochbarock (G. L. BERNINI, F. BORROMINI), der frz. Klassik und der Spätantike. F. v. E. versuchte, Lang- und Zentralbau über ellipt. Grundriß zu verschmelzen und entwickelte plastisch bewegte, einander durchdringende Baukörper. Der erste Entwurf für Schönbrunn (wohl 1688) sollte die erstarkte Kaisermacht darstellen und Versailles überbieten. In seinem kirchenbaul. HW, der Karlskirche in Wien (1716–37), suchte F. v. E. Ideen des antiken und des päpstl. Rom mit der dt. Kaiseridee zu vereinigen. Seine Formgedanken und phantasievollen Rekonstruktionen berühmter Bauten aller Zeiten (auch ägypt. und chines.) veröffentlichte er im ›Entwurf einer Histor. Architektur‹ (1721).

WW: Salzburg: Dreifaltigkeitskirche (1694–1702), Kollegienkirche (1696–1707), Hochaltar der Franziskanerkirche (1709); Wien: Winterpalais des Prinzen Eugen (1695–98, heute Finanzministerium), Palais Schönborn (1699–1706), Palais Schwarzenberg (1697–1715, mit L. v. HILDEBRANDT), Palais Trautson (1710 bis 1716), Hofbibliothek (1721 ff.); Mähren: Schloß Frain (um 1690 ff.); Prag: Palais Clam-Gallus (1707 ff.).

H. SEDLMAYR: J. B. F. v. E. ([2]1976).

Johann Bernhard Fischer von Erlach: Karlskirche in Wien, 1716–37

2) Joseph Emanuel Frhr. von (seit 1735), Baumeister, Sohn von 1), *Wien 12. 9. 1693, †ebd. 29. 6. 1742, bildete sich auf Reisen nach Dtl., Italien und wohl auch Frankreich und England und wurde 1722 in Wien Hofarchitekt. Er führte die Bauten seines Vaters fort. Seine eigenen Werke (Reichskanzleitrakt der Hofburg, Hofreitschule, um 1730) nähern sich dem frz. Klassizismus. F. v. E. gab einen Band ›Prospekten und Abrisse einiger Gebäude von Wien‹ (1713 ff.) heraus.

T. ZACHARIAS: J. E. F. v. E. (1960).

Fischingen, Dorf im schweizer. Kt. Thurgau, mit ehem. Benediktinerstift (um 1130 gegr.); Klosterkirche (1685–87), vermutlich nach Plänen K. MOOSBRUGGERS, mit hervorragender Barockausstattung, 1704–08 Anbau der Iddakapelle; Neubau der Konventsgebäude (Neukloster 1753–65) nicht voll ausgeführt, vom alten Bau erh. ist der Westflügel (Altkloster 1577).

Fischleim, Hausenblase, Störleim, Ichtyocolla, bes. hochwertiger, aus den Schwimmblasen des Hausen (Stör) hergestellter Leim, der zu feinen Leimfarbenmalereien, Vergoldungen u. a. verwendet wird.

Fisch-Vogel-Motiv, Charakteristikum merowing. Buchschmucks, dessen Zierschrift sich v. a. aus Fischen und Vögeln zusammensetzt. Die wichtigsten Hss. mit F.-V.-M. sind das ›Sacramentarium Gelasianum‹ (um 750; Rom, Bibl. Vaticana), das ›Gundohinus-Evangeliar‹ (751–54; Autun, Stadtbibl.) und das ›Sakramentar von Gellone‹ (um 780; Paris, Bibl. Nat.).

Fishbourne [fˈɪʃbɔːn], röm. Palastanlage (65–80 n. Chr.) westlich von Chichester, Cty. W-Sussex, S-England, die dem britann. Prinzen TIBERIUS CLAUDIUS COGIDUBNUS zugeschrieben wird. Die quadrat. Anlage gruppiert sich mit 4 Flügeln um einen Mittelhof. Die rd. 100 Räume hatten Mosaikfußböden.

Fitero, span. Städtchen in der Prov. Navarra, westlich von Tudela, rd. 2300 Ew.; ehem. Zisterzienserkloster Santa María mit Klosterkirche (1147–1250, roman. Apsis, sonst gotisch), Kapitelsaal (13. Jh., Gewölbe auf polygonalen Kapitellen ruhend); im Kirchenschatz arabischer Elfenbeinkasten (10. Jh.), romanischer Reliquiare.

Fitschew, Fičev, Nikola, genannt Koljo **Fitscheto,** bulgar. Baumeister, *Drjanowo 1800, †Tirnowo (heute Weliko Tarnowo) 15. 11. 1881, gestaltete Räume wie Details seiner Sakral- und Profanbauten aus der Verbindung barocker Elemente mit der einheim. Bauweise.

HW: Kirchen in Switschew (1865–67), Tirnowo (1872–74) u. a. – Rasthof des Kaufmanns Hadschi Nikoli Mintschew (etwa 1858–62; Tirnowo); Amtssitz des türk. Residenten (1872–76; Tirnowo). – Brücken.

Fitzwilliam Museum [fɪtswˈɪljəm-], Cambridge, England, gegr. von Richard 7. Viscount Fitzwilliam of Merrion (*1745, †1816), der seine Samml. ital., holländ. und fläm. Malerei der Univ. Cambridge vermachte. Durch Schenkungen und Stiftungen bes. engl. und frz. Gemälde des 19. und 20. Jh. konnte das Mus. zu einer der bedeutendsten Gal. Englands ausgebaut werden.

Fixativ [lat.-frz.], Mittel, um Zeichnungen in Graphit, Kohle, Kreide und Pastell möglichst unverwischbar zu machen, z. B. verdünnter Schellack oder Zaponlack. F. wird durch einen Zerstäuber **(Fixateur)** aufgesprüht.

Flachbogen, Baukunst: wenig gebräuchl. Bez. für Stich- oder Segmentbogen.

Flachdruckverfahren, →Druckverfahren, bei denen druckende und nichtdruckende Teile in einer Ebene liegen (→Lithographie, →Lichtdruck, →Offsetdruck).

Flachschnitt, flächenfüllender Dekor auf Möbeln und Täfelungen aus v. a. vegetabilen Motiven; kam um die Mitte des 15. Jh. als Dekorationstechnik bei langfaserigem Nutzholz (Linde, Zirbelkiefer) auf. Mit dem Schnitzeisen wurde entsprechend der Vorzeichnung flach ausgeschnitten, der Grund mit dem Meißel herausgestochen und oft durch Bemalung hervorgehoben. F. war v. a. in S-Dtl. und den Alpenländern verbreitet.

Flamboyant-Stil

Flambeau [flãb'o, frz.] *der,* hoher, mehrarmiger Leuchter.

Flamboyant-Stil [flãbwaj'ã-, frz. ›flammend‹], aus →Fischblasen zusammengesetzte Form des →Maßwerks der Spätgotik in Frankreich und England.

Flamen, Flamand, Flaman [flam'ã], Albert, frz. Kupferstecher, angeblich aus Brügge, tätig in Paris, schuf etwa 600, z. T. erhaltene Radierungen (1648–69 datiert), die relig. Stoffe, Fische, Vögel, Ansichten von Paris, histor. Szenen darstellen.

Flameng [flam'ɛ̃g], François, frz. Maler, *Paris 6. 12. 1856, †ebd. 28. 2. 1923, Schüler von A. CABANEL und J.-P. LAURENS, erfolgreicher Vertreter der offiziellen Salonmalerei; Historienbilder, Porträts.

Flandes, Juan de, in Spanien tätiger fläm. Maler, →Juan de Flandes.

Flandrin [flãdr'ɛ̃], Hippolyte, frz. Maler, *Lyon 23. 3. 1809, †Rom 21. 3. 1864, Schüler von J. A. D. INGRES, studierte in Italien die Kunst RAFFAELS. Klassizistisch kühle Nüchternheit der Form und christl. Gläubigkeit der Aussage prägen seine Wandgemälde.

HW (in Paris): Wandmalereien in St. Séverin, St. Germain-des-Prés, St. Vincent de Paul.

Flannagan [fl'ænəgən], John Bernard, amerikan. Bildhauer, *Fargo (North Dakota) 7. 4. 1898, †New York 6. 1. 1942, arbeitete zunächst als Maler, wurde von A. B. DAVIES zur Bildhauerei ermutigt, schuf v. a. stilisierte Tierplastiken (›Triumph des Eies I‹, 1937; New York, Mus. of Modern Art).

John Flaxman:
Vase mit Apotheose des Homer; 1786 (London, Brit. Museum)

Flavin [fl'ævɪn], Dan, amerikan. Künstler, *New York 1. 4. 1933, konstruierte 1961 seine ersten ›Ikonen‹, in denen leere Bildfelder von Glühbirnen gerahmt sind. Seit 1963 verwendet er Röhren mit fluoreszierendem Licht, zunächst für Objekte, dann für weitläufige Rauminstallationen. Seine Fähigkeit, weißes und farbiges Licht als Medium räuml. Verwandlung einzusetzen, macht F. zum wichtigsten Vertreter der →Lichtkunst im Umkreis der Minimal Art. (BILD S. 223)

D. F., Ausst.-Kat., Köln (1973); D. F., Ausst.-Kat., Basel (1975).

Flaxman [fl'æksmən], John, engl. Bildhauer, Zeich-

Dan Flavin: Barriere in grünem fluoreszierendem Licht; Kunsthalle Köln, 1873/74

ner, *York 6. 7. 1755, †London 7. 12. 1826, war 1775 bis 1787 für die Steingut-Manufaktur Wedgwood tätig, 1787 bis 1799 in Rom. Seine Skulpturen, meist Grabmäler, sind oft stark gefühlsbetont; seine Illustrationszyklen zu HOMER und DANTE verbinden Elemente klassizist. Strenge mit ma. Linearität. Diese reinen Umrißzeichnungen gaben entscheidende Anregungen für den Stil von W. BLAKE, J. A. D. INGRES und der Nazarener.

J. F., Ausst.-Kat., Hamburg (1979); D. IRWIN: J. F., Sculptor, illustrator, designer (London 1979).

Flecheln, Gravieren von Zinngerät, →Tremblieren.

Flechtarbeiten, handwerkl., dem Weben verwandte Fertigkeit, bei der mehr oder weniger starres Material (Blätter, Zweige oder Ruten, Gräser, Wurzeln, Stroh, Fell- oder Lederstreifen u. a.) mit einander verkreuzt oder, wie beim Wulsthalbflechten, umwickelt wird. Hergestellt werden damit v. a. Körbe, Matten, Gefäße, Kopfbedeckungen, Schilde, Kultgegenstände (z. B. Masken) u. a. Durch vielfältiges Bearbeiten und Färben des Materials sowie versch. Techniken lassen sich die unterschiedlichsten Wirkungen und Muster erzielen.

F. wurden von fast allen Völkern angefertigt; sie erreichten einen techn. und künstler. Höhepunkt bei den Indianern, in Nordamerika v. a. im NW, W und SW (Pomo, Hopi, Apache; meist mit geometr. aber auch mit stilisierten figürl. Mustern, z. T. mit Muscheln oder Federn verziert); in Südamerika im NO (NO-Brasilien, Guayana; mit geometr. Mustern, die sich aus der Verflechtung von naturfarbenen und gefärbten Streifen ergaben). (BILD Indianer)

In einigen Gebieten Ozeaniens werden Masken und Figuren in Flechttechnik hergestellt (Masken der Abelam, Asmat, Elema und Nachbarn am Papua-Golf, Iatmüل, Sulka sowie der Neukaledonier, ›yupin‹-Figuren aus dem südl. zentralen Hochland von Papua-Neuguinea u. a.). Die Sulka verstanden es, aus Baummarkwülsten vollplast. Aufsätze, z. B. in Form überdimensionierter menschl. Köpfe, aufzubauen. Unterschiedl. F. wurden von den Kulturen am Papua-Golf sowie von den Nachbarn der Iatmül bei der Gestaltung der Maskenkostüme verwendet, die z. T. farbig bemalt, mit Federn geschmückt und bei den Iatmül mit 1 oder 2 übermodellierten Gesichtsmasken ausgestattet wurden. Auf Neuguinea und Neubritannien sind auch die verwandten Maschenstofftechniken weit verbreitet. Frauen bedienten sich ihrer zur Herstellung festlich gemusterter Taschen, Männer dagegen für die Anfertigung von Muschelgeldunterlagen (Zeremonialgeld) und von Maskenteilen (Asmat, Tolai, Maenge).

In Afrika werden neben versch. Gräsern die Fasern der Raphia- und der Dum-Palme verwendet. Künstler. F. werden bes. bei den Stämmen des Zwischenseengebietes (Tutsi in Ruanda und Burundi) hergestellt. (BILD Raphia)

ANNEMARIE SEILER-BALDINGER: Systematik der textilen Techniken. Basler Beitr. zur Ethnologie, 14. (1973).

Flechtband, altes Ornament, seit dem 3. Jahrtsd. v. Chr. in Vorderasien bekannt, u. a. als Verflechtung von Schlangenkörpern. Bes. beliebt ist das F. in der syrisch-kappadok. Glyptik des 2. Jahrtsd. v. Chr.; später wurde es v. a. Rahmenmotiv. F. war auch in der Antike ein vielerorts verwendetes Muster. In nachröm. Zeit, im frühen MA., hatte das F. seine Blütezeit; es wurde sowohl im Kunsthandwerk wie in der Architektur verwendet und trat zuletzt in der roman. Bauornamentik auf. (BILD Fries)

Flegel, Georg, Maler, *Olmütz 1566, begraben Frankfurt a. M. 23. 3. 1638, begann als Mitarbeiter von LUCAS VAN VALKENBORCH, in dessen Gemälde er Früchte und Blumen einfügte; lebte seit 1597 in Frankfurt a. M. Er schuf Stilleben, aufgebaut aus wenigen, sorgsam gemalten Gegenständen, meist Darstellungen gedeckter Tafeln. Die Geschlossenheit der Komposition wird in den späten Bildern durch gezielte Lichtführung (Kerzenlicht) verstärkt.

Fleischfarbe, Maltechnik: →Inkarnat.

Flémal, Flemael, Flémalle [flem'al], Bertholet, niederländ. Maler, *Lüttich 23. 5. 1614, †ebd. 10. 7. 1675, Schüler G. DOUFFETS, dann in Italien (1638–47) entscheidend von N. POUSSINS Klassizismus beeinflußt; F. arbeitete in Lüttich und Paris (1670), malte Kirchenbilder und Darstellungen antiker Historien, war Lehrer von G. DE LAIRESSE.

Flémalle [flem'al], niederländ. Maler, →Meister von Flémalle.

Flensburg, Hafenstadt in Schlesw.-Holst., 91 700 Ew.; Blütezeiten im 14. und 16. Jh. Got. Marienkirche (1284 beg.) mit Altar von 1598 (ein HW der Spätrenaissance) und vielen Grabmälern; in der got. Nikolaikirche (14./15. Jh.) die größte Renaissanceorgel N-Dtl.s (1604–09); die Gewölbe der Johanniskirche (im Kern um 1200) und der Heiliggeistkirche (1386 beg.) wurden in der Spätgotik vollständig ausgemalt. Nordertor (1595); ›Schrangen‹ (Verkaufsstellen der Schlachter und Bäcker) von 1595 mit den für F. typischen Zierstreifen in gelb-rotem Steinwechsel. Viele bemerkenswerte Ensembles und Bürgerhäuser (16.–19. Jh.); Dt. Haus (1927–30) im Stil der ›Neuen Sachlichkeit‹. Städt. Mus. mit reicher Samml. (v. a. Möbel).

Flett [altnord. flet ›Boden‹, ›Halle‹] *das,* im niedersächs. Bauernhaus das den Herdplatz umschließende Querschiff.

Fleuron [flœr'ɔ̃, frz., zu fleur ›Blume‹], stilisierte Blumen als Ornament, bes. in der Bau- und Buchkunst.

Fleury [flœr'i], Benediktinerabtei im frz. Dép. Loiret, →Saint-Benoît-sur-Loire.

Fliegende Blätter, humorist. Ztschr., entstanden 1845 in München, erloschen 1944. Das Blatt wurde wegen seiner graph. Mitarbeiter (u. a. M. v. Schwind, C. Spitzweg, W. Busch, A. Oberländer, F. v. Stuck, T. T. Heine) geschätzt. Sie schufen Figuren für typ. Verhaltensweisen des dt. Bürgertums.

Fliehburg, i. d. R. auf Erhebungen gelegene, durch Wälle, Palisaden oder Mauern befestigte Anlage aus vor- und frühgeschichtl. Zeit, die in Kriegszeiten Schutz für die Bev. der Umgebung bot.

Fliesen:
Wappen-F., ital., um 1500 (Florenz, Bargello)

Fliesen, dünne Platten aus Stein oder gebranntem, glasiertem Ton zur Bekleidung von Wänden und Fußböden. Histor. F. werden oft unkorrekt als ›Kacheln‹ bezeichnet. F. können als selbständiges Bildfeld dekoriert werden oder mit anderen zusammen ein ornamentales oder figürl. Bildfeld ergeben. Marmor-F. wurden in Rom in der späteren Kaiserzeit verwendet, dann bes. in Italien im MA. (v. a. Arbeiten der Cosmaten) und in der Renaissance. Die keram. F. waren in Ägypten schon um die Mitte des 2. Jahrtsd. v. Chr. bekannt; sie spielten eine wichtige Rolle in der assyr., babylon. und altpers. Baukunst.

In der islam. Kunst wurden glasierte sowie in Lüstertechnik bemalte F. zuerst im 9. Jh. als Wand- und Bodenbekleidung in den Palästen von Samarra verwendet, sodann in der Großen Moschee von Kairouan und bis zum 11. Jh. vereinzelt in Ägypten, N-Afrika, Syrien. Erste reliefgeprägte F. mit farbigen Glasuren zeigen die Bauten der Ghasnawiden in Afghanistan. Eine bed. F.-Produktion entstand Ende des 12. Jh. in Kaschan (Iran) mit Lüsterbemalung, kobaltblauen und türkisgrünen Glasuren. In Kleinasien entwickelten die Seldschuken die Unterglasurmalerei, die Osmanen begründeten Manufakturen in Iznik, deren Spezialität ein erhabenes Bolusrot war. Im safawid. Iran wurde auf der Grundglasur mit Glasurfarben gemalt (Isfahan), in kadjarischer Zeit blühte die Unterglasurmalerei in Teheran und Na'in. Über die F. in Spanien, Portugal und Lateinamerika →Azulejos und →Alicatados.

Einer der Höhepunkte in der F.-Produktion begann im 16. Jh. in den Niederlanden, wo in Delft u. a. Werkstätten im 17. und 18. Jh. sowohl F.-Tableaus als auch Einzel-F. in großer Zahl und großem Formenreichtum

Fliesen: OBEN Fliesenschmuck der Ahmed-Moschee in Istanbul, 16. Jh.; UNTEN Fliesentableaus aus der Küche der Amalienburg (Nymphenburg), 1734–39

hergestellt wurden. Auch aus Frankreich, Dtl. und England kamen in dieser Zeit F. aus den Fayence-Manufakturen. Von England ausgehend gewann in der 2. H. des 19. Jh. die Verwendung der keram. F. wieder an Bedeutung.

ANNE BERENDSEN u. a.: F., eine Gesch. der Wand- und Bodenfliesen (1964); G. KAUFMANN: Bemalte Wandfliesen… Kulturgesch., Technik, Dekoration der F. in Mitteleuropa (1973).

Flinck, Govaert, holländ. Maler, *Kleve 25. 1. 1615, †Amsterdam 2. 2. 1660, lernte 1632–36 bei REMBRANDT, dessen Stil er in seinen bibl. und mytholog. Darstellungen und in seinen Porträts bis gegen 1645 nachahmte; danach von der Hellfarbigkeit und glatten Malweise von B. VAN DER HELST beeinflußt.

HW (Amsterdam, Rijksmus.): Schützenkompanie des Hauptmanns Albert Bas (1645); Mahlzeit der Amsterdamer Schützen zur Feier des Westfäl. Friedens (1648).

J. v. MOLTKE: G. F. (Amsterdam 1965).

Flindt, Flynt, Paul, Goldschmied, Kupferstecher, getauft Nürnberg 6. 10. 1567, †ebd. nach 1631, bekannt durch seine in gepunzter Manier gearbeiteten Stiche mit Bechern und Pokalen als Vorlagen für Goldschmiede. Der späteste seiner mehr als 200 Stiche ist 1618 datiert.

Flintglas, Bez. für im 17. Jh. in England erzeugtes Glas, zu dessen Herstellung gemahlener Feuerstein (Flint) als Quarzbestandteil verwendet wurde. F. eignete sich bes. für Glasgravuren.

Flora, Paul, österr. Graphiker, *Glurns (Südtirol) 29. 6. 1922, mit seiner sicheren Linienführung ein bed. Vertreter der satir. Buchillustration und politischen Karikatur.

HW: Floras Fauna (1953); Das Musenroß (1955); Trauerflora (1958); Königsdramen (1966); Die verwurzelten Tiroler und ihre bösen Feinde (1970); Der bürgerl. Wüstling (1972).

Floreffe-Bibel [flɔr'ɛf-], 1150/60 entstandene Hs. aus dem Kloster Floreffe im östl. Flandern (heute London, British Mus.). Der 1. Bd. enthält nur ornamentale Initialen, der 2. Bd. hat Miniaturen mit typologisch-allegor. Verbindungen von Szenen des N. T. mit solchen aus dem A. T. und dem Physiologus.

Florentiner Lack, roter Farblack aus →Brasilholz.

Florentiner Mosaik, →Pietra dura.

Florenz, ital. **Firenze,** Hauptstadt der ital. Region Toskana, beiderseits des Arno, Erzbischofssitz, 465 100 Ew.; neben Rom die an Baudenkmälern und Kunstschätzen (1966 durch Überschwemmung z. T. erheblich beschädigt) reichste Stadt Italiens. Das Stadtbild ist geprägt von Bauten der Romanik, Gotik und bes. der Renaissance, die mit Werken F. →Brunelleschis, des Schöpfers der Renaissance-Architektur, einsetzte und durch die →Medici bes. gefördert wurde.

Zentrum der Stadt ist die Piazza della Signoria mit Neptunbrunnen von B. Ammanati (1571–75; Bild B. Ammanati), Reiterstandbild von Giambologna (1587 bis 1594) und Kopie des ›David‹ von Michelangelo (Original in der Gal. dell' Accademia), dem Palazzo Vecchio (1298–1314, vermutlich nach Plänen von Arnolfo di Cambio beg., später erweitert; mit 94 m hohem Turm; im Inneren Freskendekorationen von G. Vasari u. a. Kunstwerke von Renaissance-Künstlern), der Loggia della Signoria (oder dei Lanzi), einer offenen, für offizielle Staatsakte 1376–82 erbauten Halle mit Renaissanceskulpturen (Raub der Sabinerinnen von Giambologna, Bild Manierismus; Perseus von B. Cellini u. a.) und dem angrenzenden Palazzo degli Uffizi (von Vasari 1560 ff. erbaut) mit Gemäldegal. (→Uffizien). Nördlich davon liegt die Piazza del Duomo mit Baptisterium, einem achteckigen Zentralbau (11./12. Jh.; im Inneren Kuppelmosaiken auf Goldgrund in byzantin. Stil, 12. und 14. Jh.) mit reliefgeschmückten Bronzetüren von A. Pisano (Bild), und L. Ghiberti (Bild), dem dreischiffigen Dom (1296 von Arnolfo di Cambio beg., 1436 voll.; mit polychromer Marmorverkleidung) mit der gewaltigen achtseitigen Kuppel von Brunelleschi (Bild; ausgemalt mit Fresken von Vasari und F. Zuccari) und dem 84 m hohen Campanile (1334 von Giotto beg.; Bild Campanile). Die reiche Innenausstattung des

Florenz:
Palazzo Vecchio;
1298–1314

Doms umfaßt viele Renaissance-Kunstwerke, so Michelangelos Pietà (1550, unvoll.), Büsten Florentiner Bürger von NANNI DI BANCO und BENEDETTO DA MAIANO, 2 Reiterporträts von P. UCCELLO und A. DEL CASTAGNO; in der Neuen Sakristei Intarsienwände (die ersten perspektiv. Darstellungen mittels Holzeinlegearbeiten) von Benedetto und GIULIANO DA MAIANO (um 1463); im Dom-Mus. u.a. die beiden marmornen Sängerkanzeln von DONATELLO und L. DELLA ROBBIA (BILD). Zu den zahlreichen Kirchen der Stadt gehören die hochroman. Kirche S. Miniato al Monte (11./12. Jh.), deren Fassade mit Marmorinkrustationen und einem Mosaik auf Goldgrund (12. Jh.) geschmückt ist (im Inneren Marmorintarsien mit oriental. Mustern), die got. Kirche S. Croce (ab 1295, Entwurf von Arnolfo di Cambio) mit den Grabmälern bed. Italiener (Michelangelo, Galilei, Machiavelli u.a.), Fresken von A. GADDI, Reliefkanzel von Benedetto da Maiano, Kruzifix von CIMABUE (BILD) im Mus. und der Cappella dei Pazzi (von Brunelleschi), der quadrat. Bau der Kirche Or San Michele (1337 bis 1404; mit Florentiner Skulpturen des 14.–16. Jh., Tabernakel von A. ORCAGNA; BILD) und die Dominikanerkirche S. Maria Novella (ab 1278; inkrustierte Marmorfassade 1470 voll., nach Plänen von L. B. ALBERTI; BILD) mit Fresken von D. GHIRLANDAIO, F. LIPPI und MASACCIO im Inneren, dem roman. Chiostro Verde (›Grüner Kreuzgang‹, mit Fresken von Uccello) und der Span. Kapelle (mit Freskenzyklus von ANDREA DA FIRENZE). Aus der Renaissance stammen u.a. S. Maria del Carmine (nach Brand 1771 erneuert) mit Fresken von T. DI MASOLINO, Masaccio und F. Lippi in der Brancacci-Kapelle, S. Lorenzo (seit 1420 von Brunelleschi umgebaut) mit Fürstenkapelle (1604 beg., mit farbigen Marmorintarsien und Granitsarkophagen), Grabkapelle der Medici (›Neue Sakristei‹, Bau, 1520 beg.; Marmor-Grabmäler von Michelangelo) und der sich an die Kirche anschließenden Biblioteca Medicea Laurenziana (ebenfalls von Michelangelo), das ehem. Kloster S. Marco, heute Mus. dell'Angelico (1437–51 nach Entwürfen von MICHELOZZO, BILD Kreuzgang; Mönchszellen mit Fresken von FRA ANGELICO, BILD Angelico) und S. Spirito (um 1436 nach Entwürfen von Brunelleschi beg.), an der Piazza dell'Annunziata die Kirche SS. Annunziata (im 13. Jh. gegr., von Michelozzo und Alberti 1444 ff. umgebaut) und das 1421 f. von Brunelleschi erbaute Findelhaus (Ospedale degli Innocenti), ein Frühwerk der Renaissance.

Zu den bedeutendsten Renaissancepalästen gehören u. a. Palazzo →Pitti (mit Mus.), Palazzo Strozzi (1489 von Benedetto da Maiano beg., 1494 f. von CRONACA fortgeführt), Palazzo Medici-Riccardi (1444–60, von Michelozzo erbaut; in der Familienkapelle Fresko der Hl. 3 Könige von B. GOZZOLI; im Inneren des Palastes das Mus. Mediceo und die Bibliotheken Riccardiana und Moreniana), Palazzo Rucellai (nach Plänen von Alberti erbaut, 1446–51). Ein prachtvolles Beispiel ital. Gartenbaukunst bietet der Boboli-Garten (von N. TRIBOLO 1549 beg.; mit Brunnen, Grotten und Skulpturen von Ammanati, Giambologna u. a.; BILD Gartenkunst), der von der Festung Belvedere (1590 von B. BUONTALENTI beg.; heute für Kunstausstellungen genutzt) überragt wird. Älteste Brücke über den Arno ist der Ponte Vecchio (14. Jh.) mit Brückenhäusern, der Ponte della Trinità stammt von Ammanati (1567).

Unter den zahlreichen Museen sind noch zu erwähnen: Archäolog. Mus. (v. a. ägypt. und etrusk. Kunst), Nationalmus. (Skulpturen des 13.–16. Jh.) im Palazzo del →Bargello, Gal. dell'Accademia (v. a. Skulpturen Michelangelos), Mus. Bardini (Skulpturen, Terrakotten u. a.), Mus. Horne (Kunstwerke des 14.–16. Jh.) sowie in Settignano bei F. in der Villa ›I Tatti‹ die Samml. B. →Berenson. – F. ist Sitz des →Kunsthistorischen Instituts in Florenz und der →Villa Romana.

In der Nähe von F. liegen die Certosa del →Galluzzo, →Fiesole und →Impruneta und mehrere Renaissancevillen der Medici (Villa della Petraia; Villa di Castello; Villa Poggio a Caiano, von G. DA SANGALLO; Villa Artimino). – Bis 1985 soll in Rifredi (Industrievorstadt von F.) ein Zentrum für zeitgenöss. Kunst nach dem Vorbild des Pariser ›Centre Pompidou‹ entstehen.

W. u. ELISABETH PAATZ: Die Kirchen von F., 6 Bde. (1952–55); MY HEILMANN: F. u. die Medici ([5]1979); Reclams Kunstführer Italien, 3, 1: F. u. Fiesole, bearb. v. G. KAUFMANN ([3]1975).

Florenz, Malerschule von Florenz, die von F. ausgehende Stilbildung in der Malerei von der Frührenaissance bis zum Barock. Die im frühen 14. Jh. mit GIOTTO einsetzende Loslösung von der bis dahin vorherrschenden byzantinisch geprägten Maltradition (›Maniera Greca‹) vollzog sich gleichzeitig mit dem erwachenden Bewußtsein polit. und kultureller Eigenständigkeit eines republikanisch gesonnenen Bürgertums. Der hier erstmals im Abendland entwickelte Sinn für eine dramat. Bilderzählung mit Hilfe lebendig geschilderter Figurenszenen in einem aus dem neutralen Goldgrund befreiten, bühnenmäßig konstruierten Handlungsraum wurde von einer zahlreichen Schülerschar, darunter T. und A. GADDI, A. ORCAGNA und SPINELLO ARETINO, aufgegriffen und in ganz Italien verbreitet. Die entscheidende Weiterentwicklung vollzog MASACCIO zu Beginn des 15. Jh. Mit Hilfe einer linear-perspektiv. Raumdarstellung und einheitl. Lichtführung gelangte er zu einer plastisch greifbaren Erfassung des Raums und wurde so zum Begründer der Renaissance-Malerei. Sein auf einen Augenpunkt konstruiertes Dreifaltigkeits-Fresko in S. Maria Novella in Florenz (um 1426/28) leitete diese Entwicklung ein. Dem Streben nach gegliederter Ordnung der Gestalten in perspektivisch überschaubaren Zusammenhängen sind im weiteren v. a. P. UCCELLO und A. DEL CASTAGNO gefolgt. In Florenz gelangten diese Bemühungen während der 2. H. des 15. Jh. zu vollkommener Ausbildung u. a. durch A. DEL VERROCCHIO, S. BOTTICELLI und D. GHIRLANDAIO. LEONARDO DA VINCI, MICHELANGELO und RAFFAEL, die 3 Hauptmeister der ital. Renaissance, von denen nur die beiden ersten Toskaner waren und die den größten Teil ihres Lebens außerhalb von Florenz verbrachten, haben doch während ihrer jeweiligen Aufenthalte in der Stadt entscheidende Anregungen erhalten. Mit J. DA PONTORMO und ROSSO FIORENTINO setzte in Florenz in der 1. H. des 16. Jh. die Hinwendung zum Manierismus ein, der in der zunehmend akademisch erstarrenden Produktion von BRONZINO, A. ALLORI und G. VASARI gipfelte. Erst im Barock bemühte man sich, angeregt durch das Interesse für die Kunst CARAVAGGIOS und seiner Nachfolger, um die intime Schilderung einer naturalistisch erfaßten Wirklichkeit. Zu den namhaftesten Vertretern dieser späten Epoche gehörten L. CIGOLI, GIOVANNI DA SAN GIOVANNI, C. DOLCI und F. FURINI.

Florian, Märtyrer, †Lorch (heute Teil von Enns, OÖ) um 304 v. Chr., wurde ertränkt, Patron gegen Feuergefahr in Bayern und OÖ; frühe Darstellungen zeigen ihn als Greis mit Banner (12. Jh.; Salzburg, Stift Nonnberg, Fresken), seit dem 13. Jh. als Ritter (um 1300; Stift St. Florian bei Linz, Skulptur), seit dem 18. Jh. als röm. Soldat. Sein Attribut ist seit Ende des 15. Jh. ein Wasserkübel, aus dem er Wasser auf ein brennendes Haus gießt.

Florido-Stil [span. estilo florido ›blühender Stil‹], span. Form des →Flamboyant-Stils, den dt., fläm. und burgund. Meister Mitte des 15. Jh. mit dem Bautyp der dreischiffigen Hallenkirche nach Spanien brachten. Reiche Verzierungen führten zu seiner Bezeichnung (z. B. die filigranhaft durchbrochenen Türme der Kathedrale von Burgos, 1442–48). Er diente zur Anregung für neue Strömungen in der span. Architektur und entwickelte sich bald weiter zum →Isabellinischen Stil.

Florieren [von lat. flos ›Blüte‹], ma. Bez. für das flächige Ausschmücken von Hintergründen, aber auch von Gewändern und Säumen in der Tafel- und Buchmalerei. Meist wird Ton in Ton oder zweifarbig, seltener mehrfarbig floriert.

Floris, eigtl. **de Vriendt,** flämische Künstlerfamilie: **1)** Cornelis, Bildhauer, Baumeister, Bruder von 2), *Antwerpen 1514, †ebd. 20. 10. 1575, lebte 1540–44 in Italien; schuf einen neuen Dekorationsstil, der die röm. Groteske durch Rollwerk, Kartuschen und Fruchtschnüre bereicherte **(Florisstil).**

HW: Rathaus Antwerpen (1561–65, ital. Palastfassade mit nord.

Giebelschmuck); Grabmäler in Königsberg, Roskilde, Schleswig; Lettner der Kathedrale von Tournai; Entwürfe für Initialen, Masken, Gefäße, Grabmäler (seit 1548 in Stichform verbreitet).

2) Frans, Maler, Bruder von 1), *Antwerpen 1516, †ebd. 1. 10. 1570, Schüler von L. LOMBARD in Lüttich, studierte in Italien, bes. in Venedig und Rom (1542–47) die manierist. Malerei und die Antike, schuf neben Porträts breit gemalte, in einheitl. Ton gehaltene bibl. und mytholog. Bilder mit zahlreichen, plastisch wirkenden Figuren, die z. T. in Stichen verbreitet wurden. F. beherrschte die fläm. Malerei wie später P. P. RUBENS, zu dessen Vorläufern er auch durch seine Werkstattorganisation gehört.

HW: Engelssturz (1554; Antwerpen, Koninklijk Mus. voor Schone Kunsten); Jüngstes Gericht (1566; Brüssel, Mus. Royaux des Beaux-Arts).

C. VAN DE VELDE: F. F. (Brüssel 1975).

Flöte, hohes Spitzglas des 17. und 18. Jh., das v. a. in Venedig und den Niederlanden hergestellt wurde.

Flötner, Peter, Bildschnitzer, Goldschmied, Holzschneider, *(im Thurgau?) um 1490, †Nürnberg 23. 10. 1546, kam vermutlich 1522 nach Italienreisen nach Nürnberg und wirkte von hier durch die Verbreitung v. a. oberitalienischer Formen in Ornamentschnitten und Kleinbildwerken (Plaketten) wegweisend für die dt. Renaissance.

Flucht, Baukunst: die senkrechte Ebene, in der eine Wand aufgemauert wird; sie wird nach der gespannten Schnur ›eingefluchtet‹. – Zimmer, die durch Türen miteinander verbunden sind, bilden eine **Zimmerflucht.**

flüchtige Öle, Maltechnik: →ätherische Öle.

Flucht nach Ägypten, die Flucht der Hl. Familie vor den Nachstellungen des Herodes nach Ägypten; meist in versch. Szenen dargestellt: 1) Aufforderung zur Flucht (Mosaik in S. Maria Maggiore, Rom; 432–40); 2) die F. n. Ä.: Maria sitzt auf einem Esel, in ihrem Arm der Sohn, Joseph führt den Esel (Holzrelief der Tür von S. Maria im Kapitol, Köln; 1049. – GIOTTO, Fresko der Arenakapelle, Padua; um 1305. – G. PISANO, Relief der Domkanzel in Pisa; 1302–11); 3) Verfolgung durch Herodes (v. a. in der niederländ. Malerei des 15. und 16. Jh.); 4) Wunder (v. a. im Spät.-MA., später z. B. H. BALDUNG, gen. Grien, Freiburg i. Br., Hauptaltar des Münsters; 1512–16); 5) die Ruhe auf der Flucht in versch. Szenen (A. ALTDORFER, 1510; L. CRANACH D. Ä., 1504, BILD; P. VERONESE, um 1570; M. M. CARAVAGGIO, 1595/96; A. ELSHEIMER, um 1600: Flucht bei Nacht).

Flügel, Baukunst: einen Kernbau begleitende Teile eines zusammenhängenden Gebäudekomplexes. Flügelbauten bildeten im Schloßbau des 17. und 18. Jh., in symmetr. Anordnung rechts und links an das Hauptgebäude anschließend, den Ehrenhof (→Cour d' honneur) für die Vorfahrt vor dem Haupteingang (→Corps de logis).

Flügel|altar, →Altar.

Flügelgläser, venezian. kelchförmige Gläser des

16. und 17. Jh., an deren Schaft gegenständig 2 ornamental verschlungene oder Pflanzen und Tieren nachgebildete Ansätze aufgeschmolzen sind.

Flügelsonne, Darstellung der Sonne als Scheibe mit 2 ausgebreiteten Flügeln, im Altertum verbreitetes Motiv in Vorderasien und Ägypten; in Ägypten oft auch mit Uräusschlangen kombiniert, die schützend von der Scheibe herabhängen. Seit dem Alten Reich bezeugt, begegnet die F. als Schutzsymbol v. a. auf Stelen und über Durchgängen in Tempeln oder Gräbern. Im 2. Jahrtsd. v. Chr. gelangte das Motiv auch nach Kleinasien, wo es als Symbol des Firmaments, z. B. bei der Ikonographie der hethit. Königssiegel, Verwendung fand. Es wurde auch von den Assyrern übernommen, wo Assur, der ranghöchste Gott, in der F. symbolisiert wird; Darstellungen zeigen ihn als F., mit Pfeil und Bogen bewaffnet, aus Wolken heraus in den Kampf eingreifend. Bei den Achaimeniden tritt an seine Stelle Ahura Masda.

Flüstergewölbe, Flüstergalerie, →Echogewölbe.

Fluxus [lat. ›das Fließen‹], neodadaistische Kunstrichtung um 1960, die im Zusammenspiel von Musik, Theater, bildender Kunst die Grenzen zw. den Künsten, aber auch zw. Künstler und Publikum aufheben will. Erste F.-Veranstaltungen fanden 1957 in den USA durch den Komponisten JOHN CAGE und durch N. J. PAIK statt. F.-Gruppen gab es in Paris, New York, London, in der Bundesrep. Dtl. (Wiesbaden 1962, Düsseldorf 1963) und in Japan.

F. 1962–1982, Ausst.-Kat., Wiesbaden (1982).

Foce del Sele [f'o:tʃe-], Mündung der Sele (im Altertum Silaris, Silarius) in das Tyrrhenische Meer, nördlich von Paestum (Italien), in deren Nähe ein Heiligtum der Hera mit Weihgaben vom 7. Jh. v. Chr. bis in die Kaiserzeit ausgegraben wurde. Der Haupttempel (28 × 18,60 m, 17 dorische Säulen an der Längsseite, 8 an der Schmalseite) entstammt dem ausgehenden, ein kleineres Gebäude (Tempel oder Schatzhaus; 16,52 × 9,05 m) der Mitte des 6. Jh. v. Chr. Erh. sind vom jüngeren Tempel außer Fundamenten und Baugliedern 12 Metopen mit Figuren tanzender Mädchen, vom älteren Bau 33 Metopen mit Darstellungen von Taten des Herakles und Mythen aus dem Trojan. Krieg, inhaltlich und stilistisch wichtige provinzielle Werke der archaischen großgriechischen Kunst (im Mus. von Paestum).

Fogarasch, rumän. **Făgăraş** [fəgər'aʃ], Stadt in Siebenbürgen, 36 400 Ew.; Burganlage mit Innenhof und 4 oktogonalen Ecktürmen (ab 1310 auf älteren Resten errichtet, bis 1650 i. S. der Renaissance modernisiert).

Fogelberg [f'u:gəlbærj], Bengt Erland, schwed. Bildhauer, *Göteborg 8. 8. 1786, †Triest 22. 12. 1854, studierte in Stockholm, Paris und Rom, wo er seit 1820 unter dem Einfluß B. THORVALDSENS arbeitete.

HW: Denkmäler schwed. Könige (Göteborg, Bremen, Stockholm); Monumentalskulpturen nord. Gottheiten (Stockholm, Nat.-Mus.).

Fogg Art Museum [fɔg ɑ:t mju:z'ɪəm], Harvard

Univ., Cambridge (Massachusetts), 1895 von ELIZABETH FOGG gestiftet, seit 1927 in einem historisierenden Mus.-Gebäude auf dem Harvard Campus. Die Samml. enthält neben Gemälden frz. Zeichnungen des 18. und 19. Jh. (J. A. D. INGRES) und 50 000 Blatt Druckgraphik, darunter Arbeiten von M. SCHONGAUER und A. DÜRER.

Fohr, Carl Philipp, Maler, Zeichner, *Heidelberg 26. 11. 1795, †(im Tiber ertrunken) Rom 29. 6. 1818, gehörte nach Ausbildungsjahren in Heidelberg, Darmstadt (1810–15) und München (1815/16) seit 1816 in Rom zum Kreis der frühen Deutschrömer. Ausgehend von J. A. KOCH, entwickelte F. dessen strenge Form der klass. Landschaft zu einer neuen romant. Naturauffassung. Seine Zeichenkunst (Illustrationen zum Nibelungenlied, F. Fouqués ›Zauberring‹ und L. Tiecks ›Melusine‹) erreichte ihren Höhepunkt in den treffenden Porträts seiner Künstlerfreunde.

Werke: Porträts seiner Heidelberger Freunde (1816); Romant. Landschaft (1817); Wasserfälle bei Tivoli (1817; Frankfurt a. M., Städelsches Kunstinstitut); 50 Studien zu einem geplanten Kupferstich des im Café Greco in Rom versammelten Künstlerkreises (1818; Heidelberg, Kurpfälz. Mus.).

C. P. F., Ausst.-Kat., Frankfurt a. M. (1968).

Carl Philipp Fohr: Selbstporträt; 1816, Pinsel- und Federzeichnung (Heidelberg, Kurpfälz. Museum)

Folgerecht, das Recht des Urhebers eines Werkes der bildenden Kunst, vom Erlös aus der Weiterveräußerung seines Werkes durch Kunsthändler oder Versteigerer einen Anteil von 5 % zu verlangen, falls der Erlös mindestens 100 DM beträgt. Dieses Recht kann in der Bundesrep. Dtl. von den Erben bis zu 70 Jahren nach dem Tod des Urhebers (§ 26 Urheberrechts-Ges. i. d. F. v. 10. 11. 1972) geltend gemacht werden. Ausgenommen sind Werke der Baukunst und der angewandten Kunst. Zur Durchsetzung des Rechts bestehen gesetzl. Auskunftsansprüche, die aber nur von einer →Verwertungsgesellschaft wahrgenommen werden können. Ausländ. Urhebern steht das F. zu, wenn mit ihrem Heimatstaat rechtl. Gegenseitigkeit verbürgt ist (§ 121 Abs. 5 Urheberrechts-Ges.). – Das F. hat seinen Ursprung in Frankreich (→Droit de suite). Es geht von der Idee aus, den bildenden Künstler an der Wertsteigerung seiner Originalwerke angemessen zu beteiligen. Diesem Grundgedanken hätte es entsprochen, das Recht als Anteil am Mehrerlös zu konzipieren (so z. B. die Regelung in Italien). Aus Gründen der Praktikabilität knüpft das dt. F. (wie das frz. Droit de suite) jedoch an den Gesamtverkaufserlös an, gleichviel, ob bei der Weiterveräußerung ein Gewinn oder ein Verlust gemacht wurde.

Foliated Style [f'əʊlɪeɪtɪd staɪl, engl.], Baukunst: durch naturalist. Blattformen, bes. an den Kapitellen, gekennzeichnete Phase der engl. Hochgotik um die Mitte des 13. Jh., so an der Kathedrale von Lincoln und am Chor der Kathedrale von Ely.

Foligno [fɔl'iɲo], Stadt und Bischofssitz in der ital. Prov. Perugia, Umbrien, 51 800 Ew. Im ma. Stadtkern der Dom (1133 beg., Kuppel nach 1541) mit reichgestalteter Querschiff-Fassade (u. a. roman. Portal), umgeben von mehreren Palästen, v. a. Palazzo Trinci (um 1400; heute archäolog. Mus. und Gemäldesamml.).

Folkwang, Museum F., Essen, Samml. v. a. dt. und

frz. Gemälde, Bildwerke und Zeichnungen des 19. und 20. Jh., 1901 von dem Kunsthistoriker und Sammler K. E. OSTHAUS (*1874, †1921) in Hagen gegr., 1922 für die Stadt Essen erworben und in einem Mus.-Neubau mit dem Städt. Kunst-Mus. neu eröffnet (nach Zerstörung 1944/45 seit 1960 wieder zugänglich).

Foltz, Ludwig, Baumeister, Bildhauer, *Bingen 23. 3. 1809, †München 10. 11. 1867, Schüler von L. v. SCHWANTHALER ebd. (seit 1822), seit 1852 Lehrer am Polytechnikum, baute für den bayer. Adel Schlösser und Kirchen, die Königl. Villa in Regensburg und schuf für die von ihm restaurierte Münchner Frauenkirche Statuen und Gegenstände der Ausstattung.

Fon: Gun, der Gott der Waffen und des Krieges; Eisen, Höhe 163 cm (Paris, Musée de l'Homme)

Fon, auch **Dahome(y)** [daɔm'ɛ], Volksgruppe im S der Rep. Benin und im angrenzenden W-Nigeria, etwa 850000 Menschen. Ihr Reich Dahomey bestand vom 17. bis zum Ende des 19. Jh. In künstler. Hinsicht sind die F. v. a. durch ihre Metallarbeiten für das kult. und höf. Leben bekannt geworden, aus Eisen, Bronze, Silber und Messing, mit unterschiedl. Techniken (z. B. Silberfolien über geschnitzten Objekten; Guß nach der ›verlorenen Form‹, →Bildguß). 2 Meisterwerke stellen den Eisen- und Kriegsgott Gun dar, über einen Meter groß; das eine ganz aus Messingplatten zusammengesetzt, das andere aus Eisen geschmiedet (BILD). Sehr subtil gestaltete kleine Messingfiguren werden auf den meist aus Eisenblech gearbeiteten Altären (Asen) befestigt und versorgen als Massenware den Andenkenmarkt, seit das Hofmonopol für den Gelbguß aufgehoben wurde. Bis dahin wurden neben den wenigen figürl. Arbeiten für Kult und Hof v. a. ›Rekaden‹, aus der Kriegsaxt entwickelte Kommandostäbe der Herrscher, gearbeitet, auf deren Klingen aus Eisen oder Gelbguß die Wappenzeichen erscheinen. Die Wappenzeichen finden sich auch als Lehmreliefs in den Palastmauern des Hofes von →Abomey, ebenso in den Appliqué-Arbeiten für den Hof (heute ebenfalls Touristenware). Neben einigen wenigen lebensgroßen anthropo- und zoomorphen Figuren beschränkt sich die Holzplastik der F. v. a. auf die ›Bochio‹ (Schutzgeister des Dorfes) und auf Kultgeräte, z. B. Ritualkeulen zur Anrufung des Gottes Legba, der dem Gott Eshu der →Yoruba entspricht.

Fọndaco [ital., von arab. funduk ›Unterkunft‹] *der,* Handelsniederlassung fremder Kaufleute in den Mittelmeerländern. **F. dei Tedeschi** [-dei ted'eski], das Kauf- und Lagerhaus der Deutschen in Venedig, 1228 erstmals gen. (nach Zerstörung des 1. Gebäudes durch Brand Neubau 1505–08; Außenfresken von TIZIAN und GIORGIONE, weitgehend zerstört); 1806 wurde der Kaufhof geschlossen.

Fondation Maeght [fɔ̃dasj'ɔ̃ mæxt], Kulturstiftung des Kunsthändlers AIMÉ MAEGHT (*1906, †1981) in St. Paul-de-Vence (Dép. Alpes-Maritimes) mit Museums-, Kino- und Theaterräumen (von J. L. SERT, 1961–64). Der Mus.-Bestand sowie Ausstellungen würdigen bes. Werke von G. BRAQUE, M. CHAGALL, J. MIRÓ, W. KANDINSKY und ALBERTO GIACOMETTI.

Fondazịone Giorgio Cini [-dʒ'ordʒo tʃ'i:ni], Venedig, von dem ital. Industriellen und Politiker GRAF V. CINI (*1885, †1977) 1951 gestiftetes Kulturzentrum mit Abteilungen für Musik, Theater, bildende Kunst und Geschichte im Benediktinerkonvent auf der Insel San Giorgio Maggiore.

Fondeur-Ciseleur [fɔ̃d'œ:r sizəl'œ:r, frz.], Hersteller von kunstvollen Möbelbeschlägen (feinvergoldet oder aus Bronze), der im Frankreich des 18. Jh. mit dem →Ebenisten zusammenarbeitete, z. B. C. CRESSENT.

Fondi d'oro [ital.], →Goldglas.

Fondporzellan [f'ɔ̃-], Porzellan mit einfarbigem Grund (Fond) und ausgesparten Flächen (Reserven), die mit Malereien (z. B. Landschaften) ausgefüllt sind. F. wurde nach chines. Mustern zunächst in Meißen (nach 1720), später in Sèvres (um 1760) hergestellt.

Fondukistan, Ort in Afghanistan, im westl. Hindukusch westlich von Kabul, mit Resten buddhist. Kultbauten aus dem 6.–7. Jh. Wandmalereien und realistisch gestaltete, bemalte Lehmplastiken (über Holzkern modelliert) bezeugen Stileinflüsse der sassanid. und der späten Gandhara-Kunst (Mus. Kabul).

Fontaine [fɔ̃t'ɛn], Pierre François Léonard, frz. Baumeister, *Pontoise 20. 9. 1762, †Paris 10. 10. 1853, studierte in Paris, Italien (1786–92) und England (1793) und kehrte 1794 nach Paris zurück, wo er mit seinem Studienfreund C. PERCIER die Leitung der Ausstattung der Oper übernahm. Nachdem NAPOLEON I. beide zunächst für die Ausstattung des Schlosses Malmaison berufen hatte, beherrschten sie bald das gesamte Bauwesen des Kaisers. Ihre bis in alle Einzelheiten der Innenausstattung durchgeführten Entwürfe wurden maßgebend für das →Empire. Nach dem Sturz Napoleons wurde F. Hofarchitekt der Bourbonen.

Werke (gemeinsam mit C. PERCIER): Erneuerungsarbeiten am Louvre und den Tuilerien; Triumphbogen (nach röm. Vorbildern) der Place du Carrousel (urspr. als Eingangstor zum Hof der Tuilerien gedacht); Projekt zur Rue de Rivoli; Ausstattungen in den Schlössern Chambord, Fontainebleau, St. Cloud, Compiègne, Versailles. – **Schrift:** Recueil des décorations intérieures (1812, Neudruck 1914).

Fontainebleau [fɔ̃tɛnbl'o], Stadt im frz. Dép. Seine-et-Marne, 60 km südöstlich von Paris, 19600 Ew. Das Schloß F., ein bed. Bau der frz. Renaissance, wurde an der Stelle eines Jagdschlosses des 12. Jh. seit 1528 unter FRANZ I., HEINRICH II. und HEINRICH IV. erbaut. Das weitläufige, von Parkanlagen (u. a. von A. LE NÔTRE) umgebene, unregelmäßige Gebäude umfaßt 5 Höfe (u. a. Cour du Cheval Blanc oder Cour des Adieux, auf deren Freitreppe Napoleon 1814 abdankte; Cour de Fontaine; Cour Ovale mit der Porte Dorée), die Trinité-Kapelle (16./17. Jh.) und zahlreiche Prunkräume (heute Nationalmus.), darunter Ratssaal, Thronsaal, Ballsaal (Galerie Heinrichs II.), Königstreppe, Gal. Franz' I. (1528–41). Die Innenausstattung mit Fresken, Intarsien und Stukkaturen wurde seit 1530 von ital. Künstlern ausgeführt (G. B. ROSSO, F. PRIMATICCIO u. a.). Sie brachten ital. Formengut, bes. manierist. Stilelemente, nach Frankreich und bildeten die **Schule von F.,** die großen Einfluß auf die frz. Kunst des 16. Jh. erlangte (→François-premier). In der sich seit 1590 entwickeln-

Fontainebleau: Schloß

den **Zweiten Schule von F.** dominierten frz. und fläm. Künstler (T. DUBREUIL, M. FRÉMINET, A. DUBOIS).

L'école de F., Ausst.-Kat., Paris (1972).

Fontana, 1) Carlo, ital. Baumeister, *Bruciate (Tessin) 1634, †Rom 5. 2. 1714, Schüler von G. L. BERNINI, päpstl. Architekt, begründete in vielseitiger Tätigkeit den kühlen röm. Spätbarock. Er forderte Einfachheit der Formen und verfaßte vielbenutzte technisch-architekton. Abhandlungen (u. a. die bed. Schrift über die Baugeschichte von St. Peter ›Il Tempio Vaticano e la sua origine...‹, Rom 1694). Durch die Synthese aus Formelementen des röm. Hochbarock war er von bed. Einfluß in Europa (F. JUVARRA, J. B. FISCHER V. ERLACH, J. L. V. HILDEBRANDT, J. DIENTZENHOFER, M. D. PÖPPELMANN u. a.). In Spanien wurde nach seinem Entwurf die Klosterkirche San Ignacio de →Loyola erbaut.

HW (in Rom): Cappella Cibo an S. Maria del Popolo (1685); Ausbau des Palazzo Montecitorio (1694 f.); Fassade von S. Marcello al Corso (voll. 1708).

2) Domenico, ital. Baumeister, *Melide (Tessin) 1543, †Neapel 1607, verwirklichte im Dienst SIXTUS' V. dessen städtebaul. Planungen in Rom (v. a. die Zusammenbindung der versch. Pilgerkirchen Roms durch axiale Straßensysteme), wölbte mit G. DELLA PORTA die Kuppel der Peterskirche ein und schuf in Rom und seit 1592 in Neapel nüchtern-kraftvolle Palastbauten.

HW (in Rom): Villa Montalto (1570 f.); Kapelle Sixtus' V. an S. Maria Maggiore (1585 f.), Mosesbrunnen (1585), Peterskuppel (1588 bis 1590); Aufstellen der Obelisken vor St. Peter (1586), bei S. Maria Maggiore (1587), auf der Piazza del Popolo (1589); Lateranpalast (1586 beg.); Wohnpalast und Bibliothek des Vatikans; in Neapel: Palazzo Reale (1600 f.).

3) Lucio, ital. Maler, Bildhauer, *Rosario di Santa Fe (Argentinien) 19.2.1899, †Varese 7.9.1968, begann in den 1930er Jahren mit abstrakter Plastik und Keramik und kam 1949 zu einem ersten ›Concetto Spaziale‹ (Raumkonzept): Eine weiße Leinwand ist von kleinen, dunkel wirkenden Löchern durchstoßen. F. zerstörte damit das Bild als Träger einer räuml. Illusion und ver-

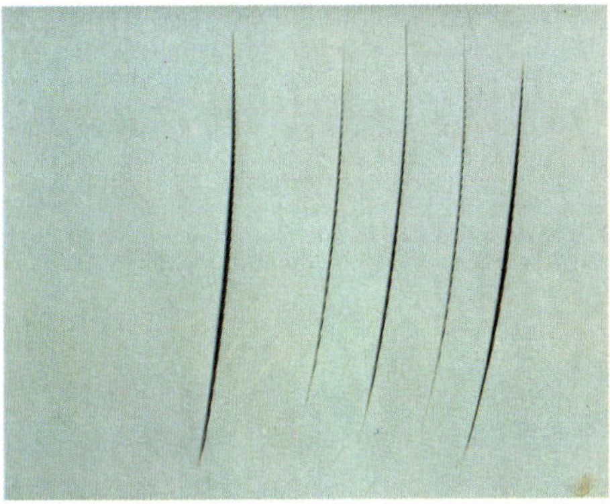

Lucio Fontana: Concetto spaziale. Attese; 1960 (Köln, Museum Ludwig)

wandelte es in ein eigenes Objekt, in dem Bild und Raum sowie Bild und künstler. Aktion eins sind. 1958 ging er zur Aufschlitzung monochrom bemalter Leinwände über, deren kompositionelle Harmonie und Eleganz F.s Konzept auf hohem formalen Niveau zeigen; außerdem Raumgestaltungen, Architekturentwürfe, Skulpturen.

G. Ballo: L. F. (a.d. Ital., 1971); E. Crispolti: L. F., Catalogue raisonné, 2 Bde. (Brüssel 1974); R. Sanesi: L. F. (Mailand 1980).

4) Prospero, ital. Maler, *Bologna 1512, †ebd. 1597, stand unter dem Einfluß des florentinisch-röm. Manierismus. Nach Zusammenarbeit mit G. Vasari und T. Zuccari hielt er sich 1560 vorübergehend am frz. Hof auf. In den letzten Jahren malte er v.a. Altarbilder für die Kirchen Bolognas. Künstlerisch bedeutend war auch seine Tochter Lavinia F. (*1552, †1614).

Fontanesi, Antonio, ital. Maler, *Reggio Emilia 23. 2. 1818, †Turin 17. 4. 1882, seit 1869 Akademieprof. ebd.; als Landschaftsmaler C. Corot und C.-F. Daubigny vergleichbar, die ihn stark beeinflußten.

Font-de-Gaume [fɔ̃dəg'o:m], Höhle mit altsteinzeitl. Wandmalereien (15000–10000 v.Chr.) bei Les-Eyzies-de-Tayac (Dép. Dordogne). Die 1901 entdeckte Höhle hat entscheidend zur Anerkennung paläolith. Höhlenkunst beigetragen (Darstellungen von Mammut, Wildpferd, Wisent, Ren, Nashorn und Löwe).

Fontenay [fɔ̃tn'ɛ], gut erhaltene ehem. Zisterzienserabtei in Burgund (frz. Dép. Côte-d'Or), 1118/19 durch den Hl. Bernhard von Clairvaux gegr., 1147 geweiht. Kirche und Kloster (12./13. Jh., z.T. im 15. Jh. erweitert) können in ihrer Anlage als Prototyp der →Zisterzienserbaukunst gelten und waren von weitreichender Wirkung.

Fontevrault [fɔ̃təvr'o], 1101 von Robert von Arbrissel (*1055, †23. 2. 1117) gegr. Abtei in der frz. Gem. F.-l'Abbaye (Dép. Maine-et-Loire), in der Mönche und Nonnen (Doppelkloster) nach der Benediktinerregel lebten; 1790 aufgehoben, wurde das Kloster Strafanstalt (bis 1963). – In der mächtigen, einschiffigen roman. Kirche (beg. 1104, Chor gew. 1119, gegen 1150 vollendet) mit Kuppelwölbung (nördlichstes Beispiel für →Aquitanische Kuppelkirchen) befinden sich die Grabdenkmäler HEINRICHS II. V. ENGLAND, seiner Frau ELÉONORE V. AQUITANIEN, von RICHARD LÖWENHERZ und von ISABELLA V. ANGOULÊME aus dem 12. und 13. Jh. Unter den Klostergebäuden (Kreuzgang, Kapitelsaal mit Fresken, Refektorium, alle 16. Jh.) ist der Küchenbau des 12. Jh. eine Kuriosität: ein Zentralbau von 27 m Höhe und 11 m Durchmesser mit 5 Apsiden.

Fontevrault: Küchenbau; 12. Jh.

Fontfroide [fɔ̃frw'ad], ehem. Zisterzienserabtei südwestlich von Narbonne, Frankreich, Ende 11. Jh. gegr., mit roman. Kirche (12. Jh.), got. Kreuzgang und Kapitelsaal (beide 13. Jh.).

Foppa, Vincenzo, ital. Maler, *Brescia zw. 1427 und 1430, †ebd. 1515 oder 1516, der Hauptmeister der lombard. Schule des 15. Jh., der sich bereits in seinen Anfängen von der got. Tradition löste. In seinen Bildern verbinden sich klare Formgebung und sichere Beherrschung der Perspektive mit weicher Farbigkeit und milder Lichtwirkung.

HW: Kreuzigung (1456; Bergamo, Gal. Carrara); Altarwerk mit Madonna und Heiligen (Mailand, Brera); Anbetung der Könige (London, Nat. Gal.).

Forain [fɔr'ɛ̃], Jean-Louis, frz. Graphiker, Maler, *Reims 23. 10. 1852, †Paris 11. 7. 1931. Von F. GOYA und H. DAUMIER ausgehend, trat er v. a. als Karikaturist hervor. Den Impressionisten nahestehend, entwickelte F., bes. unter dem Einfluß von É. MANET und E. DEGAS, einen knappen, nur das Motiv andeutenden Zeichenstil. Seine graph. Folgen stellen zeitkritisch das Großstadtleben, Gerichts- und Theaterszenen dar.

Forchheim, Stadt im bayer. Oberfranken, 23100 Ew., mit gut erh. ma. Stadtkern; 805 erwähnt, seit 1007 zum Bistum Bamberg gehörig. In der Pfalz (ehem. Bischofsburg, 14.–17. Jh. an der Stelle eines karoling. Königshofes erbaut) das Pfalz-Mus. (v. a. Fresken des 14. und 16. Jh., Volkskunst, Prähistorie). Die got. Martinskirche (im 18. Jh. barockisiert) birgt 8 spätgot. Altartafeln (1480/85) und 12 Apostelfiguren (um 1500). Reizvolles Fachwerkrathaus (um 1491 beg.). Dem 17./18. Jh. entstammen das Katharinenspital und das ehem. Franziskanerkloster.

Forchtenstein, Burg bei Mattersburg im Burgenland, Österreich, um 1300 erbaut (Bergfried), kam 1622 in den Besitz der Fürsten ESTERHÁZY, die sie 1635–37 ausbauten. Bed. Waffensamml. (16.–19. Jh.), ehem. fürstl. Wagenburg (Kutschen und Kaleschen des 18. und 19. Jh.).

Forde Abbey [fɔ:d ˈæbɪ], ehem., 1141 gegr. Zisterzienserabtei östlich von Exeter in den Dorset Downs (England). Von den Klostergebäuden sind nur Krypta, Dormitorium und Kapitelsaal erh. Noch vor Aufhebung des Klosters 1539 entstand der Abtsflügel mit Torturm und Halle in einer Mischung aus späten Formen des engl. Perpendicular Style und frz. Frührenaissance.

Förderer, Walter Maria, schweizer. Architekt, *Laufen-Uhwiesen (Kt. Zürich) 21. 3. 1928, zunächst Bildhauer, bildete sich autodidaktisch zum Architekten aus. Inhaltlich befürwortet F. funktional möglichst wenig spezialisierte Baustrukturen, die eine verschiedenartige Nutzung der Bauten ermöglichen; formal steht er dem →Brutalismus nahe.

HW: Hochschule für Wirtschafts- u. Sozialwissenschaften, St. Gallen (1960–63, mit R. OTTO u. H. ZWIMPFER); Café-Restaurant Park, Neuhausen/Kt. Schaffhausen (1961–63, mit H. ZWIMPFER); Kirche St. Nicolas, Hérémence/Kt. Wallis (1963–71); Quartierzentrum St. Konrad, Schaffhausen (1967–72).

Schriften: Kirchenbau von heute für morgen? (1964); Bauen ein Prozeß (Teufen 1968, mit L. BURCKHARDT).
W. M. F., Architecture – sculpture (Neuenburg 1975).

Forlì, ital. Stadt und Bischofssitz in der Romagna, am Apenninrand, 109400 Ew. Die wichtigsten Bauwerke befinden sich an der von Säulenhallen umgebenen Piazza Saffi: Palazzo del Municipio (1359), Palazzo del Podestà (1459/60) und die roman. Kirche S. Mercuriale (auf Vorgängerbau nach 1173 errichtet, im 16., 17. und 18. Jh. erweitert und verändert) mit 75 m hohem Glockenturm. Pinakothek und Archäolog. Mus. Im NO von F. die Klosterkirche S. Maria delle Grazie (1450 beg.).

Forlì, Melozzo da F., ital. Maler, →Melozzo da Forlì.

Forment, Damián, span. Bildhauer, *Valencia(?) um 1475, †Santo Domingo de la Calzada (Logroño) 1541, lernte wahrscheinlich in Florenz und arbeitete in Aragonien. F. schuf Altarwerke im Platereskenstil, meist aus Alabaster, und verbreitete den ital. Renaissance-Stil in Spanien.

HW: Hochaltäre in der Pilar-Kirche, Saragossa (1509–12), in den

Kathedralen in Huesca (1520–34) und Santo Domingo de la Calzada (1537–40).

Formgeschirr, Gebrauchsgeschirr, das in Form von Früchten, Tieren (Fisch als Deckelschüssel) oder Gegenständen (Weinfaß) gestaltet ist.

Formschneider, der Kunsthandwerker, der die zur Wiedergabe durch Holzschnitt bestimmte Zeichnung in den Holzstock schnitt. Die Frage, inwieweit in den Anfängen des Holzschnitts der entwerfende Meister die Schneidearbeit selbst ausführte, ist umstritten. Als F. aus dem 16. Jh. sind H. ANDREÄ, J. DE NEGKER, H. LÜTZELBURGER bekannt, die für A. DÜRER, H. BURGKMAIR D. Ä., H. HOLBEIN D. J. schnitten.

Förster, Ludwig Ritter von, Baumeister, *Bayreuth 8. 10. 1797, †Bad Gleichenberg (Steiermark) 16. 6. 1863, führte in die Wiener Baukunst den Historismus ein. Wie sein Sohn Emil Ritter von F. (*1838, †1909) übernahm er v. a. die Formen der ital. Renaissance. Von großer Wirkung war F. als Herausgeber der von ihm 1836 begr. ›Allg. Bauzeitung‹. Sein Bebauungsplan für die Wiener Ringstraße wurde 1859 angenommen.

Die Wiener Ringstraße, hg. v. RENATE WAGNER-RIEGER ([3]1980).

Fort [fɔːr, frz.], geschlossene, kleinere →Festung, einzeln als selbständiges F. oder auch in der Mehrzahl als Vorwerke einer Stadtbefestigung.

Fort Hare [fɔːt h'eə], Univ. in der Ciskei, Südafrika, bei dem Ort Alice; Gal. (Samml. moderner afrikan. Kunst).

Fortuna, auch **Fors F.** [lat.], altitalische Göttin mit vielen Beinamen, urspr. wohl von Frauen verehrt, später (schon z. Z. Ciceros) Glücksgottheit und der Tyche gleichgestellt. Viele Heiligtümer, v. a. in Rom, waren ihrem Kult geweiht. Darstellungen, die die Göttin oft mit Attributen überhäufen (u. a. Steuerruder, Füllhorn), geflügelt oder auf einer Kugel zeigen, haben sich in vielen Statuetten, Münzen und Gemmen erh. Die ma. Kunst verband F. mit dem Glücksrad als Sinnbild der Vergänglichkeit ird. Lebens. Renaissance und Barock sahen in ihr die Personifikation einer hilfreichen Schicksalsmacht und stellten sie meist als nackte Frau über das Meer segelnd oder, wie auf A. DÜRERS Kupferstich ›Nemesis‹ (auch ›Das große Glück‹, um 1501/02), auf einer Kugel, geflügelt durch die Luft schwebend, dar.

Fortuny y Carbó [fɔrt'uni i karβ'o], Mariano, span. Maler, Radierer, *Reus (Tarragona) 11. 6. 1838, †Rom 21. 11. 1874, seit 1867 in Rom, später in Marokko und Paris, wo er, von L. GÉRÔME und E. MEISSONIER beeinflußt, Schlachtenbilder, Genre- und Volksszenen schuf, die sich durch Lichtfülle und starke Farbigkeit auszeichnen; war zu Lebzeiten wegen seiner Genrebilder geschätzt, in denen er versuchte, Anmut und Reiz des 18. Jh. wiederzubeleben. In seinen Radierungen schloß er sich F. GOYA an; er schuf lebendige Aquarelle. – HW in Barcelona, Mus. de Arte Moderno.

Fort Worth [fɔːt w'əːθ], Stadt in Texas, USA, 385 100 Ew., wurde durch einige bed. Museumsgründungen kulturelles Zentrum: das ›Art Center Mus.‹ (1954 eröffnet) enthält u.a. Werke der europ. und amerikan. Moderne; das 1961 von P. C. JOHNSON gebaute ›Amon Carter Mus. of Western Art‹ konzentriert sich auf Werke, in denen der amerikan. Westen thematisch im Mittelpunkt steht; das von L. I. KAHN 1972 voll. ›Kimbell Art Mus.‹ gilt weltweit als exemplar. Museumsbau.

Forum [lat.] *das,* in röm. Städten der Marktplatz und Zentrum des öffentl. Lebens. In größeren Städten wie Rom bildeten sich besondere Foren für die versch. Waren heraus, so das F. boarium ›Rindermarkt‹, F. olitorium ›Gemüsemarkt‹. Im Anschluß an das alte F. wurden seit CÄSAR von mehreren röm. Kaisern neue Plätze angelegt (Kaiserforen). In der Kaiserzeit entstanden unter dem Eindruck der stadtröm. F. in zahlreichen Städten der Provinzen ähnlich repräsentative, mit einer Fülle von Denkmälern, v.a. Porträtstatuen, geschmückte und von prächtigen Bauten umgebene Anlagen: allseitig von Hallenstraßen (Ephesos) oder von Hallen gerahmte Plätze mit zentral gelegenem Haupttempel (Kyrene), mit Tempeln und öffentl. Gebäuden hinter den Hallen (Timgad), Plätze, die nur auf 2 oder 3 Seiten Hallen aufweisen und an deren hallenlosen Seiten sich Tempel oder Basiliken, längs- oder querliegend, anschließen (Leptis Magna, Sabratha, Thuburbo Maius), sowie viele Sonderformen.

Das **Forum Romanum** des antiken Rom lag in der Talsenke zw. Palatin, Kapitol, Quirinal und Esquilin, die sich urspr. außerhalb der Hügelsiedlungen befand und teilweise als Begräbnisstätte (9.–6. Jh. v. Chr.) diente. Wohl unter der Etruskerherrschaft wurde das Tal durch Regulierung des damals noch offenen, nach 200 v. Chr. erst als Cloaca maxima überwölbten Baches entwässert und in den Stadtbereich einbezogen. Damit beginnt die

Forum: F. Romanum von W nach O; im Vordergrund Vorhalle des Saturntempels

Geschichte des F. Romanum. Es wurde im Laufe der republikan. Epoche mehr und mehr zum Mittelpunkt des geschäftl. und polit. Lebens, der Volksversammlungen und der Rechtsprechung. Das Rathaus (Curia hostilia) am eigtl. Versammlungsplatz (Comitium) und das Haus des Oberpriesters (Regia) stammten angeblich noch aus der Königszeit. Bald nach Gründung der Rep. wurden am Rand des F. Tempel für Ianus, Saturn (497 v. Chr.), Castor (484) und ein Rundtempel für Vesta erbaut. Aus der Frühzeit stammt auch eine in augu-

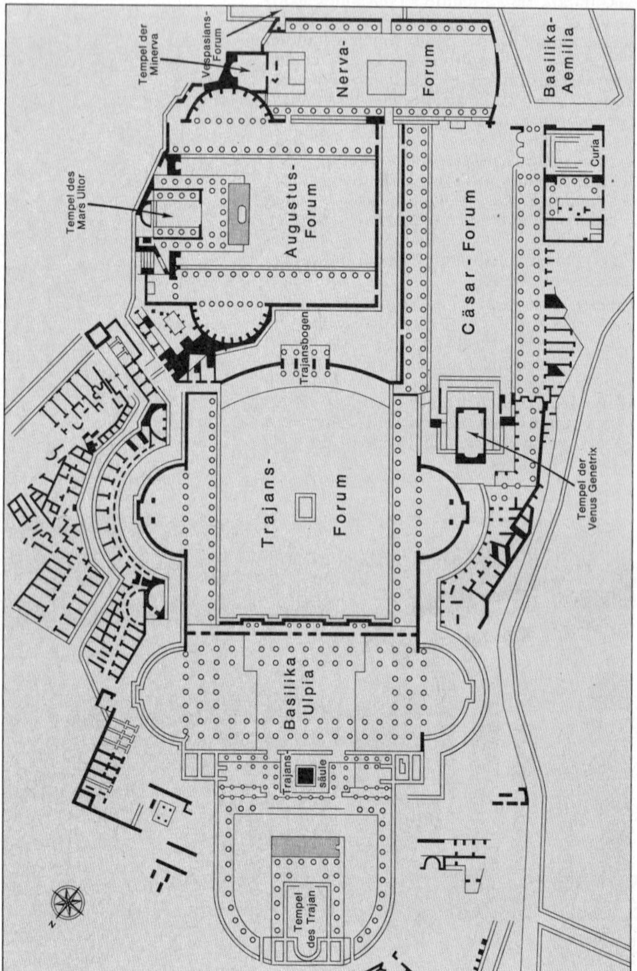

Forum: Kaiserforen

steischer Zeit mit schwarzem Marmor (Lapis niger) überdeckte eigenartige Grabanlage mit der ältesten erhaltenen röm. Inschrift. Unweit der Rednerbühne (Rostra) lagen die Heiligtümer des Volcanus und der Concordia (367 v.Chr.). Der Rechtspflege dienten neben dem alten Amtsgebäude des Prätors (Tribunal praetorium) seit dem 2. Jh. v. Chr. eine Reihe von Basiliken, so die Basilika Porcia (184), Basilika Aemilia, Basilika Opimia.

Im Ggs. zu späteren F. (Kaiser-F. und F. der röm. Prov.) ist das F. Romanum nicht nach einem einheitl. Plan entstanden; seit seinen Anfängen wurde es ständig verändert und erweitert. Bes. in der spätrepublikan. Epoche und in der Kaiserzeit wurden fast alle früheren Bauten monumental erneuert und zahlreiche weitere Bauten neu errichtet. In der großen, von CÄSAR begonnenen und von AUGUSTUS vollendeten Basilika Iulia an der SW-Seite des Platzes tagten die Geschworenengerichte. Wie Cäsar selbst, so erhielten auch AUGUSTUS, VESPASIAN, ANTONINUS PIUS und FAUSTINA nach ihrem Tod am F. eigene Tempel; HADRIAN weihte der Venus und Roma, MAXENTIUS dem Romulus ein Heiligtum (307). Die Priesterinnen der Vesta erhielten neue Gebäude (Atrium Vestae). Triumphbögen wurden dem AUGUSTUS, TIBERIUS, TITUS, SEPTIMIUS SEVERUS errichtet. Die Basilika des Maxentius mit ihren gewaltigen Tonnengewölben vollendete KONSTANTIN. Das späteste Denkmal des F. ist eine Säule für den byzantin. Kaiser PHOKAS (608).

Im MA.wurden viele Gebäude teils zu Kirchen umgebaut, teils abgetragen. So verfiel das F. und wurde schließlich zur Viehweide. – Durch Ausgrabungen seit 1803 wurden die Topographie des F. und seine Geschichte im wesentlichen geklärt.

Die **Kaiserforen** zw. Kapitol und Quirinal stellen eine Erweiterung des F. Romanum nach N und O dar. Auch das langgestreckte **Cäsar-F. (Forum Iulium),** das an Stelle niedergelegter Mietshäuser errichtet wurde und den alten Volksversammlungsplatz teilweise überdeckte, war von Hallen umgeben und durch den Tempel der Venus Genetrix, der myth. Ahnmutter der Julier, abgeschlossen. Das **Augustus-F.** schob sich bis zum Hang des Quirinal vor, und Augustus selbst baute hier als Abschluß den im Kampf gegen die Cäsarmörder gelobten Tempel des Mars Ultor, in dem fortan bed. Staatsakte stattfanden. Südöstlich davon lag das **Vespasians-F.** mit dem Tempel der Friedensgöttin (Pax). NERVA weihte 98 sein Verbindungs-F. **(F. Transitorium)** zw. diesen Kaiser-F. und dem F. Romanum. Das riesige **Trajans-F.,** das in die nördl. Stadtteile führte, war von Säulenhallen und Apsiden flankiert, hinter denen sich die gewaltige Anlage der Trajansmärkte erhob, eine sechsgeschossige halbrunde Baugruppe, in der Markthallen, Läden, Tavernen und Verwaltungsräume vereint waren. Dem Trajansbogen gegenüber, durch den man das Trajans-F. betrat, erhob sich quergestellt die fünfschiffige Basilika Ulpia, dahinter die von Bibliotheken umgebene →Trajanssäule. Der Trajanstempel, von Hadrian zu Ehren seines Vorgängers in einem Halboval von Hallen hinter der Säule erbaut, bildet den Abschluß der Kaiser-F., in denen sich durch Jahrhunderte Macht und Glanz des röm. Weltreichs repräsentierten. Durch Ausgrabungen ist heute das ganze Gelände freigelegt.

F. COARELLI: Rom, ein archäolog. Führer (a. d. Ital., 1979); H. A. STÜTZER: Das antike Rom (1979).

Foshan [-ʃ-, ›Buddha-Hügel‹], kleine Stadt in der chines. Prov. Kwangtung, 28 km südwestlich von Kanton; in der T'ang-Zeit wegen dreier auf einem Hügel stehender Buddha-Figuren F. benannt. Der taoist. Tsu-tzu-Tempel (heutige Gebäude aus der Ch'ing-Zeit) wurde in ein Museum umgewandelt (Ausgrabungsfunde von F.). Der frühere Jen-shou-Tempel ist heute Museum mit Ausstellungen lokaler volkstüml. Kunst.

Fossa-Grab [lat. fossa ›Grube‹], Grabtypus der älteren Eisenzeit, bes. Etruriens: rechteckige, bisweilen mit Steinen ausgekleidete und bedeckte Grabkammer.

Fossạno, Ambrogio da, →Bergognone.

Fossanọva, ehem. Zisterzienserabtei (seit 1826 Franziskanerkloster) am S-Rand der Monti Lepini in Latium, Italien, deren Kirche, eine der frühesten got. Bauten in Italien (seit 1187), für viele andere ital. Zisterzienserkirchen Vorbild wurde; Klostergebäude (Kreuzgang, Kapitelsaal, Refektorium) aus dem 12./13. Jh. – Hier starb 1274 THOMAS VON AQUINO.

Foster [f'ɔstə], Norman Robert, engl. Architekt, *Manchester 1. 6. 1935. Seine Bauten, u. a. 1963–66 in Zusammenarbeit mit R. ROGERS geschaffen, zeichnen sich durch Baudetails von äußerster Präzision aus, die sich zu eịner subjektiv gewählten Großform vereinigen. Sie demonstrieren durch sinnvolle Anwendung neuer Technologien die ästhet. Dimensionen der Technik.

HW: Creek Vean House, Cornwall (1963–67); Skybreak House, Hertfordshire (1963–67); Schulen für behinderte Kinder in London und Liverpool (1971–76); Samuel Beckett Underground Theatre, Oxford (1975); Bürogebäude Willis Faber & Dumas, Ipswich (1975); Sainsbury Centre für die Univ. von East Anglia, Norwich (1977); Whitney Gallery Development, New York (1979).

Fotorealismus, auch **Hyperrealismus,** gegen 1970 in den USA aufgekommene Richtung der Malerei, die anstelle der primären Wirklichkeit die sekundäre Wirklichkeit der Photographie zugrundelegt. Dabei zielt der F., anders als die frühere Verwendung photograph. Vorlagen, durch die Betonung von Ausschnitt, Weitwinkelverzerrung, wechselnder Tiefenschärfe, Farbstich bewußt auf die Demonstration des ›photographischen Auges‹. Ob dahinter eine krit. Reflexion photograph. Manipulationen oder ein Wiederaufleben eines technisch brillanten Akademismus steht, wurde lebhaft diskutiert. Neben Beispielen einer komplizierten Wahrnehmungsbefragung (H. KANOWITZ; die ›Bilder über Bilder‹ von M. MORLEY; die Blowup-Porträts von C. CLOSE) dominieren Standardmotive des ›American Way of Life‹ wie chromblitzende Autokarosserien (J. SALT, R. GOINGS, D. EDDY), Reklamefassaden (R. ESTES, R. COTTINGHAM), Hollywoodstraßen (P. STAIGER, R. BECHTLE), Bildklischees der Pferdezeitschriften (R. MCLEAN), Souvenirs (B. SCHONZEIT). In Europa kommt der F. seltener vor (F. KÖTHE, F. GERTSCH, J.-O. HUCLEUX). BILD S. 245

P. SAGER: Neue Formen des Realismus (1973).

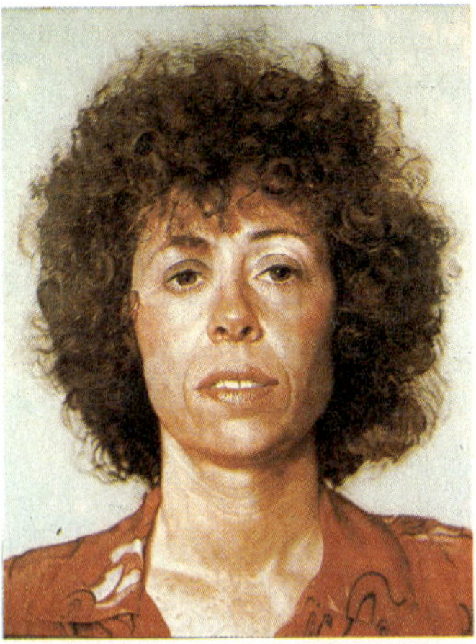

Foto-realismus: Chuck Close, ›Linda‹; Acryl auf Leinwand, 1975/76 (New York, Pace Gallery)

Fougères [fuʒ'ɛ:r], Stadt im frz. Dép. Ille-et-Vilaine, Bretagne, 27 700 Ew. Die Burg (12.–15. Jh.) besitzt eine vollständig erhaltene Umwallung mit 13 Türmen; Kirchen St. Sulpice und St. Léonard (beide 15./16. Jh.), Rathaus (Hôtel de Ville; 14.–16. Jh.).

Foumban [fum-], **Fumban,** Stadt in Kamerun, im südl. Adamaua, 59 700 Ew.; Zentrum der Kunst des →Kameruner Graslands mit Mus. der Bamum-Kunst; Palast des Sultans, nach 1916 nach Plänen von →Njoya errichtet (mit histor. Museum).

Fountains Abbey [f'aʊntɪnz 'æbɪ], südwestlich von Ripon im nördl. Yorkshire (N-England) gelegenes Dorf. Eine 1132 gegr. Benediktinerabtei wurde bereits 1135 vom Zisterzienserorden übernommen und die Abteikirche bis in die 2. H. des 12. Jh. als kreuzförmige Basilika mit quergestellten Spitztonnen in den Seitenschiffen sowie den Chorkapellen erbaut; nach der Reformation verfallen, Ruinen 1720 in den Landschaftspark des Herrenhauses Fountains Hall einbezogen.

Foumban: reich beschnitzte Trommel, Stimme des Herrschers, am Sultanspalast

Fouquet, Foucquet [fuk'ɛ], Jean, frz. Maler, *Tours(?) zw. 1415 und 1420, †ebd.(?) zw. 1477 und 1481, kam vermutlich um 1440 nach Paris, hielt sich wohl von 1445 bis 1447 in Rom auf und trat nach der Rückkehr aus Italien in den Dienst des frz. Hofes, wo LUDWIG XI. ihn um 1475 zum ›peintre du roi‹ ernannte. Sein Werk umfaßt Buchmalereien wie die 11 Illustrationen zu den →Antiquités judaïques des FLAVIUS JOSEPHUS (Paris, Bibliothèque Nationale), ›Les cas des hommes et femmes nobles‹ des BOCCACCIO (91 Miniaturen in München, Staatsbibliothek), das Stundenbuch des ÉTIENNE CHEVALIER (40 Blätter im Schloß Chantilly) und Tafelbilder wie das Diptychon von Melun (rechter Flügel ›Maria mit Kind‹, um 1450, Antwerpen, Koninklijk Mus. voor Schone Kunsten; Étienne Chevalier mit dem Hl. Stephan, um 1451, Berlin-West, Staatl. Museen), die Porträts von KARL VII. und JUVÉNAL DES UR-

Jean Fouquet: Étienne Chevalier mit dem Hl. Stephan; um 1451 (Berlin-West, Staatl. Museen)

SINS (beide Paris, Louvre). Die Kenntnis der perspektiv. Darstellung aus der ital. Kunst, den Sinn für die realistisch reiche Schilderung aus fläm. Tradition verband F. mit der eigenen Neigung zu monumentaler plastischer Form. Entschieden unromantisch, selbst noch in seinen stimmungsreichen Landschaftswiedergaben klassisch geprägt, gilt er als einer der größten frz. Maler, der Renaissance nahe wie kein zweiter Maler Frankreichs in seiner Zeit.

P. WESCHER: F. und seine Zeit ([2]1957); C. SCHAEFER: Recherches sur l'iconologie et la stilistique de l'art de J. F., 3 Tle. (Paris 1972); J. MELET-SANSON: F. (ebd. 1977); E. KÖNIG: J. F. (1981).

Fra Angelico [-andʒ'ɛ:liko], ital. Maler, →Angelico.

Fra Bartolomeo, ital. Maler, →Bartolomeo.

Fra Giocondo [-dʒok'ondo], **Fra Giovanni** [-dʒov'anni], ital. Architekt, →Giocondo.

Fragonard [fragɔn'a:r], Jean Honoré, frz. Maler, Zeichner und Stecher, *Grasse (heute Dép. Alpes-Maritimes) 5. 4. 1732, †Paris 22. 8. 1806, war zunächst Schüler von J.-B. S. CHARDIN, dann von F. BOUCHER, besuchte 1756–61 in Rom die Akademie, traf dort mit H. ROBERT zusammen und schuf, von der röm. Landschaft beeindruckt, zahlreiche Landschaftsdarstellungen. In Venedig regten ihn G. B. TIEPOLOS Historienbilder an. Seit 1761 wieder in Paris, erlangte F. erste Anerkennung als Historienmaler und mit Allegorien, bald auch mit seinen Interieurs, Charakterfiguren und Landschaften. Zum bevorzugten Maler der Gesellschaft machten ihn seine graziösen Darstellungen galanter (zuweilen auch etwas gewagter) Szenen mit ihrer sinnenfrohen, heiteren Auffassung. Den Höhepunkt seiner Kunst erreichte er mit einer temperamentvollen, skizzenhaften Strichführung und einer sinnlich zarten, fast impressionist. Lichtwirkungen erreichenden Farbigkeit. F., der auch meisterhafte Zeichnungen, Radierungen und Illustrationen hinterlassen hat, erscheint neben F. Boucher und A. WATTEAU als der dritte große Maler der Epoche, als Sittendarsteller des ›Ancien Régime‹ und Vollender des Rokoko. Mit der Frz. Revolution verlor er zunächst Auftraggeber und Ansehen, konnte sich jedoch dank guter Beziehungen zu J. L. DAVID seit 1793 wieder stärker durchsetzen, ohne in seinem Spätwerk den für ihn so charakterist. leidenschaftlichen Schwung wieder zu erreichen. Mus. F. in Grasse.

A. ANANOFF: L'œuvre dessiné de J. H. F., Catalogue raisonné, 3 Bde. (Paris 1961–68); P. MAZARS: F. und seine Welt (a. d. Frz., 1971); L'opera completa di F., hg. v. G. WILDENSTEIN (Mailand 1972).

Fraikin [frɛk 'ɛ̃], Charles Auguste, belg. Bildhauer, *Herenthals 14. 6. 1817, †Schaerbeek (bei Brüssel) 22. 11. 1893, schuf Denkmäler (u. a. ›Egmont und Hoorn‹, Brüssel 1864), Grabplastiken.

Frain, tschech. **Vranov nad Dyjí** [vr'anɔf n'addiji:], Ort im Südmähr. Kreis, ČSSR, an der Thaya. Hoch darüber auf einem Felssporn die Burg F., die, Anf. 12. Jh. erstmals erwähnt, im 13. Jh. und v. a. um 1700 unter Mitwirkung von J. B. FISCHER VON ERLACH monumental erneuert wurde. Im ovalen Ahnensaal Fresken von J. M. ROTTMAYR und Skulpturen von T. KRACKER. Porzellan- und Steinzeug-Samml. aus örtl. Manufaktur.

Jean Honoré Fragonard: Die Schaukel; 1766 (London, Wallace Collection)

Francavilla [ital.], **Francheville** [frãʃv'il], **Franqueville** [frãkv'il], Pietro (Pierre), frz. Bildhauer, *Cambrai 1548(?), †Paris 25. 8. 1615, seit 1574 Mitarbeiter von GIAMBOLOGNA in Florenz (Marmorskulpturen in der Cappella Niccolini, um 1585; S. Croce), in Genua und Pisa, seit 1604 am Hof HEINRICHS IV. in Paris, wo er die 4 Bronzesklaven vom Sockel des 1792 zerstörten Reiterdenkmals Heinrichs IV. auf dem Pont-Neuf entwarf (1614–18; Paris, Louvre).

Francesca [frantʃ'eska], →Piero della Francesca.

Franceschini [frantʃesk'i:ni], **1)** Baldassare, genannt **il Volterrano,** ital. Maler, *Volterra 1611, †Florenz 6. 1. 1689, von CORREGGIO beeinflußt, schuf Fresken und Altarbilder für toskan. Villen und Kirchen.

2) Marcantonio, ital. Maler, *Bologna 5. 4. 1648, †ebd. 24. 12. 1729, Schüler von C. CIGNANI, arbeitete in Rom 1711 an den Kartons für die Mosaiken der Peterskirche mit; Fresken in Genua und Bologna. F. galt zu Lebzeiten als einer der maßgebl. Vertreter der klassizist. Tradition der Malerschule von Bologna.

Francesco di Giorgio Martini [frantʃ'esko di dʒ'ordʒo-], ital. Maler, Bildhauer, Gießer, Architekt, Festungsingenieur und Architekturtheoretiker, *Siena 23. 9. 1439, †ebd. 1501/02, weist als Typ des universell gebildeten und tätigen Künstlers auf LEONARDO DA VIN-

Francesco di Giorgio Martini: Kreuzabnahme; Bronzerelief (Venedig, Chiesa del Carmine)

CI voraus; Schüler VECCHIETTAS, arbeitete bis 1475 zus. mit NEROCCIO. Eine glänzende Karriere führte ihn an den Hof nach Urbino, von dort in die Dienste des Herzogs ALFONSO V. KALABRIEN, 1491 nach Neapel, 1499 Leiter der Dombauhütte in Siena. Seine maler. Frühwerke kennzeichnen ein überfeinerter Linienstil, preziös bewegte Figuren und irreale Zueinanderordnung von heftig verkürzten Architekturen und Phantasielandschaften (Verkündigung, Siena, Pinakothek, um 1470). In seinem architekton. Hauptwerk, der Kirche Madonna del Calcinaio bei Cortona (1484/85 begonnen), durchdringen sich Einflüsse von F. BRUNELLESCHI und L. B. ALBERTI. Als Bildhauer, Bronzegießer und Medailleur ging er von dem empfindsamen Linienstil Vecchiettas aus und gelangte später zu einer an DONATELLO geschulten, kräftigeren plast. Durchgliederung (2 Leuchterengel, um 1497, Siena, Dom). Das ›rilievo schiacciato‹ (Flachrelief) behandelte er virtuos (Geißelung, Perugia, Pinacoteca Nazionale; Kreuzabnahme, Venedig, Chiesa del Carmine).

Trattati di architettura, ingegneria e arte militare, hg. v. C. MALTESE, 2 Bde. (Mailand 1967).

Francheville [frãʃv'il], Pierre, →Francavilla.

Francia [fr'antʃa], Francesco, eigtl. **Raibolini,** ital. Goldschmied und Maler, *Bologna um 1450, †ebd. 5. 1. 1517. Als Maler entwickelte er sich unter dem Einfluß der Schule von Ferrara (L. COSTA), schulte sich später an LORENZO DI CREDI, PERUGINO und RAFFAEL. Er schuf religiöse Gemälde von sanfter Anmut und weichen Formen. Seine Söhne Giacomo F. (* vor 1486, † 1557) und Giulio F. (*1487, †1540) arbeiteten in enger Anlehnung an den Stil des Vaters.

HW: Madonna mit 6 Heiligen u. Stifter, 1490 (Bologna, Pinakothek); Madonna mit Engeln u. Heiligen, 1499 (Bologna, S. Giacomo Maggiore); Fresken aus der Legende der Hl. Cäcilia, 1506 (Bologna, Oratorio di S. Cecilia); Grablegung Christi, 1515 (Turin, Pinakothek).

Franciabigio [frantʃab'idʒo], eigtl. **Francesco di Cristofano** [frantʃ'esko-], ital. Maler, *Florenz(?) um 1482, †ebd. 24. 1. 1525, Schüler von M. ALBERTINELLI und PIERO DI COSIMO, zeitweilig Mitarbeiter von A. DEL SARTO, malte Fresken, Tafeln für Cassoni, Madonnen, bes. frühmanierist. Bildnisse.

HW (Fresken): Vermählung Mariä, 1513 (Florenz, SS. Annunziata, Vorhof); Triumph Caesars, 1521 (Villa Poggio a Caiano bei Florenz).

Francis [fr'ænsɪs], Sam, amerikan. Maler, *San Mateo (Kalifornien) 25. 6. 1923, Schüler von C. STILL, lebte 1950–57 in Paris im Kreis der amerikan. Maler um J.-P. RIOPELLE; malte abstrakt-expressionist. Bilder meist großen Formats mit kräftiger Farbgebung. (BILD S. 250)

Franciszek von Sieradz [frantsj'iʃɛk - sj'ɛrats], poln. Maler, †1516, Mönch in Wartha, schuf ebd. z.T. erhaltene Wandmalereien, in Leslau (Włocławek) eine ›Himmelfahrt Mariä‹ in weiträumiger Komposition. Er arbeitete auch in Bromerg (Bydgoszcz), Kraukau u.a. F. v. S. gehört zu den bed. poln. Malern der Spätgotik.

Francke, Meister F., *Hamburg um 1380, †nach 1430, in einer Urkunden-Abschrift des 16. Jh. als ›Mei-

Sam Francis: The Over Yellow; 1957–58 (Stuttgart, Staatsgalerie)

ster des Thomasaltars der Gesellschaft der Englandfahrer‹ genannt (1424ff.; urspr. Hamburg, Johanneskirche, Reste heute: Hamburg, Kunsthalle). Entscheidende Wanderjahre muß F. in Frankreich verbracht und hier v.a. von der Buchmalerei Anregungen empfangen haben (feine Linienführung). Goldene und dekorative Hintergründe geben seinen Bildern eine starke Wirkung; zugleich ist er um Raum und Landschaft bemüht. Sein Einfluß reichte bis nach Schweden. (BILD S. 251)

WW: Barbara-Altar (vor 1424; urspr. Nykyrko/Finnland, heute: Helsinki, Mus.); Schmerzensmannbilder (Hamburg, Kunsthalle und Leipzig, Mus. der Bildenden Künste).
M. F., Ausst.-Kat., Hamburg (1969).

Francke, Paul, Baumeister, *Weimar(?) 1537/38, †Wolfenbüttel 10. 11. 1615, seit 1581 als Hofbaumeister im Dienst von Herzog Julius von Braunschweig, errichtete 1592–97 den Hörsaalbau Juleum der ehem. Univ. Helmstedt, in Wolfenbüttel 1604ff. die Marienkirche (1608ff.; 1751 vollendet), den 1. bed. evang. Kirchenbau (Grund- und Aufriß gotisch, Schmuckformen im Ohrmuschelstil). – F. gehört zu den bedeutendsten

Meister Francke: Die Anbetung der Könige, Tafel des Thomasaltars; 1424 ff. (Hamburg, Kunsthalle)

dt. Baumeistern der Zeit kurz vor dem 30jährigen Krieg.

Francken, im 16. und 17. Jh. v. a. in Antwerpen tätige fläm. Malerfamilie. Die Brüder Ambrosius (*1544, †1618) und Frans d. Ä. (*1542, †1616) waren Schüler von F. FLORIS. Beide schufen Altarbilder. Der Sohn des letzteren, Frans d. J. (*1581, †1642), übertrug die Stoffe der romanist. Malerei auf Kabinettformat und malte religiöse, histor., zeitgeschichtl. und sittenbildl. Themen in bunten Farben (HW in Antwerpen, Koninklijk Mus. voor Schone Kunsten).

François-premier [frãsw'a prəmj'e], nach König FRANZ I. (1515–47) benannter frz. Dekorationsstil des 16. Jh., geprägt von den aus Italien berufenen Künstlern F. PRIMATICCIO, G. B. ROSSO, N. DELL' ABBATE u. a., die in einer Durchdringung klassischer ital. Renaissanceformen mit frz. got. Traditionen in den Raumdekorationen des Schlosses Fontainebleau einen weitwirkenden manierist. Stil ausbildeten. Synonym für F.-p. ist die Bez. Schule von →Fontainebleau.

Françoisvase [frãsw'a-], Volutenkrater des Töpfers ERGOTIMOS und des Malers KLITIAS, 1844 in Chiusi von dem Kupferstecher A. FRANÇOIS gefunden (heute im Archäolog. Mus. Florenz), ein Hauptwerk att. Vasenmalerei um 570 v. Chr. Die F. ist ungewöhnlich reich mit Bildern aus der grch. Sage geschmückt, die in 4 Friesen angeordnet sind: Achill- und Theseuszyklus, Hochzeit des Peleus, Verfolgung des Troilos durch Achill, Rückkehr des Hephaistos in den Olymp, Wagenrennen bei den Leichenspielen des Patroklos, Kalydon. Jagd, Schlacht der Lapithen und Kentauren, Reigen der von

Françoisvase: 66 cm hoch; um 570 v. Chr. (Florenz, Archäolog. Museum)

Theseus aus dem Labyrinth befreiten attischen Jünglinge und Mädchen auf Delos.

Franeker, Stadt in der niederländ. Prov. Friesland, 1585–1811 Univ.-Stadt. Die ref. Kirche ist eine weiträumige spätgot. Pseudobasilika (15. Jh.) mit Umgangschor und hölzernem Tonnengewölbe; im Inneren geschnitzte Chorbänke (15. Jh.), Grabsteine (16. bis 17. Jh.), Heiligengemälde (15. Jh.) auf den Pfeilern. Renaissance-Rathaus (1591–94) mit Treppengiebeln und reichen Fassaden. Bürgerhäuser (15.–18. Jh.), im ›Dr. Coopmanshûs‹ (1767) städt. Mus. (u. a. Gesch. der Univ.).

Frangokastello, Castelfranco, Festung an der S-Küste von W-Kreta, 1371 von den Venezianern als rechteckige Anlage mit Ecktürmen erbaut (Außenmauern erhalten).

Frankenberg-Eder, Stadt in Nordhessen, 15 500 Ew., mit z. T. verschiefertem neuntürmigem Fachwerk-Rathaus (1509); an der Liebfrauenkirche (1286–1359 in der Nachfolge der Marburger Elisabethkirche erbaut) südlich angefügt die spätgot. oktogonale Marienkapelle (um 1370/80), HW des MEISTERS TYLE VON FRANKENBERG. Ehem. Zisterzienserinnenkloster St. Georgenberg (1242 gegr.), im ältesten Teil romanisch (Kapelle), Umbauten v. a. 14. und 16. Jh. Reizvolles, gut erh. Stadtbild mit Fachwerkhäusern des 16.–19 Jh.

Frankenhausen, Bad. F., Stadt am Fuß des Kyffhäuser, Dt. Dem. Rep., 8300 Ew., mit zahlreichen Fachwerkhäusern, v. a. des 16. Jh.; barocke Unterkirche (1691–1701 mit Verwendung von Teilen des got. Vorgängerbaus); Altstädter Kirche mit roman. Chor (2. H. 12. Jh.); Barockschloß (1. H. 16. Jh., nach Brand 1689 um 1800 wieder ausgebaut). Bauernkriegsgedenkstätte mit monumentalem Wandbild von W. TÜBKE (1976 beg.).

Frankenthal (Pfalz), Stadt in Rheinl.-Pf., 46300 Ew.; im 2. Weltkrieg zu 83 % zerstört. Vom ehem. Augustiner-Chorherrenstift (1119–1562) blieb das roman. Westportal erh. Klassizist. Zwölfapostelkirche, 1820 bis 1823 im Weinbrennerstil erbaut (→Weinbrenner). Von der Stadtbefestigung stehen noch 2 frühklassizist. triumphbogenartige Tore (1770–73). Im Erkenbert-Mus. Erzeugnisse der →Frankenthaler Porzellan-Manufaktur.

Frankenthaler Porzellan-Manufaktur, 1748 von P. A. HANNONG zunächst in Straßburg gegr. Fabrik, die er 1755 nach Frankenthal (Pfalz) verlegte. 1762 wurde die Manufaktur von Kurfürst KARL THEODOR V. D. PFALZ erworben, 1800 aufgelöst. Tafelgeschirre und figürl. Porzellan sind von hoher Qualität. Zu ihren besten Modelleuren gehörten J. W. LANZ, J. F. LÜCK, J. P. MELCHIOR.

Frankenthaler Schule, eine Gruppe von etwa 15 niederländ. Malern, die wegen der Protestantenverfolgungen der span. Statthalter seit etwa 1550 aus den südl. Niederlanden auswanderten und sich in den letzten Jahrzehnten des 16. Jh. in Frankenthal (Pfalz) niederließen. Darunter waren bes. Landschafter, die kleinfigurige religiöse und histor. Szenen in phantast. Waldgegenden darstellten. Sie verbanden ital. Einflüsse mit niederländ. Anregungen, den Waldlandschaften P. BRUEGELS D. Ä., und schufen damit die Grundlagen für die holländ. Landschaftsmalerei des 17. Jh. Der bekannteste Maler der F. S. war G. van →Coninxloo.

Die Frankenthaler Maler, Ausst.-Kat., Mannheim (1962).

Frankfurt, 1) F. am Main, größte Stadt Hessens, ehem. Reichsstadt, 637000 Ew.; seit 1240 Messestadt, seit 1356 Ort der dt. Königswahl und 1562–1792 der Kaiserkrönungen; 1943/44 zu 75 % zerstört, im wesentl. moderner Wiederaufbau. Der Saalhof (um 1200) ist der Rest der stauf. Pfalz. Drei große Kirchen wurden in spätgot. Zeit umgebaut: St. Nikolai (1290 gew., ab 1458 umgestaltet), St. Leonhard (1219 beg., spätroman. Portale erh., 1425–1520 Neubau), Liebfrauen (1344 gew., im 15. Jh. erneuert, bes. bemerkenswert das Dreikönigsportal). Die ehem. Karmeliterkirche (13. bis 16. Jh.) ist seit 1944 Ruine; die Freskenzyklen im spätgot. Kreuzgang sind ein HW von J. RATGEB (1514–17, Restaurierung 1980ff.). Der Dom St. Bartholomäus (um 1250–1369) mit reicher Innenausstattung besitzt den einzigartigen Westturm (1415–1513) des Frankfurter Baumeisters M. GERTHENER. Weitere Kirchen: die Kirche der Deutschordenskommende Sachsenhausen (1309 gew., 1747–51 mit Barockfassade versehen; die Komturgebäude entstanden 1709–15); Katharinenkirche (1678–81 im nachgot. Stil); Paulskirche (1789 bis 1833). Der ›Römer‹ ist eine 1405 zum Rathaus erweiterte got. Gebäudegruppe, das Wahrzeichen der Stadt; nahebei das Steinerne Haus (1464); gegenüber dem ›Römer‹ wurde 1981 mit dem Wiederaufbau einer Häuserzeile unter Anlehnung an die histor. Bebauung begonnen. Hauptwache (1729/30). Prächtige Bauten der Gründerzeit sind die Alte Oper (1873–80, Wiederaufbau 1981 voll.), die Neue Börse (1874–79), Frankfurter

Hof (1875/76), ›Städel‹ (1874–78), Hauptbahnhof (1883–88) und die Gebäude des 1868 gegr. Palmengartens. Von der ma. Befestigung blieben mehrere Türme und Warten des 15. Jh. erh. Moderne Vorstädte sind die Römerstadt (1927–29, unter Bauhaus-Einfluß), die Nordweststadt (1961–68) und die Bürostadt Niederrad. Im Sinn des Funktionalismus erbaute 1929–31 H. POELZIG das IG-Hochhaus. Zahlreiche Museen: Goethehaus; →Städelsches Kunstinstitut; →Liebieghaus; Mus. für Kunsthandwerk; Mus. für Vor- und Frühgeschichte; Mus. für Völkerkunde u. a. Einen eigenen Charakter hat der Stadtteil →Höchst bewahrt. – 1666 bis 1772 bestand in F. eine Fayencemanufaktur; die oft repräsentativen Gefäße (Deckelvasen) weisen häufig blau-weißen Dekor auf und zeigen große Ähnlichkeit mit Hanauer Fayencen.

H. PEHL: Von der Pfalzkapelle zum Kaiserdom; F.s mittelalterliche Kirchen (1975); H. SCHOMANN: 111 Frankfurter Baudenkmäler schildern (1977).

2) F. (Oder), Hauptstadt des Bez. F., Dt. Dem. Rep., 73 700 Ew.; 14.–16. Jh. Hansestadt, im 17./18. Jh. Messestadt, bes. für den dt.-poln. Handel. Der ma. Stadtkern links der Oder wurde 1945 fast völlig zerstört. Von der spätgot. Marienkirche (beg. um 1400, gew. 1494), einer fünfschiffigen Backstein-Hallenkirche, sind Chor und Südschiff wiederhergestellt. Erh. sind die frühgot. Friedenskirche (früher St. Nikolai), eine dreischiffige Hallenkirche (13. Jh., umgebaut und erweitert 15. Jh.), und die ebenfalls frühgot. Nikolaikirche (ehem. Franziskanerkirche, Chor um 1300, Langhaus 1516–25, heute Konzerthalle). Wieder aufgebaut ist das spätgot. Backstein-Rathaus (1. H. 15. Jh. mit Benutzung von Teilen des 13./14. Jh., Umbau 1607–09) mit reich gegliederten Giebeln (heute Gal. Junge Kunst, bed. Samml. zeitgenöss. Kunst).

Frankfurter Schwarz, Maltechnik: →Rebschwarz.

franko-kantabrische Kunst, die paläolith. Kunst in S-Frankreich und N-Spanien (→Eiszeitkunst).

Franks|scher Schrein [frˈæŋks-], →Runenkästchen von Auzon.

Franqueville [frãkvˈil], Pierre, frz. Bildhauer, →Francavilla.

Franz von Assisi, eigtl. Giovanni **Bernardone,** genannt **Francesco** [frantʃˈesko], Ordensstifter, *Assisi 1181/82, †ebd. 3. 10. 1226, schon bald nach seinem Tod dargestellt (Fresko in Subiaco, Sacro Speco; 1228). Der Beschreibung seines Aussehens durch THOMAS VON CELANO (1228) folgt vermutlich das Fresko von G. CIMABUE in der Unterkirche von S. Francesco in Assisi; weitere Darstellungen folgten eher den Porträts von SIMONE MARTINI und P. LORENZETTI (ebd.). Den (mit den Wunden Christi) stigmatisierten F. v. A. auf der Fußstütze des Kruzifix zeigen bemalte Kreuze des 13. Jh. (Tafelkreuz des Franziskusmeisters; 1272, Perugia u. a.). Umgeben von Szenen seines Lebens, begegnet F. v. A. auf einem Antependium aus dem Umkreis des GIUNTA DI PISANO (1270; Assisi, Museo di S. Francesco); seine Legende schildert eine Tafel des BONAVEN-

TURA DI BERLINGHIERO (1235; Pescia, S. Francesco). Umfassender sind die Legenden-Zyklen des Franziskusmeisters (13. Jh.) in der Unterkirche von S. Francesco und v. a. die Zyklen GIOTTOS und seiner Schüler in der Oberkirche ebd. (bes. die Vogelpredigt des Heiligen), im Ausdruck noch intensiver auf den Fresken Giottos in Florenz (1317–20; S. Croce, Bardikapelle). Eine im Bildaufbau veränderte Folge zeigt D. GHIRLANDAIO (1486; Florenz, S. Trinità). Glasgemälde der Barfüßerkirche in Erfurt (1230/40) wie in der ehem. Minoritenkirche in Regensburg (nach 1371) stellen Szenen aus dem Leben von F. v. A. typologisch solchen aus dem Leben Jesu gegenüber. Häufig wird die Stigmatisation des F. v. A. zum Thema künstler. Darstellung: Holzschnitt von A. DÜRER (1504), Gemälde von A. ALTDORFER (1507), Gemälde von P. P. RUBENS (1617; für die Kapuzinerkirche in Köln; monumental in der maler. Umsetzung der Situation). Den ekstat. F. v. A. schildert v. a. EL GRECO in vielen Gemälden (F. v. A. mit Totenkopf: 1577/80, F. v. A. vor Kruzifix und Totenkopf: 1595/1600 u. a.). Die Kreuzverehrung des F. v. A. findet sich v. a. auf Gemälden aus der Zeit der Gegenreformation (B. E. MURILLO, 1674/76; Sevilla).

Frascati, Stadt und Bischofssitz in der ital. Prov. Rom, am Nordwesthang der Albaner Berge, 18 700 Ew.; seit der Römerzeit Sommerfrische mit prächtigen Villen (meist aus dem 16./17. Jh.): Aldobrandini oder Belvedere (von G. DELLA PORTA beg. und C. MADERNO voll.; mit großartigen Parkanlagen und Wasserspielen), Mondragone (heute Jesuitenkolleg), Falconieri (von F. BORROMINI erweitert; mit reichem Freskenschmuck von P. L. GHEZZI), Torlonia (von Maderno und D. FONTANA) u. a. In der Nähe die Ruinen von →Tusculum.

Frauenberg, tschech. **Hluboká nad Vltavou** [hl'ubɔka: n'advltavɔu], Ort im Südböhm. Kreis, ČSSR, an der Moldau. Das ehem. Schwarzenberg-Schloß, 1840–71 an der Stelle einer Burg des 13. Jh. und nachfolgender Schlösser des 16. und 18. Jh. im engl. Stil neu erbaut, enthält heute die Südböhm. Gal. mit erstrangigen got. Skulpturen sowie Gemälden des MA. und der Neuzeit. In der Nähe Jagdschloß Ohrada (1708–21).

Frauenburg, poln. **Frombork,** Stadt in der Wwschaft Elbląg (Elbing) in Ermland, Polen, 1900 Ew.; war seit 1288 Sitz des Domkapitels des Bistums Ermland. Burg des Domstifts mit Kathedrale Mariae Himmelfahrt (jetzige Anlage im 14. Jh. begonnen). Der Dom (1329–88) ist eine Hallenkirche aus Backstein mit reichen Sterngewölben und hervorragender Ausstattung (14.–18. Jh.). In der Domburg Kopernikus-Archiv und Museum. (BILD S. 256)

Frauenchiemsee, Benediktinerinnenkloster auf der Fraueninsel im Chiemsee (um 770 gegr.) mit frühroman. Münster (11./12. Jh.), darin Fresken der Salzburger Schule des 12. Jh. Die Wandmalereien in der mit der Torhalle in →Lorsch vergleichbaren Torkapelle (im Kern vermutlich 9. Jh.) gehören zu den besten in S-Dtl.

Frauenfeld, Hauptstadt des schweizer. Kt. Thurgau, 18 200 Ew., Altstadt rechts der Murg, v. a. durch Bauten geprägt, die nach den verheerenden Bränden von 1771

Frauenburg: Dom; 1329–88

und 1784 entstanden; Schloß (Bergfried 13. Jh., spätere Umbauten, v.a. 1534–38, Mus.); klassizist. Rathaus (1790–94). Im Stadtteil **Oberkirch** Pfarrkirche St. Laurentius, im ältesten Teil 9./10. Jh., Chor frühes 14. Jh., mit Fresken (2. H. 14. Jh.) und wertvollen hochgot. Glasmalereien am Ostfenster (um 1330).

Frauenkunst ist gekennzeichnet durch ihr ideolog. Bewußtsein, das eigene Frauengalerien, Ausstellungen von F., entsprechende Publikationen und kunstkrit. Maximen hervorbringt. F. reflektiert die gesellschaftl. Stellung der Frau, sie demontiert herkömml. Rollenklischees und entwirft ein neues Bild der befreiten Frau, die sich mit sich selbst identifiziert. Der Begriff kam gegen 1970 auf, als zahlreiche Künstlerinnen, zunächst in den USA, dann in Europa, Forderungen der Feminismus-Bewegung auf die Kunst ausweiteten. F. im Extrem wäre Kunst von Frauen für Frauen über Probleme von Frauen. In der Praxis spannt sich die F. aber, ohne feste Grenzen, vom gezielten gesellschaftskrit. Engagement bis zur Sensibilisierung weibl. Eigenart in Körpersprache und Emotion (REBECCA HORN). Andere Künstlerinnen versuchen die Diskrepanz zw. Mann und Frau durch einen neuen, androgynen Typ zu überwinden (KATHARINA SIEVERDING). Viele Künstlerinnen machen ihren eigenen Körper zum Medium: Erfahrung als Selbsterfahrung ist ein Schwerpunkt der F. Folgerichtig werden Video, Performance, abgestuft auch die Photographie – durchweg adäquate Medien der Selbstbefragung – in hohem Maße von Frauen benutzt und fruchtbar weiterentwickelt. – Darüber hinaus schafft eine große Anzahl von Künstlerinnen auch weiterhin Kunst ohne jede geschlechtsspezif. Intention.

Frauenseite, die von der Gemeinde aus linke Seite des Altars, →Evangelienseite.

Freckenhorst, Stadtteil von Warendorf, im Münsterland, NRW, besitzt in der Kirche des ehem. Damenstifts (um 860 gegr.) eines der bedeutendsten roman.

Bauwerke in Westfalen (1129 gew., mit imposantem Westwerk aus der 2. H. 11. Jh.; Taufstein, 1129, ein Meisterwerk der dt. Bildhauerkunst des 12. Jh.); in der Krypta Grabplatte der Gründerin GEVA (Anf. 13. Jh.).

Fredelsloh, Stadtteil von Moringen, Kr. Northeim, Ndsachs.; die Kirche des ehem. Augustiner-Chorherrenstifts (1130/35 gegr.) ist eine flachgedeckte Basilika mit Stützenwechsel (1137–72). Im Apsisvorbau der Doppelturm-Westfront befindet sich die Treppe zur Nonnenempore.

Fredensborg [fr'e:ðənsbɔr], Schloß in N-Seeland, Dänemark, 1719–22 von J. C. KRIEGER als königl. Lustschloß erbaut, zweistöckiger Zentralbau mit dreistöckigem Kuppelsaal, 1753/54 von N. EIGTVED mit 4 Eckpavillons versehen; Nebengebäude als Achteck vor dem Hauptgebäude angelegt; ausgedehnter Barockpark.

Frédéric [freder'ik], Léon, belg. Maler, *Brüssel 26. 8. 1856, †ebd. 27. 1. 1940, Schüler J. F. Portaels und der Brüsseler Akad., malte im präraffaelit. Stil und mit sozialist. Tendenz große Zyklen, meist Triptychen, in denen er menschl. Armut darstellte, später realist. Schilderungen der Ardennenbauern.

Frederiksborg [freðrəgsb'ɔr], Schloß bei Hillerød, Seeland, Dänemark, auf 3 Inseln, nach Abbruch von Vorgängerbauten 1602–20 unter CHRISTIAN IV. von H. VAN STEENWINCKEL D. Ä. und D. J. errichtet, bedeutendster Bau der dän. Renaissance; Hauptschloß als vierstöckige Dreiflügelanlage, vor dem Mittelbau offene zweigeschossige Galerie; nach Brand des Hauptschlosses (1859), der nur die Schloßkirche verschonte, wiederhergestellt und als Nationalhistor. Mus. eingerichtet (1885; u. a. dän. Porträtgal., Gemälde, Skulpturen).

Frederikssund [freðrəgs'on], Stadt auf Seeland, Dänemark; ›J. F. Willumsens Mus.‹ mit der Kunstsamml. und v. a. eigenen Werken des Malers und Bildhauers J. F. →Willumsen.

Freetown [fr'i:taʊn], Hauptstadt von Sierra Leone, an der W-Küste Afrikas, 274 000 Ew.; 1787 gegr., urspr.

Frederiksborg: Schloß, 1602–20

Anlage als engl. Gartenstadt z. T. erhalten. Im kleinen Nat.-Mus. traditionelle Stammeskunst.

Freiberg, Stadt am Rand des östl. Erzgebirges, 50700 Ew., im MA. reichste Stadt Sachsens. Der Dom (nach Stadtbrand 1484 Neubau, 1512 voll.) ist eine dreischiffige Hallenkirche, Chor 1585–94 zur wettin. Grablege umgebaut; vom ersten Bau (13. Jh.) ist die spätroman. Goldene Pforte (um 1230) erh.; von der reichen Ausstattung bes. bemerkenswert die Tulpenkanzel (um 1510) in Form eines phantast. Gewächses von H. WITTEN (BILD), Bergmannskanzel (1638), Epitaphien (16.–18. Jh.), in der Grablege u. a. Kenotaph des Kurfürsten Moritz (aufgestellt 1563). Ferner steht am Untermarkt ein spätgot. Gebäudekomplex mit dem ehem. Domherrenhof (1484, Mus., u. a. obersächs. Plastik). Am Obermarkt liegen das spätgot. Rathaus (1470–74, Turm zw. 1429 und 1442), Renaissance-Kaufhaus (1545/46) und die spätgot. Petrikirche (1401–40 unter Verwendung roman. Bauteile). Zw. beiden Märkten die spätgot. Nikolaikirche (15./16. Jh.), im Innern 1750–52 barockisiert. Zahlreiche Wohnhäuser von der Spätgotik an erh., bes. um Unter- und Obermarkt.

Freiberg: Goldene Pforte; um 1230

Freiburg, 1) F. im Breisgau, Universitätsstadt in Bad.-Württ., kath. Erzbischofssitz, 174700 Ew.; 1120 von den Herzögen von Zähringen gegr.; 1581–1805 Sitz der vorderösterr. Regierung. Die starken, inzwischen auf vorbildl. Weise behobenen Kriegszerstörungen von 1944 ließen lediglich das Münster unversehrt. Von dessen roman. Bau (um 1200) sind Querhaus und Untergeschosse der Chorflankentürme erh.; im 13. Jh. Bau des hochgot. Langhauses (ca. 1220–60). Der W-Turm in reichem Maßwerkfiligran (1250–1350) ist der erste völlig durchbrochene Steinhelm der Gotik und gilt als schönster got. Kirchturm Dtl.s. Der 1354 beg. Neubau des dreischiffigen, kapellengesäumten Chores (Baumeister JOHANN VON GMÜND, Angehöriger der Parler-Schule, →Parler) erst 1513 gew. Vorzügl. Ausstattung: reicher

Skulpturenschmuck, Hl. Grab (um 1330), Glasmalereien, Hochaltar von HANS BALDUNG (1512–16), Steinkanzel (1561). Von der Stadtbefestigung (13. Jh.) sind Martins- und Schwabentor erh. Schönstes profanes Bauwerk ist das Kaufhaus am Münsterplatz (16. Jh.); ferner Renaissance-Rathaus (1558), Basler Hof (1510/20). Augustinermus. (ma. und barocke Kunst am Oberrhein).

Freiburg, 1) F. im Breisgau: Langhaus des Münsters; ca. 1220–60

2) F. im Üchtland, frz. **Fribourg** [frib'u:r], Hauptstadt des schweizer. Kt. Freiburg, 39200 Ew. Die tiefgelegene Altstadt hat mit ihren Kirchen, Toren, Türmen und Brunnen ma. Gepräge bewahrt. Got. Kathedrale St. Nicolas (2. H. 13. Jh. beg., mehrere Bauperioden bis 17. Jh.), dreischiffig mit Seitenkapellen, Skulpturenportale (14. Jh.). Von der got. Franziskanerkirche blieb beim Neubau (1. H. 18. Jh.) der alte Chor (13. Jh.) erh. mit wertvollem Flügelaltar (1479/80), Schnitzaltar (1513) und Chorgestühl (1280). Die Visitanerinnenkirche ist ein frühbarocker Zentralbau (1653–56). Ehem. Augustinerklosterkirche St. Maurice (12. Jh., gew. 1311) mit prachtvollem Hochaltar (1593–1602). Rathaus (1500–21) an der Stelle des Zähringerschlosses; im Renaissance-Gebäude Hôtel Ratzé (1581–83) das Musée d'Art et d'Histoire. Im Park von Schloß **Pérolles** bei F. i. Ü. Kapelle (wohl Anf. 16. Jh.) mit hervorragenden Glasgemälden (um 1520–1699).

Freienwalde, Bad F./Oder, Stadt nordöstlich von Berlin, Dt. Dem. Rep., an der alten Oder, 11600 Ew.; klassizist. Schloß (1798/99 von D. GILLY) und klassizist. Landhaus (1789/90 von C. G. LANGHANS); Pfarrkirche St. Nikolai (urspr. frühgotisch, 1453 umgebaut); barocke Fachwerkkirche St. Georg (Ende 17. Jh.).

Freiheitsstatue, Personifikation der Freiheit. Die älteste F. ist die der röm. Göttin Libertas. Von ihr leiten sich die ›Liberté‹ von E. DELACROIX und die New Yorker

F. her (F.-A. →Bartholdi). Die Rolandssäulen des MA. waren zumeist auch F. (sicher die Bremer von 1404).

Freilegung, die Entfernung der auf der originalen Oberfläche des Kunstwerks liegenden späteren Fassungs- oder Putzschichten mit mechan. und chem. Mitteln. Anhand von Freilegungsproben wird entschieden, ob die urspr. oder eine spätere Fassung oder Schicht (da unversehrt oder wertvoller) zurückgewonnen werden soll.

Freilichtmalerei, Hellicht-, Pleinairmalerei [plɛn'ɛ:r-, frz.], Malerei im Freien, direkt vor dem Motiv, i. Ggs. zur Ateliermalerei. Bis ins frühe 19. Jh. wurden i. d. R. alle Motive, auch Landschaften, im Atelier gemalt, nur die Vorstudien entstanden nach der Natur. Um die atmosphär. Stimmung einer Landschaft in ihren natürl. Lichtverhältnissen und Farbwirkungen einzufangen, malten die engl. Landschafter J. CONSTABLE und R. P. BONINGTON unmittelbar nach der Natur im Freien. Ihnen folgten die Maler der Schule von →Barbizon sowie eine Reihe von weiteren Künstlergruppen des 19. Jh. Ihren Höhepunkt erreichte die F. in der Malerei des frz. Impressionismus um 1870/90.

Bezeichnend für die F. ist eine frische Helligkeit der Farbgebung, mit der die Wirkungen des natürl. Lichts wiedergegeben werden. Hinzu kommt das Ausschnitthafte der Landschaftsdarstellung, die dadurch nur als ein kleiner Teil eines Gesamten erscheint. Der Blickwinkel des Malers entspricht nun dem natürl. Blickwinkel des menschl. Auges. Innerhalb der Ausschnitthaftigkeit erscheint das Bildmotiv trotz der Grenzen durch den Rahmen unbegrenzt. Dementsprechend durchfließt das Licht die Darstellung, das natürl. Freilicht wird in seiner substantiellen Eigenart begriffen und nicht mehr einer artifiziell gebauten Komposition untergeordnet.

Freilichtmuseum, Mus., in dem z. B. Bauernhöfe mit allem Zubehör oder typ. Werkstätten alter Handwerke ihrem ehem. Lebens- und Produktionszusammenhang entsprechend aufgebaut sind und z. T. bewirtschaftet werden. – Das 1. F. war Skansen (gegr. 1891), das zum Nord. Mus. in Stockholm gehört. Es folgten u. a. Gründungen in →Bygdøy, →Århus, auf der Insel Seurasaari vor Helsinki (1909) und bei Arnheim. In der Bundesrepublik Dtl. befinden sich F. in →Cloppenburg, in Mechernich-Kommern/Eifel (1958), Hagen (1963), in Gutach/Schwarzwald (›Vogtsbauernhof‹, 1964), weitere F. in Kiel (1965), Massing a. d. Rott/Bayern (1969), →Detmold, in Neu-Anspach/Taunus (›Hessenpark‹, 1978).

In Österreich wurden in Maria Saal (1951/52) und in Stübing bei Deutschfeistritz (1962), in der Schweiz 1978 in Ballenberg bei Brienz F. eingerichtet.

Das histor. Interesse hat zu F.-Gründungen in allen Teilen der Welt geführt: in den USA u. a. in →Anadarko, →Williamsburg, Sturbridge bei Worcester, Massachusetts (1936); Afrika: Pretoria; Japan: →Nagoya, →Osaka, →Yokohama; Mexiko: →Villahermosa.

Hb. der europ. F., hg. v. A. ZIPPELIUS (1974).

Freising, Kreisstadt in Oberbayern, 31 800 Ew.; bereits um 700 Sitz der bayer. Herzöge (Agilolfinger), seit 739 Bistum (ab 1821 Erzbistum München und F.). Beherrschend der Domberg mit dem Dom (1160–1205), im Innern 1723/24 durch die Brüder ASAM barock umgestaltet; in der roman. Krypta die ›Bestiensäule‹ (1164 voll.). Am Domplatz die got. Taufkirche St. Johannes (1319–21) und die ehem. fürstbischöfl. Residenz (16. bis 18. Jh.) mit reich stukkierten Innenräumen. Got. Stadtpfarrkirche St. Georg (um 1440) mit charakterist. barockem Westturm. Im Stadtteil **Neustift** ehem. Prämonstratenserkloster (1140 gegr.) mit sehenswerter Barockkirche (1756 voll.; beteiligte Künstler G. A. VISCARDI, J. M. FISCHER, F. X. FEUCHTMAYER, J. B. ZIMMERMANN und I. GÜNTHER). Diözesan- und Heimatmus.

Freistadt, Stadt im nördl. Mühlviertel, OÖ, 6500 Ew.; von ma. Mauern und Türmen umgebene Altstadt und zahlreiche im Kern got. Bürgerhäuser (14.–18. Jh.). Spätgot. Pfarrkirche (im Kern 13. Jh.), der Chor (1501 voll.) ist ein HW der Spätgotik in OÖ; im Innern um 1690 von C. A. CARLONE, Turm 1735/36 von J. M. BRUNNER barockisiert. Liebfrauenkirche (Mitte 15. Jh.) mit got. Glasmalerei in den Maßwerkfenstern des Chors. Schloß (Bergfried 1363–97), mehrfach verändert, zuletzt im 19. Jh.

Freistadtl, Stadt in der ČSSR, →Hlohovec.

Freitreppe, außerhalb eines Gebäudes oder einer Gebäudegruppe angelegte offene Treppe. Schon im MA. wurden Treppen gelegentlich über ihre Aufgabe des Höhenausgleiches hinaus monumental gestaltet (Erfurt, Dom, 14. Jh.). Als Ausdruck repräsentativer Gestaltung diente sie v. a. seit der Renaissance (Schloß Fontainebleau: Escalier du Fer-à-Cheval, 1634; Görlitz, Rathaus, 1537/38) und im Barock (Rom, Span. Treppe, 1721–25; Potsdam, Schloß Sanssouci 1745).

Fréjus [freʒ'ys], frz. Stadt und Bischofssitz an der Côte d' Azur, 30600 Ew.; zahlreiche röm. Baureste (Amphitheater, Aquädukt u. a.); Kathedrale (11. und 12. Jh.) mit frühchristl. Taufkapelle (5. Jh.) und zweistöckigem Kreuzgang (13. Jh., mit Archäolog. Mus.).

Frémiet [fremj'e], Emmanuel, frz. Bildhauer, *Paris 6. 12. 1824, †ebd. 10. 9. 1910, Neffe und Schüler von F. RUDE, schuf dramatisch bewegte Bildwerke von Tieren, oft im Kampf mit dem Menschen, Standbilder (F. v. Lesseps, Port Said), Reiterstandbilder (Jeanne d'Arc, Paris) und kleinplast. Werke.

Fréminet [fremin'ɛ], Martin, frz. Maler, *Paris 24. 9. 1567, †ebd. 18. 6. 1619, ein Hauptmeister der ›Zweiten Schule von Fontainebleau‹, war 1587(?) bis etwa 1602/03 in Italien bes. von CAVALIER D'ARPINO beeinflußt. Im Zeichen stark plastisch manierist. Züge schuf er seit 1608 das Deckenbild der Trinité-Kapelle im Schloß von Fontainebleau, deutlich beeinflußt von MICHELANGELOS Deckenfresken der Sixtinischen Kapelle.

Fresko, Freskomalerei [ital. al fresco ›auf das Frische‹], eine Technik der →Wandmalerei, die auf frischem, noch feuchtem Kalkbewurf ausgeführt wird und nur Farben verwendet, die keine chem. Reaktion mit der Kalkunterlage mehr eingehen. Die Abhängigkeit vom Trocknungsprozeß erlaubt dem Maler jeweils nur so große Partien anzuputzen, wie er vor dem Festwerden bemalen kann (Tagwerke). Von diesem echten **buọn frẹsco** (›gutes Fresko‹) unterscheidet sich die Wandmalerei auf trockenem Kalkbewurf, auch **frẹsco sẹcco** gen., die weniger dauerhaft ist. Der auf einem →Karton festgehaltene Entwurf zum F. wird vorher auf die Wand übertragen (→Sinopia).

Geschichte. Der Ursprung des F. ist noch ungeklärt und wird mit zukünftigen Funden immer wieder diskutiert werden. Die in Kreta und Mesopotamien gefundenen Malereien auf Kalkputz des 18.–13. Jh. v. Chr. schließen eine Erfindung des F. durch diese Künstler nicht aus. Das älteste Beispiel aus der klass. Periode der grch. Kunst um 480 v. Chr. wurde 1968 im ›Grab des Tauchers‹ im Paestum entdeckt. Für die Wandmalerei der Etrusker wird die F.-Technik angenommen.

Am Beginn der abendländ. Entwicklung stehen die F. in südital. und span. Klöstern, deren beste Beispiele in roman. Kirchen Kataloniens entstanden. Die Werke GIOTTOS (BILD) in der Arenakapelle zu Padua um 1300 zeigen großes techn. Können. Höhepunkte der Renaissance sind die F. des PIERO DELLA FRANCESCA in Arezzo, RAFFAELS Malereien in den Stanzen und Loggien des Vatikan und die von MICHELANGELO ausgeschmückte Sixtinische Kapelle (BILDER Michelangelo und Dekkenmalerei). Als letzter großer Freskomaler des Barock gilt G. B. TIEPOLO (BILD). Erst gegen 1900 gewann das F. erneut an Bedeutung, bes. durch die mexikan. Muralisten J. OROZCO und D. RIVERA. Viele Künstler haben sich aus Gründen techn. Vereinfachung der Silikatmalerei zugewendet.

K. WEHLTE: Wandmalerei, Prakt. Einführung in Werkstoffe u. Techniken (1962); P. PHILIPPOT: Die Wandmalerei (1972).

Frẹsko|übertragung, →Restaurierung.

Freudenstadt, Luftkurort im nördl. Schwarzwald, 19400 Ew., mit mühlbrettartigem Stadtgrundriß (1599 von H. SCHICKHARDT) um einen laubenumzogenen Marktplatz (frühestes Beispiel einer Spätrenaissance-Idealplanung nördlich der Alpen). Stadtkirche in Form eines Winkelhakens (1601–14) mit roman. Lesepult (BILD Romanik) und Taufbecken (wohl aus →Alpirsbach).

Freudenthal, tschech. **Bruntál,** Stadt im Nordmähr. Kr., ČSSR, 12700 Ew.; Renaissanceschloß (war ab 1621 im Besitz des Dt. Ritterordens) mit barockem Treppenhaus (1766–69, Mus. und Gemäldegal.); Pfarrkirche Mariae Himmelfahrt (spätes 15. Jh.).

Freund, Hermann Ernst, dän. Bildhauer dt. Herkunft, *Uthlede bei Bremen 15. 10. 1786, †Kopenhagen 30. 6. 1840, war 1818–27 Schüler und Gehilfe B. THORVALDSENS in Rom, behandelte mit pathetisch gesteigertem Klassizismus bes. nord. Sagenstoffe (›Loke‹, 1822; Kopenhagen, Glyptothek). Sein HW, der ›Ragnaröksfries‹ (1825/26), wurde beim Brand von Schloß Christiansborg zerstört.

Freundlich, Otto, Maler und Bildhauer, *Stolp

(Pommern) 10. 7. 1878, †im Konzentrationslager Lublin-Maidanek (Polen) 9. 3. 1943, erhielt in Paris Eindrücke vom Kubismus, war Mitgl. der Novembergruppe und von Abstraction-Création. Durch seine in leuchtenden Farbflächen rhythmisierte Malerei und in kraftvoll kontrastierten Massen aufgebaute Skulptur war er einer der Mitbegründer der abstrakten Kunst.

G. AUST: O. F. 1878–1943 (1960).

Freyburg, Stadt im Bez. Halle, an der Unstrut, Dt. Dem. Rep., 5300 Ew. Spätroman. Stadtkirche (um 1220) mit 2 schlanken Westtürmen nach Naumburger Vorbild und gedrungenem Vierungsturm; Chor und Langhaus spätgotisch (15. Jh.), wertvoller spätgot. Schnitzaltar. Über F. die Neuenburg (1076 gegr.), im Kern romanisch, Umbauten 16.–18. Jh.; im Hof spätroman. Doppelkapelle (um 1220), in beiden Geschossen formenreiche Kapitelle.

Freyssinet [frɛsin'ɛ], Eugène, frz. Stahlbetonkonstrukteur, *Objat (Dép. Corrèze) 13. 7. 1879, †Saint Martin-Vésubie (Dép. Alpes-Maritimes) 8. 6. 1962, bes. bekannt durch seine bahnbrechenden Entwicklungen auf dem Gebiet des Stahlbeton- und Spannbetonbaues (Luftschiffhafen Orly bei Paris, 1916–24).

J. A. FERNANDES ORDONEZ: E. F. (Barcelona 1978).

Freystadt, Stadt in der Oberpfalz, Bayern, eine typ. Längsmarktanlage des 13. Jh. mit freistehendem Rathaus in der Mitte und Tortürmen an den Enden. Herausragendstes Bauwerk ist die Wallfahrtskirche Mariahilf (1700–08 von G. A. VISCARDI erbaut), mit Stuck von P. F. APPIANI und Fresken von H. G. ASAM.

Freystadtl, Stadt in der ČSSR, →Hlohovec.

Frick Collection [-kəl'ekʃn], New York, Samml. des Pittsburgher Industriellen H. C. FRICK in seinem 1913/14 in frz. Stil des 18. Jh. erbauten Privathaus (seit 1935 öffentl. Mus.). Die Samml. befindet sich noch heute in den der jeweiligen Epoche der Kunstwerke entsprechend ausgestatteten Räumen. Ital. und fläm. Malerei des 14.–16. Jh., holländ. Malerei des 17. Jh. und engl. und frz. Malerei des 18. und 19. Jh.; ›Fragonard Room‹ mit einer Folge von 15 für MADAME DU BARRY und ›Boucher Room‹ mit 8 für das Château de Crécy der MADAME DE POMPADOUR konzipierten Gemälden.

Fričovce [fr'itʃɔftsɛ], dt. **Fritsch,** Ort im Ostslowak. Kreis, ČSSR; 1200 Ew. Renaissanceschloß (1623–30), geschlossene und vollständig erhaltene Anlage mit Attika, Blendarkadengal. mit figürl. Sgraffiti und rhythmisch gereihten Aufsätzen.

Fridericianum, Museum F., Kassel, 1. öffentl. Mus.-Neubau auf dem Kontinent, 1769–79 von L. DU RY für die Kunstsamml. und die Bibl. der Landgrafen von Hessen-Kassel erbaut, im 2. Weltkrieg ausgebrannt, die Innenräume zerstört, der Außenbau erhalten, 1964 wiederhergestellt (1982, documenta 7). Für die Samml. v.a. niederländ. Malerei des 17. Jh., die Landgraf WILHELM VIII. 1725–56 zusammengetragen hatte, wurde 1878 ein neues Gal.-Gebäude erstellt

(1943 zerstört); die Bestände sind seit 1974 als Teil der Staatl. Kunstsamml. Kassel im wiederaufgebauten Schloß Wilhelmshöhe.

Friedberg, 1), ehem. Reichsstadt in der Wetterau, Hessen, 24600 Ew. Die 600 m lange Markt- (Kaiser-) straße war der ma. Messeplatz. An der Stelle eines röm. Kastells die wie eine kleine Stadt wirkende, großartig angelegte staufische Burg (2. H. 12. Jh., im 14.–16. Jh. befestigt, Adolfsturm um 1350). Die got. Stadtkirche (um 1260–1410) ist eine der größten Hallenbauten Hessens und besitzt eine reiche Ausstattung (›Friedberger Madonna‹, um 1270/80, prächtiges spätgot. Sakramentshäuschen, 1482). Judenbad (1260).

2) Stadt im bayer. Schwaben bei Augsburg, 14700 Ew. Das stattl. Barockrathaus von E. Holl erinnert an Augsburger Bauten. Im ehem. Schloß der Herzöge von Bayern (13. Jh.) Mus. (Fayencen, Uhren, Zunftwesen). Östlich der Stadt die Wallfahrtskirche zu Unseres Herrn Ruhe (1731–53) mit originellem Äußeren und prunkvoller Rokoko-Innendekoration von F. X. Feuchtmayer, C. D. Asam, M. Günther.

Friedewald, Gem. im Kr. Hersfeld-Rotenburg, Hessen; die festungsartige Wasserburg (1486 voll.), in ihrer Anlage für Hessen ungewöhnlich, war beliebtes Jagdschloß der hess. Landgrafen (1762 zerstört).

Friedhof, Begräbnisstätte, früher der Kirchhof um die Pfarrkirche, der durch eine Umfassungsmauer abgeschlossen oder als Wehrkirchhof befestigt war. Wegen des begrenzten Raumes wurden die Gebeine oft im →Karner aufbewahrt. Als Folge des Wachstums der Städte wurden seit dem frühen 19. Jh. an den Stadträndern große regelmäßige Friedhofsanlagen angelegt. – Bekannte F. sind der 1278 beg. Camposanto in Pisa, der 1518 angelegte ›Johannisfriedhof‹ in Nürnberg, der (1803 angelegte) ›Père Lachaise‹ in Paris sowie der seit 1874 benutzte Zentralfriedhof in Wien. Typbildend wurden der 1877 eröffnete Park-F. in Hamburg-Ohlsdorf und der Waldfriedhof in München (1907), weiterhin die gartenarchitektonisch orientierten F. in Hannover-Seelhorst (1920) und am Hörnli in Basel (1932).

Friedland, 1) Stadt im Kr. Neubrandenburg, Dt. Dem. Rep., 8800 Ew.; got. Marienkirche (14./15. Jh., nach Brand im 18. Jh. wiederaufgebaut), eine dreischiffige Backstein-Hallenkirche; ma. Stadtmauer zum großen Teil erh., bes. Anklamer (14. Jh.) und Neubrandenburger Torturm (15. Jh.), beide mit Blendengliederung.

2) tschech. **Frýdlant** [fr'i:dlant], Stadt im Nordböhm. Kreis, ČSSR, 5900 Ew. Die Burg, mehrfach umgebaut (13. bis ins 19. Jh.; Schloßkapelle 1598–1602), war 1620 im Besitz A. v. Wallensteins; seit 1945 Sammlungen u. a. von Werken böhm. Barockmalerei. Kirche Hl. Kreuz (15., 18. und 19. Jh.) mit bed. Renaissance-Grabmälern und reicher Ausstattung des 17. und 18. Jh.

Friedlaender, Johnny, Graphiker und Maler, *Pless (Oberschlesien) 21. 6. 1912, emigrierte 1937 nach Frankreich, lebt seit 1944 in Paris. Obgleich F. in den 1960er Jahren dem Abstrakten Expressionismus nahestehende Bilder malte, liegt der Schwerpunkt seines Werks auf der Druckgraphik, v. a. auf den seit 1948 entstandenen Farbradierungen, die dem Druckverfahren virtuose farbige Wirkungen abgewinnen, wie sie kennzeichnend für die informelle Kunst der ›École de Paris‹ sind.

R. u. HENNY SCHMÜCKING: J. F. Verzeichnis der Radierungen 1930–72 (1973); R. SCHMÜCKING: J. F., Werkverzeichnis der Radierungen 1977–1981 (1981).

Friedman, Yona, Architekt, *Budapest 5. 6. 1923. F. studierte in Budapest und Haifa. Seit 1957 lebt er in Paris. Er gehört zu den frühesten Verfechtern der später bes. von der Londoner Gruppe Archigram und den japan. Metabolisten (→Metabolismus) verbreiteten Idee, als städtebaul. Infrastruktur ein leeres Gerüst zur Verfügung zu stellen und dieses von den Benutzern mit beliebigen Füllelementen ›möblieren‹ zu lassen.

Hauptschriften: L'architecture mobile (1958); Pour une architecture scientifique (1971); Utopies réalisables (1976).

Friedrich, Caspar David, Maler, *Greifswald 5. 9. 1774, †Dresden 7. 5. 1840, lebte nach vier Kopenhagener Studienjahren seit 1798 in Dresden und wurde 1816 hier Mitgl. an der Akad. (in den letzten Jahren geistig umnachtet). – Entscheidend für ihn waren Naturstudien auf Reisen nach Rügen, Böhmen, in das Riesengebirge (mit G. KERSTING) und in den Harz. F. begann, von A. ZINGG ausgehend, mit Radierungen und Sepiazeichnungen im sentimental-idyll. Geschmack des 18. Jh. Durch das Rügen-Erlebnis von 1801/02 kam dann der düster-ernste Zug seines Wesens zum Durchbruch. Damals lernte er P. O. RUNGE kennen; beide ka-

Caspar David Friedrich: Das Eismeer; um 1823/24 (Hamburg, Kunsthalle)

Caspar David Friedrich: Selbstporträt; Kreidezeichnung (Berlin-Ost, National-Galerie)

men in Dresden mit führenden Vertretern der literar. Romantik in Berührung. Seinen Stil fand F. zuerst in Holzschnitten (›Melancholie‹) und in der Sepiamalerei; 1807 wandte er sich der Ölmalerei zu. Bekannt wurde F. durch sein (als Altarbild für eine Privatkapelle bestimmtes) Gemälde ›Kreuz im Gebirge‹.

F. war, obwohl er auch Porträts und figürl. Darstellungen gemalt hat, Landschaftsmaler. In seinen Zeichnungen, die zart und bestimmt zugleich sind, zeigt sich die genaue Erfassung des Einzelnen, in seinen Sepia-Arbeiten eine malerische Ton-in-Ton-Wirkung. Die Farbe bringt er meist nur verhalten zur Geltung, in der Spätzeit allerdings leuchtend und wie von Licht erfüllt. Die frühen Bilder sind in ihrer zeichnerisch-strengen Form vom Klassizismus bestimmt. Nach und nach verstärkten sich die malerischen Elemente, nicht zuletzt unter dem Einfluß von J. C. DAHL. Niemals hat F. bloße Abbilder der Natur wiedergegeben, wenn er auch Motive seiner Heimat, aus dem Riesengebirge oder Böhmen verarbeitete. Die Landschaft wird vielmehr als Ort symbolisch-religiöser Erfahrung verstanden, die der Mensch, meist als Rückenfigur dargestellt, in stillem, hingebendem Schauen empfängt. Zuweilen unterstützt F. die pantheist. Zeichensprache der Natur durch Symbole: Ruine, Grab, Kreuz, Kirche. Jedes Motiv trägt eine über den Gegenstand hinausreichende Bedeutung, ebenso die Raumgestaltung mit ihrem Sprung von nächster Nähe zu unendlicher Ferne. In dieser religiös bestimmten Landschaftsmalerei hat F. frühromant. Weltsicht vollendeten Ausdruck verliehen. (BILD Romantik)

HW: Kreuz im Gebirge oder Tetschener Altar (1808; Dresden, Gemäldegal.); Der Mönch am Meer (1808–10; Berlin-West, Schloß Charlottenburg); Gebirgslandschaft mit Regenbogen (um 1810; Essen, Mus. Folkwang); Auf dem Segler (1819; Leningrad, Eremitage); Zwei Männer in Betrachtung des Mondes (um 1820; Dresden, Gemäldegal.); Riesengebirgslandschaft (um 1820; München, Neue Pinakothek); Die Schwestern auf dem Söller (1820; Leningrad, Eremitage); Mondaufgang am Meer (1822; Berlin-Ost, Nat. Gal.); Harzlandschaft (1823; ebd.); Das Eismeer (um 1823/24; Hamburg, Kunsthalle); Die Lebensstufen (um 1834; Leipzig, Mus. der Bildenden Künste).

Schrift: Aphorismen zur Kunst (um 1830).

H. BÖRSCH-SUPAN: Die Bildgestaltung bei C. D. F. (Diss. Berlin 1960); ders. mit K. W. JÄHNIG: C. D. F. Gemälde, Druckgraphik und bildmäßige Zeichnungen (1973); G. EIMER: C. D. F. und die Gotik (1963); W. GEISMEIER: Zur Bedeutung und entwicklungsgeschichtl. Stellung von Naturgefühl und Landschaftsdarstellung bei C. D. F. (Diss. Berlin 1966); C. D. F., Ausst.-Kat., Hamburg (1974); C. SIEGEL: C. D. F. and the age of German romanticism (Boston, Mass., 1978).

Friedrichroda, Stadt bei Gotha, im Thüringer Wald, Dt. Dem. Rep.; bei F. in großem Landschaftspark das neuromanisch-neugot. Schloß Reinhardsbrunn (1827 bis 1835) an der Stelle eines 1085 gegr., im 16. Jh. zerstörten Benediktinerklosters, des Hausklosters der Thüringer Landgrafen; Ruine fast vollständig abgetragen.

Friedrichshafen, Kreisstadt am Bodensee, Bad.-Württ., 52000 Ew. Die Kirche des ehem. Benediktinerpriorats (Kloster Hofen), 1695–1701 von C. THUMB erbaut, beeindruckt v. a. durch den Stuck der Wessobrunner Familie SCHMUZER. Bodensee-Mus. (eine der bed. Kunstsamml. im oberschwäb. Raum).

Friedrichstadt, Stadt in Nordfriesland, Schlesw.-Holst., 2800 Ew.; 1621 gegr., im niederländ. Barockstil errichteter Ort mit schönen Giebelhäusern (Marktplatz, Paludanushaus 1637, Alte Münze 1626).

Fries, Baukunst: bandartiger Streifen zur Gliederung und zum Schmuck einer Wandfläche (meist im oberen Teil).

Am grch. Tempel ist der F. als Bauglied zw. die den Säulen aufliegenden Tragbalken (Architrav) und das Dachgebälk (Geison) eingeschoben. Die Herkunft des grch. F., meist aus den techn. Bedingungen des Tempelbaues abgeleitet, ist noch nicht geklärt; möglicherweise verdankt er seine Entstehung allein ästhet. Prinzipien (Anbringung von ›Bildern‹ am Heiligtum). Am dorischen Tempel besteht der F. aus einem umlaufenden Band, in dem sich →Metopen und →Triglyphen ständig abwechseln. Die Ableitung dieser Bauform aus dem Deckenbalkensystem des Holzbaus stößt auf die Schwierigkeit, daß schon beim frühesten Steinbau die Deckenbalkenzone über dem F. lag. Der ionische Tempel kennt keinen F.; dort erscheint der (ebenfalls als Deckenbalken verstandene) →Zahnschnitt unmittelbar über dem Architrav. Der durchlaufende F. der attisch-ionischen Bauten klass. Zeit wird neuerdings aus der Architektur der Kykladeninseln abgeleitet, wo Steinbauten (Marmor) unmittelbar und nicht als Umsetzung von Holzarchitektur konzipiert wurden. Hier ist der F. tatsächlich als die Verkleidung jener Zone zu verstehen, in der die großen Deckenbalken auf der Mauerkrone bzw. dem Architrav liegen. Diese F., immer reliefverziert (Siphnier-Schatzhaus in Delphi, um 530 v. Chr.), konnten auch um die Tempelcella geführt sein, entweder außen (Parthenon-T., 440–430 v. Chr.) oder innen (Bassai, Ende 5. Jh. v. Chr.). Reich gestaltete Figuren-F. schmückten v. a. in hellenist. Zeit und in der röm. Kunst Altäre (Pergamon, Ara Pacis), Mausoleen (Halikarnassos), Triumphsäulen und Sarkophage. Bemalte F. waren häufiger Schmuck röm. Häuser (F. in der Mysterienvilla, Pompeji).

In der roman. und got. Baukunst wurden die F. mit geometr., seltener mit pflanzl. oder figürl. Zierformen ausgestattet. Nach diesen Ornamenten werden die einzelnen F. benannt. Die wichtigsten roman. F. sind: Bogenfries (Rund- und Kreuzbogen), Schuppenfries, Zahnfries, Würfelfries, Tierfries. In der anglonormann. Kunst wurden Schnabelkopffries, Rollenfries, Kegelfries, Rautenfries verwendet.

Aus Altamerika sind hervorragende F. v. a. von Mitla, Mexiko, bekannt; hier sind die Innen- und Außenwände der Gebäude mit besonders behauenen, in die Wände eingesetzten Steinen dekoriert. Sie bilden genau berechnete Kompositionen im Zickzack- und Stufenmuster; ihre Wirkung wandelt sich je nach der Stellung der Sonne. An der Nordküste Perus gab es bed. ornamentale F. an den Lehmziegelbauten; die als Verzierung verwendeten Muster, stilisierte Fische, Reihen von Vögeln, geometr. Formen, Rhomben und Stufen ähneln den bei peruan. Teppichen verwendeten.

Fries, 1) Ernst, Maler, *Heidelberg 22. 6. 1801, †Karlsruhe 11. 10. 1833, neben C. P. FOHR der bedeu-

Mäander

griech. Wellenband

Eierstab

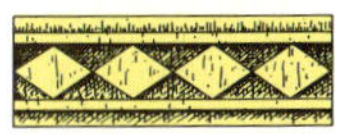
Rautenfries

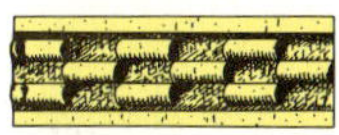
Rollenfries

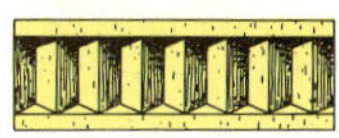
Zahnschnittfries

Flechtband

Anthemion

Bukranion

Fries 1)

tendste Heidelberger Maler der Romantik. Nach Studien bei F. ROTTMANN fand er die reife Form seiner Landschaftskunst in Italien (1823–27). In den dort entstandenen Zeichnungen und Aquarellen verbindet sich genaue Beobachtung der Natur, überlegte Komposition mit schwungvoll-sicherer Linienführung. Unter dem Einfluß des engl. Landschaftsmalers G. A. WALLIS begann F. Landschaften in Öl zu malen. Ihr maler. Stil vertiefte sich in Bildern, die er später in Heidelberg, München und als Hofmaler in Karlsruhe (seit 1831) nach ital. und heimatl. Motiven schuf. Im Spätwerk erreichte F. mitunter fast frühimpressionist. Wirkungen.

HW: Landschaft aus den Sabinerbergen (1825; Karlsruhe, Kunsthalle); Eingang in den Chigi-Park (Dortmund, Mus. für Kunst- und Kulturgesch.); Lirisfall bei Isola di Sora (1828, München, Neue Pinakothek); Das Neckartal und Stift Neuburg (Heidelberg, Kurpfälz. Mus.); Heidelberg von Osten (1829; Berlin, Staatl. Museen); Der Watzmann (1830; ebd.).

SIGRID WECHSSLER: E. F. Gemälde, Zeichnungen, Aquarelle im Besitz des Kurpfälz. Museums Heidelberg (1975).

2) Hans, Maler, *Freiburg i. Ü. um 1465, †Bern(?) um 1523, wurde 1480 in Freiburg i. Ü. Gehilfe von H. BICHLER und war 1501–09 ebd. Stadtmaler. Früh lernte F. die Kunst der Niederlande, Ulms und Augsburgs kennen. Seine Altarwerke zeigen den Einfluß des Berner Nelkenmeisters und H. HOLBEINS D. Ä.

Friesach, Stadt im Bez. St. Veit an der Glan, Kärnten, Österreich, 7200 Ew., bis 1803 im Besitz der Salzburger Erzbischöfe, die im MA. oft auf dem Petersberg residierten (Baubeginn der Burg 1077, 2 Bergfriede erh., spätkaroling. Peterskirche, 927 voll.). F. ist reich an kirchl. Bauwerken: roman. Pfarrkirche St. Barthlmä (12. Jh.), im got. Chor bed. Glasmalereien; in der got. Heiligblutkirche (Anf. 14. Jh.) Hochaltar (1681) mit holzgeschnitzter Maria (um 1420); Deutschordenskirche, im Kern romanisch, im 15. Jh. Umbau, mit wertvollen, v. a. im Alpenraum gesammelten Schnitzwerken; frühgot. Dominikanerkirche (1251–64) mit bed. Ausstattung, u. a. ›Friesacher Madonna‹ (Anf. 14. Jh.). Zahlreiche Bürgerhäuser (seit 16. Jh.) erh.; Fürstenhof (ehem. erzbischöfl. Hofhaltung, 14.–17. Jh.); Stadtmauer. Auf dem Geierberg roman. Bergfried, auf dem Vigilienberg Kirchenruine.

Friesz [fri'ɛs], Henri-Achille-Émile-Othon, frz. Maler, *Le Havre 6. 2. 1879, †Paris 10. 1. 1949, schloß sich 1906 dem Fauvismus an, war jedoch bes. beeinflußt von P. CÉZANNE, was sich in der starken Strukturierung seiner Bilder zeigt. Er schuf Landschaften, Porträts, Kartons für Teppiche und Buchillustrationen.

Frigidarium [lat.], röm. Kaltbad, →Thermen.

Frisoni, Donato Giuseppe, ital. Baumeister und Stukkateur, *Laino bei Como 1683, †Ludwigsburg 29. 11. 1735, kam nach Anfängen in Prag 1709 in den Dienst des Herzogs EBERHARD LUDWIG von Württemberg (1714 herzogl. Baudirektor) und gab (durch Erweiterungen und abschließende Bauten) dem Schloß Ludwigsburg mit Favorite die endgültige Form (Einfluß des frz. Schloßbaus). Von ihm stammt auch der Entwurf zu der Stadtanlage um den Mittelpunkt des Marktplatzes (mit Stadtkirche, 1718–26), ferner Entwürfe zur Abteikirche Weingarten (1717–19; Kuppel, Fassade und Türme oberhalb des Hauptgesimses).

Frith [frɪθ], William Powell, engl. Maler, *Aldfield (Yorkshire) 9. 1. 1819, †London 2. 11. 1909, malte zunächst Historienbilder, später Genreszenen wie ›Derby Tag in Epsom‹ (1858; London, Nat. Gal.).

Fritsch, Stadt in der ČSSR, →Fričovce.

Fritte, im Altertum Doppelsilikat des Kalks und Kupfers von blauer bis blauschwarzer Farbe. In Mesopotamien wurde F. seit dem 2. Drittel des 3. Jahrtsd. v. Chr. verwendet (Perlen, Figürchen), wird aber in Materialangaben oft mit Glas oder Fayence verwechselt. Seine blaue Farbe galt als apotropäisch; als Lapislazuli-Ersatz war F. deshalb weit verbreitet.

Frittenfarbe, Porzellan-, Glas- oder Fayencefarben, bei denen das färbende Mineral mit Glas verschmolzen und anschließend gemahlen wird.

Frittenporzellan, →Porzellan.

Fritzlar, Stadt in Nordhessen, 15 100 Ew.; 1066 bis 1802 zum Hochstift Mainz gehörig. Der Dom (ehem. Benediktinerstiftskirche, 723 von Bonifatius gegr.) ist eine spätroman. Doppelturmanlage (11./12. Jh.) mit 3 Krypten und qualitätvoller Ausstattung; in den Stiftsgebäuden das Domschatz-Mus. Ehem. Minoritenkloster und Ursulinenkloster mit Kirchen des 14. Jh. und barocken Abteigebäuden; am Stadtrand das Fraumünster (12.–17. Jh.). Maler. ma. Stadtbild: Marktplatz mit Rolandsbrunnen (1564), spätgotisch umgebautem Rathaus (1109/1441) und Renaissancefachwerk-Hochzeitshaus (1580/90, Mus.). Von der Befestigung (12. bis 14. Jh.) sind noch 12 Türme und 5 Warten erhalten.

Frjasin, Mark, →Ruffo, Marco.

Frombork, poln. Name von →Frauenburg.

Froment [frɔm'ã], Nicolas, frz. Maler, *Uzès (Gard) um 1435(?), †Avignon(?) um 1485, neben E. Quarton der wichtigste Vertreter der Schule von Avignon. Unter dem Einfluß niederländ. und toskan. Kunst formte er seinen Stil. Merkmale sind bei realist. Haltung anfangs expressiv strenge Härte, später weiche Harmonie fein modellierter plast. Formen.

HW (Altarwerke): Lazarus-Triptychon (1461; Florenz, Uffizien); Brennender Dornbusch (1476; Aix-en-Provence, St. Sauveur).

Fromentin [frɔmãt'ɛ̃], Eugène, frz. Maler und Schriftst., *La Rochelle 24. 10. 1820, †St. Maurice (bei La Rochelle) 27. 8. 1876, empfing auf mehreren Reisen nach Nordafrika zw. 1846 und 1853 wesentl. Anregungen zur Darstellung von Straßen-, Volks-, Tier- und Jagdszenen und wurde so neben E. Delacroix und A. G. Decamps, deren frischer, unmittelbarer, das Spiel des Lichts einfangender Malerei er nahestand, ein führender Vertreter der ›Orientmalerei‹. F. verfaßte auch kunsthistor. Studien über fläm. und holländ. Malerei und den psycholog. Roman ›Dominique‹ (1862).

Frómista, span. Städtchen nordöstlich von Palencia; ehem. Klosterkirche S. Martín, ein bed. Beispiel span. Romanik, 1066 als dreischiffige Anlage (das Querhaus ragt nicht über die Gesamtanlage hinaus) mit oktogonaler Vierungskuppel erbaut; qualitätsvolle Kapitellplastik mit figürl. und pflanzl. Motiven

Fronius, Hans, österr. Graphiker, Illustrator und Maler, *Sarajewo 12. 9. 1903, illustrierte v.a. Bücher ›unheiml.‹ Inhalts (Dichtungen von F. KAFKA, 1946 und 1966; F. VILLON, 1949; H. DE BALZAC, 1947 und 1959; E. A. POE, 1959 und 1965, u.a.) im Stil eines gemäßigten Expressionismus; F.-Archiv in Graz.

Front [frz.; von lat. frons ›Stirn‹], Stirnansicht, Vorderseite von Gebäuden.

Frontale, →Antependium.

Frontispiz [frz. frontispice ›Vordergiebel‹, ›Titelblatt‹], **1)** Giebeldreieck, bes. über vorspringenden Gebäudeteilen (Risaliten) sowie Portalen und Fenstern, auch **Fronton** [frɔ̃t'ɔ̃], genannt. **2)** Titelverzierung, bes. der mit Kupferstich verzierte Titel **(Titelkupfer).**

Frottage [frɔt'a:ʒə, frz.], **Abreibung, Durchreibung,** graph. Verfahren, bei dem Papier auf prägende Unterlagen (Holz, Metall, Steine, Textilien u.ä.) gedrückt und mit Graphit abgerieben wird, um die jeweilige Struktur der Unterlage wiederzugeben; von MAX ERNST in seinem graph. Zyklus ›Histoire naturelle‹ (1925) konsequent verwendet.

Frue|auf, 1) Rueland d. Ä., Maler, Vater von 2), *Obernberg am Inn(?) 1440/45, †Passau 1507, 1470 bis 1478 wiederholt in Salzburg bezeugt, seit 1480 Bürger in Passau. 1481/84 führte er hier Wandmalereien

Frottage: ›Blättersitten‹, Bleistiftfrottage von Max Ernst, aus ›Histoire naturelle‹; 1925

aus. – F. ist der Hauptmeister der älteren Salzburger Schule im Anschluß an KONRAD LAIB, doch stark beeinflußt vom Stil ROGIER VAN DER WEYDENS.

HW: 8 Altartafeln (1490/91; Wien, Österr. Gal.); Christus als Schmerzensmann (München, Alte Pinakothek).

Rueland Frueauf d. Ä.: Christus als Schmerzensmann (München, Alte Pinakothek)

2) Rueland d. J., Maler, Sohn von 1), *um 1470, †Passau nach 1545. Seine Tafeln des Leopoldaltars mit der Gründungslegende von Stift Klosterneuburg bei Wien (1505; ebd., Stiftsmus.) haben durch ihre Märchenstimmung und durch landschaftl. Elemente stark auf die dt. Romantik gewirkt (M. v. SCHWIND). F. gilt als bed. Wegbereiter der →Donauschule. (BILD S. 272)

R. F. d. J., Ausst.-Kat., Klosterneuburg (1961); A. STANGE: R. F. d. J. (1971).

frühchristliche Kunst, altchristliche Kunst, die künstler. Ausdrucksform der Christen in der spätantiken Welt des Mittelmeerraums; sie unterscheidet sich in Technik oder künstler. Form nicht von der gleichzeitigen Kunst mit heidn. Inhalten. Wie allg. in der spätantiken Kunst, setzen sich auch in ihr die regionalen Besonderheiten der kaiserzeitl. röm. Kunst fort. Durch den Sieg des Christentums über die alten Religionen und die Förderung durch das christlich gewordene Kaisertum überlebte die f. K. das Ende der Antike und bildete so die Grundlage der späteren Kunst des westl. Europa, im Osten die Anfänge der →byzantinischen Kunst.

Vor der staatl. Duldung der christl. Religion (313) war die f.K. auf den privaten Bereich beschränkt; Zeugnisse dieser Zeit entstammen nahezu ohne Ausnahme der Sepulkralkunst (→Katakomben). Die christl. Sarkophage der vorkonstantin. Zeit sind sämtlich Einzelstücke (ältestes Denkmal um 245 in Rom, S.

Rueland Frueauf d. J.: Ausritt des Hl. Leopold; linker Flügel des Leopoldaltars, 1505 (Stift Klosterneuburg)

Maria Antiqua), →Sarkophag. Unter den Marmorstatuetten mit Darstellungen des Orpheus, Bellerophon und des Lamm- oder Widderträgers (wahrscheinlich Brunnendekorationen), die in ihrer Symbolik zur f. K. gehören, begegnen auch einzelne mit eindeutig christl. Themen (Jonas u. a.). – Die gottesdienstl. Versammlungen der Frühzeit fanden in Privathäusern statt, seit dem 3. Jh. auch in Gemeindehäusern. Ein Haus dieser Art ist in →Dura Europos erhalten. Die Malereien entsprechen den Themen der röm. Katakomben.

Von Konstantin I. bis zu den Nachfolgern Justinians I. (313–um 600). Nach dem Mailänder Edikt KONSTANTINS I. und LICINIUS' (313) war die Kirche nach früheren Verfolgungen rechtlich anerkannt; sie konnte Grundstücke und Immobilien besitzen und öffentl. Bauten aufführen lassen. Der Anerkennung folgte die ausgesprochene Förderung. So waren die Voraussetzungen für den Aufstieg der f. K. geschaffen.

Architektur: Als 1. Bauherr der Kirchenarchitektur ließ KONSTANTIN I. Kirchen u. a. in →Rom, →Konstantinopel, →Antiochia am Orontes und →Bethlehem errichten und stellte sie als öffentl. Bauten den Tempeln gleich. – Auf der Formengrundlage der profanen →Basilika entstand im Osten wie im Westen der Typus der christl. Basilika. Bereits die konstantin. Gründungen zeigen eine große Mannigfaltigkeit der architekton. Typen und Lösungen: Fünfschiffigkeit mit an die Seitenschiffe angegliederten Räumen in der röm. Laterankirche, Dreischiffigkeit mit Querhaus in Alt-St. Peter in

frühchristliche Kunst

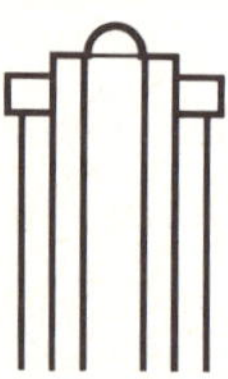

San Giovanni in Laterano, Rom; 324 geweiht

Rom, Dreischiffigkeit mit um die Apsis herumgeführten Seitenschiffen in den röm. Coemeterialbasiliken SS. Marcellino e Pietro, S. Sebastiano fuori le mura und S. Agnese, Fünfschiffigkeit mit Oktogon in der Geburtskirche in Bethlehem, Fünfschiffigkeit mit Hof und Umgangsrotunde in der Grabeskirche in Jerusalem. Die Bischofs- und Gemeindekirche in Antiochia war ein Oktogon, wahrscheinlich mit Umgang; die konstantin. Kirchen in Konstantinopel (die 1. Hagia Sophia, die 1. Hagia Irene und die Apostelkirche) sind nicht erhalten. Diese Bautypen wurden in der Folge weiterentwickelt (bes. die Basilika, das Querschiff oder Querhaus, der Zentralbau mit Umgang, die Kombination von Kirche und Grabbau). Neben den sehr anspruchsvollen kaiserl. Gründungen entstanden im Westen und Osten zunächst langsam, seit dem späteren 4. Jh. in schnellerer Folge lokale Gründungen (Bischofs-, Gemeinde-, Friedhofskirchen, später auch Pfarr- und Klosterkirchen). Den unterschiedl. Bautraditionen und -zwecken entsprachen jeweils spezif. Architekturformen. Darüber hinaus wurden, oft über weite Distanzen, Bautypen in andere Provinzen oder Reichsteile übernommen: aus Devotion für die am Ursprungsbau verehrten Heiligen, Reliquien oder Gedenkstätten, aus persönlicher Vorliebe oder zum Erweis eigenen Machtanspruchs.

In diesem überaus reichen Gesamtbild der frühchristl. Sakralarchitektur überwiegt die dreischiffige, querschifflose Basilika (S. Sabina, Rom; Acheiropoietos, Thessalonike/Saloniki und Johanneskirche des Studios, Konstantinopel, beide mit Emporen). Fünf-, Sieben- und sogar Neunschiffigkeit kamen auch in nachkonstantin. Zeit vor (z. B. S. Paolo fuori le mura, Rom; Dome von Mailand und Ravenna; Epidauros; sieben- und neunschiffige Kirchenbauten in N-Afrika: Damous el-Karita in Karthago u. a.). Querschiffe hielten sich innerhalb durchlaufender Außenwände (z. B. Nikopolis, Basilika B) oder sprangen in den Außenwänden hervor (z. B. Leonidas-Basilika, Korinth-Lechaion), waren auf unterschiedl. Art unterteilt (z. B. Querschiffe mit Umgang: Demetrios-Kirche in Thessalonike/Saloniki, Große Basilika in →Abu Mena) und

frühchristliche Kunst

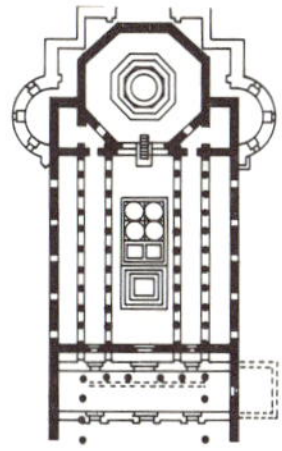

Geburtskirche, Bethlehem, konstantinische und justinianische Anlage; 326 u. 6. Jh.

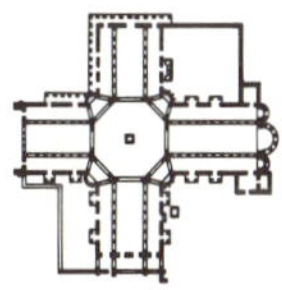

Basilika in Kal'at Sim'an bei Aleppo; 5. Jh.

frühchristliche Kunst: Sarkophag der Adelphia; um 340 (Syrakus, Museo Nazionale)

ausgeformt (z. B. in Apsiden endende Querschiffe: justinian. Umbau der Geburtskirche (6. Jh.) in Bethlehem, Basilika in Dodona). Das Sanktuarium konnte in Form eines Trikonchos ausgebildet sein (z. B. Cimitile bei Nola, Karabel in Lykien, Deir al-Abyad in Ägypten) oder, dreiräumig gegliedert, mit einem geraden Ostwandabschluß versehen sein (bes. in Syrien). Kreuzförmige Anlagen erschienen im Westen und Osten (z. B. SS. Nazaro e Celso, Mailand; Johanneskirche in Ephesos; Kal'at Sim'an) und waren auch bei Kleinbauten beliebt (z. B. Mausoleum der Galla Placidia in Ravenna; BILD). Daneben wurde der Zentralbau in versch. Ausformungen genutzt (z. B. St. Gereon, Köln, mit ovalem Grundriß und Apsidenkranz). Einräumige Rund- oder Oktogonalbauten dienten v. a. als Baptisterien (Baptisterien der Marienkirche in Ephesos, der Orthodoxen – zum Dom gehörig – in Ravenna), ebenso Umgangs-Zentralbauten mit Stützenkranz (Umbau des Baptisteriums der Lateranbasilika; Novara, Marseille u. a.), die in Nachfolge der konstantin. Rotunde der Grabeskirche in Jerusalem auch als Vorbilder für Mausoleen (S. Costanza, Rom) und für Kirchen (S. Stefano Rotondo, Rom, u. a.) verwendet wurden: runder Zentralbau mit innerem, durch Säulenarkaden geöffnetem Viernischenkranz und Umgang (S. Lorenzo, Mailand; sogenanntes Martyrium, Seleukia; Kathedralen in Apamea und Bosra; mit gelängtem Zentrum in Rusafa) sowie der in der Zeit JUSTINIANS I. entwickelte Typus des Zentralbaus mit oktogonalem Zentrum, das von 7 durch Säulenstellungen zum Umgang geöffneten Nischen umgeben ist. Anstelle der 8. Nische öffnet sich der Triumphbogen zu Bema und Apsis (Sergios- und -Bakchos-Kirche, Konstantinopel; S. Vitale, Ravenna). In der 2. Hälfte des 5. Jh. verstärkte sich im christl. Osten die Tendenz, in Längsbauten das Presbyterium mit Elementen des Zentralbaus architektonisch auszuzeichnen. Das Langhaus der Basilika wird nun mit einer Kuppel überwölbt; eines der wichtigsten Zeugnisse hierfür hat sich in Kilikien erhalten: der von Kaiser ZENON (474–91) gestiftete Bau der Kuppelkirche im Wallfahrtsheiligtum der Hl. Thekla in Meriamlik, für den eine Kuppel im Osten des Mittelschiffs und tonnengewölbte Seitenschiffe rekonstruiert werden können. Der

frühchristliche Kunst: Holztür von S. Sabina (Auschnitt), Rom; 422–32

frühchristliche Kunst: Orans; Grabmosaik, 4.–5. Jh. (Tunis, Musée du Bardo)

Bau vertritt eine in Konstantinopel nicht mehr erhaltene Stufe vor den Kuppelbauten der justinian. Zeit: Hagia Sophia (BILD), Hagia Irene, Konstantinopel; Basilika B, Philippi, und die Johanneskirche in Ephesos. Diese Kuppelbauten waren die Grundlage für die Sakralarchitektur der byzantin. Kunst; der Westen hat an dieser Entwicklung kaum mehr teilgenommen.

Skulptur: Neben Reliefs an offiziellen Staatsmonumenten sind zahlreiche rundplast. Porträts oder Porträt-Statuen erhalten, die Kaiser darstellen oder zur Ehrung hoher Beamter und verdienter Bürger aufgestellt worden waren. Das rundplast. Porträt scheint seit dem 6. Jh. nicht mehr Gegenstand der Kunst gewesen zu sein. – Im Westen, v. a. in Italien, sind zahlreiche frühchristl. Sarkophage erhalten, die von der Blütezeit dieser Kunstgattung im 4. Jh. zeugen. Eine Langseite ist i. d. R. als Schauseite dekoriert, die Rückseite unbearbeitet, die Schmalseiten sind flacher reliefiert. Nach der staatl. Duldung des Christentums setzt zunächst eine Serienproduktion ein (ein- und zweizonige Fries-Sarkophage mit bibl. Darstellungen); erst gegen Mitte des 4. Jh. werden theologisch anspruchsvolle Themen dargestellt (Passions-Sarkophage). Prachtvolle, für die Oberschicht gearbeitete Stücke (Bassus-Sarkophag, zweizoniger Säulen-Sarkophag von 359, Rom) und die Gruppe der Stadttor-Sarkophage vom Ende des 4. Jh. (Rom, Mailand) belegen die Einwirkung der oström. Kunst Konstantinopels. Im frühen 5. Jh. bricht die röm. Sarkophagproduktion ab. – Von den oström., vierseitig dekorierten Marmorsarkophagen haben sich nur Einzelstücke (Prinzen-Sarkophag, Istanbul) und Fragmente erhalten, daneben die ehem. preiswerteren Scheinsarkophage in Kalkstein, die die Schauseite eines Marmorsarkophags nachahmen. Von den Marmorarbeiten

frühchristliche Kunst: OBEN Guter Hirte, Mittelmedaillon eines Gewölbes der Lucina-Gruft in der Callistus-Katakombe in Rom, Mitte 3. Jh; UNTEN Gewölbemosaik, Porträtbüste der Constantia(?) in S. Constanza in Rom; Mitte 4. Jh.

aus dem Umkreis der Hofwerkstätten in Konstantinopel sind die Sarkophage Ravennas in Typus, Gliederung und Formgebung deutlich beeinflußt. – Auch auf dem Gebiet der Bauskulptur ist seit Mitte des 5. Jh. die führende Stellung Konstantinopels deutlich. Spezialisierte Werkstätten fertigten in Marmor von Prokonnesos (Insel im Marmarameer) Dekorglieder für aufwendige Bauten, bes. für Kirchen (Basen, Säulenschäfte, Kapitelle, Türrahmungen, Schrankenplatten und -pfosten, Ambonen); diese Arbeiten wurden bis nach Spanien, Syrien und Ägypten, bes. aber nach Griechenland und Kleinasien ausgeführt. Bed. sind v. a. die in à-jour-Technik (durchbrochen) gearbeiteten Bauskulpturen, bes. Kapitelle der Zeit JUSTINIANS I. (Polyeuktos-, Sergios-und-Bakchos-Kirche, Hagia Sophia in Konstantinopel). In vielen Provinzen findet sich daneben eine eigenständ. Bauornamentik, v.a. in Kleinasien (Lykien und Kilikien), Syrien und Palästina, Ägypten (sogenannte Kopt. Skulptur) und N-Afrika (z. B. Tebessa).

Unter den Holzskulpturen (bes. zahlreich erhalten in Mittel- und Oberägypten auf Grund der klimatisch günstigen Verhältnisse) ragen einige reich dekorierte Kirchentüren des späten 4.–7. Jh. hervor (S. Ambrogio, Mailand; S. Sabina, Rom; Barbara-Kirche, Alt-Kairo; Katharinenkloster, Sinai; Kirchen bei Karyatain, in Damaskus und Berlin).

Malerei und Mosaik: Wie schon in vorkonstantin. Zeit überwiegen in der Monumental-Malerei des 4. Jh. der Zahl nach noch die Katakombenmalereien (Katakomben SS. Marcellino e Pietro und Via Latina, Rom, u.a.). Charakteristisch ist die Reihung alt- und neutestamentl. Szenen sowie die Betonung der menschl. Figur gegenüber dekorativen und strukturellen Elementen. Im Osten sind christl. Mausoleen und Gräber mit Malereien (bibl. Themen, Kreuz zw. Pfauen) erhalten (Iznik, Sofia u.a.). – Mittelpunkte des Bodenmosaiks mit geometr. Mustern und profanen Darstellungen waren Trier, das adriat. Küstengebiet, Ephesos, Antiochia, Apamea und N-Afrika (Tunesien u.a.); Beispiele fin-

frühchristliche Kunst: Die alte Peterskirche; Fresko (16. Jh.) in S. Martino ai Monti, Rom

den sich v.a. für Villen, seltener für Kirchen (christl. Darstellungen des 4. Jh. etwa in der Doppelkirche von Aquileja). Hervorragende Wandmosaiken, bes. in den Gewölben, haben sich in den kaiserl. Mausoleen (z. B. S. Costanza, Rom) und im Kuppelbau von Centcelles (bei Tarragona) erhalten; kennzeichnend für diese Zeit ist das Nebeneinander profaner und christl. Motive. Aus einem kaiserl. Prunksaal in Trier stammen Kassetten-Decken mit figürl. Malereien (um 315; gefunden unter dem Nordbau der Doppelkirche). – Wandmosaiken in Kirchen sind erst aus der 1. H. des 5. Jh. erhalten (bes. in Rom: S. Pudenziana; S. Sabina; S. Maria Maggiore, mit neutestamentl. Szenen am Triumphbogen und alttestamentl. Zyklen im Langhaus). Aus dieser Zeit stammen auch die ersten christl. Kuppelmosaiken (z. B. S. Giovanni in fonte, Neapel; Mausoleum der Galla Placidia und die Baptisterien der Orthodoxen und der Arianer in Ravenna), in denen nun christl. Themen überwiegen. Eine umfassende Übersicht über Wandmosaiken vom 2. Viertel des 5. Jh. bis über die Mitte des 6. Jh. bieten die Bauten von →Ravenna; von diesen von der byzantin. Kunst beeinflußten Mosaiken kann jedoch nicht auf die zum größten Teil verlorene Mosaikkunst des christl. Orients geschlossen werden. Die Vielfalt ihrer künstler. Erscheinungsformen zeigt beispielhaft, daß es weder einen einheitl. Stil noch eine geradlinig verlaufende Entwicklung gegeben hat; durch versch. Vorlagen und künstler. Austausch ergaben sich vielmehr unterschiedl. Richtungen und ständig neue Strömungen und Tendenzen.

Bestimmend für die Malerei des 6. Jh. waren Elemente und Stilmittel der Tradition, die nun in neuer Kombination auftreten: v. a. Frontalität, Isokephalie, Symmetrie und Silhouettenwirkung, Reduktion auf wenige Hauptfarben und Goldgrund. Ein Hauptdenkmal sind die monumentalen Mosaiken der Apsis von SS. Cosma e Damiano in Rom; entscheidendes künstler. Mittel ist eine differenzierte Farbgebung, weniger die Linie und Formgebung. Von anderer Art sind im Osten die Kuppelmosaiken der Rotunde in Thessalonike (spätes 5. oder frühes 6. Jh.) sowie die Apsismosaiken der Kirche des Katharinenklosters im Sinai (BILD Katharinenkloster) und der Panhagia Kanakaria in Lythrankomi auf Zypern aus der Zeit JUSTINIANS I. – Bed. Fußbodenmosaiken des 6. Jh. sind v. a. in Antiochia und aus Konstantinopel (Kaiserpalast) erhalten.

Von der Blüte der frühen Ikonenmalerei (→Ikone) zeugen noch einzigartige Porträts in der Sammlung des Katharinenklosters im Sinai. – Die frühesten erhaltenen Fragmente der Buchmalerei sind Blätter einer Itala-Hs. mit Bildern zur Königsgeschichte (Berlin). Für die alttestamentl. Überlieferung von größter Bedeutung sind die Reste der Cotton-Bibel (London; wiederholt in S. Marco, Venedig und in der Millstädter Genesis) und die →Wiener Genesis. Schon in den Anfang des 7. Jh. gehören zwei neutestamentl. Purpur-Hss.: der →Codex Rossanensis und der →Codex Sinopensis; aus N-Mesopotamien stammt das →Rabula-Evangeliar.

Kleinkunst: Vielfältig in Form und Funktion sind Gegenstände in wertvollen Materialien, v. a. Elfenbeinschnitzereien und Silberarbeiten. Beziehungen zur

frühchristliche Kunst: Kuppelmosaik im Baptisterium der Arianer in Ravenna; Mitte 5. Jh.

gleichzeitigen Skulptur erklären sich aus gemeinsamer Entstehung im Umkreis der Hofwerkstätten. Anhaltspunkte für die chronolog. Einordnung der zahlreichen →Elfenbeinschnitzereien des 4.–6. Jh. bieten die inschriftlich bezeichneten und datierten Konsular-Diptychen (→Diptychon). – Unter den vielen Edelmetallarbeiten des 4.–6. Jh. finden sich Reliquienkästchen, liturg. Geräte (Kelche, Patenen, Weihrauchgefäße u. a.) und Gegenstände der kirchl. Einrichtung (Buchkästchen, Lampenhalter, Zierscheiben und -beschläge). Aufschlußreich sind geschlossene Schatzfunde: kirchl. Silbergeräte (aus Syrien, Zypern, in den Museen von Istanbul, Nikosia, New York), kirchl. Silbergeräte und silberne Architektur-Beschläge (aus Lykien, in Antalya und Washington). Grundlegende Hinweise auf die Entstehungszeit bieten v. a. staatl. Kontrollstempel auf der Unterseite der Gefäße seit ANASTASIOS I. (491–518).

F. W. DEICHMANN: Studien zur Architektur Konstantinopels (1956); W. F. VOLBACH: F. K. (1958); D. TALBOT RICE: Kunst aus Byzanz (a. d. Engl., 1959); R. KRAUTHEIMER: Early christian and byzantine architecture (Hammondsworth ²1975); B. BRENK u. a.: Spätantike und frühes Christentum (1977); J. KOLLWITZ: Oström. Plastik aus theodosian. Zeit (Nachdr. 1978); F. GERKE: Spätantike und Frühes Christentum (Nachdruck 1980).

Frühdruck, zw. 1501 und 1550 gedrucktes Buch, Flugschrift, Kalender u. a. Die Bez. dient in der **Frühdruck-Forschung** der Abgrenzung zur →Inkunabel.

Frühdynastische Zeit. Über die Frühdynast. Periode in Mesopotamien (etwa 2800–2300 v. Chr.) →sumerische Kunst.

Frühschwundrisse, Maltechnik: →Alterssprünge.

Fruhtrunk, Günter, Maler, *München 1. 5. 1923, †

ebd. 12.12.1982, studierte 1940/41 Architektur. Für F.s weitere Entwicklung wurde die Begegnung mit A. Herbin, F. Léger (1954) und H. Arp (1955) bestimmend. Einer konstruktivist. Phase folgte die Entwicklung farbintensiver Bilder und Raumgestaltungen aus versch. breiten, parallelen Farbstreifen.

E. Gomringer u.a.: F. (1978).

Frühwirth, Johann, Bildhauer, *Wien um 1640, †ebd. 13. 11. 1701, arbeitete für den kaiserl. Hof und v.a. für das Zisterzienserkloster Heiligenkreuz. Zu seinen erhaltenen Werken gehören die Skulpturen an der Pestsäule im Graben in Wien (Putten und die 6 oberen Reliefs am Sockel; 1687).

Fry [fraɪ], Edwin Maxwell, engl. Architekt, *Wallasey (Cheshire) 2. 8. 1899, verhalf in den 30er Jahren mit seinen Bauten, z.T. in Zusammenarbeit mit dem nach England emigrierten W. Gropius entworfen, dem →Internationalen Stil 2) zum Durchbruch. Nach dem 2. Weltkrieg folgten Planungen in der Dritten Welt, u.a. zus. mit Le Corbusier 1951–54 in Chandigarh, Indien, und zahlreiche Wohnungs- und Sozialbauten in England.

HW: The Sun House, Hampstead, London (1935); Impington Village College, Cambridgeshire (mit W. Gropius, 1936); Bankgebäude in Ibadan, Nigeria (1950).

H. A. N. Brockman (Einführung): F., Drew, Knight, Creamer, architects (London 1978).

Frýdlant, Stadt in der ČSSR, →Friedland.

Fuchs, 1) Ernst, österr. Maler und Graphiker, *Wien 3. 2. 1930, studierte 1946–50 bei A. P. Gütersloh an der Wiener Akad.; gehört zur →Wiener Schule des Phantastischen Realismus. Sein eklektizistisch-manierist. Stil läßt Einflüsse des Jugendstils erkennen; thematisch läßt er sich von Mythologie und Kabbalismus inspirieren. F. schrieb ›Architectura Caelestis‹ (1966).

E. F. Das graph. Werk 1967–80, hg. v. R. P. Hartmann (1980).

2) Peter, Bildhauer, *Mülheim a. d. Ruhr 27. 9. 1829, †ebd. 31. 7. 1898, schuf seit 1865 als Dombildhauer Statuen für die Innen- und Außenausstattung des Kölner Doms u.a. In Porträtbüsten zeigte F. einen maler. Realismus, der der Spätphase der Schule C. D. Rauchs entsprach.

Fudo-myo-o [japan. ›Unerschütterlicher Weisheitskönig‹], Manifestation des Dainichi; dargestellt mit Schwert und Strick als Vollstrecker der von Dainichi verhängten Strafen. F. ist der in Japan wichtigste der buddhist. Go-dai-myo-o (›Fünf Könige des geheimen Wissens‹), die an ihrem zornig-drohenden Ausdruck, ihrer bewaffneten Gestalt und dem Flammen-Nimbus erkennbar sind.

Fuẹntes, Giorgio, ital. Theatermaler, *Mailand 1756, †ebd. 1821, tätig in Italien, Deutschland (1796 bis 1805 in Frankfurt a. M.) und Frankreich. Goethe versuchte 1797, F. für Weimar zu gewinnen. F. schuf Dekorationen in klassizistisch-romant. Stil.

Fụetrer, Ulrich, Dichter und Maler, *Landshut, †nach 1492, malte u.a. 1457 für das Kloster Tegernsee eine Kreuzigung Christi (München, Alte Pinakothek). 1478–81 verfaßte F. auf Veranlassung von Herzog ALBRECHT IV. von Bayern eine ›Bayer. Chronik‹ (hg. v. R. SPILLER, 1909). Sein dichter. HW ist das ›Buch der Abenteuer‹ (zw. 1473 und 1478).

Führich, Joseph Ritter von (seit 1861), Maler, *Kratzau (Böhmen) 9. 2. 1800, †Wien 13. 3. 1876, wandte sich auf der Kunstschule in Prag (seit 1819) v. a. dem Studium von A. DÜRER und P. v. CORNELIUS zu. In Rom (1827–29) ließ ihn F. OVERBECK an den Fresken des Casino Massimo mitarbeiten. Seit 1834 in Wien (seit 1840 ebd. Prof. an der Akad.) schuf F. volkstümlich-religiöse Bilder und (in Holzschnittfolgen verbreitete) bibl. Zeichnungen im Stil der →Nazarener. F. war ihr bedeutendster Vertreter in Österreich.

HW. Gemälde: Jakob und Rahel (1836; Wien, Österr. Gal.); Marias Gang über das Gebirge (1841; ebd.). – **Fresken:** Johanneskirche (1844–46) und Altlerchenfelder Kirche (1851–61) in Wien.

Die Nazarener, Ausst.-Kat., Frankfurt a. M. (1977).

Fuga, Ferdinando, ital. Baumeister, *Florenz 1699, †Rom 1781, 1730 päpstl. Architekt, um 1750/51 neapolitan. Hofbaumeister, tätig auch in Florenz, Palermo (Umbau des Doms); Vertreter einer spätbarocken, zum Klassizismus neigenden Richtung. F. schuf die zweigeschossige Vorhalle der Hauptfassade von S. Maria Maggiore in Rom (1741–43). Unter seinen zahlreichen wohldisponierten, etwas nüchternen Zivilbauten sind die röm. Paläste della Consulta (1732–37) und Corsini (Umbau 1736 bis um 1750) die bedeutendsten.

Fuge, Lücke zw. aneinanderstoßenden Bauteilen, bes. beim Mauerwerk. F. sind meist mit Mörtel gefüllt und haben neben ihrem bauphysikal. oft auch schmükkenden Zweck. In der Rustika der Renaissance und in den Nutungen an Barockbauten sind die F. Mittel zur Gliederung der Wandflächen. Im MA. und der Renaissance wurden F. farbig hervorgehoben oder auf den Putz aufgemalt, um die Wand zu schmücken.

Fugel, Gebhard, Maler, *Oberklöcken bei Ravensburg 14. 8. 1863, †München 26. 2. 1939, malte in der Tradition der →Nazarener u. a. Altarbilder und Fresken in süddt. und schweizer. Kirchen.

Fugen, japan. Kunst: gepaart mit →Monju ein begleitender Bosatsu des Buddha Shaka (Shakyamuni), oft auf einem Elefanten reitend dargestellt.

Füger, Heinrich Friedrich, Maler, *Heilbronn 8. 12. 1751, †Wien 5. 11. 1818, Schüler von N. GUIBAL in Ludwigsburg (1764) und A. F. OESER in Leipzig (1769), war 1781–83 in Neapel, danach in Wien tätig. Hier beherrschte F. als Direktor der Akad. (seit 1795) und der kaiserl. Gemäldegalerie (seit 1806) das Kunstleben. Der eklektizist. Klassizismus des späten A. R. MENGS haben ebenso wie die sentimentale Empfindsamkeit der frz. Malerei des 18. Jh. seine großformatigen Historienbilder bestimmt, etwa ›Der sterbende Germanicus‹ (1789; Wien, Österr. Gal.). Thema und Form dieses Bildes sind charakteristisch für das künstler. Ideal, gegen das sich später die →Nazarener auflehnten. Bedeutender sind F.s elegante Porträts und Porträtminiaturen.

Fuhr, Xaver, Maler, *Neckarau bei Mannheim 23. 9. 1898, †Regensburg 16. 12. 1973, war seit 1946 Prof. der Akad. in München, malte Stadtmotive und Figurenbilder mit starken Farben und scharfen Kontrasten von Schwarz und Weiß.

Fuji-san [fudʒi-], **Fuji-no-yama,** Abk. **Fuji,** auch **Fudschisan, Fudschijama,** höchster Berg Japans, ein 3776 m hoher Vulkan. Wegen seiner außergewöhnlichen Schönheit und seiner gleichmäßigen Form wird er im shintoist. Sinne als göttlich gedeutet. Er ist häufiger Gegenstand künstler. Abbildungen. Die Form und Bedeutung des F. hat zur Übertragung seines Namens auf ähnlich aussehende Vulkane geführt.

Fukui, Stadt in Japan, etwa 170 km nordöstlich von Kioto auf Honshu, 241 000 Ew.; berühmt für seine Seiden- und Textilprodukte und Lackwaren. Die Struktur der ehem. Burgstadt ist z. T. erh. (alte Stadthäuser). 16 km östlich die Tempelberganlage Ehei-ji (einer der beiden Haupttempel der Soto-Sekte im Zen-Buddhismus), gegr. vom Priester DOGEN (1200–1254), von dem sich ein Gemälde im Schatzhaus befindet.

Fukuoka, Stadt in Japan, im N der Insel Kyushu, 1,09 Mio. Ew.; wird durch den Fluß Naka in 2 Stadtteile getrennt, die histor. Burg- und heutige Verwaltungsstadt F. und die alte Hafen- und heutige Geschäftsstadt **Hakata.** Hakata (Nan-Otsu) gehörte zu den 3 bed. histor. Häfen Japans und war seit dem 6. Jh. das Tor für den chines. und korean. Kultureinfluß. Im 17. Jh. wurde zu seinem Schutz die Burgstadt daneben gebaut. Der Shofuku-ji ist der älteste zenbuddhist. Tempel Japans (1195) mit z. T. erhaltenen Holzbauten. Der Shinto-Schrein Hakozaki Hachiman (gegr. 923) ist der Kriegsgottheit geweiht und weist bed. Holzarchitektur des 16. Jh. auf (Torgebäude von 1594; Schreingebäude von 1564). Der Kushida-Schrein (757) beherbergt die Schutzgottheit der Stadt; seine Gebäude werden alle 25 Jahre erneuert. Der Sumiyoshi-Schrein beherbergt Meeresgottheiten und gehört zu den ältesten Shinto-Zentren Japans (Gebäude 1623).

Fukurokuju, einer der 7 japan. Glücksgötter (→Shichi-fukujin), Gott der Weisheit und des langen Lebens, dargestellt als bärtiger Alter mit überhöhtem kahlem Schädel und einer Schriftrolle in den Händen oder an einem Stock; häufig begleitet von Kranich und Schildkröte, den Symbolen langen Lebens.

Fulda, Stadt in Osthessen, 60 300 Ew.; kath. Bischofssitz. Das Stadtbild ist fast ausnahmslos vom 18. Jh. geprägt: Dom (Klostergründung 744, jetzt Barockbau 1704–12 von J. DIENTZENHOFER, BILD) mit prachtvoller Doppelturmfassade; Stadtpfarrkirche (1770–88) im Spätrokokostil; ehem. Fürstäbtl. Residenzschloß (1707–34) mit Kaisersaal, Fürstensaal, Spiegelkabinett (Vonderau-Mus.); Orangerie (1722–30 von M. v. WELSCH), ein HW dt. Barockbaukunst, davor die herrl. Floravase (1728); Hauptwache (um 1758); Paulustor (1711 von Dientzenhofer); Benediktinerinnenkloster (1626 gegr.) mit Kirche im nachgot. Stil (1678 voll.); Dom-Mus. Die stimmungsvolle Michaelskapelle (820–22) ist die älteste Nachbildung der Jerusalemer Grabeskirche in Dtl. F. ist von mehreren Klöstern umgeben: im N das Franziskanerkloster **Frauenberg** (809 gew., jetzt Barockbau mit guter Ausstattung), im O die Benediktinerpropstei **Petersberg** (836 gew., karoling. Wandmalereien in der Krypta, Kirche 10.–15. Jh.), im S **Johannesberg** (im 9. Jh. gegr., Barockkirche 1686 bis 1691, ehem. Propsteischloß 1726–47, großartig geplante Gartenanlage), im W die Benediktinerpropstei **Andreasberg** (auch Neuenberg gen., um 1018 gegr., Kirche 1023 gew., ausgemalte Krypta der Zeit, Umbau im 18. Jh.). – Um 1741–58 bestand in F. eine Fayence-, 1764–80 eine Porzellanmanufaktur.

Fuller [f'ʊlə], **1)** Isaac, engl. Maler, *1606(?), †London 17. 7. 1672, wurde in Frankreich ausgebildet. F. schuf, außer verschollenen Altar- und Historienbildern, Dekorationen v. a. für Londoner Wirtshäuser und Porträts, unter denen die späten, menschlich packenden Selbstbildnisse hervorragen.

2) Richard Buckminster, amerikan. Ingenieur und Architekt, *Milton (Massachusetts) 12. 7. 1895, † Los Angeles 1. 7. 1983, beschäftigte sich ausschließlich mit den konstruktiven und techn. Aspekten des Bauens. 1927 entstand das ›Dymaxion House‹, eine ›Wohnmaschine‹, ausgestattet mit Wohnzonen und allen techn. Vorrichtungen. F. schuf auch geodät. Konstruktionen: Kuppeln, die aus Oktaedern und Tetraedern zusammengesetzt sind.

HW: Halle der Union Tank Car Co. in Baton Rouge, Louisiana (1958); Pavillon der USA auf der Expo '67 in Montreal (1967).

D. W. ROBERTSON: Mind's Eye of B. F. (New York 1974).

Füllmauer, Mauer aus 2 regelmäßig errichteten Wänden, deren Zwischenraum mit einer Mischung aus Steinbrocken und Mörtel ausgegossen wurde; bes. im Altertum und im MA. (Burgenbau) häufig.

Füllstoff, Maltechnik: farblose, meist mineral. Pulver (weiße Erdfarben), die mit Bindemitteln zur Herstellung von Grundierungen und Kitten dienen (z. B. Kreiden, Schwerspat, Gips u. a.).

Fumban, Stadt in Kamerun, →Foumban.

Funchal [fũʃ'al], Hauptstadt und Bischofssitz der portug. Insel Madeira, 45 000 Ew. Die Kathedrale ist die erste in Übersee erbaute portug. Bischofskirche im Emanuelstil (1485–1514; aus Wacholderholz geschnitzte Decke mit inkrustierten Elfenbeinplättchen); Barockkirche São João Evangelista (17. Jh.); Palácio de São Lourenço (ehem. Fort des 16. Jh.); Mus. für sakrale Kunst im ehem. bischöfl. Palais.

Fünfkirchen, ungar. **Pécs** [pe:tʃ], Hauptstadt des Bez. Baranya, Ungarn; 170 900 Ew. Frühchristl. Grabkammern des 4. Jh. mit Malerei; roman. Dom St. Peter (11.–12. Jh., mehrfach restauriert), dreischiffige Basilika mit 4 Türmen und fünfschiffiger Krypta (roman. Bauteile im Lapidarium am Domplatz); Innerstädt. Pfarrkirche, eine ehem. Moschee des 16. Jh., 1766–67 in Barockkirche umgewandelt; achteckiger türk. Grabbau (1591); ehem. Moschee (quadrat. Kuppelbau, 16. Jh.); Janus-Pannonius-Mus. (v. a. Fayencen).

Fünfpaß

Fünfpaß, im got. Maßwerk eine aus 5 Dreiviertelkreisbögen gebildete Figur (→Paß).

Funhof, Hinrik, spätgot. Maler, um 1475 in Hamburg tätig. Abhängig von der niederländ. Malerei (D. BOUTS), schuf F. große Altarwerke (um 1482; Lüneburg, Johanneskirche; Madonna im Ährenkleid, Hamburg, Kunsthalle).

Funktionalismus, Theorie in der Baukunst, die seit dem Beginn des Bauens bestehende enge Beziehung zw. Form und Funktion zu untersuchen, um dem Ideal der Übereinstimmung von Gestalt und Aufgabe nahezukommen. Der Amerikaner H. GREENOUGH und die →Architekturtheorie von E. VIOLLET-LE-DUC schufen Grundlagen für die konstruktions- und funktionsbetonten Bauten der Schule von →Chicago, deren Hauptvertreter L. H. SULLIVAN die Formulierung der oft mißverstandenen These ›form follows function‹ nachgesagt wird. F. L. WRIGHT sowie in Europa H. HÄRING mit seiner Theorie eines organ. Bauens oder HANNES MEYER (→Bauhaus) mit seiner rational begründeten F.-Theorie waren Vorbilder zahlreicher Interpretationen des F.-Begriffs und von nachhaltigem Einfluß auf die Entwicklung der →modernen Architektur. Die häufig nur unter wirtschaftl. Gesichtspunkten nach dem 2. Weltkrieg (wieder) aufgebauten Städte, bei deren Planung viele Architekten die ästhet. Funktion der baul. Gestalt und des Bauornaments mißachteten, zeitigten heftige Kritik an der fehlinterpretierten Idee des F. und führte zu Gegenbestrebungen (→Postmodernismus; →Regionalismus).

A. BEHNE: Der moderne Zweckbau (1926, [2]1964); J. POSENER: Anfänge des F. (1964); M. CASTEELS u. H. VAN DE VELDE: Die Sachlichkeit in der modernen Kunst (Nachdr. Leipzig 1981); KARIN HIRDINA: Pathos der Sachlichkeit (1981).

Fünte [von lat. fons ›Quelle‹], in Nord-Dtl. Bez. für Taufbecken.

Furchenschmelz, Blut|email →Emailkunst.

Furini, Francesco, ital. Maler, *Florenz um 1600, †ebd. 19. 8. 1646, verband in Staffeleibildern mit bibl. oder mytholog. Darstellungen voll Sinnlichkeit seine akadem. Kompositionsweise mit CARAVAGGIOS Helldunkel-Effekten und einer nuancenreichen, venezian. Farbgebung, die sich in seinen Spätwerken jedoch zunehmend verfinsterte.

Furnes [fyrn], frz. Name von →Veurne.

Furnier [frz. fournir ›ausstatten‹], dünne Edelholzschicht, die über einen unedlen Holzkern geklebt wird. Das Verfahren kam in der Renaissance zus. mit der Intarsia auf und fand v.a. in der Möbelherstellung Verwendung; es wurden Nußbaum, Eschenholz, später v.a. Eben- und Kirschbaumholz, seit dem 18. Jh. exot. Hölzer wie Mahagoni und Palisander, verwendet.

Fürspan, oft kunstvoll gestaltete Schmuckspange, die im 12. und 13. Jh. 2 Gewandteile am Halsausschnitt zusammenhielt.

Fürstenberger Porzellan-Manufaktur, 1747 von Herzog KARL I. von Braunschweig in Fürstenberg an der Weser gegr. Die Blütezeit liegt zw. 1770 und 1790, wobei die Einflüsse von Sèvres und Wedgwood entscheidend waren. Bedeutungsvoll sind neben kameenartigen Medaillonporträts und Vasen v. a. figürl. Arbeiten des Modelleurs J. S. FEILNER. Die Manufaktur stellt heute v. a. Gebrauchsgeschirr her.

S. DUCRET: Fürstenberger Porzellan, 3 Bde. (1965).

Fürstenfeldbruck, Kreisstadt in Oberbayern, 28 300 Ew. Zum ehem. Zisterzienserkloster Fürstenfeld (1258 gegr.) gehört eine der großartigsten Barockkirchen Altbayerns (1700–36 nach Plänen G. A. VISCARDIS erbaut): kolossale dreigeschossige Fassade (1747 voll.), Stuck der Brüder APPIANI, Fresken von C. D. ASAM, Altäre von E. Q. ASAM u. a. Jenseits der Amper die Magdalenenkirche (1673–75) mit Rokokostukkaturen (1764).

Fürstengräber, Adelsgräber, Königsgräber, vor- und frühgeschichtl. Grabstätten, die durch ihre Ausmaße und ihren Aufbau, bes. aber durch ihre ungewöhnliche Ausstattung sich deutlich von normalen Grabanlagen abheben und dadurch die gehobene soziale Stellung des Verstorbenen zum Ausdruck bringen. Ihre Bedeutung für die Kultur- und Kunstgeschichte liegt in dem oft außerordentlich großen Beigabenreichtum.

In Europa erscheinen F. in der frühen Bronzezeit Mitteldeutschlands, in der Wessex-Kultur Englands und in der myken. Kultur (→Kuppelgrab, →Schachtgrab). Eine weitere Verbreitung erlangten die F. erst in der Hallstattzeit, bes. in O-Frankreich (Vix), in S-Dtl. (Hochdorf), dem O-Alpengebiet und S-Rußland (→Steppenkunst). Die F. dieser Epoche sind gewöhnlich durch Wagenbestattungen in holzverkleideten Grabkammern, Schmuck und Gefäße aus Gold sowie griech.-etrusk. Einfuhrgut gekennzeichnet. Ebenso sind die F. der älteren Latènezeit (Reinheim, Rodenbach, Waldalgesheim) Zeugnisse erstaunl. Prachtentfaltung früher kelt. Dynastien (→keltische Kunst). Auch german. Herrschergräber der röm. Kaiserzeit und der Völkerwanderungszeit bilden beachtl. Belege für das Kunsthandwerk dieser Epochen (→Völkerwanderungskunst). Die zeitlich anschließenden Adelsgräber der Merowingerzeit ermöglichen in einigen Fällen (→Childerich-Grab, →Arnegunde-Grab) Rückschlüsse auf histor. Persönlichkeiten.

K. SPINDLER u. a.: Die hallstattzeitl. Fürstengrabhügel bei Villingen im Schwarzwald, 6 Bde. (1971–80, 8 Bde. vorgesehen).

Fürstenstein, poln. **Książ** [ksjɔ̃ʒ], Ort in der Wwschaft Wałbrzych (Waldenburg), Polen. Schloß der Familie HOCHBERG, eine unregelmäßige spätgot. Anlage (1548–55) mit Teilen der urspr. Burg (1292) der Grafen VON SCHWEIDNITZ; Hauptfront barock von F. A. HAMMERSCHMID (1718–34). Die ›Alte Burg‹, ein romant. Bau von C. W. TISCHBEIN (1797), ist heute Ruine.

Fürstenwalde (Spree), Stadt zw. Berlin und Frankfurt (Oder), Dt. Dem. Rep., 32 300 Ew.; der ma. Stadtkern wurde 1945 zerstört. Wiederaufgebaut sind das spätgot. Rathaus (um 1500), mit Maßwerkgiebel im W und offener Halle im O, und die spätgot. Backstein-Hallenkirche St. Marien (beg. 1446).

Fürstenzell, Gem. südwestlich von Passau, Niederbayern, mit ehem. Zisterzienserkloster (1274 gegr.). Kirchenneubau 1739–45 nach Plänen J. M. FISCHERS (der Doppelturmfassade liegt sein 1. Entwurf für →Ottobeuren zugrunde); das Innere in eleganten Rokokoformen (Fresken von J. J. ZEILLER, Hochaltar von J. B. STRAUB). In den Abteigebäuden die berühmte Bibliothek mit holzgeschnitzter Emporenbrüstung.

Furttenbach, Josef d. Ä., Baumeister, Gartenkünstler, Kunstsammler und Schriftsteller, *Leutkirch 30. 12. 1591, †Ulm 17. 1. 1667, wurde nach 10jähr. Reisen in Italien (Anregung zu mathematisch-techn. Arbeiten durch G. GALILEI) 1631 Stadtbaumeister in Ulm, v. a. bed. durch seine umfassenden architekturgeschichtl. Schriften (1628–35).

Fushimi [-ʃ-], ma. japan. Burg, →Kioto.

Füssen, Stadt im Ostallgäu, Bayern, 11 700 Ew.; seit 1313 zum Bistum Augsburg gehörig. Die eindrucksvolle Kirche des ehem. Benediktinerklosters St. Mang (gegr. im 8. Jh., Krypta mit Fresken des 10. Jh. erh.) wurde 1701 ff. von J. J. HERKOMER (*1648, †1717) erbaut und dekoriert. In den barocken Abteigebäuden (Prunkräume) das Heimatmus. Spitalkirche (1748/49) mit vollständig bemalter Fassade. Über der Stadt das ›Hohe Schloß‹ (1490–1503 als Sommerresidenz der Augsburger Fürstbischöfe erbaut) mit Illusionsmalereien an den Fassaden; staatl. Gemäldegal.

Füßli, 1) Johann Heinrich, in England **Henry Fuseli** [fj'u:zlı] (Fusely) genannt, Maler, Dichter und Kunstschriftsteller, *Zürich 6. 2. 1741, †Putney Hill bei London 16. 4. 1825, lehrte 1765–70 in London und lebte 1770–78 in Rom (Bekanntschaft mit J. J. WINCKELMANN und J. L. DAVID; starker Einfluß durch die Werke MI-

Johann Heinrich Füßli: Der Nachtmahr; 1781 (Frankfurt am Main, Goethemuseum)

CHELANGELOS). Seit 1779 wieder in London (Bekanntschaft mit W. BLAKE 1787), wurde 1804 Direktor der Akad. und in England der gefeiertste Künstler seiner Zeit. – Seine aus dem Sturm und Drang entstandene Kunst suchte heroisches Pathos, übersteigerte Bewegungen, düstere Lichtstimmung und leidenschaftl. Ausdruck. Er illustrierte SHAKESPEARE, MILTON, das Nibelungenlied, die Bibel, DANTE, VERGIL, LAVATER u. a. Im Spätwerk neigte F. zum Klassizismus.

HW: Der Rütlischwur (1780; Zürich, Rathaus); Der Nachtmahr (1781; Frankfurt a. M., Goethemus.); Die Sünde, vom Tod verfolgt (1794–96; Zürich, Kunsthaus); Titania liebkost Zettel (1793/94; ebd.).

J. H. F., Ausst.-Kat., Hamburg (1975).

2) Johann Kaspar, Vater von 1), Maler und Kunstschriftsteller, *Zürich 1706, †ebd. 6. 5. 1782, Porträtmaler in Dtl., lebte seit 1740 in Zürich.

Fußmann, Klaus, Maler, *Velbert 24. 3. 1938, beeinflußt von G. MORANDI. F. gewann dem Stilleben neue Aspekte ab, malt auch karge Interieurs, Porträts.

K. F., Ausst.-Kat., Darmstadt (1982).

Fustat, nach der Eroberung Ägyptens durch die Araber von dem Feldherrn AMR IBN AL-AS 641 gegr. Militärlager, aus dem Kairo entstand; die nach ihm benannte Amr-Moschee war urspr. die älteste Moschee Kairos, von der im heutigen Bau (mehrfach seit dem MA. zerstört und wieder aufgebaut) nichts erh. ist. Ergraben wurden Baureste der Tuluniden- und Fatimidenzeit und Zeugnisse einer Luxuskeramikproduktion.

Fusuma: F. im ornamental-dekorativen Stil der Rimpa-Schule

Fusuma [jap.], die mit undurchsichtigem Papier bespannten Schiebewände vor Wandschränken und zw. Zimmern im japan. Haus. Sie laufen in Falzen und sind aushebbar. Neben Stellschirmen die Hauptbildträger japan. Malerei, bes. der dekorativen Malerei der →Kano für Shogun-Paläste und Tempel. F. sind farbig auf Goldgrund gemalt oder reine Tuschbilder. Die Verschiebbarkeit der Türpaare (z. T. Doppeltürpaare) gegeneinander und die dadurch entstehenden neuen Bildausschnitte wurden bei der Komposition berücksichtigt.

Futtermauer, →Stützmauer.

Futurismus, Richtung der ital. Kunst im 20. Jh. und ihr zentraler Beitrag zur Konstitution der Moderne. Ausgangspunkt war das bewußt antiakadem., antilogische futurist. Manifest des Dichters F. T. MARINETTI von 1909, das Elektrizität, Lokomotiven, Massenbewegungen als Ausdruck der modernen Welt proklamierte. 1910 folgten das ›Manifest der futurist. Maler‹ G. BALLA, U. BOCCIONI (BILD), C. CARRA, L. RUSSOLO, G. SEVERINI und das ›Techn. Manifest der futurist. Malerei‹. 1912 setzte Boccionis ›Manifest der futurist. Plastik‹, 1913 Carras Schrift ›Die Malerei der Töne, Geräusche, Gerüche‹ die programmat. Äußerungen dieser manifestfreudigsten Richtung der Moderne fort. Sie protestierte gegen den ›Friedhof‹ der Museen und das statische Bild und forderte eine Ästhetik der Geschwindigkeit und der körperauflösenden Dynamik von Bewegung und Licht (dinamismo). Einflüsse F. NIETZSCHES und der vitalist. Philosophie H. BERGSONS verbanden sich mit einer zeittyp. antihistorischen, antipazifist., nationalist. und militarist. Stimmung. Daraus entstand die Forderung nach ›Simultaneität‹ versch. Erlebnis- und Ereignisphasen in jedem einzelnen Bild, was zunächst zu einer vibrierenden ›Malerei der Gemütszustände‹ in der Art des Divisionismus führte. Seit 1911/12 (Paris-Reisen Boccionis) gab dann der Kubismus die formalen Mittel, um das Prinzip der Simultaneität komplexer darzustellen. Die stat. Formzerlegung des Kubismus wurde durch Bewegungsimpulse dynamisiert und in neue kompositionelle Rhythmen für das Lebensgefühl und die Ikonographie einer rauschhaft erlebten modernen Welt übersetzt. Seit 1912 unterschied Boccioni zw. einer ›relativen Bewegung‹, die lediglich, wie im Film, Bewegungsphasen addiert (Ballas Hund mit 16 Beinen) und einer ›absoluten Bewegung‹, die als universales

Futurismus: Gino Severini, ›Bal Tabarin‹; 1912 (New York, Museum of Modern Art)

energet. Prinzip ruhende wie bewegte Dinge erfüllt. Daraus entwickelte sich in Malerei wie Plastik der reife F., den A. SANT'ELIA auf die Architektur ausdehnte. Der ›zweite F.‹, der sich nach dem 1. Weltkrieg um E. PRAMPOLINI bildete, öffnete sich zuerst konstruktiven Tendenzen, um seit 1928 mit der ›aeropittura‹ (Himmelsmalerei) einen Versuch kosm. Dimension zu

Futurismus: Umberto Boccioni, ›Kräfte in Bewegung‹; Bronze, 1913 (Mailand)

wagen. Dieser 2. F. hat sich durch seine positive Haltung zum Faschismus politisch diskreditiert. Der klass. F. hatte schon vorher den russ. Kubo-Futurismus, den dt. Expressionismus, den engl. Vortizismus, die aufkommende Kinetik und den dadaist. Protest gegen kulturelle Traditionen geprägt und beeinflußt.

C. BAUMGART: Gesch. des F. (1966); U. APPOLONIO: Der F. (1972); Wir setzen den Betrachter mitten ins Bild, Ausst.-Kat., Düsseldorf (1974); Riconstruzione Futurista dell Universo, Ausst.-Kat., Turin (1980); F.; Manifesti proclami, interventi e documenti teorici del futurismo 1909–1944, hg. v. L. CARUSO, 4 Tle. (Mailand, Nachdr. 1980).

Fyt [fɛjt], Jan, fläm. Maler, getauft Antwerpen 15. 3. 1611, †ebd. 11. 9. 1661, malte als Schüler von F. SNYDERS großzügig aufgebaute Jagd- und Tierbilder, Wildbret-, Früchte- und Blumenstilleben, die sich durch stoffliche Oberflächenschilderung und dekorative Farbigkeit auszeichnen.

G

Gäa, grch. Erdgöttin, →Gaia.

Gaasbeek [x'a:sbe:k], Schloß südwestlich von Brüssel, in der belg. Prov. Brabant, im Kern 13. Jh., Hauptbauzeit 16. Jh., heute Mus. mit wertvollen Sammlungen, darunter 10 kostbare Bildteppiche aus Tournai (15. Jh.) und Brüssel (16./17. Jh.).

Gabès, Oasen- und Hafenstadt am Golf von G., S-Tunesien, 53 700 Ew. Maler. Souk-Viertel, Kunsthandwerkszentrum (1961 erb.), Moschee Sidi Driss (11. Jh.) mit Kreuzgratgewölben über antiken Säulen; auf einem Hügel im S die frühislam. Moschee Sidi Boulbaba.

Gablonz an der Neiße, tschechisch **Jablonec nad Nisou** [j'ablɔnɛts n'adnjisɔu], Stadt im Nordböhm. Kreis, ČSSR, 37 000 Ew. Die Kirche St. Anna, ein urspr. Renaissancebau, wurde 1685 barock, im 19. Jh. im Neurenaissancestil umgestaltet. – Der bed. Glas- und Schmuckwarenherstellung (seit Anf. 18. Jh.) verdankt G. das Museum für Glas und Bijouterie, eine der größten Samml. von Glasbijouterie in Mitteleuropa.

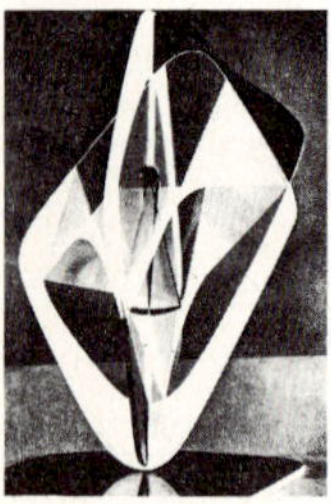

Naum Gabo:
Konstruktion im Raum;
1953

Gabo, Naum, amerikan. Plastiker russ. Herkunft, eigtl. N. **Pevsner,** *Brjansk (Rußland) 5. 8. 1890, †Waterbury (Connecticut) 23. 8. 1977, Bruder von A. Pevsner. Seine ersten Plastiken entstanden unter dem Einfluß des Kubismus. 1917 ging er nach Moskau, wo er seine Vorstellungen vom ›Realistischen Manifest‹ (1920), einem Bekenntnis zum Konstruktivismus, verteidigte; 1922–32 in Berlin, von wo aus er Kontakte zum Bauhaus und zum De Stijl pflegte; 1933/34 in Paris, seit 1935 in London, seit 1946 in den USA. Seine gegenstandslosen Gebilde aus Metall, Glas, Kunststoff u. a. Materialien wurden bahnbrechend für die moderne Plastik.

Gabriel, ein Erzengel, der den Menschen die göttl. Botschaft bringt und auslegt, so bes. die →Verkündigung für Maria. – In der bildenden Kunst wird G. meist gemeinsam mit Michael dargestellt, in der Katakombenmalerei als junger Mann, später mit Flügeln und Nimbus (Mosaik in Rom, S. Maria Maggiore, 432/40), als Wächter des Paradieses (Mosaik in Ravenna, S. Apollinare in Classe, 6. Jh.) oder als Orans (Fresko in Rom, S. Gabriele Arcangelo, 12. Jh.). Er trägt die Tracht der byzantin. Kaiser (Buchmalerei des 9. Jh.), im W oft das liturg. Gewand. Attribute: Boten- oder Kreuzstab, seit dem Hoch-MA. in Szenen der Verkündigung Palm- oder Lilienzweig.

Gabriel [gabri'ɛl], Jacques-Ange, frz. Baumeister, *Paris 23. 10. 1698, †ebd. 4. 1. 1782, Sohn und Schüler von Jacques G. (*Paris 6. 4. 1667, †Fontainebleau 23. 6. 1742), dem er 1742 als ›Erster Königl. Architekt‹ Ludwigs XV. folgte, Präs. der Architektur-Akad.; errichtete ab 1751 in Paris die École militaire und schuf ab 1755 die Place de la Concorde (früher Place Louis XV.) mit ihren rahmenden Hauptgebäuden. G. leitete in seiner Spätzeit mit seinem heiter-eleganten, von A. Palladio beeinflußten Stil vom frz. Rokoko (Louis-quinze) zum frühen Klassizismus (frz. Néoclassicisme) über (Petit Trianon in Versailles, 1762–66, Bild Trianon; Oper im Versailler Schloß, 1762 ff.).

Gabrieli, Gabriel de, ital. Baumeister, *Rovereto (Südtirol) 1671, †Eichstätt 1747, trat nach Anfängen in Wien 1694 in den Dienst des Markgrafen von Ansbach-Bayreuth und wurde 1705 mit dem Neubau des Ansbacher Schlosses betraut (Innenhof mit eindrucksvoller Geschoßgliederung). Als Oberbaudirektor des Bischofs KONRAD von Eichstätt seit 1714 schuf G. die Barock-Fassade des Willibald-Chores am Dom (1714 bis 1718), die Dom-Sakristei (1724), setzte den Bau der Residenz fort, begann 1729 die barocke Umgestaltung von Schloß Hirschberg (bei Beilngries/Oberpfalz).

Gada [Skt.] *die,* große Keule, eines der 4 Hauptattribute des ind. Gottes Vishnu, seit der Guptazeit (4. bis 6. Jh.) auch als weibl. Gottheit personifiziert, dargestellt mit einer kleinen Keule (Ayudhapurusha).

Gadag, Ort in Karnataka, S-Indien, mit dem hinduist. Someshvara-Tempel der späten Chalukya-Dynastie (12. Jh.). Weitere Tempel, die den Übergang vom Gebrauch des Deccan-Sandsteins zum höchst detailliert reliefierbaren Chloritschiefer markieren, befinden sich in den nahegelegenen Orten Kukkanur (11. Jh.), Ittagi und Lakkundi (Jaina-Tempel, Ende des 11. Jh., Kashivishveshvara-Tempel, 1171).

Gaddi, ital. Malerfamilie in Florenz.

1) Agnolo, Sohn und Schüler von 2), *Florenz um 1350, begraben ebd. 16. 10. 1396, setzte die auf GIOTTO zurückgehende Tradition der Gaddi-Werkstatt fort.

HW: Fresken der Legende des hl. Kreuzes (Florenz, S. Croce) und der Legende des hl. Gürtels (1394–96; Prato, Dom); Altar (nach 1387; Florenz, S. Miniato).

2) Taddeo, Vater von 1), †Florenz 1366, einer der bedeutendsten Schüler von GIOTTO, dessen Stil er durch realist. Züge, neuartige Lichtwirkungen und kühne Architekturdarstellungen bereicherte.

Taddeo Gaddi: Vermählung Mariä; 1332–38, Fresko (Florenz, S. Croce)

HW: Fresken aus dem Marienleben (1332–38; Florenz, S. Croce); Abendmahls-Fresko (Refektorium ebd.); Triptychon mit der Madonna (1334; Berlin-West, Staatl. Museen); 28 Darstellungen aus dem Leben Christi und der Legende des Hl. Franz für die Sakristei von S. Croce (1333–34; Florenz, Gal. dell'Accademia; Berlin-West, Staatl. Museen; München, Alte Pinakothek); Madonna (1355; Florenz, Uffizien).

Gadebusch, Stadt westlich von Schwerin, Dt. Dem. Rep., 6700 Ew.; spätroman. Backsteinkirche (im wesentl. um 1220/30), eine der ältesten Hallenkirchen in N-Dtl., Ausmalung des Langhauses (vor Mitte 13. Jh.) bei der Restaurierung 1955 freigelegt; Renaissance-Schloß (1571), reich mit Terrakottareliefs verziert; Rathaus (im Kern 14. Jh.) mit Gerichtslaube (1618).

Gaden, Gadem, 1) Haus mit nur einem Zimmer, dann überhaupt Gemach, Kammer; auch Erdgeschoß, Stockwerk, Laden. **2)** →Obergaden.

Gaẹta, ital. Hafenstadt und Bischofssitz in der Prov. Latina, 23 900 Ew.; Dom (urspr. romanisch) mit freistehendem Campanile (11./12. Jh.; mit Marmorsäulen und Majolikaarbeiten), im Inneren 3,50 m hoher Osterleuchter; ma. Kastell; Torre d'Orlando (13 m hohe Grabstätte des röm. Konsuls Plancus, †nach 22 n. Chr.).

Gạfsa, Oasenstadt im Bergland von Zentraltunesien, 45 900 Ew. Röm. Thermalschwimmbäder (25° C, 2 Becken in Großquaderwerk); Kasba (15. Jh., byzantin. Unterbau, im 19. Jh. restauriert).

Gagạt [grch., nach der Stadt Gagas in Kleinasien] *der,* **Jet** [dʒet, engl.], tiefschwarze, polierfähige Braunkohle. G. kommt in Europa an der nördl. O-Küste Englands, auf der Fränk. und Schwäb. Alb, in Polen sowie S-Frankreich und Spanien vor. G., in der älteren Lit. auch Pechkohle genannt, wurde wegen seines Glanzes und seiner Eignung zum Schnitzen bereits in vorgeschichtl. Zeit zu Schmuck, Kleinplastik u. a. verarbeitet. Belegt in der jüngeren Altsteinzeit, bes. häufig in der späten Hallstattzeit und frühen Latènezeit S-Dtl.s sowie der röm. Kaiserzeit. Seit dem MA. für Trauerschmuck, Medaillons, Rosenkränze u. a. verwendet.

Gạia, Ge [grch. ›Erde‹], **Gạ̈a,** lat. **Tẹllus, Tẹrra,** die grch. Personifikation der Erde, die alles Leben hervorbringt und zurücknimmt. Als eine der großen Urmächte wohl mit vor- und außergrch. Elementen durchsetzt, Demeter und Rhea wesensähnlich, umfaßt sie gleichermaßen kosm. und chthonisch-mag. Bereiche. Im Mythos gebar sie Himmel (Uranos), Berge und Meer (Pontos) und war, befruchtet von Uranos, u. a. Mutter der Titanen und Giganten, von Kyklopen, Nymphen und Erinyen. Sie hatte Bezug zu Zeus und Helios als Schwurzeugin, aber auch zu Pluton und Hermes im unterweltl. Bereich. Kultisch wurde sie selten (Athen, Delphi u. a.) verehrt. In der Kunst findet sich G., meist als aus der Erde ragende Halbfigur, oft mit Früchten, Kindern und Füllhorn, v. a. auf grch. Vasen und Reliefs (Fries des Pergamonaltars) und auf zahlreichen etrusk. und röm. Denkmälern; seit dem 6. Jh. v. Chr. bes. in Kämpfen der Giganten. In MA. und Neuzeit sind G.-Darstellungen selten (A. FEUERBACH).

Gaibach, Gem. bei Volkach im bayer. Unterfranken. Barockkirche von B. NEUMANN (1742–45); das 1694–1710 durch J. L. DIENTZENHOFER umgebaute Schloß (Grafen Schönborn-Wiesentheid) wurde um 1825 durch L. v. KLENZE klassizistisch verändert.

Gaillon [gaj'ɔ̃], frz. Ort im Seine-Tal, Dép. Eure, Normandie. Das Schloß, unter Kardinal Georges d'Amboise nach ital. Vorbildern zw. 1497 und 1510 erbaut, seit der Frz. Revolution z. T. verfallen, trug maßgeblich zur Verbreitung der ital. Renaissance in N-Frankreich bei.

Gainsborough [g'eɪnzbərə], Thomas, engl. Maler, getauft Sudbury (Suffolk) 14. 5. 1727, †London 2. 8. 1788. G. nahm vielerlei Einflüsse auf: von F. HAYMAN und dem frz. Rokoko, von P. P. RUBENS und A. VAN DYCK. Seine Porträts (BILD Porträt), bes. die Gruppenporträts, sind intimer als die seines großen Rivalen J. REYNOLDS und von stärkerer Farbigkeit (›Der Knabe in Blau‹, 1769; San Marino, Kalifornien, Henry E. Huntington Art Gal.; ›Der Morgenspaziergang‹, 1785; London, Nat. Gal.). Seine oft pastose Malerei steht im Dienst der Wiedergabe von Seide und Schleier auf den Gewändern. Er bevorzugte das Ganzfigurenporträt mit Landschaftshintergrund. Seine Damenporträts (z. B. ›Mrs. Sarah Siddons‹, 1783/85; London, Nat. Gal.; ›Mary Gräfin Howe‹, um 1765; Kenwood, Samml. Iveagh Bequest) zeigen in ihrer kühlen Haltung typisch engl. Reiz. Seine Landschaften lassen sich nie auf einen best. Ort lokalisieren (›Erntewagen‹, 1767; Birmingham, Barber Institute), die Betonung liegt auf Stimmung und Wetter. Dies gilt bes. für seine Hinterglasbilder (London, Victoria and Albert Mus.). In den 1780er Jahren schuf G. durch B. E. MURILLO angeregte Genre-

Thomas Gainsborough: Der Morgenspaziergang; 1785 (London, National Gallery)

bilder (›Bauernmädchen mit Hund‹, 1785; Russ Borough, Irland, Samml. Sir A. Beit).

J. N. LEONARD: G. und seine Zeit (a. d. Engl., [3]1976); J. LINDSAY: T. G., His life and art (London 1981); G., Ausst.-Kat., Paris (1981); J. HAYNES: G.'s landscape paintings, 2 Bde. (London 1982).

Gajahasta [Skt.], Handhaltung (→Mudra) ind. Götterfiguren, bes. des →Nataraja, bei dem der Arm, einem Elefantenrüssel gleich, schwingend herabhängt.

Gajalakshmi [Skt.], die ind. Göttin des Glücks, auf dem Lotus sitzend dargestellt mit 2 Elefanten zur Seite, die zur Weihung Wasser aus Krügen über sie gießen.

Gajasurasamharamurti [Skt.], mytholog. Darstellung des ind. Gottes →Shiva im Kampf mit dem Elefantendämon. Shiva wird auf dem Kopf des Elefanten stehend dargestellt, dessen Haut er noch über sich streckt.

Gajendramoksha [Skt.], der ind. Gott →Vishnu bei der Befreiung des Elefantenkönigs aus der Gewalt eines Krokodildämons, seit der Gupta-Zeit beliebte szenische Darstellung in Relief und Malerei.

Gajendramoksha, Deogarh; 6. Jh.

Galanta, Stadt im Westslowak. Kreis, ČSSR, etwa 5000 Ew.; mit Stammschloß der Esterházy-Galantha (17. Jh.), einer klassizist. Pfarrkirche (1805) und einem neugot. Herrenhaus (1860 auf älterer Grundlage erbaut). In den eingemeindeten Dörfern Hody und Nebosje klassizistisches (1790) und Spätrenaissance-Herrenhaus (16.–17. Jh.).

Galatea, grch. Mythos: eine zarte Nymphe, Tochter des Nereus, deren Geliebter Akis von dem Kyklopen Polyphem (dessen Beziehung zu G. in versch. Versionen überliefert ist) erschlagen wurde. In der hellenist. und röm. Kunst wurde sie meist zus. mit Polyphem dargestellt (Wandbilder, Reliefs). Der Triumph der G. im Muschelwagen wurde v. a. in der Neuzeit zu einem beliebten Thema (RAFFAEL, P. P. RUBENS).

Galerie [ital. galleria, altfrz. galilée, ›Vorhalle einer Kirche‹, nach dem bibl. Galiläa]. **1)** Im roman. Kirchenbau ist die G. als schmaler Laufgang Gliederungsmotiv am Außenbau (→Zwerggalerie). Im Schloßbau des 17. und 18. Jh. wird die G. zum prunkvollen Festsaal, deren Helligkeit, hervorgerufen durch eine lange

Fensterfront, dazu veranlaßte, Kunstwerke aufzustellen; daher ging die Bez. G. allg. auf Gemälde-Samml. über. – Im Theaterbau werden die oberen Ränge des Zuschauerraums G. gen. **2) G.-Ton,** Maltechnik: bräunl. Verfärbung von Ölgemälden durch die altersbedingte Vergilbung eines Firnis oder überschüssiger öliger Bindemittel, im 19. Jh. oft künstlich nachgeahmt. **3)** Orientteppich, meist 55–65 cm breit und 150–170 cm lang.

Galilei, Alessandro, ital. Architekt, *Florenz 25. 7. 1691, †Rom 21. 12. 1736, übersiedelte 1714 nach England, doch keines seiner engl. Projekte wurde ausgeführt; 1719 Rückkehr nach Florenz, wo er großherzogl. Festungsbaumeister wurde. 1730 von Papst KLEMENS XII. (Corsini) nach Rom berufen, wo seine bedeutendsten, bereits klassizist. Züge aufweisenden Bauten entstanden.

HW: Cappella Corsini (1732) und Fassade (1734) von S. Giovanni in Laterano, Rom.

Gallait [gal'ɛ], Louis, belg. Maler, *Tournai 10. 3. 1810, †Brüssel 20. 11. 1887, nach Ausbildung an der Akad. in Tournai entwickelte er sich in Paris zum Begründer der großformatigen, romant. Historienmalerei Belgiens, die auf die dt. Malerei des 19. Jh. gewirkt hat.

HW: Abdankung Karls V. (1841; Brüssel, Musées Royaux des Beaux-Arts); Egmont vor der Hinrichtung (1848; Berlin-West, Staatl. Museen).

Galla Placidia, Tochter des Kaisers THEODOSIUS I., *um 390, †Rom 27. 11. 450, ließ 425 nach Rettung aus Seenot in Ravenna die Kirchen S. Giovanni Evangelista und S. Croce (zerstört) erbauen. Das nach ihr benannte Mausoleum (zweifellos schon urspr. ein Grabbau) entstand wohl im 2. Viertel des 5. Jh., angefügt an die Kirche S. Croce. Die Überlieferung für ihre Bestattung dort ist nicht vor dem MA. festzustellen. (BILD Ravenna)

Lit.: →Ravenna.

Gallarus Oratory [g'ælərəs 'ɔrətrɪ], Kirchenbau des 6. oder 7. Jh. auf der Halbinsel Dingle an der W-Küste Irlands. Der Bau (aus einem spitzbogigen Tonnengewölbe aus Trockenmauerwerk) ist ein bes. frühes Beispiel der ehemals zahlreichen zellenartigen Kirchen.

Galle [x'alə], in Antwerpen tätige Zeichner- und Kupferstecherfam. holländ. Herkunft. Bes. bekannt sind: Cornelis d. Ä. (*1576, †1650) und sein Bruder Theodor (*1571, †1633), die beide u. a. als →Rubensstecher arbeiteten und als Buchillustratoren tätig waren, sowie ihr Vater und Lehrer Philipp (*1537, †1612), der wohl Schüler von H. →Cock war und nach dessen Tod seine eigene Werkstatt zum Zentrum der niederländ. Kupferstichproduktion bis gegen 1600 machte. Das umfangreiche, ca. 800 Blätter umfassende Werk ist nicht immer von Erzeugnissen der Mitarbeiter zu trennen.

Gallé, Émile, frz. Kunsthandwerker, *Nancy 4. 5. 1846, †ebd. 23. 9. 1904, begann in der Fayence- und Glasfabrik seines Vaters, bildete sich in Weimar, London, Italien fort und wurde in Nancy einer der führenden Entwerfer und Produzenten von Möbeln, Glas-

Émile Gallé:
Vase, Glas (Frankfurt am Main, Museum für Kunsthandwerk)

und Keramikwaren, Schmuck und Gerät im Jugendstil.
E. G., Ausst.-Kat., Köln (1983).

Gallego [gaʎ'eγo], auch **Gallegos,** Fernando, span. Maler, *Salamanca(?) um 1440, †ebd. nach 1507, bedeutendster Vertreter der Malerei Kastiliens in der 2. H. des 15. Jh.; charakteristisch für seine Altarretabel ist eine Vorliebe für Gewänder mit reicher, hart gebrochener Faltengebung. Die Mitteltafel des Laurentiusaltars mit dem ›Segnenden Christus‹ (nach 1492 voll.; Madrid, Prado) verrät den Einfluß der altniederländ. Malerei (J. VAN EYCK) und gehört in der Präzision der Darstellung zu seinen besten Werken.

WW: Ildefonso-Altar (vor 1468; Zamora, Kathedrale); Fresken in der Bibliothek der Univ. Salamanca (1479–93).

Gallegos y Arnosa [gaʎ'eγos i-], José, span. Maler, Bildhauer und Architekt, *Jerez de la Frontera 3. 5. 1859, †Anzio bei Rom 21. 9. 1917, seit 1881 in Rom, malte Genrebilder in der Art M. FORTUNYS, Straßen- und Volksszenen aus dem Orient.

HW: Marokkan. Hochzeitstag (um 1880; Madrid, Mus. für Moderne Kunst). – Bildwerke: 64 Bronzestatuen und Marmorbaldachin für den Hochaltar der Santiago-Kirche in Jerez de la Frontera (1900 bis 1906).

Gallén-Kallela, Akseli, finn. Maler, *Pori 26. 5. 1865, †Stockholm 7. 3. 1931, studierte in Helsinki und Paris, stand zunächst unter dem Einfluß der frz. Freilichtmalerei, entwickelte dann einen dem Symbolismus nahestehenden Monumentalstil. Seine Motive entnahm er häufig dem finn. Nationalepos ›Kalevala‹.

Akseli Gallén-Kallela: Die Mutter von Lemminkäinen; 1897 (Helsinki, Kunstmuseum Atheneum)

Galleria Palatina, Galleria Pitti, Gemälde-Gal. im Palazzo →Pitti in Florenz. Sie wurde um 1620 von den MEDICI begründet. Die letzte Nachfahrin der Medici, ANNA MARIA LUDOVICA (*1667, †1743), seit 1691 verheiratet mit Kurfürst JOHANN WILHELM VON DER PFALZ (daher wohl die Bez. G. P., ›Pfälz. Gal.‹), übergab die Samml. der Stadt Florenz. Die prachtvoll dekorierten Räume mit Werken u. a. von A. DEL SARTO, RAFFAEL, TIZIAN, TINTORETTO und P. P. RUBENS spiegeln noch heute den Charakter einer fürstl. Samml. wider.

Gallerie dell'Accademia, Venedig, →Accademia.

Galli da Bibiena, ital. Baumeister- und Malerfamilie, →Bibiena.

Gallier-Weihgeschenke, →Attalische Weihgeschenke.

Gallinazo, Kunststil, der durch archäolog. Funde aus der Zeit zw. 400 v. Chr. und Christi Geburt im Virú-Tal an der N-Küste von Peru belegt ist. In der Gefäßmalerei sind dunkle Farben verwendet, die Negativtechnik ist als neue Dekorform angewandt; für die Gefäßform ist der konische Ausguß kennzeichnend.

Galluzzo, südl. Vorort von Florenz. Auf einem Hügel liegt die ehem. Kartause **Certosa del G.** [tʃert'oza-], auch **Certosa di Val d'Ema** gen., 1341 gegr., seit 1958 Zisterzienserkloster; im Großen Kreuzgang Majolikamedaillons von A. und G. DELLA ROBBIA, in der Pinakothek 5 Fresken von J. DA PONTORMO.

Galvanoplastik [n. dem ital. Naturforscher LUIGI GALVANI, *1737, †1798]. In der Druckgraphik bedient man sich des elektrolyt. Verfahrens der G. zum Überziehen der sehr weichen Kupferplatte, um sie z. B. durch Verstählung zu härten und zu schützen, aber auch zur Gewinnung und Vervielfältigung von Druckformen. Die Abformung **(Duplikat)** einer Druckform auf diesem Wege nennt man **Galvano.** Vom Original fertigt man eine Matrize aus Wachs oder Weichmetall an und überzieht sie mit einer Kupferhaut. Nach Ablösung dieser dünnen Haut wird sie mit Blei hintergossen.

Gaming, Gem. im Bez. Scheibbs, NÖ, 4200 Ew., mit ehem. Kartäuserkloster. Klosterkirche (1332–42, z.T. neugebaut im 17. Jh., barockisiert 1756); Klostergebäude um 2 Höfe (im wesentl. 16./17. Jh.), erh. sind 20 Mönchszellen (14. Jh.).

Gana [Skt.], ind. Zwergengestalt aus dem Gefolge Shivas, meist als Gruppen skurriler Gestalten in Friesen an Tempelsockeln und Paneelen reliefiert.

Gand [gã], frz. Name von →Gent.

Gandersheim, Bad G., Stadt westlich des Harzes, Ndsachs., 12300 Ew., mit ehem. Kanonissen-Reichsstift (852 gegr.); die heutige Kirche, eine flachgedeckte Basilika mit Stützenwechsel, samt Krypta 2. H. 11. Jh.; kolossale Doppelturmfront; Münstersamml. In der Renaissance-Abtei (1600) barocker Kaisersaal (1736). In den Renaissanceneubau des Rathauses (1580) wurde die got. Moritzkirche samt Turm einbezogen. Got. Georgskirche (1428–1550) innen 1676 bunt-bäuerlich ausgemalt. Viele Fachwerkhäuser (›Bracken‹ 1473).

Gandhara-Kunst, die in der 1. Hälfte des 1. Jahrtsd. n. Chr. in der Landschaft Gandhara im heutigen N-Pakistan und O- bis N-Afghanistan blühende buddhist. Kunstschule, in der sich ind. religiöse Ideen und Symbole mit hellenist. und römisch-parthischer Formengestaltung verbanden. Parallel zur Mathura-Kunst (in einem noch ungeklärten Wechselverhältnis) entstand in Gandhara die leibl. Buddha-Darstellung, hier mit drapiertem Gewand und lockenhaarig. In erzählenden Reliefs an Stupas und Klosterbauten (Taxila, Butkara,

Peshawar u. a.), die antike Säulenformen und Dekorationselemente übernahmen, wurden Themen der Buddhalegende gestaltet, gleichermaßen neu war die Darstellung des →Bodhisattva des erstarkenden Mahayana-Buddhismus. Die Plastiken der G.-K. wurden bevorzugt in grauem Schiefer ausgeführt, in den Spätphasen seit dem 4./5. Jh. auch in Stuck (→ Hadda). Späte Zentren wie Bamian und Fondukistan, deren Wandmalereien bzw. Lehmplastiken sassanid. Einflüsse aufweisen, strahlten bis nach Zentralasien aus. Seltener wurden in der G.-K. hinduist. Werke geschaffen, hier v. a. Shiva, der auf den Münzbildern der Kushana-Dynastie im Gandhara-Gebiet abgebildet wurde. (BILD indische Kunst)

Gaṇesha [Skt. ›Herr der →Ganas‹], elefantenköpfige ind. Gottheit mit untersetztem, gnomenhaftem Körper, gilt als Sohn →Shivas. Seit der Guptazeit ist G. einer der populärsten hinduist. Götter, der zum guten Gelingen von Werken angerufen wird. An Tempeln wird er meist in südl. Richtung aufgestellt.

Ganga [Skt.], der ind. Fluß Ganges, personifiziert als Göttin auf einem Makara stehend. Zusammen mit →Yamuna bildet sie seit der Guptazeit die kanonische Gruppe der Portalfiguren hinduist. Tempel.

Gangạdhara Shiva [Skt.], mytholog. Darstellung des ind. Gottes →Shiva, der die in seinen Haarflechten gefangene →Ganga freigibt, wobei sie in Relief und Plastik als weibl. Halbfigur dargestellt wird, in der Miniaturmalerei als feiner Wasserstrahl, der aus Shivas Haaren fließt.

Gangaikondachọlapuram, Jayankondacholapuram [dʒajan-], hinduist. Tempelstätte in Tamil Nadu, S-Indien, mit dem in der Blütezeit der Chola-Dynastie erbauten Shiva-Tempel (um 1025). Meisterliche Reliefskulpturen befinden sich in den Nischen der Außenmauern.

Ganghofer, Jörg, genannt **J. von Halspach,** Baumeister, *Sixthaselbach bei Moosburg a. d. Isar(?), †München 29. 9. 1488, erhielt ebd. als Stadtbaumeister (seit 1468) den Auftrag zum Bau der Frauenkirche, die er in Backstein als (spätgotische) Hallenkirche ausführte (vollendet bis auf die Turmhauben). Von ihm stammen auch Entwürfe zur Wölbung des Großen Saales des Alten Rathauses in München. Sein Baustil ist nüchtern und durch gute techn. Ausführung ausgezeichnet.

Gangolf, burgund. Edelmann des 8. Jh., seit dem 9. Jh. als Märtyrer verehrt; dargestellt als Ritter mit Zeichen seines Standes (Stuttgarter Passionale, um 1130), seit Beginn der Neuzeit mit Panzer und Schild; individuelles Attribut: Stab (Hinweis auf sein Quellwunder).

Gạnosis [grch. ganos ›Glanz‹], Überzug auf Marmorskulpturen und Wandbildern mit ölhaltigem Punischem Wachs. Die G. gab den Statuen eine elfenbeinfarbige Tönung und den Fresken eine tiefere Farbigkeit.

Ganymẹd, grch. Mythos: der wegen seiner Schönheit in den Olymp erhobene Mundschenk und Geliebte des Zeus, aus troischem Königsgeschlecht; nach späterer Überlieferung soll der Adler des Zeus oder Zeus selbst in Adlergestalt G. in den Olymp entführt haben. V.a. seine Entführung wurde auf grch. Vasen, Reliefs und als Freiplastik (Krater des BERLINER MALERS, um 475 v.Chr., Louvre; Terrakottagruppe in Olympia, 5.Jh. v.Chr.; Bronzegruppe von LEOCHARES, um 340 v.Chr., Kopie im Vatikan), oft auch auf röm. Reliefs und Wandbildern (Pompeji) und dann wieder in der Neuzeit (MICHELANGELO, CORREGGIO, P. P. RUBENS, REMBRANDT, H. v. MARÉES, Skulptur von B. THORVALDSEN) dargestellt.

Gao, Handelsstadt in O-Mali, am Niger, 37000 Ew.; im 7.Jh. gegr., 11.–16.Jh. Hauptstadt des Songhai-Reiches; geschlossene sudanes. Lehmbauweise. Nördlich von G. Grabmoschee der islam. Askia-Dynastie (1493–1591), muslim. Wallfahrtsort.

Garbhagriha [Skt.], das Allerheiligste des ind. Tempels, der fensterlose Raum für das Hauptkultbild, über dem sich der Turmaufbau erhebt.

Gard, Pont du Gard [pɔ̃dyg'a:r], einer der besterhaltenen röm. Aquädukte (aus der Zeit des Augustus, 275 m lang, 49 m hoch, in 3 Arkadengeschossen), überquert zw. Nîmes und Avignon den G. (rechter Nebenfluß der Rhône in S-Frankreich).

Gardelegen, Stadt in der Altmark, Dt. Dem. Rep., 13000 Ew.; im 14.Jh. Hansestadt. Spätroman. Marienkirche (13.Jh.) mit spätgot. Chor (15.Jh.), eine fünfschiffige Backstein-Hallenkirche mit wertvoller Ausstattung, u.a. großer vierflügeliger Schnitzaltar (Anf. 15.Jh.), 2 kleinere Schnitzaltäre (Ende 15.Jh.). Die spätgot. Nikolaikirche (15.Jh.) wurde 1945 zerstört, der Chor wiederhergestellt. Rathaus (1526–52); Salzwedeler Tor (um 1500).

Gardella, Ignazio, ital. Architekt, *Mailand 30. 3. 1905, in den 1930er Jahren der Rationalen Architektur Italiens zuzuordnen, wendete sich später mit seiner Bemühung, geometr. Ordnung, materialgerechte Konstruktion und örtliche Traditionen in einem Bauwerk zu vereinen, gegen Stil- oder Ideologiefixierungen in der Architektur.

HW: Tuberkuloseklinik in Alessandria, Italien (1936–38); Erholungszentrum der Fa. Olivetti in Ivrea bei Turin (1953–59); Apartement-Haus ›Alle Zattere‹ in Venedig (1957).

G. C. ARGAN: I. G. (Mailand 1959); La presenza del passato, hg. v. La Biennale di Venezia (ebd. 1980).

Gardner Porzellan-Manufaktur, 1766 von dem engl. Porzellanhersteller F. J. GARDNER in Werbilki bei Moskau gegr. Manufaktur. 1777–85 gab KATHARINA D. GR. das Andreas-, Alexander-Newski-, Georgs- und Wladimir-Service für die Patronatsfeste der 4 wichtigsten russ. Orden in Auftrag. Um 1770 wurde auch figürl. Porzellan hergestellt.

Gargallo [gar'ɣaʎo], Pablo, span. Metallbildner, *Maella (Prov. Zaragoza) 5. 12. 1881, †Reus 28. 12. 1934, bildete sich in Paris, schuf Köpfe und Figuren aus Eisen- und Kupferblechen.

P. G., Ausst.-Kat., Duisburg (1966).

Pablo Gargallo:
Prophetenkopf

Garizim, Mount Gerizim [maunt-], arab. **Djebel et-Tur,** Berg in Mittel-Palästina (881 m), südlich von Nablus, religiöser Mittelpunkt der Samaritaner mit Opferstätte (Grundmauern einer hier von Kaiser ZENO 484 errichteten Muttergottes-Kirche); auf einem 2. Gipfel Ausgrabung eines hellenist. Tempels des Zeus Xenios mit Spuren einer (früher schon auf Münzen bezeugten) Treppe zum Ort Neapolis (Nablus).

Garmisch-Partenkirchen, Markt in Oberbayern, 27000 Ew. Im Ortsteil Garmisch (seit 1294 zur Gfsch. Werdenfels gehörig) die Alte Kirche (1280, mit umfangreichen got. Fresken) und die barocke Martinskirche (1729–33 von J. SCHMUZER); in Partenkirchen (aus dem röm. Kastell **Parthanum** entstanden) die reizvolle Wallfahrtskirche St. Anton (1. H. 18. Jh.) mit hervorragendem Fresko von J. E. HOLZER (1736). Nördlich von G.-P. das **Jagdschloß Schachen,** 1871/72 für König LUDWIG II. VON BAYERN errichtet (Mus.).

Garni, Ort in der Armen. SSR, 27 km östlich von Eriwan, UdSSR, mit Resten einer antiken Stadt (3. Jh. v. Chr.). Auf der Akropolis Ruinen eines späthellenist. Tempels, einer Thermenanlage mit Mosaikfußboden und einer Kreuzkuppelkirche des 6. Jh.; weitere Ruinen von Baudenkmälern des 4. bis 17. Jh. im Gebiet der 1679 durch Erdbeben zerstörten Ortschaft.

Garnier [garnj'e], **1)** Charles, frz. Baumeister und Kunstschriftst., *Paris 6. 11. 1825, †ebd. 3. 8. 1898. Archäolog. Studien führten ihn nach Italien und Griechenland, wo er sich u. a. mit dem Problem der farbigen Bemalung des Tempels von Ägina befaßte. Seit 1854 in Paris, baute er die ›Grand Opéra‹ (1861–74) im prunkvollen neubarocken Stil des 2. Kaiserreichs; er schuf auch das Theater und Casino in Monte Carlo.

2) Tony, frz. Architekt, *Lyon 13. 8. 1869, †La Bédoule bei Lyon 19. 1. 1948, entwarf 1901–04 das Projekt für eine Industriestadt, das eine Fülle revolutionärer Gedanken zum Städtebau, zum Stahlbetonbau und zur Entwicklung freier Grundriß- und Fassadengestaltung enthielt und Vorbild zahlreicher Planungen bes. →Le Corbusiers wurde. Lediglich einige Ideen konnte G. später in Lyon realisieren.

HW: Schlachthof La Mouche, Lyon (1909–13); Stadion, ebd. (1913–18); Grange Blanche-Krankenhaus, ebd. (1915–30); Wohnviertel Les États-Unis, ebd. (1928–35).
Schrift: Une cité industrielle (1917, Neuaufl. 1982).
C. PAWLOWSKI: T. G. et les débuts de l'Urbanisme Fonctionel en France (Paris 1967).

Garofalo, Benvenuto da, eigtl. B. **Tisi,** ital. Maler, *Garofalo (?) um 1481, †Ferrara 6. 9. 1559, wurde in seiner Farbgebung von DOSSO DOSSI, in seiner Komposition von RAFFAEL beeinflußt; unter seinen zahlreich überlieferten Gemälden überwiegen relig. Themen.

HW: Madonna mit Heiligen (1514; Ferrara, Pinakothek); Anbetung der Hirten (Rom, Galleria Borghese); Auffindung des Kreuzes (1536; Ferrara, Pinakothek).

Gars a. Inn, Markt im Kr. Mühldorf a. Inn, Oberbayern, mit ehem. Augustinerchorherrenstift; in der Klosterkirche, einem Barockbau von G. und D. ZUC-

CALLI (1661–90), zahlreiche vorzügl. Grabmäler des 15. Jh.

Garsten, Gem. an der Enns, bei Steyr, OÖ, mit ehem. Benediktinerstift; Stiftskirche und Klostergebäude sind Neubauten des Barock. Die Kirche (1677 bis 1685), von P. F. CARLONE entworfen, von seinen Söhnen ausgeführt, ist mit ihrer prunkvollen Ausstattung ein HW des späten österr. Barock.

Gartenhaus, kleinerer, seit dem Barock vorkommender Gebäudetyp innerhalb des Gartens; in aufwendigerer Form als Lustschloß oder Eremitage, als Belvedere oder als kleines Teehaus. Im 18. Jh. sind Pagoden und Moscheen, aber auch künstl. Ruinen und Borkenhäuschen üblich. Abarten des G. für die Unterbringung empfindl. Pflanzen sind Orangerie und Glashaus.

Gartenkunst versucht, den Garten zu gestalten, einen künstlich bepflanzten, begehbaren Bereich, der meist in Bezug zu Wohn- oder Repräsentationsarchitektur steht. Gestaltungsmittel hierfür sind außer Pflanzen Wasser, Wege, Steine, Baulichkeiten, Bildwerke.

Altertum und Mittelalter. Die G. der Ägypter war streng symmetrisch (Bäume in Reihen, Blumen, Wasser, Lauben). Die Babylonier legten ausgedehnte Terrassengärten an (die Hängenden Gärten der SEMIRAMIS). Bei den Assyrern gab es Jagd- und Tierparks mit landschaftl. Charakter, bei den Persern sowohl ausgedehnte Waldtierparks als auch mit Baumreihen regelmäßig bepflanzte Gartenterrassen. Die Griechen hatten am Wohnhaus einen vom Säulengang umgebenen gepflasterten Gartenhof sowie öffentl. Anlagen als Baumhaine an Tempeln, Palästen und Gymnasien. Der röm. Garten war hochentwickelt mit künstl. Wasseranlagen, Grotten, Bassins und Architekturen (Hadriansvilla in Tivoli).

Die im Mittelalter selbständig beginnende G. des Abendlandes arbeitete und plante geometrisch. Die Gärten waren oft von Gebäuden eingeschlossen (hortus conclusus) wie sie von got. Miniaturen und Tafelbildern bekannt sind. Der Klostergarten war v. a. Kräuter- und Arzneigarten.

Mit der ital. Renaissance lebte die Bedeutung der G. in der Architektur wieder auf. Im Zusammenhang mit

Gartenkunst: Steingarten des Ryoan-ji-Tempels in Kioto, um 1500

der Villenkultur entstand der regelmäßig angelegte Ziergarten mit Bassins, Hecken und Beeten. Unter Ausnutzung natürl. Bodenformen und Quellen wurde das Gelände terrassiert, man baute Stützmauern und Treppen, legte Wasserspiele und Laubengänge an, streng geschnittene Buchsbaumhecken, immergrüne Gehölze und einzeln stehende Zypressen und Pinien (Villa d'Este in Tivoli, Boboli-Garten, Florenz).

Barock. Die G. der ital. Renaissance hatte schon die Urform des frz. Barockgartens vorgebildet, jedoch waren **Französische Gärten** aufwendiger und konsequenter auf die Schloßarchitektur ausgerichtet. Ihre Gestaltungsziele waren: geometrisch-axiale Prospekte, als Repräsentationsgarten auf die Gebäude bezogen, streng getrennt von der natürl. Umgebung, lediglich durch Fernsichten, die von Alleen und Wassergräben betont wurden, perspektivisch erweitert. Der symmetrisch um eine Mittelachse angeordnete und mit →Bosketts und →Broderieparterres, Bassins und Kanälen versehene frz. Barockgarten wurde, im 17. Jh. von A. LE NÔTRE formuliert, bald Vorbild für Schloßparkanlagen in ganz Europa (England: Hampton Court, Dtl.: Herrenhausen, Ludwigsburg, Würzburg, Schleißheim, Nymphenburg, Brühl u.a., Österreich: Belvedere und Schönbrunn, Wien).

In England entwickelte sich im Laufe des 18. Jh. der Landschaftsgarten **(Englischer Garten)** als Gegenbewegung zum frz. Garten des Absolutismus. Der von W. KENT und Lord BURLINGTON erdachte Landschaftsgarten war mit Bauwerken ausgestattet, die sentimentale Gefühle ausdrücken sollten (künstl. Ruinen, Einsiedeleien, Denkmäler); seine Gestalt war der Natur angenähert, jedoch von festen Regeln bestimmt. Durch gestaltende Eingriffe in die Landschaft über den Garten hinaus und durch Alleen, Blickpunkte und Ausholzungen wurde die Grenze zw. Garten und freier Landschaft verwischt (Rousham House von W. Kent, Stourhead Gar-

Gartenkunst: Englischer Garten, Stourhead; um 1740

Gartenkunst:
Teich-Betrachtungsgarten des Sanzen-in-Tempels in Kioto; Anfang der Edo-Zeit, 17. Jh.

den in Wiltshire). In Dtl. entstanden im 18. Jh. die Parkanlagen in Wörlitz bei Dessau, der Englische Garten in München, die Parks des Fürsten PÜCKLER in Muskau (Schlesien). Der Einbeziehung großer landschaftl. Teile in die Gestaltung der Gärten jener Zeit verdanken viele Ortsbilder (Potsdam, Muskau, Branitz bei Cottbus, Berlin, Hannover, München) wesentl. Veränderungen und Verschönerungen. Der Engl. Garten war z. T. bis zum Ende des 19. Jh. gebräuchlich, er wurde im Historismus durch Rückgriffe auf die regelmäßigen Gartenanlagen der Renaissance und des Barock verdrängt.

Durch die Zunahme an Zivilisation entstanden der G. im 20. Jh. neue Aufgaben auf wirtschaftl., sozialen und hygien. Gebieten, die auch die formale Gestaltung beeinflußten.

Gartenkunst: Schloßpark Versailles; 17. Jh.

Gartenkunst: RECHTS Teil der Brunnenanlage vom ›Isoletto‹ im Boboli-Garten, Florenz; Anfang des 17. Jh. OBEN Teichgarten im Park von Schloß Hampton Court, Greater London, 18. Jh.

Die G. des Islam wurde von der hellenist. Spätantike und von Persien beeinflußt: Wasserspiele, berankte Pergolen, Bäume, Plattenwege, Blütensträucher. Die islam. G. breitete sich durch die Mauren nach Spanien aus (Granada, Alhambra) und beeinflußte durch die Mongolen auch die G. in Indien. Kaiser BABUR (1526 bis 1530) führte in Indien den von einer Mauer umgrenzten Garten (persisch ›Bagh‹) ein, der sich durch die strikte Symmetrie der Anlage auszeichnet. Die von geometr. Blumenbeeten und Zypressen flankierten Wasserläufe markieren die oft von Wasserfällen unterbrochenen Sichtachsen (Schloßgärten in Delhi).

In China gehörte das Bauen von Gärten zu den ältesten künstler. Aktivitäten. Der kaiserl. Garten war als Paradiesgarten und Abbild eines geordneten Universums konzipiert. Er wurde mit künstl. See und die Paradiesinsel repräsentierendem Berg ausgestattet (besterhaltenes Beispiel: ›I-ho-yüan‹-Sommerpalast und der Pei-hai-Park in Peking). Eine säkularisierte Form des Paradiesgartens stellte der als Refugium und Ort des sozialen Kontaktes zw. Angehörigen der gebildeten Elite dienende Literatengarten dar. In ihm wurde die Landschaft (chines. ›Shan-shui‹, dt. Berg und Wasser) als Modell einer natürlich gewachsenen Welt ästhetisiert (Literatengarten in Suchou).

Japanische G. Der japan. Garten entwickelte sich wie der chines. vor einem religiös-zeremoniellen Hintergrund. Er ist nicht Lebensraum, sondern Blickraum: Er gleicht einem Gemälde mit vorgetäuschter Tiefe, kann aber auch echte Tiefe aufweisen, wenn es sich um einen Park mit wechselnden, im Gehen erfaßbaren Bildeinheiten handelt (Umwandlungsstil). Besteht der Garten nur aus einem schmalen Streifen parallel zum Haus, dessen Komposition in allg. verkleinernden Proportionen nur vom Zimmer oder der Veranda aus betrachtet wird, so schafft man die Illusion der Tiefe durch eine Wasserfläche im Vordergrund, Dreiecksgruppen von Steinen oder kleine Steine von bizarrer Form, die kleine Bäume groß und kugelig geschnittene Sträucher wie Hügel wirken lassen. Stets soll der Garten ein Bild der Landschaft in ihrer Ganzheit sein.

Man unterscheidet Hügelgärten, in denen Steine, Erdaufschüttungen oder gerundet geschnittene Sträucher die Berge darstellen, flache Gärten, die kaum aus der Ebene aufragen, oft nur mit einem Rinnsal und Steinen, und Wald-Wasser-Gärten, manchmal mit Inseln bei parkähnl. Ausmaßen, auch ›Landschaftsgärten zum Spazierengehen‹ genannt. – Entwicklungsgeschichtlich unterteilt man 3 Perioden: 1) Der chinesisch beeinflußte See-Insel-Garten der Heian-Zeit (794 bis 1185) mit See und blühender bewachsener Insel, der uns nur auf Querrollen jener Zeit überliefert ist. 2) Die Abtshausgärten seit dem 15./16. Jh. nehmen nur wenig Raum ein. Sie werden nicht betreten, sondern nur vom Haus aus betrachtet: Mauer, Hecke oder dichtstehende Bäume bilden den Hintergrund. 3) Teehausgärten (seit dem letzten Drittel 16. Jh.) sind schmale Streifen als Zugang zum →Teehaus, sie sollen dem, der sie durchschreitet, das Gefühl von Einsamkeit geben und seine innere Sammlung fördern: ohne blühende Pflanzen, mit ›weggeworfenen Steinen‹ am Wegesrand, Steinlaterne und niedrigem Wasserbecken.

Wasser gehört in jede Gartenlandschaft und wird selbst in dem zur Kontemplation bestimmten ›trockenen Garten‹ durch wellenlinig geharkten Sand, Moosflächen, Kiesel oder felsige Ufer dargestellt. Zur Bepflanzung dienen immergrüne Pflanzen, um dem jahreszeitl. Wechsel wenig unterworfen zu sein. Daher spielen Blüten eine nur bescheidene Rolle. Steine und Bäume sind nach bestimmten Regeln gesetzt und haben ihrem Platz und ihrer kosm. Symbolik entsprechende Namen.

Aus ethnograph. Berichten ist die besondere Ausprägung der G. bei den Azteken (unter ihrem Herrscher MOCTEZUMA II. in Tenochtitlán) und bei den Inka überliefert; in die Gärten wurden auch Raubtiergehege, Vogelhäuser und Fischteiche aufgenommen.

D. CLIFFORD: Gesch. der G. (a.d. Engl., 1966); IRMTRAUD

SCHAARSCHMIDT-RICHTER u. O. MORI: Jap. Gärten (1979); D. HENNEBO u. A. HOFFMANN: Gesch. der dt. G., 3 Bde. (Nachdr. 1981); W. HANSMANN: G. der Renaissance und des Barock (1983).

Gartenstadt, weiträumig in Grünanlagen eingebettete Stadt. Der Gedanke, G. zu schaffen, um gesünder zu wohnen und benachbarte Großstädte zu entlasten, ging von Dtl. (T. FRITSCH, 1896) und Großbritannien (E. HOWARD, R. UNWIN, 1898) aus (Welwyn Garden City, ab 1920 zur Entlastung Londons, Hellerau bei Dresden, ab 1909). Nach 1945 entstanden in der Bundesrep. Dtl. Siedlungen in der Nähe größerer Städte, z. B. Sennestadt für Bielefeld, Meckenheim-Merl für Bonn. Seit den 70er Jahren widmen sich auch Architekten der amerikan. Avantgarde (C. MOORE, R. STERN, R. VENTURI u. a.) dem in den USA gestalterisch vernachlässigten Thema der G.

E. HOWARD: G. von morgen, hg. v. J. POSENER (1968); KRISTIANA HARTMANN: Dt. G.-Bewegung (1977).

Gärtner, 1) Andreas, Vater von 2), *Dresden 10. 8. 1744, †München 15. 11. 1826, war zunächst Inspektor der königl. Bauten in Paris, stand in den 80er Jahren im Dienst des Kurfürsten von Trier (Weiterbau des Schlosses in Koblenz), ging 1796 nach Würzburg, 1804 nach München. Wegen der Zeitumstände konnte sich G. weitgehend nur dem Innenausbau widmen (in München die Münze, 1809, die Akad. der Wissenschaften, Teile der Residenz). In seinem Amt als Hofbau-Intendant löste ihn L. v. KLENZE ab.

2) Friedrich von (seit 1840), Baumeister, Sohn von 1), *Koblenz 10. 12. 1792, †München 21. 4. 1847, Schüler von F. WEINBRENNER, lernte in Paris von C. PERCIER und P. F. L. FONTAINE; Studienreisen durch Italien, die Niederlande und England. Als Hofarchitekt LUDWIGS I. (seit 1828) schuf G. v. a. wesentl. Bauten der Ludwigstraße: an ihrem Beginn nach dem Vorbild der Loggia dei Lanzi in Florenz die Feldherrnhalle (1840–44), an ihrem Ausgang nach Schwabing das Siegestor (1843 bis 1850) als Nachahmung des Konstantinbogens in Rom, die Ludwigskirche (1829–44), die Bayer. Staatsbibl. (1832–42) und die Univ. (1835–40), ferner die Befreiungshalle in Kelheim (1842–63) und die Residenz in Athen (1837 bis 1841) für den Sohn LUDWIG I., OTTO I., den 1. grch. König. Sein Baustil (Rundbogenstil) mischt Elemente der dt. Romanik und der ital. Frührenaissance zu einem klassizist. Grundton. – Als Generalinspektor der bayer. Kunstdenkmäler regte G. die Wiederherstellung der ursprüngl. stilist. Einheit in den Domen von Bamberg, Regensburg und Speyer an, die z. T. zur Zerstörung späterer Ausstattungen führte. – G. leitete auch die Nymphenburger Porzellanmanufaktur (seit 1822) und die Glasmalereianstalt.

K. EGGERT: Die Hauptwerke F. v. G.s (1963).

3) Johann Philipp Eduard, Maler, *Berlin 2. 6. 1801, †ebd. 22. 2. 1877, begann als Porzellanmaler (1814–21) und bildete sich in Berlin zum Architekturmaler. 1825–27 war G. in Paris, 1837–39 in St. Petersburg und Moskau tätig, dann in Berlin. Straßen und Plätze dieser Stadt stellte G. in sorgsam ausgeführten, sachlich getreuen Ansichten mit feiner Beleuchtung dar (Panorama von Berlin, 6 Tle., 1834/35; Leningrad, Eremitage).

E. G. Architekturmaler in Berlin, Ausst.-Kat., Berlin (1968); J. WIRTH: E. G. Der Berliner Architekturmaler (1979).

Gartner, Jörg, Bildhauer, arbeitete 1505–30 in Passau, schuf, noch in spätgot. Stil, v. a. Grabmäler für den Dom in Passau, die Dominikanerkirche in Regensburg, die Spitalkirche in Burghausen u. a.

Garuda [Skt.], mytholog. ind. Vogel, Reittier des Gottes Vishnu. Als Feind der Nagas wird er häufig mit Schlangen in Schnabel und Händen dargestellt; weiteres Attribut: ein Gefäß mit dem Lebenselixier.

Garuda: Vishnu und Lakshmi auf G. fliegend, Hoyshaleshvara-Tempel, Halebid, 12.–13. Jh.

Garwhal, ehem. unabhängiger Kleinstaat am Himalaya in Uttar Pradesh, Indien, mit der Hauptstadt Tehri. In G. entwickelte sich, v. a. in der 2. H. des 18. Jh. ein eigener, romant. Malstil innerhalb der Rajput-Malerei.

Gastmahl, festl. Mahl, häufig in Verbindung mit Opfern und relig. Festen. Darstellungen von Götter- und Heroenmahlen auf grch. Vasen und Weihreliefs seit dem 6. Jh. v. Chr., von Trinkgelagen bes. häufig auf rotfigurigen Schalen. Verstorbene und ihre Hinterbliebenen sind auf hellenist. Grabreliefs beim Mahl vereint. In der röm. Kunst sind Mahle von Heroen, Hirten und Jägern v. a. auf Sarkophagdeckeln des 2. und 3. Jh. v. Chr. wiedergegeben. Aus ihnen entwickeln sich seit der 2. Hälfte des 3. Jh. die Darstellungen der altchristl. Gedächtnismahle (→Abendmahl), der Seligenmahle der Katakombenmalerei sowie die bibl. Wundermahle (Hochzeit zu Kana u. a.). Im Lauf der Jahrhunderte wurde die religiöse Thematik immer mehr verweltlicht. Das profane G., das schon in der Kunst des MA. eine bemerkenswerte Rolle spielte (Die Romfahrt Kaiser Heinrichs VII. im Bilderzyklus des Codex Balduini Trevirensis), wurde erst bei den protestant. Niederländern im →Gesellschaftsstück und bes. im →Gruppenbild ausgestaltet. Vielfach erweisen sich die Kompositionen als säkularisierte Abendmahlsdarstellungen. Die ›Bauernhochzeit‹ von P. BRUEGEL D. Ä. ist eine profanierte ›Hochzeit zu Kana‹. Der Barock übertrug seine Prachtfreude auch auf die Gestaltung des G.

Gasulla, Barranco del G., ein steilwandiges Trokkental in der span. Prov. Castellón. Die nordöstlich von Benasal in die Rambla Carbonera mündende G.-

Schlucht enthält viele Felsbilder, die durch eindrucksvolle Kompositionen (Jagd- und Kampfszenen) für die Levantekunst bes. typisch sind.

Gateleg Table [g'eɪtleg teɪbl, engl.], Klapptisch mit runder oder viereckiger Platte und herausschwenkbaren Beinen, seit dem 17. Jh. in England hergestellt.

Gattamelạta, ital. Kondottiere, *1370, †1443. DONATELLO schuf 1447–53 in Padua von G. das erste profane Reiterstandbild der Renaissance (BILD).

Gạttschina, Gatčina, 1929–44 **Krasnogwardęjsk,** Stadt 45 km südwestlich von Leningrad, UdSSR, 76 000 Ew.; ehem. Landgut einer Schwester Zar Peters I., Ende des 18. Jh. Sommerresidenz der russ. Kaiser, bes. Pauls I. Das Große Schloß wurde 1766–81 von A. RINALDI für den Grafen Orlow erbaut und später wiederholt (1793–97 und 1845–51) umgebaut; mit Landschaftspark.

Gattungsmalerei, eine Malerei, die auf best. Themen spezialisiert ist. Die Malerei des MA., auch noch der Renaissance, wird ihren Themen nach nur in relig. und profane unterschieden. In der niederländ. Malerei des Barocks dagegen wuchs der Umfang der Themen und Motive profanen Charakters, so daß man sie nach ihren Gattungen zu unterscheiden begann.

⇒ Altarbild · Anatomie · Architekturbild · Genre · Gesellschaftsstück · Gruppenbild · Historienmalerei · Interieur · Küchenstück · Landschaftsmalerei · Porträt · Seestück · Stilleben.

Gaudị, Antonio, eigtl. **Gaudị y Cornęt,** span. Architekt, *Reus bei Tarragona 25. 6. 1852, †Barcelona 10. 6. 1926, seit 1878 Architekt ebd., wo er 1883 den Neubau der ›Sagrada Familia‹ (von J. DE VILLAR in neugot. Formen beg.; BILD Barcelona) übernahm. Die Auseinan-

Antonio Gaudí: Säulengang im Park Güell, Barcelona; 1900–14

dersetzung mit got. Bauformen, das Bemühen, das got. Konstruktionssystem (Strebepfeiler und Strebebogen) statisch zu verbessern, die Neigung zu Experimenten und seine oft bizarre Erfindungsgabe führten ihn zu Bauformen, die stilistisch nicht einzuordnen sind, auf jeden Fall jedoch den Historismus überwanden. Auch auf dekorativem Gebiet (Mosaiken, Möbel, Objekte) finden sich bereits Verfremdung des Gegenstandes und abstrakte Formen.

HW (Barcelona): Haus Vicens (1878–80); Palais Güell (1885–89); Park Güell, urspr. als Gartenstadt konzipiert (1900–14); Casa Batlló (1905–07); Casa Milá (1905–10).

J. J. Sweeny und J. L. Sert: A. G. (dt. [2]1976); G. R. Collins: A. G. (dt. 1962).

Gauermann, Friedrich, Maler, *Miesenbach (NÖ) 20. 9. 1807, †Wien 7. 7. 1862, erfaßte mit lockerem Pinselstrich das Atmosphärische der Berglandschaft und belebte sie mit Figuren- und Tierstaffage.

Paul Gauguin: Reiter am Strand; 1902 (Essen, Museum Folkwang)

Gauguin [gog'ɛ̃], Paul, frz. Maler, Graphiker, Bildschnitzer, *Paris 7. 6. 1848, †Atuona auf Hiva Oa (Marquesas-Inseln) 8. 5. 1903. Bis 1871 bei der Handels- und Kriegsmarine, danach Bankangestellter, schloß sich G. den Impressionisten an und widmete sich seit 1882 ganz der Kunst, v. a. Keramiken. Er begann ein Wanderleben, das ihn in die Bretagne, nach Martinique, zu V. van Gogh nach Arles (1888) und 1891–93 sowie 1895–1901 nach Tahiti, 1901–03 auf die Marquesas führte. G. suchte ähnlich wie P. Cézanne und van Gogh die formauflösende Malerei des Impressionismus zu überwinden und erreichte neue Ausdruckswirkungen durch zeichnerisch gefestigte Flächengliederung und reine, in ihrer Leuchtkraft aufs äußerste gesteigerte Farben (→ Cloisonismus). Seine Südseebilder wurden früher, wie auch seine autobiograph. Schriften (›Avant et après‹, ›Noa Noa‹), als Ausdruck einer romant. Einheit mit der Südsee verstanden. Nach und nach stellte sich heraus, daß G. meist nach aus Europa mitgebrachten Photovorlagen (ägypt. Fresken, javan. Tempelreliefs, Parthenon u. a.) malte und so gerade in der Südsee, auf der Suche nach einer ursprünglicheren Kunst, ein außerordentlich artifizieller, mit der Tradition der Hochkulturen verknüpfter, seine eigene Mythologie erschaffender Künstler blieb, dessen Flächenornament und ›Farbmusik‹ ganz auf der Linie einer europ. Entwicklung stand. Näher bei der ›primitiven Kunst‹ stehen seine →Holzschnitte und die idolartigen Holzskulpturen. G. hatte starken Einfluß auf Nabis, Symbolismus und Expressionismus. (BILD Symbolismus)

H. PERRUCHOT: G. (a. d. Frz., 1965); WŁADYSŁAWA JAWORSKA: G. et l'école de Pont-Aven (a. d. Poln., 1971); D. WILDENSTEIN u. R. COGNIAT: G. (Mailand 1972); L. v. LEWANDOWSKI: Die Wahrheit über G. (1973); ELDA FEZZI: P. G., Gesamtwerkverz. (1982).

Gaul, 1) August, Bildhauer, *Großauheim (bei Hanau) 22. 10. 1869, †Berlin 18. 10. 1921, arbeitete u. a. im Atelier von A. CALANDRELLI, 1895–97 im Atelier von R. BEGAS in Berlin und schuf hier zu dessen Kaiser-Wilhelm-Denkmal 2 Löwen. 1897/98 erhielt G. ein Rom-Stipendium und wurde nach seiner Rückkehr Mitgl. der Sezession, 1908 Prof. – G. war ein bed. Tierplastiker; er schuf bewegte Gestalten mit unverkennbarer Charakterisierung von Erscheinung und Verhalten.

HW: Pelikane (1895; Bremen, Kunsthalle); Menschenaffe (1900 bis 1921; Berlin-Ost, Nat.-Gal.); Entenbrunnen (1911; Berlin-West, vor dem Renaissancetheater).

A. WALTHER: A. G. (1973). – Weitere Lit.: →Berliner Bildhauerschule.

2) Winfred, Maler, *Düsseldorf 9. 7. 1928, malte bis 1961 informelle Bilder, arbeitete dann im Sinn der →Signalkunst, später der Analyt. Malerei.

Gaulli, Giovanni Battista, ital. Maler, →Baciccio.

Gau-Odernheim, ehem. Reichsstadt im Kr. Alzey-Worms, Rheinl.-Pf. In der spätgot. Simultankirche (Langhaus 1415/20, evang.; Chor 1497–1507, kath.) Doppelepitaph (1520) aus der Schule H. BACKOFENS.

Gaupe, Gaube, Baukunst: →Dachfenster.

Gaur, alter Name **Lakhnauti,** islam. Ruinenstadt in W-Bengalen, Indien, mit hauptsächlich aus gebrannten Ziegeln erbauten Moscheen und Grabmälern des 15. bis 17. Jh. Die Grabbauten erinnern, wie einige überkuppelte Moscheen, mit ihren aufgezogenen Dachkonstruktionen (→Bangaldar) an die bodenständige bengalische Hausarchitektur.

Gavarni, Paul, Künstlername für Sulpice **Chevalier** [ʃəvalj'e], frz. Zeichner und Illustrator, *Paris 13. 1. 1804, †Auteuil 24. 11. 1866, begann als Modezeichner, schuf als Satiriker u. a. für den ›Charivari‹ und ›Figaro‹ geistreich-iron. Schilderungen der Pariser Gesellschaft, 1848–51 in London kritisch-moralist. Szenen aus den Armenvierteln. Mit seinen hellen, duftigen, später schweren, tonigen Zeichnungen und meisterhaften Lithographien gehört G. zu den Hauptmeistern der frz. Illustratoren im 19. Jh. (BILD Lithographie)

Gävle [j'ɛ:vlə], Stadt am Bottn. Meerbusen, Schweden, 87400 Ew.; Schloß (Ende 16. Jh.), nach Plänen von C. HÅRLEMAN 1741–60 umgebaut; barocke Dreifaltigkeitskirche (Mitte 17. Jh.); klassizist. Rathaus (Ende 18. Jh.). Stadtmus. (u. a. moderne Malerei und Plastik sowie ein 1948 ausgegrabenes Boot um 100 n. Chr.).

Gavnø, Schloß auf der Insel G. vor der dän. Stadt Næstved, durch Umbauten, zuletzt 1755–58, aus einer Klosteranlage hervorgegangen; in der Gemäldesamml. dän. Porträts, niederländ. Maler u. a.

Gavur Kalesi, hethit. Ruinenstätte (14./13. Jh. v. Chr.) bei Haymana, rd. 60 km südwestlich von Ankara (KARTE Alter Orient). In einen Felsen wurde eine Grab-(?)-Kammer aus kyklop. Mauerwerk in eine künstlich angelegte Terrasse eingebaut. An der S-Seite desselben Felsens befindet sich ein Relief zweier männl. Gestalten mit spitzer Hörnermütze, die auf eine thronende Gottheit zuschreiten.

Gay [ge], **Ge** [gjɛ], Nikolaj Nikolajewitsch, russ. Maler frz. Abstammung, *Woronesch 27. 2. 1831, †Gut Michajlowskij (Gouvernement Tschernigow) 13. 6. 1894, Mitbegründer der →Peredwischniki und Freund L. TOLSTOJS, malte Porträts, Historienbilder und relig. Werke in realistisch-psychologisierender Auffassung (Golgatha, 1892, Moskau, Tretjakow-Gal.).

Gaza [-z-], **Gasa, Ghazze,** Stadt im südwestl. Palästina, 118 000 Ew.; Große Moschee (urspr. eine Kreuzfahrerkirche des 13. Jh.) mit Säulen aus einer Synagoge des 3. Jh.; an der Küste eine 1968 ausgegrabene Synagoge (508/09) mit Bodenmosaik im Mittelschiff (David – im Gewand eines byzantin. Kaisers – verzaubert als Orpheus die wilden Tiere).

Gdańsk [gdaĩsk], poln. Name von →Danzig.

Ge, grch. Erdgöttin, →Gaia.

Ge, Nikolaj Nikolajewitsch, →Gay.

Gebälk, 1) Gesamtheit der Holzkonstruktion einer Decke oder eines Daches; **2)** auf einer Stütze (Säule, Pfeiler) aufliegender Bauteil, aus →Architrav, →Fries und Kranzgesims zusammengesetzt.

Gebetsnuß, kleine aufklappbare Kapsel, →Betnuß.

Gebets|teppich, kleiner Teppich, im islam. Kult als Unterlage beim Gebet, in der Moschee und im profanen Bereich verwendet. Kennzeichen ist die eingeknüpfte Nische (Michrab), die beim Gebet nach Mekka zeigen muß; in Moscheen Vielnischenteppiche. Der G. ist seit dem 10. Jh. in der Lit. bekannt; erhaltene Stücke seit dem 15. Jh. (BILD S. 312)

Gebhardt, Eduard von, Maler, *St. Johannis/Estland 13. 6. 1838, †Düsseldorf 3. 2. 1925, war 1874 bis 1912 ein einflußreicher Lehrer an der Akad. in Düsseldorf. Der relig. Historienmalerei verpflichtet, führte G. seine theatral. Kompositionen in einer wirklichkeitsnahen Malweise aus, die das bibl. Thema dem Empfindungsbereich des zeitgenöss. Publikums nahebrachte.

Lit.: →Düsseldorfer Schule.

Gebrauchsgraphik, →Graphik-Design.

Gebundenes System, Quadratisches System, roman. Baukunst: Grundrißanordnung unter Zugrundelegung des Quadrats als Maßeinheit für alle Bauteile. Ausgangspunkt ist das Vierungsquadrat, an das sich nach O das Chorquadrat, nach N und S die beiden

Gebetsteppich, Türkei, 18. Jh. (Berlin-West, Museum für Islamische Kunst)

Querhaus- und nach W die Langhausquadrate anschließen. Einem Langhausquadrat entsprechen je 2 kleinere Seitenschiffsquadrate. Jedes Grundrißquadrat bildet eine Wölbeeinheit mit einem Kreuzgewölbe.

Geburt Christi, seit dem 4. Jh. dargestellte Szene: Maria und Joseph sitzen neben der Krippe, in der das Kind liegt und hinter der Ochse und Esel erscheinen. Der Stall ist offen, sein Ziegeldach ruht auf Stützen. Oft wird mit dieser Szene die Darstellung der →Drei Könige verbunden. Die byzantin. Kunst betonte seit dem 6. Jh. (wohl auf Grund des im W abgelehnten nichtkanon. Protoevangeliums Jakobi) das Menschliche der Geburt wie die Göttlichkeit des Geborenen: Maria liegt auf einem Bett oder einer Matratze in einer Höhle oder Grotte, der Neugeborene wird gebadet, in der Höhe erscheint ein Stern, Engel kommen zur Anbetung. Das Abendland übernahm diesen Typus neben dem älteren und betonte seit dem 13. Jh. das innige Verhältnis zw. Mutter und Kind: Die Mutter wendet sich dem Kind zu, zieht die Windel von seinem Antlitz, um sich des Anblicks zu erfreuen (G. PISANO, 1311; Pisa, Domkanzel), nimmt das Kind von einer Amme entgegen oder hält es in den Armen. Die spätmittelalterl. Darstellungsform entstand im 14. Jh. in Italien: Maria kniet vor dem meist auf dem Boden liegenden Kind anbetend nieder; auch Joseph, oft stehend, betet es an. Der Schauplatz wandelte sich: Ort der Darstellung konnte der Wald sein, der Stall wurde zur romant. Ruine. Die Hirten kommen vom Feld, die Engel kreisen im Jubelreigen (S. BOTTICELLI), das Licht bricht auf (MEISTER FRANCKE, GEERTGEN TOT SINT JANS, A. ALTDORFER, A. A. CORREGGIO). Zum Inbild der Gottesgeburt wurde die G. C. auf dem

Isenheimer Altar von M. GRÜNEWALD. Bis zu P. P. RUBENS und REMBRANDT und über sie hinaus bis zum Leben-Jesu-Zyklus von E. NOLDE (1911/12) bewegte das Thema der G. C. die künstler. Darstellung.

Geburt Mariä, v. a. in Zyklen des Marienlebens und des Lebens Jesu dargestellte Szene (Fresko in Rom, S. Maria Antiqua, Anf. 8. Jh.; Buchmalerei im Menologion Basileios II., 986; Mosaiken des Klosters Daphni bei Athen, um 1100), die später zu genrehafter Schilderung führen kann. Darstellungen des späteren MA. in Italien zeigen byzantin. Einfluß (P. CAVALLINI, Mosaik in Rom, S. Maria in Trastevere; 1291), ebenso spätere Werke nördlich der Alpen (VEIT STOSS, Holzrelief des Marienaltars, Krakau; 1477–89). GIOTTO gibt der Szene einen sakralen Akzent (Fresken in Padua, Arenakapelle; um 1305); seit dem 15. Jh. steht sie im Rahmen zeitgenöss. Architektur, eines Kirchenraumes (A. ALTDORFER ›Geburt Mariä‹; 1518) oder auch einer Wohnstube (A. DÜRER, Kupferstich im Marienleben; 1504).

gebust, Baukunst: →busig.

Gebweiler, frz. **Guebwiller** [gebvil'ɛ:r], Stadt im Elsaß, südwestlich von Colmar, 11 400 Ew. Die Kirche St. Leodegar (1182 beg.), urspr. eine dreischiffige kreuzförmige Basilika mit got. Chor, wurde 1580 um 2 äußere Seitenschiffe erweitert; mehrgeschossiger achtseitiger Vierungsturm; 2 reich gegliederte W-Türme. Dominikanerkirche (1312 beg.) mit Lettner und Wandmalereien des 14. Jh.; Liebfrauenkirche (1766–85).

Geddes [g'edɪs], Andrew, schott. Maler, *Edinburgh 5. 4. 1783, †London 5. 5. 1844; breitgemalte, lebensvolle Porträts (›Die Mutter des Künstlers‹, 1822; Edinburgh, Nat. Gal. of Scotland), die, wie seine Radierungen, den Einfluß REMBRANDTS zeigen.

Gedi, Ruinenstadt südwestlich von Malindi, Kenia; vermutlich um 1100 von Arabern gegr., im 16. Jh. blühende arabisch-pers. Handels- und Residenzstadt, ab 16. Jh. aufgegeben und von Wald überwuchert, seit 1948 ausgegraben. Die Ruinen bieten ein fast vollständiges Stadtbild mit Moscheen, Villen und Palast sowie einer 3 m hohen Mauer mit Toren, alles aus Korallengestein. Die Funde von chines. Porzellan, von ind. Glas und Schmuck deuten auf regen Handelsaustausch während der Blütezeit.

Gedok, Gemeinschaft der Künstlerinnen und Kunstfreunde e. V., Sitz: Hamburg. Die 1926 in Hamburg gegr. Gemeinschaft deutscher und oesterreichischer Künstlerinnen fördert bes. junge Künstlerinnen.

Gedon, Lorenz, Baumeister, Bildhauer, Innen-Architekt, *München 12. 11. 1843, †ebd. 27. 12. 1883, ebd. ausgebildet als Bildhauer und Dekorateur, schuf 1872–74 hier das Schack-Palais (die spätere Schack-Galerie) und stattete mit einer 1874 errichteten Werkstatt 1878 auf der Pariser Weltausstellung den Saal der dt. Kunst, für LUDWIG II. versch. Bauten, das Haus des Kunstgewerbevereins in München, ferner in Dessau und Detmold Schloßsäle, v. a. in Worms das Palais Heyl aus.

Gedong Sanga, Heiligtum auf dem Berg Ungaran in Zentraljava aus dem 8. und 9. Jh., aus 9 kleinen Tempelgruppen, ähnlich dem Arjuna Candi auf dem Dieng-Plateau, aber mit reicherem Reliefschmuck an den Außenwänden aus geometr. und floralen Ornamenten. (KARTE indonesische Kunst)

Geel [xe:l], Stadt in der belg. Prov. Antwerpen, 30 000 Ew. Die Kirche St. Dimfna (1344–1492) im spätgot. Flamboyant-Stil ist eine der wenigen belg. Kirchen, deren Ausstattung in den Religionskämpfen des 16. Jh. nicht zerstört wurde; sie birgt u. a. ein Grabmal von C. FLORIS (1554). Die Kirche St. Amand (16. Jh.) hat eine reiche Barockausstattung (Hauptaltar 1748).

Geertgen tot Sint Jans [x'e:rtxə-], holländ. Maler, *Leiden (?) um 1460/65, †Haarlem um 1495. Seine Lehrzeit in Brügge (1475/76) ist umstritten, nach C. VAN MANDER, der ihn erstmals 1604 erwähnt, war er Schüler von A. VAN OUWATER, lebte bei den Haarlemer Johannitern (daher sein Name: ›Kleiner Gerrit bei den Johannitern‹); malte relig. Bilder von eigenwilliger Themenstellung und freiem Aufbau, in denen stillebenhafte und landschaftl. Motive hervorgehoben sind.

HW: Beweinung Christi und Verbrennung der Gebeine des Hl. Johannes, mit eingefügten Bildnissen der Johanniter (2 Altarflügel in Wien, Kunsthistor. Mus.); Johannes der Täufer (Berlin-West, Staatl. Museen); Anbetung des Kindes (London, Nat. Gal.).

Geertgen tot Sint Jans: Johannes der Täufer in der Einöde (Berlin-West, Staatl. Museen)

Geertruidenberg [xe:rtrœjdənb'ɛrx], Städtchen in der niederländ. Prov. Nordbrabant, nördlich von Breda. Die St. Geertruidskerk ist eine dreischiffige got. Hallenkirche (im wesentlichen 15. Jh.) mit polygonal abschließendem Querhaus und erhöhtem Chor über nicht voll. Krypta. Viele Bauten wurden im Auftrag des

Erbstatthalters WILHELM V. zw. 1768 und 1778 umgebaut und erneuert: Altmänner- und Altfrauenheim, Fischhalle, Arsenal, Waisenhaus und Rathaus.

Gefäß, Gerät zur Aufbewahrung bes. von Flüssigkeiten. Der Aufbau des G. wird in versch. Zonen von unten nach oben eingeteilt. Man spricht von Fuß, Bauch, Schulter, Hals. Dieser Sprachgebrauch zeigt eine urspr. anthropomorphe Auffassung vom G.

Die ältesten G. der Menschheit bestanden aus organ. Material (z.B. Fruchtschalen, Leder). Seit dem Neolithikum wurden G. aus gebranntem Ton (→Keramik) verwendet, daneben auch (und z.T. schon früher) solche aus Stein (→Steingefäße) und Holz. Noch zu vorgeschichtl. Zeit kamen G. aus Metall, Glas u.a. hinzu. Über die Tongefäße der griechisch-röm. Antike →Vasen. Über figürl. gestaltete Gefäße →Figurengefäß. Über die G. in der christl. Liturgie →liturgische Geräte. Ein Beispiel für G. in der Glaubenswelt der ›Naturvölker‹ sind die →Seelengefäße in NO-Nigeria.

gefaßt, Maltechnik: →Fassung 1).

Gegard, Ajriwank, ma. ummauerter Klosterkomplex in der Armen. SSR, 40 km südöstlich von Eriwan, UdSSR; Kreuzkuppelkirche Astwazazin von 1215 (reicher Reliefdekor), Nebenkirche Gawit (1225–30), 2 Höhlenkirchen von 1283 und Grabkapelle (1288). Außerhalb der Mauern die Gregorius-Kirche des 12.Jh. und Mönchszellen.

Gegendruck, frz. **Contre-Épreuve** [kõtrepr'œv], Graphik: Kontrollabzug des Künstlers von einem →Probedruck der im Arbeitsprozeß befindl. Druckplatte (d.h. der noch feuchte Probedruck wird erneut einem Papier aufgepreßt). Die Darstellung erscheint also seitenverkehrt wie auf der Platte, deren Änderung oder Weiterbearbeitung damit besser beurteilt werden kann.

Gehöft, Gesamtheit der Gebäude eines landwirtschaftl. Betriebes, die um einen Hof angeordnet sind. Das fränk. G. ist L- oder U-förmig, wobei →Bauernhaus, Stall und Scheune als Zweiseit- oder Dreiseithof die Grundform bilden, die zur Straße oft durch ein Tor abgeschlossen ist. Ist das G. an allen 4 Seiten durch Gebäude geschlossen, spricht man von einem Vierseit- oder Vierkanthof (Österreich).

Gehrden, Ortsteil von Brakel, NRW; ehem. Benediktinerinnenkloster (1142 gegr.) mit roman. Gewölbebasilika (Wiederholung der Abteikirche in →Lippoldsberg); Reste der urspr. Ausmalung, prachtvoller Barock-Hochaltar (1682).

Geierhaube, die vermutlich aus Goldplättchen zusammengesetzte Kopftracht der ägypt. Königinnen, bes. die des Neuen Reiches, in Gestalt eines Geiers, dessen Kopf über der Stirn hervorragt; die ausgebreiteten Flügel decken die Ohren oder rahmen sie ein. Unter dem Geierdiadem ist ein bunter, reichgeschmückter Stoff haubenartig befestigt. Das Tragen der G. sollte Schutz gewähren. Mit der G. oder als Geier wurde auch die ägypt. Göttin Nut dargestellt.

Geierhaube: Die Königin beim Schachspiel: Ausschnitt, Theben, Grab der Nefertari im Tal der Königinnen; um 1250 v.Chr.

Geierstele, →Eannatum.

Geiger, 1) Nikolaus, Bildhauer und Maler, *Lauingen/Donau (heute Kr. Dillingen) 6. 12. 1849, †Berlin 27. 11. 1897, lebte seit 1883 ebd. Als Bildhauer folgte G. der Tradition von R. BEGAS.

HW: Barbarossa (1895; Kyffhäuser-Denkmal); Anbetung der Hl. Drei Könige (Modell 1893; Berlin-Ost, St. Hedwigs-Kathedrale, Giebelfeld). – Gemälde: Die Sünderin (1884; 1898 für die Berliner Nat.-Gal. angekauft).

2) Rupprecht, Maler, *München 26. 1. 1908, Sohn von 3), wurde 1949 Mitgl. der Gruppe Zen, seit 1965 Prof. an der Akad. Düsseldorf. Seine Bilder zeigen die konsequente Beschränkung auf geometr. Großformen, die zunächst durchscheinend sich überlagern, dann als Einzelgestalt die Komposition bestimmen.

R. G., Werkverz. der Druckgraphik 1948–72, hg. v. MONIKA GEIGER (1972).

3) Willi, Maler und Graphiker, *Schönbrunn Landshut 27. 8. 1878, †München 1. 2. 1971, wurde 1928 Prof. der Leipziger Akad., 1933 entlassen, 1945 Prof. an der Akad. der bildenden Künste in München. G., der auch Werke von F. DOSTOJEWSKIJ, L. TOLSTOJ, H. v. KLEIST illustrierte, verband als Maler realist. und expressive Elemente, die durch eine intensive, manchmal visionär wirkende Farbigkeit zusammengehalten werden.

R. HIEPE: W. G. (1959).

Geisenheim, Stadt im Rheingau, Hessen, 12100 Ew.; Pfarrkirche (›Rheingauer Dom‹) aus dem 15./16. Jh. mit neugot. Doppelturmfassade (1836–38, von P. HOFFMANN); mehrere repräsentative Adelshöfe (v. a. Schönborner Hof, 1550, Ostein-Palais, 1766–71). Nördlich liegt **Kloster Marienthal;** die Kirche (1330 gew.) war eine bed. Wallfahrtsstätte (seit 2. H. 18. Jh. Verfall, 1857/58 Wiederaufbau im got. Stil).

Geiser, Karl, schweizer. Plastiker, Zeichner und Radierer, *Bern 22. 12. 1898, †Zürich Ende März 1957 (5. 4. tot aufgefunden). Frei von jeder ›Schule‹ entwickelte G. seine Begabung in selbstkrit. Zucht. Gespannte plast. Volumen bei konsequenter Beschränkung auf das Wesentliche charakterisieren seine Akte und Gruppenkompositionen. Seine Zeichnungen und Radierungen zeichnet die gleiche Intensität aus.

H. NAEF: K. G. Das graph. Werk, Œuvre-Kat. (1958); ders.: K. G. Zeichnungen (1959).

Geisipodes [grch.], Baukunst: →Zahnschnitt.

Geison [grch.] *das,* Kranzgesims des grch. Tempels (→Säulenordnung).

Geiß, Moritz, Kunstgießer, *Berlin 7. 9. 1805, †ebd. 10. 9. 1875, begründete 1833, von K. F. SCHINKEL gefördert, die Industrie des Kunstzinkgusses in Berlin.

Geisterdarstellungen. V. a. in Melanesien werden ferne Ahnen sowie direkte Vorfahren und in jüngster Vergangenheit verstorbene Angehörige (→Malanggane), Naturgeister, Urzeitwesen u. a. durch Figuren und Masken dargestellt. Bei Masken sind oft die Erscheinungsformen von Tieren (Kasuar, Nashornvogel, Schwein, Krokodil), Pflanzen (Kokosnuß, Sagopalme) und Menschen kombiniert. Der allg. Vergegenwärtigung bestimmter Geistwesen dienen Schnitzereien und Malereien in und an Kulthäusern →Neuguineas. Stilisierte Gesichter verweisen auf allg. Klassen von Wald-, Wasser- u. a. Geistern oder auf klanspezif. individualisierte Wesen. Skulpturen werden als Verbindung zu spirituellen Wesen in Höhlen oder Abris plaziert (→Korwar, →Korewori).

Geithain, Stadt im Bez. Leipzig, 5900 Ew.; spätgot. Stadtkirche St. Nikolai, dreischiffige Halle (beg. 1504) mit spätroman. Westbau und got. Chor (14. Jh.), Dekkenmalerei im Langhaus (1594/95); Pfarrhaus (Anf. 16. Jh.) mit Zellengewölbe und Malereien (1562).

gekröpft, Baukunst: →Verkröpfung.

gekuppelt, Baukunst: Verbindung gleichartiger Bauteile durch Koppelung, woraus ein Schmuckmotiv entsteht. Bei g. Säulen ist der Abstand voneinander enger als in der übl. Ordnung. G. Fenster haben einen gemeinsamen Sturz oder Bogen, oder ihr Abstand voneinander ist geringer als bei der übl. Fensterordnung.

Gela [dʒ'ɛ:la], Stadt an der S-Küste Siziliens, 72 800 Ew., um 690 v. Chr. von dorischen Griechen aus Kreta und Rhodos gegr., erlebte Blütezeiten im 5. Jh. v. Chr.; Reste der Stadtmauer (5. oder 4. Jh. v. Chr., im unteren Teil aus Steinquadern, oben aus ungebrannten Ziegeln) und von 2 Tempeln sind erh. Reiche Keramikfunde, v. a. Vasen aus den Nekropolen (im Archäolog. Mus.) und das in Olympia errichtete Schatzhaus sind Zeugen des Reichtums der Stadt.

Gelati, Klosterkomplex bei Kutaissi in der Georgischen SSR, UdSSR, gegr. 1106, mit bed. Kreuzkuppelkirche und den Ruinen des Akademie-Gebäudes vom Anf. des 12. Jh. Ferner: Kuppelkirche St. Georg, doppelgeschossige St.-Nikolaus-Kirche und Glockenturm (alle 13. Jh.). In den Kirchen Wandmalereien (12. bis 18. Jh.). Die gesamte Anlage ist heute Zweigstelle des historisch-ethnograph. Mus. von Kutaissi.

Gelbguß, →Bronzekunst.

Gelder [x'ɛldər], Aert de G., holländ. Maler, *Dordrecht 26. 10. 1645, †ebd. vor dem 25. 8. 1727, der letzte bekannte Schüler REMBRANDTS (seit 1661), ging von dessen später Farbenkunst aus, die er in seinen histor. und bibl. Bildern sowie in seinen Porträts in effektvoller und vollkommener Technik anwendete.

Gellée [ʒəl'e], Claude, →Claude Lorrain.

Gelnhausen, ehem. Reichsstadt im Kinzigtal, Hessen, 18 700 Ew.; 1170 von FRIEDRICH I. BARBAROSSA gegr., besitzt G. die besterhaltene der staufischen Pfalzen (1180 im wesentl. voll.) mit hervorragender Bauornamentik. Die viertürmige Marienkirche, erbaut an der Wende der Romanik zur Gotik (Ende 12./Anf. 13. Jh.), ist von großer kunsthistor. Bedeutung; Lettner in der Nachfolge des →Naumburger Meisters. Reizvolle Altstadt mit Ober- und Untermarkt; Romanisches Haus (um 1185), Peterskirche (Anf. 13. Jh., erst 1932–38 ausgebaut). In der Kuhgasse eines der ältesten Fachwerkhäuser Dtl.s (1351). BILD S. 318

Gemäldefirnis, Maltechnik: Überzug zum Schutz, aber auch zur Verbesserung der Farbwirkung bei Gemälden. (→Firnis)

Gelnhausen: Kaiserpfalz, Hofseite des Palas; 1170 gegründet

Gemäldegalerie, →Museum.

Gemälde|untersuchung, naturwissenschaftl. Methoden zur genaueren Kenntnis der Materialien und Malmethoden, neben der Einordnung und Bestimmung von Gemälden mit Methoden der Kunstwissenschaft (Stil-, Formanalyse, ikonograph. Methode u. a.) seit der Jh.-Wende in verstärktem Maße verwendet. V. a. bei der Prüfung der Echtheit von Gemälden sind neben der kunsthistor. Analyse die naturwissenschaftl. Methoden von besonderem Wert. Mit Hilfe von Röntgenaufnahmen lassen sich Gemälde untersuchen und die versch. Malschichten erkennen. Dabei ergeben sich Aufschlüsse über die Malweise. Kompositionsveränderungen und Reuezüge (→Pentimenti) lassen Rückschlüsse auf den Maler, eine bestimmte Schule oder regionale Eigenarten zu. Auch →Fälschungen, auf alte, aber künstlerisch wertlose Bildträger gemalt, lassen sich so erkennen. Mit der Fluoreszenzuntersuchung können ältere, originale Malschichten von jüngeren →Retuschen unterschieden werden. Die mikroskop. Untersuchung von Farbpartikeln kann Aufschluß über die Abfolge der Malschichten und Art und Zustand der Pigmente geben. Die Pigmentanalyse, bei der die Zusammensetzung der Farben untersucht wird, kann Hinweise auf die Entstehungszeit eines Gemäldes geben, da best. Farbzusammensetzungen nur zu bestimmten Zeiten existierten und dadurch Erkenntnisse über die Echtheit zu erzielen sind. Eine weitere Hilfe ist die Analyse der Bindemittel der Farben. Schließlich läßt sich das Alter des Bildträgers – jedoch nur bei Tafelgemälden – mit Hilfe der Dendrochronologie bestimmen.

Gemma Augustea, ein in Kameentechnik gearbeiteter Sardonyx aus Augusteischer Zeit mit zweizonig angeordneten Reliefdarstellungen: im oberen Fries Roma und Augustus, von Oikumene, Okeanos, Tellus, Victoria und Tiberius umgeben, unten die Aufrichtung eines Tropaions (Siegeszeichen) und Darstellung von Gefangenen. Wahrscheinlich war die G. A. privater Besitz des Kaisers AUGUSTUS (heute in Wien, Kunsthistor. Mus.). BILD S. 319

Gemma Augustea: Kamee aus Sardonyx (Wien, Kunsthistor. Museum)

Gemme [lat.] *die,* bei den Römern jeder Edelstein, später der geschnittene Stein, i. e. S. der Stein mit vertieftem Bild, ital. **Intaglio** [int 'aʎo], im Unterschied zu **Kamee** (→Glyptik).

P. ZAZOFF: Die antiken G. (1983).

Gemona del Friuli [dʒem'o:na-], nordital. Stadt in der Prov. Udine, 15000 Ew. Der dreischiffige Dom (1290 beg., 1337 gew.; Campanile und Mittelschiff beim Erdbeben 1976 erheblich beschädigt), einer der bedeutendsten romanisch-got. Kirchenbauten Friauls, mit reich skulptierter Fassade (Figurengalerie, Tympanonrelief, 7 m hohe Christophorus-Statue, 3 Radfenster), birgt u. a. einen röm. Grabaltar, die Campana di Dante (Glocke mit Versen aus der ›Göttlichen Komödie‹, 1423), ein holzgeschnitztes Antependium (1391), eine reich verzierte Monstranz (1434/35); Palazzo del Comune (Rathaus; 1502), mit Pinakothek.

Geneleos, grch. Bildhauer auf Samos, dessen Signatur an einem Weihgeschenk aus der Mitte des 6. Jh. v. Chr. festgestellt wurde (›Geneleos-Basis‹, in der Nähe des Heraions von Samos gefunden); von den urspr. 6 Marmorfiguren sind Reste erhalten.

Genelli [dʒ-], Bonaventura, Maler und Zeichner, *Berlin 28. 9. 1798, †Weimar 13. 11. 1868, lebte 1822 bis 1832 in Rom (Einfluß J. A. KOCHS und der Werke von J. A. CARSTENS). In München (seit 1836) malte er für den Grafen A. F. v. SCHACK. – Seine Zeichnungen (mehrere Bildfolgen in Aquarell wie in reinem Umriß) zeigen schwungvolle Linienführung und phantasiereichen Ausdruck.

Generalić [-litsj], Ivan, kroat. Laienmaler, *Hlebine 21. 12. 1914, malt naiv-realist. (v. a. Hinterglas-) Bilder aus dem bäuerl. Leben in intensivem, kristallklarem Kolorit und einheitl. Bildaufbau. Er lebt in Hlebine, wo auch andere Dorfbewohner nach seinem Beispiel zu malen begannen (›Schule von Hlebine‹).

Ivan Generalić: Unter dem Birnbaum; 1943 (Zagreb, Moderne Galerie)

Schrift: Meine Lehre – meine Bilder, hg. v. N. TOMASCHEWITSCH (1976; dt.).

Generalife [x-], Sommerpalast der Nasridenherrscher in Granada (Spanien), auf einem Hügel nordöstlich der Alhambra errichtet (1319 beg.), mit weitläufigen Gartenanlagen, Wasserbecken und -spielen.

Genf, frz. **Genève** [ʒən'ɛ:v], Hauptstadt des schweizer. Kt. G., 155400 Ew., am Ausfluß der Rhone aus dem Genfer See. Im Mittelpunkt der winkligen Altstadt liegt die Kathedrale St. Pierre (beg. um 1160, 1232 voll.), eine dreischiffige Basilika mit Querhaus und einfachem Chor; hervorragende Bauplastik, bes. die spätroman. bis frühgot. Kapitelle (in ihrer Vielfalt in der Schweiz einmalig); die Makkabäerkapelle am südl. Seitenschiff ist das erste Beispiel für den Flamboyant-Stil in G.; den Säulenportikus (1752–56) vor der W-Fassade entwarf B. ALFIERI. Unter dem Temple d'Auditoire (heutige Gestalt 15. Jh.) wurde eine zweite frühchristl. Kathedrale mit Baptisterium nachgewiesen. Weitere Kirchen: in der Altstadt die Église de la Madeleine (15. Jh.), an der Stelle mehrerer kleinerer Vorgängerbauten (Grabungen zugänglich), St. Germain (1460, Vorgängerbauten seit 5. Jh.), am Nordrand der Altstadt der Temple de la Fusterie (1707–10), jenseits der Rhone St. Gervais, vollständiger Neubau (1435 beg.), roman. Krypta unter dem Chor erh. Unter den Profanbauten der Altstadt ragt das Hôtel de Ville (Rathaus) heraus, ein in mehreren Bauperioden (seit 15. Jh.) gewachsener Komplex; zahlreiche bemerkenswerte Bürgerhäuser vom 15.–18. Jh., das älteste die Maison Tavel (1339); Collège St. Antoine (1559–63), die alte Akad. J. CALVINS. Die Schleifung der Stadtmauern (19. Jh.) ermöglichte die Ausdehnung der Stadt, die Anlage von Promenaden und Quais; an der Place Neuve liegen Musée

Rath (1824/25), Konservatorium (1857/58), Grand Théâtre (1874–79), an der Promenade des Bastions Universität (1869–72), Reformationsdenkmal (1909 bis 1917). Am nördl. Seeufer ›Quai du Montblanc‹ mit Kursaal und Palais des Nations (1937, europ. Sitz der UNO). – Musée d'Art et d'Histoire (Genfer Malerei 15.–20. Jh., u. a. der urspr. in der Makkabäerkapelle der Kathedrale befindl. Altar von K. WITZ, 1444; frz. Künstler 18.–20. Jh.) u. a. Mus.

Genga [dʒ'ɛŋga], Girolamo, ital. Baumeister, Maler, Bildhauer, *Urbino um 1476, †ebd. 11. 8. 1551, schuf für den Hof von Urbino Theater- und Festdekorationen, erweiterte und dekorierte (seit 1529) die Villa Imperiale bei Pesaro, eines der bedeutendsten Lustschlösser (mit Gartenterrassen) der Renaissance.

Gengenbach, ehem. Reichsstadt bei Offenburg, Bad.-Württ., 10800 Ew., mit ehem. Benediktiner-Reichsabtei (gegr. um 727); Klosterkirche um 1120 nach dem Schema der Hirsauer Bauschule, Barockturm (1714–16); Klostergebäude (1693–1703 von F. BEER); Fachwerkhäuser des 18. Jh.; frühklassizist. Rathaus (1784).

Genius [lat.] *der, Mz.* **Gęni|en,** in der röm. Antike die göttl. Verkörperung der im Manne wirksamen zeugenden Kraft. Auf pompejan. Wandgemälden ist der G. des Hausherrn in der Gestalt eines am Hausherd opfernden Mannes mit Füllhorn und Schale dargestellt. In spätröm. Zeit galt der G. allgemein nur noch als Schutzgeist. Auch in der altoriental. Kunst bezeichnet man geflügelte Mischwesen mit schützender Funktion als **Genien** (Reliefplatten neuassyr. Paläste). In der abendländ. Kunst wurde seit dem Barock die Bez. G. auf männl. und weibl. Flügelgestalten mit versch. Funktionen (Fackelträger) übertragen.

Genji-monogatari, japan. Roman des frühen 11. Jh., wegen seiner realist. Schilderung des höf. Lebens der Heian-Zeit häufig in Wort und Bild wiedergegeben, bes. auf Querrollen (TAKAYOSHI), aber auch auf Stellschirmen, Fächern, Kimonos, Lackwaren u. a.

Genovẹfa, frz. **Geneviève** [ʒənəvj'ɛːv], Patronin von Paris, *Nanterre um 422, †Paris 3. 1. um 512, schützte nach der Legende Paris 451 vor dem Einfall der Hunnen; Darstellungen meist (nach einer Szene ihrer Legende) mit dem Teufel, der eine von ihr getragene Kerze ausbläst, und einem Engel, der sie wieder anzündet, mit Engel allein (W-Portal der Abtei Ste. Geneviève, Paris; um 1220/30), mit Krone u. a. (Zyklen von P. PUVIS DE CHAVANNES in ihrer 1791 zum Panthéon umgewandelten Kirche; Gemälde von E. DELACROIX, Paris, Notre-Dame-de-Lorette).

Genre [ʒãr, frz. ›Gattung‹, ›Art‹] *das,* **Genrebild,** die Darstellung von Szenen aus dem alltägl. Leben in Malerei und Plastik, in denen sich Menschen typisch verhalten für Situationen, Ort, Zeit, Gesellschaftsschicht, Beruf, Geschlecht und Lebensalter. Die Allgemeingültigkeit dieser Szenen menschl. Verhaltens, geprägt von Lebensgewohnheiten und gesellschaftl. Regeln, verlangt die Anonymität der Figuren: Der Bauer,

Genre: Hof eines holländischen Hauses, Gemälde von Pieter de Hooch; 1665 (London, National Gallery)

der zum Markt geht, in der Schenke sitzt; das Mädchen, das den Liebhaber empfängt; die Frau, die einen Brief liest, Wäsche in den Schrank legt; Kinder, die spielen oder sich balgen. Das **Genrebild** entwickelte sich aus der ma. Tafel- und Buchmalerei (Heiligenleben, Monatsbilder, Werke der Barmherzigkeit, moralisierende Allegorie u. a.) und hatte seinen Höhepunkt in der niederländ. Malerei des 17. Jh. Die humorvollen Schilderungen von volkstüml. Festtreiben, von derben, zügellosen Wirtshausszenen mit rauflustigen Trunkenbolden, von Bauern, die rauchend, trinkend und spielend den Feierabend genießen, veranschaulichen eine ungebändigte Daseinsfreude und urwüchsige Lebenskraft (W. BUYTEWECH, A. BROUWER, P. DE HOOCH, A. V. OSTADE, J. STEEN, D. TENIERS, A. V. D. WERFF).

Im 18. Jh. trat in Frankreich das höfisch-galante G. in den Vordergrund, bestimmt von Tanz, Spiel, Musik und Erotik, das dem →Gesellschaftsstück zuzuordnen ist (J.-A. WATTEAU, J. H. FRAGONARD, F. BOUCHER). Zu den Malern, die sich dem bürgerl. G. widmeten, gehören J.-B. S. CHARDIN und J.-B. GREUZE. Während Chardin in naturnahen Szenen häusl. Tätigkeiten und spielende Kinder darstellt, überwiegen in den Bildern von Greuze sentimentales Pathos und moralisierende Theatralik. In den szen. Schilderungen menschl. Torheit, Eitelkeit und Laster von W. HOGARTH klingt eine neue, satir. Komponente an, die mit ihrem tendenziösen Charakter dem enggefaßten G.-Begriff widerspricht. Obwohl viele Akad.-Prof. das G. als Kunstgattung strikt ablehnten, erlangte es im 19. Jh. große Beliebtheit, wozu das bürgerl. Publikum beitrug. Die gefühlvoll unterhaltende Wirkung eines optimist. Lebensgefühls von Familienglück und Festfreude, die ideale Überhöhung und Verschönung des Alltäglichen in naturalist. Darstellungsweise vermittelten eine Scheinwirklichkeit, mit der sich der Betrachter identifizieren wollte. Besonderes Ansehen im Bereich des G. genoß im 19. Jh. die →Düsseldorfer Schule. Trotz sozialkrit. Ansätze von J. P. HASENCLEVER und C. W. HÜBNER verflachte das G. durch Anekdotisches, Inhaltsarmut und Effekthascherei in einem ›idealistischen Naturalismus‹ zum Klischee erstarrter Formen und Motive.

Das Aufkommen des Genrehaften findet sich in der Kunst vieler Kulturen, die sich v. a. in ihren Spätstufen neben mytholog. und relig. Themen Sujets des Alltagslebens zuwandten, z. B. im Hellenismus. In den außereurop. Kulturen findet sich diese Tendenz ebenfalls, z. B. in der Malerei Ostasiens (→koreanische Kunst, →Ukiyo-e).

W. HÜTT: Das Genrebild (1955); UTE IMMEL: Die dt. Genremalerei im 19. Jh. (Diss. Heidelberg 1967).

Genroku [jap.], die Periode von 1688 bis 1704 in der →japanischen Kunst.

Gensler, Günther, Maler, *Hamburg 28. 2. 1803, †ebd. 28. 5. 1884, malte biedermeierl. Porträts in frischer realist. Auffassung, u. a. das Gruppenbildnis ›Mitglieder des Hamburger Künstlervereins‹ (1838 bis 1840; Hamburg, Kunsthalle). – Seine Brüder Jakob (*1808, †1845) und Martin (*1811, †1881) malten zart empfundene Freilichtlandschaften.

Gent [xɛnt], frz. **Gand** [gã], Hauptstadt der belg. Prov. Ostflandern, 144 000 Ew.; Sitz eines kath. Bischofs und einer Univ., im MA. neben Brügge die bedeutendste Handelsstadt Flanderns und eine der größten Städte Europas.

Auf der Halbinsel zw. Schelde und Leie liegt die Altstadt, in der zahlreiche Bauten aus der Blütezeit der Stadt bewahrt sind. Die Kathedrale St. Bavo (Sint Baafs) ist eine dreischiffige kreuzförmige Kirche mit roman. Krypta (12. Jh.), hochgot. Chor (1290–1310), W-Turm (1460–1559) in Brabanter Gotik und spätgot. Lang- und Querhaus (um 1550 voll.); herausragender Schatz der Kirche ist der →Genter Altar der Brüder VAN EYCK, ferner der Kreuzigungsaltar von JOOS VAN GENT (nach 1464), Gemälde von G. VAN HONTHORST, F. POURBUS D. Ä., P. P. RUBENS u. a., Hochaltar mit St.-Bavo-Statue von H. VERBRUGGEN (1719). Frühgotisch ist die St. Jacobskerk (12. Jh. beg.) mit 2 roman. W-Türmen, im Stil der Schelde-Gotik die St. Niklaaskerk (13. Jh.), im Flamboyant-Stil die St. Michielskerk (1440–1672) mit einer Kreuzigung von A. VAN DYCK (1630). Von der Benediktinerabtei St. Bavo sind nur Teile erh., so das Refektorium (12. Jh.) und der Kreuzgang (1495). Die Kirche der ehem. Abtei St. Peter wurde 1629–45 errichtet. Reizvoll ist der Kleine Beginenhof mit Barockkirche (um 1700) und Gebäuden des 17. Jh.

Unter den Profanbauten ragt das Rathaus (1482 beg.) mit der prachtvollen N-Fassade im Flamboyant-Stil (1518 bis um 1560) heraus. Gegenüber der Kathedrale erhebt sich der 96 m hohe Belfried (1320–39), an den die Tuchhalle (1425–44) angebaut ist. Die spätgot. Fleischhalle (15. Jh.) hat im Innern Wandmalereien. Die Wasserburg 's Gravensteen (v. a. 1180–1200), eine Residenz der Grafen von Flandern, ist mit dem vierekkigen Wohnturm und der turmreichen Umwallung eindrucksvolles Beispiel einer ma. Befestigung. Bes. in den Kaistraßen Graslei, Kraanlei und Kornlei sowie an der Hoogpoortstraat gibt es noch viele Giebelhäuser des 16. und 17. Jh.; als schönstes got. Zunfthaus gilt mit seiner reich verzierten, eleganten Fassade das ›Schifferhaus‹ (1531).

Das Mus. voor Schone Kunsten hat eine reiche Gemäldesamml. (fläm. und holländ. Malerei des 16./17. Jh., frz. Malerei des 18./19. Jh., zeitgenöss. Malerei). Das Bijloke Mus. (Städt. Altertümer-Mus.) befindet sich in den Gebäuden der ehem. Zisterzienserinnenabtei Bijloke (14.–18. Jh.); im Refektorium Wandmalereien des 14. Jh.

Genter Altar, ein Hauptwerk der niederländ. Malerei, trägt die Inschrift ›Der Maler Hubert van Eyck, der von niemandem übertroffen wurde, begann das Werk, Johannes, sein Bruder, in der Kunst der Zweite, vollendete es auf Wunsch von Jodocus Vyd und ruft Euch mit diesem Vers zusammen, das Vollbrachte am 6. Mai 1432 zu besichtigen‹. Die Anteile der Brüder H. und J. van →Eyck am G. A. werden von den Kunstwissenschaftlern sehr unterschiedlich beurteilt. Der Altar mit Darstellung ma. Themen besteht aus 12 Eichentafeln (Predella seit 1550 verloren), die nach wechselvoller

Genter Altar: Hubert und Jan van Eyck, Genter Altar, Mitteltafel, ›Anbetung des mystischen Lammes‹; Ausschnitt, 1432 voll., Gent, St. Bavo

Gentile da Fabriano: Die Anbetung der Könige; Ausschnitt, 1423 (Florenz, Uffizien)

Geschichte wieder in St. Bavo in Gent aufgestellt worden sind (Tafel der ›gerechten Richter‹, 1934 gestohlen, durch Kopie ersetzt).

L. Brand Philipp: The Ghent altarpiece and the art of Jan van Eyck (Princeton, New Jersey, 1971); E. Dhanens: Van Eyck: The Ghent altarpiece (London 1973).

Gentile da Fabriano [dʒent'i:le-], eigtl. **Gentile di Niccolò di Giovanni Massi** [-dʒov'anni-], ital. Maler, *Fabriano um 1370, †Rom 1427, war in Venedig (um 1408), Brescia (1414–19), Florenz (bis 1425), Siena und zuletzt in Rom tätig. Als bed. Repräsentant der internat. Gotik hat er entscheidend zur Verbreitung dieses Stils in Ober- und Mittelitalien beigetragen. Seine Freskomalerei ist bis auf die Madonna im Dom in Orvieto vernichtet; sein HW ist das Tafelwerk ›Die Anbetung der Könige‹ (1423; Florenz, Uffizien).

Gentileschi [dʒentil'e:ski], **1)** Artemisia, *Rom 1597, †Neapel 1652 oder 1653, Tochter und Schülerin von 2), nach 1620 in Florenz, seit 1630 in Neapel tätig, wo sie die lokale Malerschule beeinflußte. 1638–39 hielt sie sich in England auf.

HW: Susanna und die beiden Alten (1610; Pommersfelden, Schloß); Judith und Holofernes (um 1620; Florenz, Uffizien).

2) Orazio, eigtl. O. **Lomi,** ital. Maler, *Pisa 1563, †London 7. 2. 1639, kam 1576 nach Rom, wo er, zunächst von der Tradition des Florentiner Manierismus geprägt, bald unter den Einfluß A. Elsheimers geriet. Später entwickelte er sich zu einem der begabtesten und eigenartigsten Nachfolger Caravaggios, dessen klare Strenge er mit einem persönl. Stil und toskan. Tradition verband. G. war tätig in Rom, den Marken, Genua (1621–23), in Frankreich (1623–25) und seit 1626 als Hofmaler Karls I. in England.

HW: Verkündigung (1623; Turin, Gal. Sabauda); Die Hl. Valerianus, Tiburtius und Cäcilia (Mailand, Brera); Ruhe auf der Flucht (um 1626; Paris, Louvre, und Wien, Kunsthistor. Mus.).

Gentofte, Stadt im Amt Kopenhagen, 68 900 Ew., mit Schloß Charlottenlund (1733) und Schloß Bernstorff (1759 beg.); Ordrupgård mit Samml. Hansen (frz. und dän. Gemälde des 19. Jh.).

Gentz, 1) Heinrich, Baumeister, *Breslau 5. 2. 1766, †Berlin 3. 10. 1811, Schüler von K. v. GONTARD, bildete sich in Rom im Kreis um A. J. CARSTENS, P. HAKKERT und J. F. A. TISCHBEIN und wirkte mit Bauaufnahmen grch. Tempel in Paestum und Sizilien auf die Erneuerung der Baukunst aus dem dorischen Baustil der Antike ein. Damit wurde G. in der dt. Architektur zu einem Hauptmeister des von F. GILLY begr. strengen Klassizismus. Seit 1795 war er Oberhofinspektor in Berlin, seit 1796 Prof. an der Akad. G. stand J. W. v. GOETHE nahe und schuf städtebaulich bed. Entwürfe zu einem Denkmal von Friedrich d. Gr. in Berlin. Er ist der eigtl. Vorläufer von K. F. SCHINKEL.

HW: Münze (1798–1800; Berlin, 1888 nach Brand abgerissen); Umbau des Schlosses in Weimar (1801–03); Lauchstädt, Theater (1802); Prinzessinnen-Palais (1810; Berlin, nur z. T. ausgeführt, 1945 ausgebrannt); Mausoleum der Königin Luise (1810; Charlottenburg, Schloßpark).

2) Wilhelm, Maler, *Neuruppin (Bez. Potsdam) 9. 12. 1822, †Berlin 23. 8. 1890, studierte in Berlin, Antwerpen und Paris (Schüler von C. GLEYRE und T. COUTURE) und malte – nach Reisen in den Orient – v. a. exot. Landschaften und Sittenbilder.

Genua, ital. **Genova** [dʒ'ɛːnova], Hauptstadt der ital. Region Ligurien, Hafenstadt am Tyrrhen. Meer, Erzbischofssitz, 802 800 Ew. Das ma. G. erstreckt sich um die romanisch-got. Kathedrale S. Lorenzo (1118 gew., später mehrmals verändert; schwarz-weiß inkrustierte Marmorfassade mit skulpturengeschmückten Portalen; reicher Domschatz), Palazzo Ducale (ehem. Dogenpalast, 1291 beg.) und die Piazza S. Matteo mit den Häusern der Familie DORIA und der Kirche S. Matteo (1125 gegr., im 13. Jh. umgebaut); am Alten Hafen der Palazzo S. Giorgio (2 Gebäudeteile des 13. und 16. Jh.). Im 16. und 17. Jh., der künstler. Blütezeit der Stadt, entstanden zahlreiche Paläste, so u. a. an der seit 1550 von G. ALESSI angelegten Prachtstraße, der heutigen Via Garibaldi, in der sich Palast an Palast reiht, darunter die Palazzi Municipale (auch Tursi gen., heute Rathaus), Bianco und Rosso (beide heute Gemäldegal.), und an der Via Balbi u. a. die Palazzi Reale (ehem. Königspalast; heute Mus. mit Gemälde- und Skulpturensamml.), dell'Università (mit zweigeschossigem Hof), Durazzo-Pallavicini, Balbi-Senarega; am Hafen der Palazzo del Principe oder Doria-Pamphili (reiche Innenausstattung, Parkanlagen). Unter den zahlreichen Kirchen sind erwähnenswert: S. Maria di Carignano (1552 beg., Grundriß eines grch. Kreuzes nach Entwurf von Alessi), SS. Annunziata (kreuzförmige Säulenbasilika des 16. Jh. mit prächtiger Barockausstattung), SS. Ambrogio e Andrea (barocker Neubau 1589–1637, mit Altarbildern von P. P. RUBENS und G. RENI), S. Giovanni di Prè (Ende 12. Jh., mit dreischiffiger Hallenkrypta), S. Donato (12./13. Jh., roman. Hallenkirche mit achteckigem Campanile). Im N von G. der Camposanto di Staglieno (mit Mausoleen berühmter genues. Familien).

P. P. RUBENS: Palazzi di G. (Antwerpen 1622; Neudruck 1955).

Geometrical Style [dʒɪəʊm'etrɪkl staɪl], nach den geometr. Maßwerkformen benannte Phase der engl. Hochgotik (Mitte 13. Jh.), erstmals um 1240 in Binham und anschließend in der Westminster Abbey (London).

geometrische Kunst, erste Epoche der →griechischen Kunst, etwa 1000–700 v. Chr., benannt nach den vorherrschenden Schmuckmotiven der bemalten Vasen.

Georg, röm. Soldat aus Kappadokien, †(enthauptet) Nikomedien oder Lydda um 303. Frühe Darstellungen stammen aus dem christl. Osten (Fresko des 6. Jh. aus Ägypten, Fresken Ende 10. Jh. in kappadok. Höhlen u. a.) – meist als jugendl. Krieger auf einem Schimmel, als Kämpfer gegen das Böse in Gestalt einer Schlange (auch eines Drachen), die er mit einer Lanze trifft (Gußform aus Smyrna, 6.–7. Jh.; Fresko in Göreme, um 1070). Byzantin. Einfluß zeigen Reliefs auf den Bronzetüren von Monreale (um 1186). – Im Westen erscheint G. (endgültig durch die Kreuzzüge) als Ritter-Heiliger (sehr oft im 14.–16. Jh.). Das Motiv der Errettung einer Prinzessin durch G. kommt später hinzu. – Elegant und zierlich zeigt ihn die Bronzegruppe der Brüder CLAUSENBURG auf dem Prager Hradschin (1373), als Inbegriff fürstl. Tugend das Holzbildwerk von B. NOTKE (voll. 1489), ebenso das Gemälde von P. P. RUBENS (1629; Karl I. und seine Gemahlin als G. und Prinzessin). Im Sinn der Gegenreformation tritt G. im 18. Jh. als Beschützer Mariens auf (Decken-Fresko von C. D. ASAM, 1721; Klosterkirche Weltenburg).

Georgescu [dʒeordʒ'esku], Ion, rumän. Maler und Bildhauer, *Bukarest 18. 1. 1856, †ebd. 30. 11. 1898, schuf aus realist. Formgefühl mytholog. Figuren, Standbilder und (v. a. durch Gestaltung der Augen) ausdrucksvolle Porträtbüsten (V. ALECSANDRI, D. BOLINTINEANU u. a.); Gemälde, Skizzen, Zeichnungen.

Georgi, Walter, Maler, *Leipzig 10. 4. 1871, †Holzhausen (heute Teil von Utting, Kr. Landsberg a. Lech) 17. 6. 1924, Mitgründer der Münchner Künstlervereinigung →Scholle (1899), malte Landschaften aus dem bayer. Voralpenland und Porträts.

Georgian Architecture [dʒ'ɔ:dʒən 'ɑ:kɪtektʃə], Bez. der klassizist. Stilrichtung des 18. Jh. in England und seinen Kolonien in Amerika unter den engl. Königen GEORG I., II. und III. (1714–1820), die weitgehend die Formensprache A. PALLADIOS benutzt und bes. in der Wohnhausarchitektur schlichte Ziegelfassaden mit sparsamen Gliederungsformen bevorzugt.

Gera, Hauptstadt des Bez. G., Dt. Dem. Rep., 117 400 Ew.; bis 1918 Residenz der Fürsten Reuß (jüngere Linie). Wegen mehrerer Stadtbrände sind nur wenige alte Bauten erh.: Trinitatiskirche (im Kern 14. Jh., 1611 erweitert) mit spätgot. Außenkanzel; barocke Salvatorkirche (1717–20, nach Brand 1780 wiederaufgebaut); am Markt Renaissance-Rathaus (1573–76, 1780 umgestaltet) mit reichem Hauptportal und Stadtapotheke, ebenfalls Renaissance (1606). Im Stadtteil Untermhaus barocke Orangerie (1729–32, Mus.).

Gérard [ʒer'a:r], **1)** François, Baron (1819), frz. Maler, *Rom 4. 5. 1770, †Paris 11. 1. 1837, Lieblingsschüler von J. L. DAVID. Bedeutender als seine klassizist. Historienbilder sind seine Porträts (über 250 bekannt). G. war u. a. Hofmaler NAPOLEONS I., LUDWIGS XVIII. und malte auch an vielen anderen Fürstenhöfen. Reizvoll sind die Porträtskizzen, die er nach den ausgeführten Gemälden schuf (84 im Mus. in Versailles).

2) Jean Ignace Isidore, frz. Zeichner, →Grandville.

Geras, Stadt im Waldviertel, NÖ, 1700 Ew., mit Prämonstratenserstift, gegr. um 1050 von Ulrich von Pernegg. Die Stiftskirche, eine im Kern roman. Basilika, wurde nach Brand 1730 barockisiert; Klostergebäude 1736–40 von J. MUNGGENAST unter Verwendung älterer Teile erbaut, im Sommerrefektorium Deckengemälde von P. TROGER (1738).

Gẹrasa, antike, z. Z. ALEXANDERS D. GR. gegr. Stadt, 55 km südöstlich des Sees Genezareth, an der Stelle des heutigen **Djerasch** (Jordanien), die ihre Blüte unter HADRIAN und seinen Nachfolgern erlebte. Die bed. Handels- und Bischofsstadt verlor nach Zerstörung durch die Sassaniden 614 und nach der arab. Eroberung an Bedeutung. Durch Ausgrabungen wurden wichtige Teile der Stadt freigelegt: das von Säulen gesäumte ovale Forum, von dem die 600 m lange Kolonnadenstraße mit ionischen Säulen ausging, und das wichtigste Heiligtum, der Artemistempel mit großer Treppenanlage; ferner ein Nymphäum, Theater, Triumphbogen, Zeustempel, Thermen. Der Baukomplex der frühchristl. Kirchen in G. entstand nach einheitl. Entwurf 529–33: ein Zentralbau mit polygonaler Apsis (nördlich das Baptisterium), die Johannes-Kirche, nördlich und südlich von 2 dreischiffigen Pfeilerkirchen mit Arkaden umgeben (Georg- sowie Kosmas- und Damian-Kirche). Alle 3 Kirchen haben ein gemeinsames Atrium.

Gerạssimow, 1) Aleksandr Michajlowitsch, russ. Maler, *Koslow (heute Mitschurinsk, Gebiet Tambow) 12. 8. 1881, †Moskau 23. 7. 1963, schuf zahlreiche Genrebilder, Landschaften, Stilleben in einer den Realismus des späten 19. Jh. bewahrenden Malweise; Porträts von Repräsentanten des Sowjetstaates.

2) Sergej Wassiljewitsch, russ. Maler, *Moschajsk 26. 9. 1885, †Moskau 20. 4. 1964, malte in konventioneller, vom Impressionismus beeinflußter Malweise v. a. Landschaften und Genreszenen, z. T. mit polit. Thematik (›Die Mutter des Partisanen‹, 1943; Moskau, Tretjakow-Gal.).

Gẹreon, Märtyrer, nach der Legende mit 319 Genossen aus der Thebäischen Legion unter DIOKLETIAN in Köln hingerichtet; Darstellungen meist aus dem Raum um Köln (Elfenbeinrelief, um 1100; Fresko 1176/93, Schwarzrheindorf, Oberkirche, Apsis; Tympanon des 13. Jh., Köln, St. Gereon; v. a. Flügel des Dombildes von S. LOCHNER).

Gerhaert von Leyden [x'ɛrha:rt-], Nicolaus, *Leiden 1420/30, †Wiener Neustadt 1473, arbeitete in Trier (1462), Straßburg (1463–67), Konstanz (1465/66), Wien und Passau (seit 1467); schon zu Lebzeiten hochgeschätzt. Sein spätgot. Stil (mit einzelnen Elementen der Renaissance) wird von lebensnaher Darstellung der Köpfe und Hände und scharfen Faltenbrüchen der Gewandung bestimmt und war von außerordentl. Wirkung auf die gesamte süddt. Plastik.

HW: Grabmal Erzbischof Jakob von Sierck (1462; Trier, Diözesan-Mus.); Büsten eines Propheten (nach alter Überlieferung Graf Jakob von Lichtenberg) und einer Sibylle (Bärbel von Ottenheim) für das Straßburger Kanzleiportal (beide 1464; der weibl. Kopf in Frankfurt a. M., Liebieghaus, der männl. in Straßburg, Frauenhaus); Busnang-Epitaph (1464; Straßburg, Münster); Kruzifix (1467; Baden-Baden, ehem. Stiftskirche); Grabmal Friedrichs III. (Wien, Stephansdom, eigenhändig der Deckel des Sarkophags mit der Figur des Kaisers).

MECHTILD OHNMACHT: Das Kruzifix des N. G. v. L. in Baden-Baden von 1467 (Diss. München 1973).

Gerhaert von Leyden: Kopf einer Sibylle (›Bärbel von Ottenheim‹); 1464 (Frankfurt am Main, Liebieghaus)

Gerhard, Hubert, Bildhauer, *Amsterdam oder Herzogenbusch um 1550, †München 1622/23, von H. FUGGER 1581 aus Italien in seine Dienste berufen, später für den herzogl. Hof in München tätig. G. schuf v. a. figurenreiche Brunnen, in denen die von GIAMBOLOGNA in Italien empfangenen Anregungen eigenwillig und kraftvoll verarbeitet sind. Er war neben H. REICHLE und A. DE VRIES einer der großen Bronzeplastiker des süddt. Frühbarock.

HW: Augustusbrunnen (1589–94; Augsburg); Hl. Michael (1588; München, an der Fassade von St. Michael).

H. FRIEDEL: Bronze-Bildmonumente in Augsburg 1589–1606 (1974); Welt im Umbruch, Augsburg zw. Renaissance und Barock, Ausst.-Kat., Augsburg, 2 Bde. (1980).

Géricault [ʒerik'o], Théodore, frz. Maler und Gra-

Théodore Géricault: Floß der Medusa; nach 1817 (Paris, Louvre)

phiker, *Rouen 21. oder 26. 9. 1791, †Paris 26. 1. 1824, Schüler von C. VERNET und P. N. GUÉRIN, überwand den schulmäßigen Klassizismus schon in seinen frühen Bildern, in denen er malerisch bewegte Kampfepisoden aus den Napoleon. Kriegen malte (›Offizier der Gardejäger beim Angriff‹, 1812; Louvre). 1816 ging er nach Italien, wo er nach MICHELANGELO zeichnete und von röm. Pferderennen nachhaltige Eindrücke empfing. 1817 nach Paris zurückgekehrt, malte er nach detaillierten Studien das ›Floß der Medusa‹ (4,91 × 7,16 m; Louvre), in dem er eine zeitgenöss. Schiffskatastrophe mit realist. Dramatik gestaltete und in Form und Inhalt (aktuelles Tagesgeschehen anstatt eines ›bedeutenden‹ Inhalts) mit der Doktrin des Klassizismus brach. 1820 bis 1822 war er in London, wo er mit ganz neuer maler. Kühnheit Bilder mit Pferden und Reitern (›Derby in Epsom‹; Louvre) und Lithographien schuf, in denen er als einer der ersten das neue techn. Verfahren zu künstler. Vollendung steigerte. Bald nach seiner Rückkehr erlitt er mehrere Unfälle, die seinen phys. und psych. Verfall herbeiführten. Zu seinen letzten Werken gehören Porträts von Geisteskranken, in denen er klinisch getreue und realist. Darstellungen gab.

R. LEBEL: G., ses ambitions et l'inspiration italienne (Paris 1963); P. GRUNCHEC: T. G.; Werkverz. (a. d. Französ., 1981).

Gerlach, Philipp, Baumeister und Ingenieur, *Spandau (heute Berlin-West) 24. 7. 1679, †Berlin 17. 9. 1748, geschult am französisch-niederländ. Klassizismus, hatte als Hofbaumeister FRIEDRICH WILHELMS I. führenden Anteil an der Erweiterung der Berliner Dorotheen- und Friedrichstadt. Sein Meisterwerk war die Potsdamer Garnisonkirche (1730–35), deren Schiff im 2. Weltkrieg zerstört und deren Turm 1968 gesprengt wurde.

Gerlamoos, Ort bei Steinfeld im Drautal, Kärnten, Österreich; kleine roman. Kirche mit in Komposition und Farbigkeit meisterhaften Fresken des THOMAS VON VILLACH (Georgslegende, Leben Christi) aus den 70er Jahren des 15. Jh.; Figur der hl. Kümmernis (18. Jh.).

Germain [ʒɛrm'ɛ̃], frz. Goldschmiedefamilie des 17. und 18. Jh. in Paris. Pierre I. (*um 1644/45, †1684) war Goldschmied König LUDWIGS XIV., sein Sohn Thomas (*1673, †1748), seit 1723 Hofgoldschmied, schuf v. a. silbernes Sakral- und Tafelgerät. François-Thomas (*1726, †1791), Sohn von Thomas, übernahm die väterl. Werkstatt. – Pierre II. (*1716, †1783), gen. Le Romain, vermutlich nicht verwandt mit Pierre I. und Thomas, veröffentlichte 1748 das Vorlagenbuch ›d'Éléments d'orfèvrerie‹ mit Entwürfen im Rokokostil.

Germanen. Die erste selbständige Kunstgruppe der german. Stämme wird durch den nordischen Kreis der →Bronzezeit repräsentiert. In der Gestaltung und Verzierung von Bronzegeräten und in Treibarbeiten aus Gold hat sie ihren unverkennbaren Ausdruck gefunden. Die Ornamentik ist im Grundzug streng geometrisch. Die figurale Kunst ist auf Tier- und Menschenstatuetten beschränkt, dic als Kultgeräte anzusehen sind (→Trundholm). Im Zusammenhang mit Kult und

Mythus der G. stehen auch die bronzezeitl. Felszeichnungen Skandinaviens, die dem nord. Kunstkreis zuzurechnen sind (→Felsbilder).

In der Eisenzeit wurde die Keramik wichtigster Träger der Ornamentik. Einflüsse der kelt. Kunst haben seit dem 5. Jh. v. Chr. in einzelnen Bereichen ihre Spuren hinterlassen (Schmuck, Gefäßformen). Unter dem Einfluß der provinzialröm. Kunst gelangten seit dem 1. Jh. n. Chr. neue Anregungen in das german. Kunsthandwerk. Techniken wie Kerbschnitt, Punzung und Filigran fanden Eingang. Die Einlegetechnik, die Schmucksteine, bes. Almandine, aber auch Email in versch. Farben verwendete, entwickelte sich zur polychromen, flächendeckenden Ornamentik (→Völkerwanderungskunst).

Neben der Bildschnitzerei in Holz war die Steinplastik den G. nicht unbekannt. Seit dem 5. Jh. wurden auf röm. Einfluß Bildsteine auf Gotland gefertigt, später die häufig mit Relieffiguren verzierten Runensteine. Auch Grabsteine der Merowingerzeit im Rheinland und in Mittel-Dtl. sind auf Umgestaltung röm. Vorbilder zurückzuführen.

Höhepunkt und Abschluß der frühgeschichtl. Kunst der G. bildet die Tierornamentik, die als →Tierstil alle Bereiche des künstler. Schaffens beherrschte.

H.-J. EGGERS u. a.: Kelten und G. in heidn. Zeit (1964, mit Lit.).

Germania, die Personifikation Germaniens, in röm. Zeit als trauernde Gefangene, in otton. Zeit als gekrönte Frauengestalt dargestellt; im 19. Jh. Sinnbild des 1871 geeinten Dt. Reiches (→Niederwalddenkmal).

Germanisches Nationalmuseum, Nürnberg, 1852 durch Frhr. H. VON AUFSESS gegr., dessen Samml. den Grundstock des Mus. bilden (heute nationale Stiftung). – Das ehem. Kartäuserkloster bildet den architekton. Mittelpunkt der sich über ein ganzes Stadtviertel erstreckenden Mus.-Anlage.

Die Samml. umfassen alle Gebiete der dt. Kunst- und Kulturgeschichte von der Frühzeit bis zum 20. Jh.: vor- und frühgeschichtl. Bestände, Gemälde, Glasgemälde, Skulpturen, Kunsthandwerk, Möbel, Hausgeräte, wissenschaftl. und Musikinstrumente, Zunftaltertümer, Wandteppiche, Textilien, Trachten und Kostüme, Waffen, Jagdaltertümer, Spielzeug, volkskundl. Sammlungen, Kupferstichkabinett mit Graphik, Autographensamml., Münz- und Medaillensamml. Sie werden ergänzt durch eine Spezialbibl. von etwa 350 000 Bänden zur dt. Kunst- und Kulturgeschichte, Landes- und Ortsgeschichte, Volkskunst, Vor- und Frühgeschichte, Genealogie und Heraldik.

Dt. Kunst u. Kultur im G. N., Festschr. z. 100jährigen Bestehen (1952); T. HEUSS u. C. J. BURCKHARDT in: Noris, zwei Reden (1953); Das Schatzhaus der dt. Gesch., hg. v. R. PÖRTNER (1982). – Samml. Kataloge, Ausst.-Kat., Bilderbücher; Anzeiger u. Mitteil. des G. N.. (seit 1884); Jahresberichte (seit 1854); Bibliothek des G. N. zur dt. Kunst- und Kulturgesch. (seit 1956).

Germerode, Teil der Gem. Meißner in Nordhessen; Kirche (um 1150–65) eines ehem. Prämonstratenserinnenstifts (1144/45 gegr.), eine romanisch gewölbte Doppelturmbasilika; eindrucksvolle Nonnenempore mit interessant ornamentierten Würfelkapitellen.

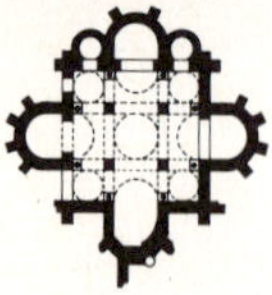

Germigny-des-Prés: Grundriß der Kirche

Germigny-des-Prés [ʒɛrmiɲidepr'e], frz. Gem. im Loire-Tal (Dép. Loiret). Die 806 gew. Kirche des Bischofs THEODULF VON ORLÉANS ist ein HW karoling. Baukunst in Frankreich. Sie wurde 1869 verändernd restauriert. Im Inneren einst reich mit Stuck und Mosaiken (aus Ravenna) versehen, erhebt sie sich als Zentralbau über dem Grundriß eines ›Vierkonchenquadrates‹ (armenisch-byzantin. Grundriß mit hufeisenförmigen Apsiden, vermutlich westgotisch-span. Ursprungs).

Gernrode, Stadt am NO-Rand des Harzes, Dt. Dem. Rep., 5000 Ew. Vom 959 von Markgraf GERO gegr. Frauenstift ist die Kirche erh., eine dreischiffige, doppelchörige Basilika, die zu den bedeutendsten architekton. Leistungen der otton. Zeit gehört (BILD ottonische Kunst). Das Hl. Grab (um 1100) im südl. Seitenschiff, ältestes erh. Beispiel einer Nachbildung des Grabes Christi, ist mit seinem figürl. Schmuck eines der hervorragendsten Werke der roman. Plastik in Dtl.

Gerokruzifixus, frühestes erhaltenes Zeugnis otton. Großplastik in Holz (Köln, Dom um 970); von Erzbischof GERO von Köln (969–76) dem Dom gestiftet. Neu für die Zeit ist die expressiv-lebendige Wirklichkeitserfassung des Leidens Christi. Der G. wirkte bis in spätotton. Zeit und weit über Köln hinaus.

M. IMDAHL: Das Gerokreuz im Kölner Dom (1964).

Gerokruzifixus: um 970 (Köln, Dom)

Gérôme [ʒer'o:m], Léon, frz. Maler und Bildhauer, *Vesoul 11. 5. 1824, †Paris 10. 1. 1904, lernte ab 1841 in Paris bei P. DELAROCHE, mit dem er 1844 nach Rom ging, suchte klassizist. Haltung mit realist. Genauigkeit in Bildern mit Themen aus der Antike zu vereinen. Er gehörte zur konservativen, die Impressionisten ablehnenden Akademie. Als Bildhauer trat er erst 1878 mit technisch virtuos bearbeiteten, aber künstlerisch weniger bed. Arbeiten in Erscheinung.

Gerona [xer'ona], katalanisch **Girona** [dʒir'ona], Stadt und Bischofssitz in NO-Spanien, 60800 Ew. Eine mächtige Freitreppe (1605 beg.) führt zu der auf dem höchsten Punkt der Altstadt gelegenen got. Kathedrale (1312 beg., einschiffig); am Hochaltar vergoldetes Retabel mit Reliefszenen aus dem Leben Christi (1320 bis 1358) und Baldachin (mit fast 200 kleinen Figuren, 13./14. Jh.); marmorner Bischofsstuhl (12. Jh.); zahlreiche Grabmäler (13.–16. Jh.). Bed. Kirchenschatz (v. a. die illuminierte Hs. der Apokalypse von ›Beato von G.‹, 975, im mozarab. Stil; BILD, und der ›Schöpfungsteppich‹, 12. Jh.). Im roman. Kreuzgang (12. Jh.) hervorragende Kapitelle mit figürl. und pflanzl. Motiven. Kollegiatskirche S. Feliú (13./14. Jh., barocke Fassade) mit röm. Sarkophag; roman. Kirche S. Pedro de Galligans (um 1130; archäolog. Museum im Kreuzgang).

Gersfeld, Stadt in der Rhön, Hessen, 8900 Ew. Von den 3 Schloßanlagen ist nur das Untere Schloß (1740) mit seinem prächtigen Rokoko-Festsaal (Mus.) künstlerisch bed. In der Pfarrkirche (1778–88) vorzügl. Spätrokoko-Innenraumgestaltung.

Gerson, Wojciech, poln. Maler und Illustrator, *Warschau 1. 7. 1831, †ebd. 25. 2. 1901, schuf neben Historienbildern und Illustrationen in akadem. Manier ansprechende Gebirgslandschaften (Tatra).

Gerstl, Richard, Maler, *Wien 14. 9. 1883, †ebd. 4. 11. 1908; löste sich nach einer pointillist. Phase mit expressiver Pinselführung vom ästhetisierenden Perfektionismus des Wiener Jugendstils. Sein Werk wurde erst längere Zeit nach seinem Tod entdeckt (Ausstellungen in Wien 1931 und Berlin 1932).

Gerthener, Gerthner, Madern, Baumeister und Bildhauer, *Frankfurt a. M. um 1360, †ebd. um 1430, begann als Dombaumeister ebd. den Bau des Frankfurter Domturms (1415 Grundsteinlegung, 1869 ff. nach seinen Rissen im Histor. Mus. voll.) und errichtete den Westchor der Oppenheimer Katharinenkirche (1415 ff.). Als Bildhauer schuf er mit dem Dreikönigs-Portal (mit der burgundisch beeinflußten Anbetung der Hl. Drei Könige im Tympanon) der Liebfrauenkirche in Frankfurt a. M. (um 1425) und der Memorienpforte am Mainzer Dom (um 1425) Hauptwerke der spätgot. Skulptur am Mittelrhein.

Gertrud von Nivelles [-niv'ɛl], Äbtissin des Klosters Nivelles (S-Brabant), *626, †Nivelles 17. 3. 653 oder 659; dargestellt als Äbtissin mit Stab und Buch (Miniatur im Stundenbuch der Katharina von Kleve, 1. H. 15. Jh.; Wandmalerei in St. Goar, Ende 15. Jh.), mit Krone (Gertrudisschrein, Nivelles; 1298).

Gertsch, Franz, schweizer. Maler, *Morigen (Bern) 8. 3. 1930, malt großformatige Bilder nach Diapositiven, Hauptvertreter des →Fotorealismus.

Gervasius und Protasius, geschichtlich nicht bezeugte Märtyrer, deren angebl. Gebeine vom Hl. AMBROSIUS in die neue Basilika in Mailand (heute S. Ambrogio) überführt wurden. Sie wurden vor dem 5. Jh. als Jünglinge dargestellt (Mosaik in Ravenna, S. Apollinare Nuovo; 5. Jh.), nach der Antike als Edelleute (Mailand, S. Ambrogio; 2. H. 12. Jh.) und mit ihren Marterwerkzeugen (Breisach, Münster; 1526, Figuren des Hauptaltars), in Frankreich seit dem 13. Jh. auch als Diakone (Le Mans, Chorfenster der Kathedrale); Skulpturen von M. BOURDIN (Paris, St. Gervais-et-Protais; um 1618).

Geryon, grch. Mythos: dreileibiger Riese, dessen Rinderherden Herakles forttrieb, nachdem er den Hirten Eurytion besiegt hatte. G., der Herakles daraufhin verfolgte, wurde von diesem mit einem Pfeil getötet. Häufig erscheint der Kampf des Herakles mit dem schwergewappneten Riesen auf grch. Vasen und Reliefs des 6. Jh. v. Chr., dann durch die gesamte Antike und wieder in der Neuzeit, v. a. im zykl. Zusammenhang.

Gerz, Jochen, bildender Künstler und Schriftsteller, *Berlin 4. 4. 1940, Autodidakt, stellt Photographien mit Texten zus.; Video-Stücke, Environments, die ›intermedial‹ zw. bildender Kunst und Literatur wirken sollen.

J. G., Ausst.-Kat., Hannover (1978).

Gesamtanlage, →Ensemble.

Gesamtkunstwerk, die Vereinigung aller Künste (Dichtung, Musik, bildende Kunst, Schauspielkunst, Tanz) in einem einheitl. Ganzen. Während R. WAGNER, der den Begriff prägte, unter G. seine Musikdramen verstand, wendet die Kunstwissenschaft den Begriff z. B. auf die got. Kathedrale, auf Barockschloß und -kirche oder auf den Entwurf von Idealstädten mit Skulpturen (FILARETE) an. Im Jugendstil, aber auch am Bauhaus wurde die Idee wiederaufgenommen. In der zeitgenöss. Kunst kommen Tendenzen zum G. in den Mixed Media und im Environment vor.

Hang zum G., Ausst.-Kat., Zürich (1983).

Geschichtsmalerei, →Historienmalerei.

Geschlechterturm, befestigter Wohnturm des Stadtadels im MA., bes. in der Toskana (Florenz, San Gimignano), seltener auch nördlich der Alpen (Regensburg, Metz). Der G. sollte neben seiner verteidigungstechn. Funktion bei Auseinandersetzungen innerhalb der Stadt auch den Machtanspruch der jeweiligen Familie symbolisch manifestieren.

Geschoß, Stockwerk, Etage [et'aːʒə], die durch →Decken geteilte horizontale Raumschicht eines Gebäudes (Keller-, Erd-, Dach-G.). Es gibt niedrige Zwischen-G., z. B. das **Mezzanin** und durch Ausstattung und Dimensionen bes. hervorgehobene G., z. B. Piano nobile, Beletage. Das G. oberhalb des Hauptgesimses heißt Attika-G.

Geseke, Stadt im Kr. Soest, NRW, 20300 Ew.; urspr. karoling. Königshof, auf dem vor 952 ein Damenstift gegr. wurde. Dem Turm der ehem. Stiftskirche St. Cyriakus (Ende 12./Anf. 13. Jh.) diente der Paderborner Domturm als Vorbild, während sich die romanisch-got. Halle an die Hohnekirche in Soest anlehnt;

roman. Kapitelsaal mit O-Flügel des ehem. Kreuzgangs (Ende 12. Jh.) südlich an das Querhaus anschließend. Got. Pfarrkirche St. Petrus (13.–15. Jh.).

Gesellschaftsstück, Gattung von Bildern, die, von den Niederländern geschaffen, das gesellige Beisammensein der Menschen zum Gegenstand haben. Ihre Vorstufen reichen ins MA. zurück. Wo immer Menschen bei Spiel oder Tanz, Liebeswerben oder Mahl dargestellt wurden, handelt es sich um Vorformen des G. Von besonderer Bedeutung wurden die Darstellungen aus dem Motivkreis des →Verlorenen Sohnes, die in den Niederlanden beliebt waren. Sie zeigten das gesellige Beisammensein als Schwelgerei in zügelloser Ausgelassenheit. Gegen Ende des 16. Jh. kamen im Freien dargestellte Götterhochzeiten und -mahle auf (H. GOLTZIUS, B. SPRANGER, C. CORNELISZ VAN HAARLEM). Der dem Gegenwärtigen realistisch zugeneigte Sinn der Niederländer ersetzte dann die Götter- durch die Menschengesellschaft (D. VINCKEBOONS, J. VAN DE VELDE, F. HALS). W. BUYTEWECH verlegte die Szene als

Gesellschaftsstück: Lustige Gesellschaft, Gemälde von W. Buytewech; um 1620/22 (Budapest, Ungar. Nationalmuseum)

erster in den Innenraum und eröffnete damit neue Möglichkeiten der Gestaltung des Privaten, Intimen, des Ganz-bei-sich-selbst-Seins der Menschen (P. DE HOOCH, G. TERBORCH, VERMEER VAN DELFT). Auch trat die Darstellung des Mahles gegenüber der von Besuch, Unterhaltung, Spiel, Zutrunk, Lesen, Musik zurück; nicht mehr die Handlung erschien als das Einende, sondern das bloße Zusammensein. Die ›Gesellschaft im Freien‹ wurde im 17. Jh. nur selten dargestellt (J. STEEN); sie wurde vereinzelt von der Freilichtmalerei im 19. Jh. behandelt (É. MANET: ›Déjeuner sur l'herbe‹, 1863).

Über den ›Liebesgarten‹ des P. P. RUBENS, der das Gesellschaftliche mythisch poetisierte, führt der Weg zu den ›Fêtes galantes‹ (frz. ›galante Feste‹), deren unübertroffener Meister A. WATTEAU wurde. Seine Bilder gaben dem Glücksverlangen der menschl. Gesellschaft, nicht ohne geheime Melancholie, malerisch berückend Gestalt. Diesem Sujet wurde im 18. Jh. soviel Bedeutung beigemessen, daß die Akad. dafür eigens einen Titel verlieh. Watteau war der erste, der diesen Titel ›Maître des fêtes galantes‹ erhielt; nach ihm J.-B. PATER, N. LANCRET, F. BOUCHER, J. H. FRAGONARD.

Gesichtsurnen: G. aus frühostgermanischen Steinkistengräbern in Pommern (ehem. Landesmuseum Stettin)

Geselschap, Friedrich, Maler, *Wesel 5. 5. 1835, †Rom 31. 5. 1898, suchte den Kompositionsstil von P. CORNELIUS weiterzubilden. Sein HW sind die Kuppelgemälde im Berliner Zeughaus (1879–90).

Gesichtsmasken, Masken, meist aus Goldblech, zum Bedecken der Gesichter der Toten, die v. a. in den Schachtgräbern von Mykene gefunden wurden (16. Jh. v. Chr.). Wohl in Anlehnung an ägypt. Grabbräuche konnte auch die Brust mit (ornamentiertem) Goldblech bedeckt werden.

Gesichts|urnen, Tongefäße mit schemat. Gesichtsdarstellungen, bes. bekannt als Leitformen der ›Pommerellischen Gesichtsurnenkultur‹ der frühen Eisenzeit (750–400 v. Chr.). Die oft bildnisartig wirkenden Gesichtsformen auf dem Oberteil der Gefäße sind durch Hinzufügung von Schmuck (Ohrringe) oder Einritzungen von Schmuck- und Waffendarstellungen als männlich oder weiblich gekennzeichnet. Über die G. in Etrurien →Kanopen.

Gesims *das,* **Sims** *das* oder *der,* aus der Mauer hervortretendes, waagerecht verlaufendes Bauglied, dient, mehr oder weniger reich profiliert, der Horizontalgliederung des Bauwerks und z. T. auch der Ableitung des Regenwassers. Durch das **Fuß-** oder **Sockel-G.** wird das Sockelgeschoß nach oben abgegrenzt. Das **Sohlbank-** oder **Brüstungs-G.** verbindet die Fenstersohlbänke oder setzt sie fort. Das **Kämpfer-G.** verbindet die Kämpfer

Gesichtsmasken: Goldene G. aus einem der Schachtgräber von Mykene; 16. Jh. v. Chr.

der Bogenansätze. Das **Gurt-G.** umzieht den Bau zw. den einzelnen Geschossen, das **Haupt-** und **Kranz-G.** schließt die Fassade am Dachansatz ab. Über das G. in der antiken Baukunst →Säulenordnung.

Gesmold, Stadtteil von Melle, Kr. Osnabrück, Ndsachs., mit weitläufigem Wasserschloß des 16./17. Jh. (1608–64 Residenz der Bischöfe von Osnabrück); Turm im Kern um 1200, maler. Torhaus (1667).

Gesprenge, aus schlank aufstrebenden Architekturgliedern (Fialen u. ä.) bestehender, mit Figuren besetzter Aufbau über dem Mittelschrein spätgot. Altäre.

gesprengter Giebel, Baukunst: →Giebel.

Geßner, Salomon, schweizer. Dichter, Maler und Radierer, *Zürich 1. 4. 1730, †ebd. 2. 3. 1788, war urspr. Buchhändler und wandte sich in Berlin der Mal- und Dichtkunst zu. Seine ›Idyllen‹ (1756) illustrierte G. selbst; sie bilden den formvollendeten Abschluß der Pastoraldichtung des dt. Rokoko. Gleichbedeutend ist die Malkunst G.s. Seine Ideallandschaften mit mytholog. Gestalten in Pastelltönen (Gouachen, Aquarelle) beschwören wie die (nach eigenen Entwürfen radierten) Vignetten zu seinen Dichtungen (1772) ein paradies. Naturzeitalter, das die Naturstimmung der Romantik ahnen läßt. – Eine Gesamtausgabe seiner Radierungen (395 Blätter) erschien 1802 (Erstausgaben: 1764–71).

M. Bircher u. B. Weber: S. G. (1982).

Gessopainting [dʒ'ɛssopeɪntɪŋ, ital.-engl.], Gipsmalerei, Maltechnik des MA., wobei durch Gipsgrundierung ein Flachrelief entsteht, das bemalt wird; diese ma. Dekorationstechnik (→Pastiglia) wurde im 19. Jh. von engl. Malern wieder aufgegriffen.

gestelzt, Baukunst: Bez. für einen →Bogen oder ein →Gewölbe, dessen Krümmung nicht direkt oberhalb der Kämpferlinie, sondern erst über einer darauf aufgestelzten Geraden beginnt.

Getty Museum, J. Paul Getty Museum [dʒeɪ pɔ:l g'etɪ mju:z'ɪəm], 1953 in Malibu, Kalifornien (USA), von dem Ölindustriellen J. P. Getty (*1892, †1976) gegr. Mus. Die Samml. grch. und röm. Antiken, Malerei der Renaissance und des Barock und des frz. Kunsthandwerks sind in einem der röm. Villa dei Papyri in Herculaneum nachgebildeten Gebäude untergebracht.

Gewächshaus, Aufbewahrungsort von Pflanzen; im Barock diente dazu die →Orangerie, im 18./19. Jh. wurde das Glashaus entwickelt (→Glasarchitektur).

Gewände, die im Unterschied zur →Laibung schräg in die Mauerfläche eingeschnittene seitl. Begrenzung eines Portals oder Fensters. Das G. kann (bes. in der roman. und got. Baukunst) mehrfach →abgetreppt, reich ornamental ausgeschmückt und mit Figuren (G.-Figuren) ausgestattet sein (G.-Portal, Freiberg, →Goldene Pforte; Reims, Kathedrale, Portal der W-Fassade).

Gewandhaus, Baukunst: →Tuchhalle.

Gewölbe, räumlich gekrümmte, massive Raumüberdeckung, die so geformt ist, daß ihre Querschnitte nur auf Druck beansprucht werden (i. Ggs. zum →Bogen). Die G. üben auf ihre Widerlager einen Schub aus. G. werden hergestellt durch **Wölben,** d. h. durch (ggf. mörtelloses) Aneinanderfügen der einzelnen Elemente (z. B. Natursteine) auf Schalung und Rüstung. G., bei denen die Steinlagen auf beiden Seiten nach innen fortlaufend überkragen, bis sie sich in der Längsachse treffen und durch einen großen Deckstein abgeschlossen werden (z. B. die myken. Kuppelgräber), sind **unechte** oder **falsche G. (Krag-G.).** Die Krag-G. der Maya (**Maya-G.**) sind die einzige G.-Form im Bereich der indian. Hochkulturen.

Gewölbe:
1 Tonnengewölbe,
2 Kreuzgewölbe,
3 Kreuzrippengewölbe,

Das **Tonnengewölbe** ist ein halbkreisförmiges oder spitzbogiges, über einem horizontalen Wandauflager aufsteigendes G. In kleinen Abmessungen schon den alten Ägyptern und Assyrern bekannt, wurde es von den Römern für Brücken und Aquädukte sowie in Tempeln und Thermen verwendet. Im MA. war es in roman. Kirchen S- und Mittelfrankreichs sowie Spaniens üblich (St. Benoît-sur-Loire, Neubau seit 1067), dann wieder allg. in der Neuzeit (München, Michaelskirche, 1583 bis 1597), meist mit **Stichkappen** über den Fenstern der tragenden Seitenwände (Zwiefalten, Benediktiner-Klosterkirche, gew. 1765). Schon in röm. Zeit war es gewöhnlich mit konstruktiv tragenden und rhythmisch gliedernden **Gurt-G.** versehen. – Tonnengewölbe mit sehr geringer Scheitelhöhe (etwa ⅙ bis $^1/_{12}$ der Spannweite) heißen **Preußische Kappen;** sie werden erst in neuerer Zeit und fast ausschließlich zur Überdekkung von Kellern, Durchfahrten u. a. verwendet.

Kreuzgewölbe sind Durchdringungsformen von 2 rechtwinklig gekreuzten Tonnen-G., bei denen die Kappen von den seitl. halbrunden **(Kreuzgrat-G.)** oder spitzen **Gurt-** und **Schildgewölbestreifen** getragen werden können, so daß als Auflager 4 Stützen genügen, die allein der Widerlagerung bedürfen (Strebepfeiler). Liegt der Scheitel des G. höher als die Scheitel der tragenden G.-Gurte, so hat es einen **Stich,** der gerade oder bogenförmig sein kann. Bei kugelig gewölbten Kappen ist es →busig. Von den Römern zuerst angewendet, ist das Kreuz-G. im MA. die Hauptform des roman. G.-Baues, entweder über quadrat. oder rechteckigen **Jochen.** – Durch Verstärkung der diagonalen Grate mit tragenden, d. h. gewölbten **Rippen** entstand das **Kreuzrippengewölbe.** Es war gelegentlich schon von den Römern mit breiten bandartigen Bögen als Rippen verwendet worden. Im Anf. des 12. Jh. wurde es die grundlegende Form des G.-Baues der Gotik mit schlanken, reich profilierten Rippen vornehmlich strukturell gliedernden Charakters (Amiens, Kathedrale, beg. 1220). Die frühen Rippen-G. sind (v. a. in Frankreich) häufig sechsteilig (Maulbronn, Herrenrefektorium, um 1220 bis 1225). Die Vervielfältigung der Rippen führte zum spätgot., ausschließlich dekorativen **Stern-** oder **Netz-G.** (Dinkelsbühl, St. Georg, 1448–99); bei fächerförmigem Ansatz zahlreicher Rippen entsteht das **Fächer-G.,** wie es die engl. Gotik ausgebildet hat. Das spätgot. **Zellen-G.,** bei dem die Flächen zw. den Graten tief eingeschnitten sind, war v. a. zw. 1450 und 1550 in Sachsen und Böhmen gebräuchlich. Eine letzte Stufe des Rippen-G. stellen die obersächs. Hallenkirchen nach 1500 dar (Annaberg-Buchholz, St. Annen, 1499–1525), deren Rippen auch in der Grundrißprojektion gekrümmt sind (gewundene Reihung).

Das **Klostergewölbe,** auch **Haubengewölbe** gen., ist seltener. Es besteht aus Tonnenabschnitten, die sich im Unterschied zum Kreuz-G. als **Wangen** unmittelbar auf horizontalen Auflagern über quadrat. oder polygonalem Grundriß wölben. Es ist daher meist nur in Zentralbauten statt einer Kuppel oder über wandfesten Räumen zu finden, selten in Langbauten über zentralisierenden Jochen (Beispiel: St. Hilaire-le-Grand in Poitiers, 11./12. Jh.). Ist das G.-Feld rechteckig, so heißt es **Mulden-G.;** wenn es am Scheitel mit einer waagerechten Fläche schließt, so spricht man von einem **Spiegel-G.,** beides Formen, die erst der neuzeitl. Architektur seit dem 17. Jh. eigen sind. Im Barock wurden über großen Sälen häufig flache Decken **(Voutendecke)** mit seitlich gewölbten Kehlen verwendet (Charlottenburg, Schloß, Goldene Galerie, 1746).

Über das halbkugelförmige oder der Halbkugel angenäherte G. →Kuppel.

In heutiger Zeit werden G. aus Mauerwerk oder Beton (selten Stahlbeton) bei unterird., schwer belasteten Bauten, im Tunnel- und Stollenbau, seltener im Brückenbau, angewendet. Einige Verbreitung haben im Hochbau Kappen-G.

G.-Theorie ist die Lehre von der Berechnung der G. Schon die Römer benutzten die Stützlinie für die Formgebung; heute gibt es strenge Verformungstheorien.

H. GLÜCK: Der Ursprung des röm. u. abendländ. Wölbens (1953); K. H. CLASEN: Dt. Gewölbe der Spätgotik ([2]1961); F. HART: Kunst u. Technik der Wölbung (1965).

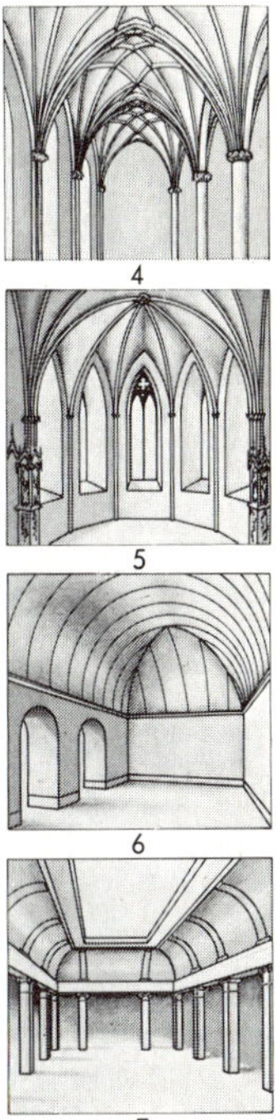

Gewölbe
4 Sterngewölbe,
5 Klostergewölbe,
6 Muldengewölbe,
7 Spiegelgewölbe

gewundene Reihung, kurvenförmige, mit Zirkelschlag konstruierte Sonderform des spätgot. Rippengewölbes, bes. in der Tschechoslowakei und Österreich.

Geyer, Wilhelm, Maler, *Stuttgart 24. 6. 1900, †Ulm 5. 10. 1968, studierte 1919–26 an der Akad. ebd. G. behandelte in seinen Bildern und graph. Zyklen v. a. relig. Themen.

HW: Wandfries in der Wandelhalle der Frankfurter Paulskirche (1948).

Geyger, Ernst Moritz, Graphiker und Bildhauer, *Berlin 9. 11. 1861, †Florenz 29. 12. 1941, widmete sich v. a. der Tierplastik; seine graph. Arbeiten zeichnen sich durch virtuose Beherrschung der Technik aus.

Ghabri-Ware [pers. gabr ›Zoroastrier‹, die irrtümlich vermuteten Auftraggeber], Handelsbez. für nordiran. Tonware des 9.–13. Jh. mit Dekor (v. a. Tierdarstellungen) in Ritztechnik mit farbigen Glasuren.

Ghanṭa [Skt.], die ind. Glocke als bronzenes Kultgerät und Attribut von hinduist. und buddhist. Götterfiguren. In der tantrist. Kunst ist G. das weibl. Gegenstück zum männl. →Vajra.

Ghardaia, Oasenstadt im nördl. Zentral-Algerien, 40 000 Ew.; Hauptort der Oasenregion Mzab, deren 88 000 berber. Bewohner (Beni Mzab, Mozabiten) Anhänger einer mit christl. und jüd. Elementen durchsetzten islam. Sekte (Ibadhiten) sind. Stufenförmiges Stadtbild mit maler. Tunnelgassen und Torbögen um die Hauptmoschee, die ein 22 m hohes konisches Minarett mit Fünffinger-Zinnen aufweist; Marktplatz mit Arkadengängen und 24 Sitzsteinen (14. Jh.) für den Ältestenrat; im Palmenhain die Chaaba-Moschee (12. Jh.). G. bildet mit 4 Nachbarstädten eine ›Pentapolis‹. In **Melika** typ. Friedhof (weiße ›Idudens‹-Grabsteine mit Nischen für Opfergaben) und die fünfschiffige Sidi-Aissa-Moschee (14. Jh.). In **Beni Isguen** der Wachtturm ›Tour du Tafilelt‹ sowie die sechsschiffige Oasen-Moschee (12. Jh.). **El-Atteuf** ist die älteste Mozabitenstadt (erbaut um 1010); die kleine Sidi-Brahim-Moschee außerhalb ihrer Mauern diente LE CORBUSIER als Modell für die Wallfahrtskirche Ronchamp. Die (Lehm-) Häuser in G. wie im ganzen Mzab sind festungsartig, mit Frauen-Teil im Innern und prachtvollem Innenhof (berber. Rundornamentik); sie erfahren starke Beachtung bei modernen Architekten.

Ghasnawiden, Gasnawiden, islam. Herrschergeschlecht (998–1186), begründet von SEBÜKTIGIN, einem türk. Mamelucken, dessen Sohn MAHMUD (998 bis 1030) von seiner Residenz Ghasni aus fast ganz Persien und den Pandschab unterwarf. – Zeugnisse künstler. Schaffens hinterließen die G. v. a. in →Ghasni.

Ghasni, Ghazni, Ghazna, Stadt in SO-Afghanistan, rd. 45 000 Ew. G. war seit 998 Residenz der Ghasnawiden, wurde 1150 durch die iran. Dynastie der Ghoriden, 1221 durch die Mongolen zerstört. Erhalten sind 2 im Grundriß sternförmige Ziegeltürme (Minaretts oder ›Türme des Sieges‹?) der Sultane MAS'UD III. (1099–1115) und BAHRAM SCHAH (1118–1157?), mit reichen Ornamenten überzogen (geometr. Ziegelmuster, Kufi-Inschriften, Terrakottareliefs). Auch der seit 1957 ausgegrabene Ziegelpalast mit 4 Iwanen (1112 voll.) zeigt Reste reichen Schmucks.

Ghat [Skt. ghatta], in Indien terrassen- oder treppenartige Uferanlage als Prozessions-, Leichenverbrennungs- und Badestätte.

Ghata [Skt.], rundbauchiges ind. Gefäß, als Behälter heiligen Wassers oder von Pflanzen überquellend ein Symbol des Lebens und der Fruchtbarkeit sowie des brahman. Opfers (Attribut der Götter Brahma und Agni, auch des buddhist. Maitreya).

Ghazna, Stadt in Afghanistan, →Ghasni.

Gheyn [xɛjn], **de Gheyn,** niederländ. Kupferstecherfamilie. Jacob I. (*um 1532, †Amsterdam 1582) war Glas- und Miniaturmaler und Radierer; dessen Sohn und Schüler Jacob II. (*Antwerpen 1565, †Den Haag 29. 3. 1629) stand seit 1585 in Haarlem unter dem Einfluß von H. GOLTZIUS, nach dessen Entwürfen und in dessen Technik er stach; schuf auch virtuose Federzeichnungen und Bildnisse in kleinstem Format. Sein Sohn Jacob III. (*Leiden(?) 1596, †Utrecht 1641) fand einen eigenen, zeichnerisch freien Radierstil und war schon in jungen Jahren hoch angesehen.

Ghezzi [g'ettsi], Pier Leone, ital. Maler, Kupferste-

gebung (vor allem Fresken in Frascati, Villa Falconieri), betätigte sich jedoch vor allem als Karikaturist (Sammlung in den Vatikanischen Sammlungen).
gebung (v. a. Fresken in Frascati, Villa Falconieri), betätigte sich jedoch v. a. als Karikaturist (Samml. in den Vatikan. Sammlungen).

Ghiberti [gi-], Lorenzo, ital. Bildhauer, Goldschmied, Kunstschriftst., *Florenz 1378, †ebd. 1. 12. 1455, zunächst als Goldschmied ausgebildet, dann in Pesaro als Maler tätig; 1401 Sieger im Wettbewerb um die 2. Bronzetür des Florentiner Baptisteriums über F. BRUNELLESCHI, J. DELLA QUERCIA u. a. (Proberelief mit der Opferung Isaaks im Mus. Nazionale del Bargello, Florenz). Durch die Arbeit an der Tür mit Szenen aus dem N. T. (1403–24) wurde G. durch zunehmende opt. Ausweitung des Reliefraumes und Beherrschung der organisch aufgebauten Figur zu einem der bahnbrechenden Meister der Frührenaissance, was oft über seiner Vorliebe für melodisch schwingende ›spätgotische‹ Linienführung verkannt worden ist. Die Formstrenge, auch der Realismus DONATELLOS lagen G. fern. In der 3. Baptisteriumstür (von Michelangelo ›Paradiestür‹ genannt, 1425–52) mit Darstellungen aus dem A. T. schuf G. aus der Verbindung von Hoch- und ›illusionistischem‹ Flachrelief die bis in den europ. Spätbarock gültige Reliefkonzeption. Seine Statuen an Or S. Michele, Florenz (Johannes der Täufer 1414, Matthäus 1419–22, Stephanus 1429) sind die ersten monumentalen Bronzefiguren der Neuzeit. G. war sehr vielseitig tätig: Seit

Lorenzo Ghiberti:
sog. Selbstbildnis
(Florenz, Baptisterium)

1420 war er mit Brunelleschi verantwortlich für die Wölbung der Florentiner Domkuppel; nach seinen Entwürfen wurden auch Glasfenster ausgeführt (Domfassade 1404–15; Tambour der Domkuppel 1443; Fassadenfenster in S. Croce, gegen 1450). Von seinen zahlreichen Goldschmiedearbeiten blieb nichts erhalten. G. war der größte Bronzespezialist seiner Zeit. Seine Werkstatt wurde zu einer Art von Akademie, aus der fast alle Bronzebildner der Frührenaissance und mehrere Maler hervorgingen. – Seine ›Commentarii‹ (u. a. mit einer Geschichte der toskan. Malerei seit GIOTTO und einer Autobiograhie) gehören zu den wichtigsten Quellenschriften zur ital. Kunst. Er war der erste bekannte Sammler antiker Skulpturen in Italien.

R. KRAUTHEIMER: L. G., 2 Bde. (Princeton, N. J., [2]1970); SABINE EULER-KÜNSENMÜLLER: Bildgestalt und Erzählung. Zum frühen Reliefwerk L. G.s (1980).

Ghirlandaio: Giovanna Tornabuoni; 1488 (Castagnola, Samml. Thyssen-Bornemisza)

Ghirlandaio [gi-], eigtl. Domenico **di Tommaso Bigordi,** ital. Maler, *Florenz 1449, †ebd. 11. 1. 1494, lernte bei A. BALDOVINETTI, wurde bes. von A. DEL VERROCCHIO und S. BOTTICELLI beeinflußt, griff jedoch auch auf die gesamte florentin. Monumentalmalerei seit MASACCIO zurück. G. war in Florenz, S. Gimignano, Pisa und Rom tätig. Er arbeitete mit einer großen Werkstatt und hatte zahlreiche Schüler. Seine Fresken gelten als seine bedeutendsten Schöpfungen und zeigen sein stark entwickeltes formales Können im klaren, räumlich bestimmten Aufbau der Kompositionen. In seinen relig. Darstellungen, die er meist in zeitgenöss. Umgebung malte, spiegelte sich das weltl. Leben der Renaissance. Viele seiner Figuren tragen porträthafte Züge. – G.s Sohn Ridolfo (*Florenz 4. 1. 1483, †ebd. 6. 1. 1561) schuf Altarwerke und Porträts.

Fresken: Vision und Bestattung der Hl. Fina (1475; S. Gimignano, Collegiata); Hl. Hieronymus und Abendmahl (1480; Florenz, Ognissanti); Berufung der Jünger Petrus und Andreas (1481/82; Rom, Sixtin. Kapelle); sechs Szenen aus dem Leben des Hl. Franziskus mit zahlreichen Bildnissen florentin. Zeitgenossen (1485; Florenz, S. Trinità, Sassetti-Kapelle); Darstellungen aus dem Leben Mariens und des Täufers (1486–90); Florenz, Chor von S. Maria Novella). – **Tafelbilder:** Madonna mit Heiligen (1483; Florenz, Uffizien); Anbetung der Hirten (1485; Florenz, S. Trinità); Anbetung der Könige (1487; Florenz, Uffizien, und 1488; Florenz, Ospedale degli Innocenti). – **Porträts:** Großvater und Enkel (1488; Paris, Louvre); Giovanna Tornabuoni (1488; Castagnola, Samml. Thyssen-Bornemisza).

Ghisi [g'i:zi], Giorgio, ital. Kupferstecher, *Mantua 1520 oder 1521, †ebd. 15. 12. 1582, arbeitete nach Werken von MICHELANGELO, RAFFAEL, GIULIO ROMANO, F. PRIMATICCIO u. a.; knüpfte technisch an das Vorbild M. RAIMONDIS an.

Ghislandi [gi-], Giuseppe, Ordensname **Fra Vittore,** auch **Fra Galgario** genannt, ital. Bildnismaler, *Bergamo 4. 3. 1655, †ebd. 3. 12. 1743, schuf mit kräftigen Farbakzenten und Helldunkelwirkungen lebendige Porträts von Vertretern aller Gesellschaftsschichten.

Ghom, Stadt in Iran, →Kum.

Ghordesknoten, Ghiordesknoten, Smyrnaknoten, Knüpftechnik des kleinasiat. und türk. Teppichs (→Orientteppiche).

Ghorfa, urspr. Vorratszelle der berber. Ouerghamma-Nomaden S-Tunesiens mit einfachem Füllstein-Tonnengewölbe ohne Zwischendecke, 3–4 m tief, 2 m hoch. In Wabenbauweise bis zu 6 Etagen übereinandergeschachtelt (vorkragende Steine bilden Treppen) und um einen oder mehrere Innenhöfe gruppiert, bilden G. ein Ksar mit glatten Außenwänden. Die G. wurde Grundelement der ländl. Bauweise der östl. Atlasregion und moderner Hotels in ganz Tunesien.

Ghriba, Synagoge auf Djerba, →La Ghriba.

Giacometti [dʒa-], **1)** Alberto, schweizer. Bildhauer, Maler, Sohn von 3), *Stampa (Graubünden) 10.10.1901, †Chur. 11.1.1966, studierte 1922–25 bei A. BOURDELLE in Paris. 1925 kam er zu idolartigen Skulpturen, wenig später auch zu käfighaften Gehäusen, ›Spielbrettern‹ und ›Platz‹-Modellen, in denen sich Figuren oder deren erot. Symbole wie gefangen bewegen, Traumbilder aus dem Unterbewußtsein, die 1925–35 HW der surrealist. Plastik bilden. In den 1940 Jahren

Alberto Giacometti: Der Wagen; Bronze, 1950 (Zürich, Kunsthaus)

Giambologna: Merkur; 1580, Bronze (Florenz, Bargello)

entwickelte G. dann seinen endgültigen Stil radikal ausgedünnter, überlängter Figuren, Büsten, Köpfe mit rissigen, wie zernagten Oberflächen, die das Problem von Körper und Raum auf eine völlig neue Weise angehen. In den ebenso fernen wie gegenwärtigen, vom Raum ausgezehrten stehenden Frauen, schreitenden Männern, gesockelten Büsten gestaltete G. die Distanz als intensive psych. Ausstrahlung. G.s Bilder und Zeichnungen verdichten sich aus subtilen Strichen und maler. Verwischungen, die den Zugriff des Raums auf die Körper verdeutlichen.

H. HARTMANN: A. G., Pionier der abstrakten Malerei. Ausst.-Kat., Chur (1981); J. LORD: A.G. Ein Porträt (a.d. Engl., 1982); A.G., Zeichnungen u. Druckgraphik, Ausst.-Kat., Tübingen u.a. (1981).

2) Augusto, schweizer. Maler, Vetter von 3), *Stampa 16.8.1877, †Zürich 9.7.1947, kam über Jugendstil und Neoimpressionismus zur abstrakten Malerei.

3) Giovanni, schweizer. Maler, Vetter von 2), *Stampa 7.3.1868, †Glion 25.6.1933, studierte in München und Paris, war mit G. SEGANTINI in Maloja; einer der führenden schweizer. Nachimpressionisten.

Giambologna [dʒambol'oɲa], **Giovanni da Bologna** [dʒov'anni da bol'oɲa], **Jean de Boulogne** [ʒã də bul'ɔɲ], niederländisch-ital. Bildhauer, *Douai 1529, †Florenz 13. 8. 1608, lernte bei J. DUBROEUCQ in Mons, ging 1554/55 für 2 Jahre nach Rom und war seit 1557 als Marmorbildhauer und Bronzebildner in Florenz vielseitig für Kirche und Hof tätig. Er schuf Brunnen (Neptunbrunnen, Bologna, 1563–66; Ozeanbrunnen, Florenz, Boboli-Garten, 1576 voll.), Reiterdenkmäler (Cosimo I., Florenz, Piazza della Signoria, 1587 bis 1594), Bronzetüren (Domfassade in Pisa, nach 1595), Einzelfiguren (Merkur, Florenz, Mus. Nazionale del Bargello, 1580; den 25 m hohen ›Apennin‹ in Pratolino, voll. 1581), Figurengruppen (Raub der Sabinerinnen, Florenz, Loggia dei Lanzi, 1579–83, BILD Manierismus), Altäre (Altar der Freiheit, Lucca, Dom, 1577–79), die Ausstattung von Kapellen (Salviatikapelle, Florenz, S. Marco, 1589) und eine Fülle von Kleinbronzen. Die Skulptur entwickelte er zur allansichtigen Freifigur. Er ist der bedeutendste Vertreter des Manierismus in der Bildhauerei, sein Ruhm zog einen internat. Schülerkreis nach Florenz, der G.s Stil über Europa verbreitete.

Giambọno [dʒamb'ɔːno], Michele, ital. Maler und Mosaizist, tätig in Venedig zw. 1420 und 1462, beeinflußt von JACOBELLO und GENTILE DA FABRIANO.

HW: Mosaiken des Marienlebens (Venedig, Markuskirche, Cappella dei Mascoli).

Giaquinto [dʒaku'into], Corrado, ital. Maler, *Molfetta 8. 2. 1703, †Neapel 1765, wurde von F. SOLIMENA ausgebildet und von S. CONCA beeinflußt. G. arbeitete seit 1723 in Rom, 1733 und 1735/39 in Turin und seit 1753 als Leiter der Academia de S. Fernando in Madrid, wo er den bis dahin vorherrschenden Barock in ein geistvoll-lebhaftes Rokoko abwandelte.

Giauque [ʒi'ɔk], Elsi, eigtl. **G.-Kleinpeter,** schweizer. Textilkünstlerin, *Wald-Zürich 15. 11. 1900, trug mit ihrem vielfältigen Wirken als Entwerferin, Gestalterin, Lehrerin zur Erneuerung der Textilkunst als selbständiger Gattung wesentlich bei.

Gibbons [g'ıbənz], Grinling, engl. Bildhauer und Holzschnitzer, *Rotterdam 4. 4. 1648, †London 3. 8. 1721, seit etwa 1667 in England, schuf außer monumentalen Bildwerken in Marmor und Bronze (Reiterdenkmal Jacobs II., 1686; heute vor der Nat. Gal., London) virtuos gearbeitete dekorative Holzschnitzereien (Holzwerk im Chor der St. Paul's Cathedral und der Bibl. des Trinity College in Cambridge).

Gibbs [gıbz], James, engl. Baumeister, *Footdeesmire bei Aberdeen 23. 12. 1682, †London 5. 8. 1754; vermittelte zw. Barock und Palladianismus; sein ›Book of architecture‹ (1728) diente Generationen von Architekten als Vorbild, v. a. auch in den USA.

Gibson [gıbsn], John, engl. Bildhauer, getauft Conway 19. 6. 1790, †Rom 27. 1. 1866, seit 1817 ebd., arbeitete unter dem Einfluß von A. CANOVA und B. THORVALDSEN im klassizist. Stil (Sitzfigur der Königin Victoria; um 1850, London, Parlamentsgebäude).

Giebel, die Fläche, die von den Schnittlinien der Schmalseite eines Gebäudes mit den Dachflächen eines Satteldaches begrenzt wird; i. d. R. ein Dreieck. Der G. wird vom Dach überragt **(gedeckter G.),** oder er überragt das Dach **(freier G.).** Der G. des grch. Tempels ist ein von Gesimsen umrahmtes, mit plast. Bildwerken geschmücktes flaches Dreieck (Tympanon, Giebelfeld), zuweilen mit einem →Akroter verziert. Die Baukunst des MA. bildete den G. als gedeckten oder freien G. aus. In der Romanik war der G. nahezu rechtwinkelig und schmuckarm. Die Gotik besetzte die Schrägen mit Krabben, bekrönte die Spitze mit einer Kreuzblume und schmückte das spitzwinkelig dreieckige G.-Feld mit Statuen und Maßwerk (→Wimperg). Bes. reich wurden die got. **Zier-G.** gebildet. Im Profanbau war neben dem einfachen Steil-G. der angestufte, das Dach überragende **Treppen-G. (Staffel-G.)** beliebt, der mit Zinnen, mit Maß- und Frieswerk, mit Blendbogen u. a. geschmückt sein konnte (bes. im norddt. Backsteinbau). Renaissance und Barock belebten die G.-Linie durch Volutenübergänge und gliederten die Fläche mit Pilastern und Säulen. Der Klassizismus wandte sich wieder dem flachgeneigten antiken G. zu (→Frontispiz 1). Seit der ital. Renaissance wurde der G. auch als dekoratives Motiv, z. B. als Fensterbedachung, verwendet. An der Barockfassade wechseln **Dreiecks-G.** und **Segment-G.** häufig in rhythm. Folge. Wird das rahmende Gesims im Mittelteil des G. weggelassen, entsteht der **gesprengte G.;** wird das Gesims vor- oder zurückgestuft, entsteht der **verkröpfte G.;** auch gibt es **geschweifte G.** und **Wellen-G.**

Giebelhaus, →Lukarne.

Giebelskulpturen, meist freiplast. Bildwerke, die den Giebel antiker grch. Bauten schmückten. Schon an den frühesten Tempeln ist das Bestreben zu beobachten, bildl. Darstellungen aus dem Leben der Götter anzubringen; das führte zur Ausbildung von bildtragenden Zonen auch in den nicht sehr geeigneten Giebel-

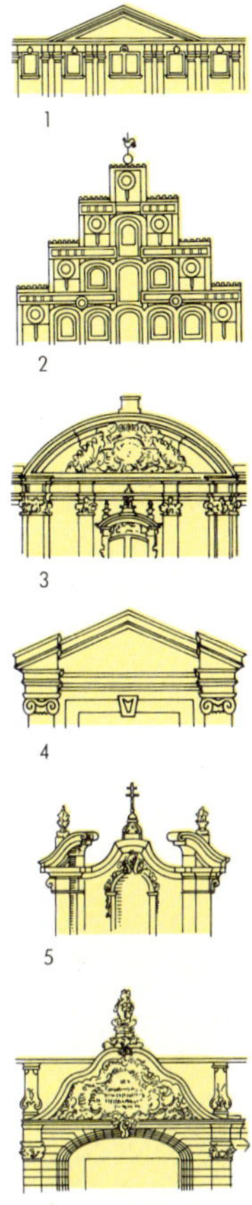

Giebel:
1 Dreiecksgiebel,
2 Treppengiebel,
3 Segmentgiebel,
4 verkröpfter Giebel,
5 gesprengter Giebel,
6 geschweifter Giebel

dreiecken des Tempels. Nach der Einführung des kanonischen Satteldachs im 7. Jh. v. Chr. (wohl in Korinth) entstanden wenig später die ersten G., z. B. in Korfu am Artemistempel (Anf. 6. Jh. v. Chr.). G. (meist aus Marmor oder Kalkstein) sind u. a. aus Ägina (BILD), Olympia und von mehreren Bauten der Athener Akropolis, v. a. des Parthenon, erhalten.

Gierymski [gjɛr'imski], **1)** Aleksander, poln. Maler, Bruder von 2), *Warschau 30. 1. 1850, †Rom 4. 5. 1901, malte nach Ausbildung in München (K. T. v. PILOTY) und Italien in Polen (1880–88) realist. Landschaftsbilder und Genreszenen v. a. aus dem jüd. Volksleben. Später abwechselnd in Dtl., Frankreich und Italien tätig, suchte G. in seinen Landschaftsbildern starke Stimmungsgehalte mit realist. Beobachtung und impressionistisch gesteigerten Farbwirkungen zu verbinden.

HW: Gartenlaube (1880–82; Warschau, Nat.-Gal.); Das Trompetenfest (1884; ebd.); Max-Joseph-Platz in München bei Nacht (1890; ebd.).

Poln. Malerei von 1830 bis 1914, hg. v. J. C. JENSEN (1978).

2) Maksymilian, poln. Maler, Bruder von 1), *Warschau 15. 10. 1846, †Reichenhall 16. 9. 1874, lebte seit 1867 meist in München; malte Jagd- und Reiterbilder, später auch Landschaften im Stil eines gedämpften, stimmungshaften Naturalismus.

M. G., Ausst.-Kat., Warschau (1974); Poln. Malerei von 1830 bis 1914, hg. v. J. C. JENSEN (1978).

Gies, Ludwig, Bildhauer, *München 3. 9. 1887, †Köln 27. 1. 1966, Vertreter des Expressionismus; Werke mit christl. Thematik, meisterhafte Kleinplastiken.

Giese, Ernst Friedrich, Baumeister, *Bautzen 16. 4. 1832, †Charlottenburg (heute Teil von Berlin-West) 12. 10. 1903, wurde nach 2jähriger Studienreise in Italien 1866 Prof. an der Akad. Düsseldorf, 1878 Prof. an der TH Dresden. Im historisierenden Stil der Neurenaissance schuf G. mit P. WEIDNER in Düsseldorf das Kunsthaus (1878), in Dresden den Hauptbahnhof (1895–99) und Wohnhäuser.

Gießen, Universitätsstadt in Mittelhessen, 75000 Ew.; im 2. Weltkrieg stark zerstört und modern wiederaufgebaut. Im Alten Schloß (14. Jh., 1893–1905 umgebaut, nach Kriegszerstörung wiederhergestellt) Mus. für Kunst und Kunsthandwerk; Neues Schloß (1533 bis 1539), ein langrechteckiger Fachwerkbau auf massivem Erdgeschoß; Zeughaus (1586–90); Burgmannenhaus (um 1350, Mus.). Klassizist. Wachthäuser der ehem. Kaserne (1817–19, jetzt Liebig-Mus.). Bei G. die Burgruinen **Gleiberg** und **Vetzberg** sowie die ehem. Augustinerchorherren-Stiftskirche **Schiffenberg** (1129 gegr., 1323–1809 dem Deutschen Orden gehörend), roman. schlichte Pfeilerbasilika in z. T. ruinösem Zustand.

Gifhorn, Stadt in Ndsachs., an der Aller, 34400 Ew.; trapezförmig angelegtes Schloß (1533–81) am Übergang der Spätgotik zur Renaissance. Barockkirche (1734–44).

Gifu, Stadt in Japan, etwa 130 km östlich von Kioto auf Honshu, 410400 Ew. Die ehem. Burgstadt an der histor. Handelsstraße Naka-Sen-do weist noch Reste

Giganten: Gigantomachie; Nordfries vom Siphnierschatzhaus in Delphi, vor 525 v. Chr. (Delphi, Museum) (Ausschnitt)

der histor. Stadtstruktur und der auf einem Berg gelegenen Burganlage auf. G. ist berühmt wegen seiner Herstellung von Lampionpapier (Mino Gami). Im Zen-Tempel Shoho-ji (17. Jh.) ist der größte Buddha (13,6 m) aus Papiermaché und Lack (vergoldet) aus der Gründungszeit der Stadt erhalten.

Gigante [dʒi-], Giacinto, ital. Maler, *Neapel 10. 7. 1806, †29. 11. 1876, erstrebte als Hauptvertreter der Künstlergruppe ›Scuola di Posillipo‹ eine Befreiung der neapolitan. Malerei von akadem. Strenge durch unmittelbare Naturbeobachtung.

Giganten, grch. Mythos: wilde, frevler. Riesen, Söhne der Gaia, aus den Blutstropfen des entmannten Uranos entstanden, unversöhnl. Gegner der olymp. Götter, von denen sie in Einzelkämpfen oder in einer großen Schlacht (Gigantomachie) besiegt wurden. Seit EURIPIDES (›Iphigenie auf Tauris‹) wurden die G. mit den unsterbl. →Titanen gleichgesetzt und häufig als Repräsentanten barbar. Unkultur aufgefaßt, die der Ordnung und Kultur weichen müssen. Gigantomachien wurden ab Mitte 6. Jh. v. Chr. beliebtestes Thema der grch. Kunst (Vasenmalerei, Reliefs der Kleinkunst, Architekturplastik: Fries am Siphnierschatzhaus in Delphi, Sockelfries des Pergamonaltars, Metopen am Parthenon, am Tempel in Kap Sunion und am Heraion in Argos). G. erschienen zunächst als schwergewappnete Krieger, dann nackt wie die Titanen. Die Römer folgten hellenist. Vorbildern (Sarkophage). Auch in der Neuzeit wurde das Thema Gegenstand der Kunst (P. DEL VAGA, G. RENI, A. FEUERBACH).

Gigantensäulen, →Jupitersäulen.

Gighti [ʒikt'i], ausgedehnte röm. Ruinenstadt in S-Tunesien am Golf von Bou Grara (mit Hafen); am besten erhalten ist das Forum, ferner Kapitolstempel, 4-Tempel-Anlage, Kurie, Gerichtsbasilika, Marktkomplex, Thermenanlagen. Innerhalb des im S gelegenen Villenviertels Merkurtempel (spätes 2. Jh.) mit Palästra und Minervatempel.

Gigola [dʒ'igola], Giovanni Battista, ital. Maler, *Brescia 1769, †Tremezzo 7. 8. 1841, tätig in Mailand. G. schuf, an J.-B. ISABEY geschult, Porträtminiaturen und kleine Gemälde mit mytholog. Szenen.

Gigoux [ʒig'u], Jean, frz. Maler, *Besançon 8. 1. 1806, †ebd. 12. 12. 1894, Schüler von T. GÉRICAULT; Historienbilder, Porträts und Lithographien. Seine Holzschnitte zum ›Gil Blas‹ von A. R. LESAGE (1835) sind ein HW der romant. Buchillustration; G. veröffentlichte die ›Causeries sur les artistes de mon temps‹ (1885).

Gilardi [dʒi-], Domenico, Dementij →Schiljardi.

Gilbert [g'ılbət], **1)** Cass, amerikan. Architekt, *Zanesville (Ohio) 24. 11. 1859, †Brockenhurst (Hampshire, England) 17. 5. 1934, verband bei seinen Geschäfts- und Verwaltungsbauten neue techn. Konstruktionsmethoden (→Skelettbau) mit der Tradition historisierender Fassadenornamentierung. Sein Woolworth Building in New York (1908–13) war bis in die 30er Jahre Vorbild vieler New Yorker Hochhäuser.

WW: Kapitol in St. Paul, Minnesota (1896–1903); Zollgebäude in New York (1899–1905); Oberster Gerichtshof, Washington (1935).

2) Sir (1871) John, engl. Maler und Illustrator, *London 21. 7. 1817, †ebd. 5. 10. 1897, schuf neben zahlreichen historisch-romant. Kompositionen in Öl und Aquarell Zeichnungen für Holzschnitte zu Illustrationen von Werken von W. SHAKESPEARE, W. SCOTT, J. MILTON und M. DE CERVANTES.

Gilbert & George [g'ılbət ænd dʒɔ: dʒ], engl. Künstlerteam mit GILBERT PROERSCH (*Dolomiten/Italien 17. 9. 1943) und GEORGE PASSMORE (*Totnes, Devon, 8. 1. 1942). Seit 1968 arbeiten sie als ›lebende Skulpturen‹. Themen sind die banalen Vorgänge des Alltags wie Spazierengehen, Trinken und Singen, die zu mehrstündigen Performances stilisiert und als Photographien zu ornamentalen Reihen arrangiert oder in scheinbar naiven Bildern und Zeichnungen reflektiert werden.

Gilbung, Maltechnik: Eigenschaft von Bindemitteln und Firnissen, im Alter nachzudunkeln. Öle gilben im Dunkeln und hellen im Licht wieder weitgehend auf, Harze gilben im Licht; Leime gilben fast nicht.

Gildehaus, →Zunfthaus.

Gil de Hontañón [xil ðe ɔntaɲ'ɔn], Rodrigo, span. Baumeister, *Rasines (Burgos) 1500, †Segovia 1577, zw. 1523 und 1577 am Bau bed. spätgot. Kathedralen Spaniens beteiligt (Salamanca, Segovia). Mit dem Bau des Palacio de Monterrey in Salamanca (1539) und seinem HW, der Univ. von Alcalá de Henares (1541 bis 1553), wurde er ein Wegbereiter des Platereskenstils.

Gilgamesch, frühgeschichtl. sumer. König von Uruk, der um 2600 v. Chr. lebte und dessen Taten in mehreren sumer. Kurzepen und dem babylon. Zwölftafel-Epos (mit Sintfluterzählung) verherrlicht wurden. Auf G. zu beziehende Bildwerke sind in der babylon. Kunst nicht sicher überliefert. Der Kampf mit dem Monster Huwawa ist wahrscheinlich auf einer Terrakottaplatte altbabylon. Zeit (heute Berlin-Ost, Staatl. Museen) und ähnlich auf einer altbabylon. Terrakotta des Louvre (G. über dem Haupt des Huwawa) dargestellt. Der Löwenbezwinger eines Monumentalreliefs von Chorsabad kann nicht mit G. identifiziert werden. Moderne Künstler (z. B. W. BAUMEISTER) haben den G.-Stoff mehrfach aufgegriffen.

Gill [gɪl], **1)** Arthur Eric Routon, engl. Bildhauer, Holzschneider, *Brighton 22. 2. 1882, †Uxbridge 17. 11. 1940, wurde durch seine Skulptur ›Mutter und Kind‹ (1912) bekannt, es folgten u. a. die Kreuzwegstationen für die Westminster Cathedral London (1914 bis 1918), der Torso ›Mankind‹ (1928; London, Tate Gal.).

2) Irving John, amerikan. Architekt, *Syracuse (New York) 1870, †Carlsbad (California) 7. 10. 1936, entwickelte nach seiner Mitarbeit bei L. H. SULLIVAN und Entwürfen in der Tradition der Shingle-Style-Architektur einen eigenständigen, A. LOOS verwandten architekton. Purismus. Für die Realisation (meist Einfamilienhäuser) nutzte er die damals neuen Möglichkeiten des Stahlbetonbaus (Dodge House, Los Angeles, 1916).

Gille, Christian Friedrich, Maler, *Ballenstedt (Kr. Quedlinburg) 20. 3. 1805, †Wahnsdorf bei Dresden 9. 7. 1899, lithographierte Landschaften, Genreszenen, Tierstücke und Porträts. Etwa seit 1830 malte G., von seinem Lehrer J. C. DAHL angeregt, frühimpressionist. Ölskizzen.

Gilles, Werner, Maler, *Rheydt 29. 8. 1894, †Essen 23. 6. 1961, studierte u. a. bei L. FEININGER, war lange in Frankreich und Italien (in den späteren Jahren v. a. auf Ischia). G. gestaltete in leuchtenden Farben Mythisches und Unbewußtes in visionärer Symbolsprache mit abstrakten und surrealist. Elementen.

Mytholog. Landschaften, 16 Farbtafeln, hg. v. E. GÖPEL (1962); C. LAMP: W. G. (1965); W. G., Ausst.-Kat., Bonn (1973).

Gillot [ʒil'o], Claude, frz. Maler, Stecher und Radierer, getauft Langres 27. 4. 1673, †Paris 4. 5. 1722, schuf kleine Bilder mit komischen Themen und Theaterszenen, dekorative Malereien (Entwürfe für Operndekorationen u. a.) und später bes. graph. Arbeiten (u. a. 67 Radierungen zu A. HOUDAR DE LA MOTTES ›Fabeln‹, 1719). Durch seinen Einfluß auf A. WATTEAU kann G. als Wegbereiter des Rokoko in Frankreich (Louis-quinze) angesehen werden.

Gillray [g'ɪlreɪ], James, engl. satir. Zeichner, Radierer, *Chelsea 13. 8. 1757, †London 1. 6. 1815, schuf grob sarkast. Darstellungen von Personen und Szenen; auch Zeichnungen zu polit. Themen (BILD Karikatur).

Abkürzungen

Endungen oder Wortteile werden zur Raumersparnis weggelassen, wo sie ohne Schwierigkeit ergänzt werden können, z. B. abgek. für abgekürzt; Abt. für Abteilung; geistl. für geistliche(r); künstler. für künstlerische(r). An stärkeren, formelhaften Abkürzungen werden verwendet:

Abk.	Abkürzung
ags.	angelsächsisch
ahd.	althochdeutsch
Akad.	Akademie
allg.	allgemein
Am.	Amos (A. T.)
Anf.	Anfang
Apg.	Apostelgeschichte (N. T.)
Art.	Artikel
ASSR	Autonome Sozialistische Sowjetrepublik
a. St.	alten Stils
A. T.	Altes Testament
Aufl.	Auflage
Ausst.-Kat.	Ausstellungskatalog
Ausw.	Auswahl
Auton. Geb.	Autonomes Gebiet
Bad.-Württ.	Baden-Württemberg
Bar.	Baruch (A. T.)
Bd., Bde.	Band, Bände
bed.	bedeutend
beg.	begonnen
begr.	begründet
Beitr.	Beitrag, Beiträge
bes.	besonders
best.	bestimmt
Bev.	Bevölkerung
Bez.	Bezirk, Bezeichnung
Bibl.	Bibliothek, Bibliothèque, Biblioteca
Bundesrep. Dtl.	Bundesrepublik Deutschland
Chr.	Christus; Chronik (A. T.)
Cod.	Codex
Coll.	Collection
ČSSR	Tschechoslowakei
Cty.	County oder -ties
d. Ä.	der (die) Ältere
Dan.	Daniel (A. T.)
Dep.	Departamento
Dép.	Département
dgl.	dergleichen, desgleichen
d. Gr.	der Große
d. h.	das heißt
Distr.	Distrikt
d. J.	der (die) Jüngere
dt.	deutsch
Dt. Dem. Rep.	Deutsche Demokratische Republik
Dtl.	Deutschland
Dtn.	Deuteronomium (A. T.)
ebd.	ebenda
ed., Ed.	editio, Edition
ehem.	ehemalig, ehemals
eigtl.	eigentlich
Einl.	Einleitung
Enz.	Enzyklopädie
Eph.	Epheserbrief (N. T.)
Erg.	Ergänzung
erh.	erhalten
Esr.	Esra (A. T.)
Est.	Esther (A. T.)
e. V.	eingetragener Verein
evang.	evangelisch
Ew.	Einwohner
Ex.	Exodus (A. T.)
Ez.	Einzahl; Ezechiel (A. T.)
f., ff.	folgend, folgende (z. B. Seiten, Jahre)
Faks.-Ausg.	Faksimileausgabe
Fam.	Familie
Frhr.	Freiherr
frz.	französisch
Fstt.	Fürstentum
Gal.	Galerie, Galérie, Galleria; Galaterbrief (N. T.)
gegr.	gegründet
Gem.	Gemeinde
gen.	genannt
Gen.	General; Genesis (A. T.)
Gen.-Gouv.	Generalgouvernement, Generalgouverneur
Ges.	Gesetz; Gesellschaft
Gesch.	Geschichte
Ges. W.	Gesammelte Werke
gew.	geweiht
Gfsch.	Grafschaft
ggf.	gegebenenfalls
Ghzgt.	Großherzogtum
Gouv.	Gouverneur, Gouvernement
grch.	griechisch
H.	Hälfte
Hab.	Habakuk (A. T.)

Hag.	Haggai (A. T.)
Hb., Hbb.	Handbuch, -bücher
hd.	hochdeutsch
hebr.	hebräisch
Hebr.	Hebräerbrief (N. T.)
Hg.	Herausgeber(in)
hg. v.	herausgegeben von
Hi.	Hiob (A. T.)
Hl., hl.	Heilige(r), heilig
Hld.	Hohelied (A. T.)
Hos.	Hosea (A. T.)
Hs., Hss.	Handschrift(en)
HW	Hauptwerk(e)
Hwb.	Handwörterbuch
Hzgt.	Herzogtum
i. a.	im allgemeinen
i. d. R.	in der Regel
i. e. S.	im engeren Sinn
i. Ggs.	im Gegensatz
i. J.	im Jahre
internat.	international
i. S.	im Sinn
ital.	italienisch
i. w. S.	im weiteren Sinn
Jahrtsd.	Jahrtausend
Jak.	Jakobusbrief (N. T.)
Jb.	Jahrbuch
Jdt.	Judith (A. T.)
Jer.	Jeremia (A. T.)
Jes.	Jesaja (A. T.)
Jh.	Jahrhundert
Jo.	Joel (A. T.)
Joh.	Johannesevangelium (N. T.), Johannesbrief (N. T.)
Jon.	Jona (A. T.)
Jos.	Josua (A. T.)
jr.	junior, der jüngere
Jud.	Judasbrief (N. T.)
Kap.	Kapitel
Kat.	Katalog
kath.	katholisch
Kgr.	Königreich
Klgl.	Klagelieder des Jeremia (A. T.)
Kol.	Kolosserbrief (N. T.)
Kön.	Könige (A. T.)
Kor.	Korintherbrief (N. T.)
Kr.	Kreis
Kt.	Kanton
lat.	lateinisch
Lb.	Lehrbuch
Lev.	Levitikus (A. T.)
Lex.	Lexikon
Lfg.	Lieferung(en)
Lit.	Literatur
Lk.	Lukasevangelium (N. T.)
Lw.	Lehnwort
MA., ma.	Mittelalter, mittelalterlich
magy.	magyarisch
Makk.	Makkabäer (A. T.)
Mal.	Maleachi (A. T.)
max.	maximal
md.	mitteldeutsch
Metrop. Area	Metropolitan Area
Metrop. Cty.	Metropolitan County
mhd.	mittelhochdeutsch
Mi.	Micha (A. T.)
Mio.	Million(en)
Mitgl.	Mitglied
Mk.	Markusevangelium (N. T.)
mlat.	mittellateinisch
mnd.	mittelniederdeutsch
Mos.	Mose (A. T.)
Mrd.	Milliarde(n)
Mt.	Matthäusevangelium (N. T.)
Mus.	Museum, Musée, Museo
Mz.	Mehrzahl
N	Nord(en)
n.	nach
Nachdr.	Nachdruck
Nah.	Nahum (A. T.)
Nat.	National
n. Ausg.	neue Ausgabe
n. Chr.	nach Christi Geburt
Ndsachs.	Niedersachsen
Neh.	Nehemia (A. T.)
Neuaufl.	Neuauflage
ngrch.	neugriechisch
nhd.	neuhochdeutsch
nhg.	neu herausgegeben
nlat.	neulateinisch
NO	Nordost(en)
NÖ	Niederösterreich
NRW	Nordrhein-Westfalen
n. St.	neuen Stils
N. T.	Neues Testament
Num.	Numeri (A. T.)
NW	Nordwest(en)
O	Ost(en)
Ob.	Obadja (A. T.)
Offb.	Offenbarung des Johannes (N. T.)
o. J.	ohne Jahr
OÖ	Oberösterreich
orth.	orthodox
österr.	österreichisch
Petr.	Petrusbrief (N. T.)
PH	Pädagogische Hochschule
Phil.	Philipperbrief (N. T.)
Phlm.	Philemonbrief (N. T.)
Präs.	Präsident
prot.	protestantisch
Prov.	Provinz

Ps.	Psalmen (A. T.)
rd.	rund
ref.	reformiert
Reg.-Bez.	Regierungsbezirk
relig.	religiös
Rep.	Republik
Rheinl.-Pf.	Rheinland-Pfalz
Ri.	Richter (A. T.)
Röm.	Römerbrief (N. T.)
Russ. SFSR	Russische Sozialistische Föderative Sowjetrepublik
S	Süd(en)
S.	San, Santo, Santa, São
Sach.	Sacharja (A. T.)
Sam.	Samuel (A. T.)
Samml.	Sammlung
Schlesw.-Holst.	Schleswig-Holstein
Schriftst.	Schriftsteller
Sir.	Jesus Sirach (A. T.)
Skt.	Sanskrit
SO	Südost(en)
Spr.	Sprüche (A. T.)
SS.	Santi, Santissima, Santissimi
SSR	Sozialistische Sowjetrepublik
St.	Sankt, Saint
Ste.	Sainte
svw.	soviel wie
SW	Südwest(en)
Tb.	Taschenbuch
TH	Technische Hochschule
Thess.	Thessalonicherbrief (N. T.)
Tim.	Timotheusbrief (N. T.)
Tit.	Titusbrief (N. T.)
Tl., Tle.	Teil(e)
Tob.	Tobias (A. T.)

TU	Technische Universität
u. a.	unter anderem(n), und andere(s)
u. ä.	und ähnliche(s)
UdSSR	Sowjetunion
u. d. T.	unter dem Titel
ü. M.	über dem Meeresspiegel
u. M.	unter dem Meeresspiegel
Univ.	Universität, University, Université
urspr.	ursprünglich
USA	Vereinigte Staaten
usf.	und so fort
usw.	und so weiter
u. U.	unter Umständen
u. v. a.	und viele(s) andere
v. a.	vor allem
v. Chr.	vor Christi Geburt
Verf.	Verfasser
versch.	verschieden(e)
Verz.	Verzeichnis
vgl.	vergleiche
voll.	vollendet
Vors.	Vorsitzender
VR	Volksrepublik
W	Westen
Wb.	Wörterbuch
Weish.	Buch der Weisheit (A. T.)
Wiss.	Wissenschaft
WW	Weitere(s) Werk(e)
Wwschaft	Woiwodschaft
z. B.	zum Beispiel
Zeph.	Zephanja (A. T.)
z. T.	zum Teil
Ztschr.	Zeitschrift
zus.	zusammen
zw.	zwischen
z. Z.	zur Zeit
^{3}1977	3. Aufl. 1977
3(1977)	Band 3 (1977)

Weitere Zeichen: * geboren, † gestorben, ⚭ verheiratet, Ø Durchmesser.